JMB

DE MORT NATURELLE

MICHAEL PALMER

DE MORT NATURELLE

roman

traduit de l'américain par

ERIC WESSBERGE

BERNARD GRASSET
PARIS

L'édition originale de cet ouvrage a été publiée par Bantam Books, à New York, en 1994, sous le titre :

NATURAL CAUSES

A Luke Harrison Palmer
Bienvenue, grand bonhomme

REMERCIEMENTS

Si vous avez lu la note sur l'auteur, lisez aussi cette page. Les personnes citées ci-dessous ont beaucoup à voir avec lui et je leur exprime ici ma plus profonde gratitude.

Beverly Lewis, mon éditeur et ami donne tout son sens à l'expression un cadeau du ciel.

Linda Grey et Irwyn Applebaum de chez Bantam, ma maison d'édition, m'ont toujours encouragé et apporté leur aide judicieuse.

Jane Rotrosen, Don Cleary, Stéphanie Laidman, Meg Ruley et Andrea Cirillo de l'Agence Rotrosen ont influencé mes livres et ma carrière d'écrivain.

Le Dr Rick Abisla et le Dr Dolores Empsak des hôpitaux de Falmouth et de Swampscott dans le Massachusetts m'ont donné des informations précieuses sur leur spécialité.

Les avocats Marcia Divoll, Joanne Colombani Smith et Ginni Ward de Boston ont fait la même chose dans le domaine juridique.

Les infirmières Jeanne Jackson et Carolyn Moulton de l'hôpital de Falmouth m'ont fait découvrir les possibilités thérapeutiques des médecines douces. Le Dr Bud Waisbren de l'hôpital d'Ipswich m'a aidé et encouragé à un moment particulièrement difficile de l'écriture du livre.

Le Dr Richard Dugas en me forçant à faire une partie de bridge de temps en temps a sans doute contribué à préserver mon équilibre mental. John Saul et Michael Sack ont su trouver les mots justes au bon moment.

Et enfin je remercie affectueusement mon épouse qui a encore une fois supporté mes humeurs d'écrivain avec une patience et un tact remarquables.

M.S.P.
Swampscott, Massachusetts

Prologue

Ça faisait deux heures qu'ils roulaient. Au début, Constanza Hidalgo les avait à peine ressenties. Maintenant, les contractions s'accéléraient. Son fiancé donna un léger coup de volant et se plaça sur la bretelle de sortie de la I-95.

– Ça vient, Billy, je te jure, là, je les sens vachement.

– Lâche-moi un peu, veux-tu ? Tu dis ça depuis un mois et tu en as encore un à tirer.

– J'aurais dû rester à la maison.

– T'aurais dû, t'aurais dû... Tu fais ce qu'on a dit : tu viens à New York et tu m'aides à dealer ce plan, voilà.

– Pourquoi t'as pas pris la Mercedes ? Ça craint, ces sièges.

En fait, elle savait. Il ne risquait pas de changer ses habitudes ; la 500 SL était trop voyante. Un coup à se faire repérer illico. Ou à se la faire voler, carrément. Et la vieille familiale Ford, il ne connaissait que ça, son homme, dès qu'il quittait Manhattan. Billy avait planqué un sacré paquet de fric sous la banquette arrière. Combien, elle ne savait pas, mais beaucoup plus que les autres fois.

Elle serra les dents sous une nouvelle contraction et regarda le paysage en essayant de s'étourdir avec le défilement des pubs et des lumières. Son visage plein et sensuel où brillaient deux grands yeux noirs se reflétait dans la vitre. Elle n'avait pas besoin de se forcer pour attirer les hommes. A 14 ans elle avait déjà accouché d'une fille qu'on lui avait enlevée aussitôt. De toute façon, elle n'en voulait pas. Mais là, dix ans après... Connie ferma les yeux et remercia le Bon Dieu de la nouvelle chance qu'il lui offrait. Cool, ma fille, se dit-elle. Tu vas le faire sans problème, ce môme, sans problème. Et elle soupira :

– Mon chou, je t'aime, mon Billy.

Il tourna la tête et la regarda, content de lui.

– Allume donc le pétard, si tu m'aimes.

Et il en sortit un tout beau tout chaud de dessous le siège, qu'il humecta et lui tendit.

– Arrête, Billy, le bébé.

– Pas un joint, ma grande, fais-moi confiance. Du crack, oui. Est-ce que je t'ai laissée faire une ligne, une seule, depuis que tu es enceinte ? Tu vois. Mais le joint, non, t'inquiète.

– Ouvre au moins les fenêtres.

Constanza alluma le joint et le lui donna. Quand il exhala la fumée, elle l'inhala, malgré elle. Comme toujours Billy avait raison. Durant sa première grossesse, elle n'avait pas cessé de fumer, cigarettes et marijuana, ce qui ne l'avait pas empêchée de faire un beau bébé parfaitement sain.

– Bon, écoute, dit Billy. Manny Diaz, c'est pas une flèche, mais après tous les coups qu'on a réussis ensemble, je lui fais confiance, surtout que tu seras là pour traduire s'il refuse de parler en anglais. Mais il faut être hyper prudents, parce que cette transaction est plus importante que les autres. Tu resteras devant le bâtiment en laissant le moteur tourner. Tant que je ne serai pas sorti et que je ne t'aurai pas fait signe, tu gardes les portières fermées. Si tu vois quoi que ce soit d'anormal, je dis bien quoi que ce soit, tu te barres et tu appelles mon cousin Richard à Newark. T'as pigé ?

– Oui, oui, j'ai pigé.

Une nouvelle contraction lui noua les tripes. Connie crispa ses mâchoires et posa sa main sur son ventre. Elle avait déjà eu deux fausses alertes en quinze jours et essaya de se persuader que c'en était une de plus. Elle jeta un œil à la montre de Billy. Si les contractions s'accentuaient, elle commencerait à les chronométrer.

Mais tandis qu'elle s'efforçait de minimiser son malaise, Connie ressentit un autre symptôme, un fourmillement au bout des doigts. Ça n'était pas franchement douloureux, c'était plutôt un engourdissement, une déplaisante absence de sensations. A la sortie de Stamford, cependant, l'engourdissement s'était mué en une démangeaison électrique qui empirait quand elle appuyait dessus. Tassée dans la pénombre, elle testa ses doigts un par un. Tous lui faisaient mal.

C'est nerveux, pensa-t-elle. Billy avait rallumé le joint. Une taffe ne lui ferait pas de mal, ça la soulagerait même certainement beaucoup. Elle tendit la main, lui prit le joint et, serrant les lèvres sur le filtre en carton, aspira de toutes ses forces. Ça faisait presque six mois qu'elle n'avait pas tiré sur un smok, ne fût-ce qu'une seule fois. Une malheureuse bouffée ne pouvait nuire à son bébé. En fait, raisonna-t-elle, le petit être, avec ce qui l'attend, a sûrement besoin de planer un peu. Plus que moi, si ça se trouve.

Passé New Rochelle, Connie avait fumé toute seule ce qui restait du joint. Le picotement dans ses doigts continuait et elle ressentait toujours des contractions toutes les cinq à six minutes, mais c'était supportable.

– Je me sens mieux, Billy, dit-elle.

– C'est bien ; je le savais, ma puce.

Mais deux kilomètres plus loin, elle commença à ressentir le même fourmillement dans les doigts de pied. Elle eut peur et roula un autre joint.

– Eh oh ! molo avec l'herbe ! protesta-t-il.

– Je crois que le bébé est en train de venir, Billy.

– Oui, eh bien, j'espère qu'il restera en place jusqu'à ce qu'on ait fini. Et si ça foire, il ferait mieux de ne pas venir du tout.

– Billy, je suis sérieuse, je t'assure.

– Mais moi aussi ! Est-ce que j'ai l'air de rigoler ? (Il jeta un coup d'œil nerveux à sa montre.) Ça marche, on est pile dans les temps. Chérie, on fait ce plan, je t'assure, et après, fini le deal à la petite semaine, crois-moi. Dominique veut me tester. Ça fait un moment qu'il attendait cette occasion. Ça va gazer, promis.

Rassurée par l'accent de conviction de son homme, Constanza referma les yeux, essayant d'oublier les démangeaisons qui ne cessaient pas. Billy avait raison. Il n'y allait pas seulement de leur argent, mais de leur avenir. Les hommes n'avaient jamais pensé qu'à une chose en la voyant : la sauter. D'abord bille en tête quand elle était grosse et moche, puis en y mettant les formes parce qu'elle était devenue belle et séduisante, mais toujours avec la même idée fixe derrière la tête. Seul Billy s'était montré différent. Il avait fait d'elle sa femme. Et dès le début, il l'avait respectée. A présent, ils attendaient un enfant. Il lui avait promis qu'il l'épouserait dès que ce coup-là serait fini.

Quoi qu'il en coûte, elle aiderait Billy Molinaro ce soir... si seulement ces maudites douleurs voulaient bien la lâcher un peu.

Au prix d'un effort qui faillit lui arracher des larmes, elle tendit le bras pour allumer le plafonnier.

– Hé ! qu'est-ce que tu fais ? demanda Billy.

– Je... je cherche juste une cassette.

Elle observa ses mains et les fourra sous son sac pour qu'il ne les voie pas avant de refermer la lumière. Ses dix doigts, depuis la première phalange jusqu'à l'ongle, étaient noircis, le reste des mains gris comme la cendre.

– Alors ?

– Alors quoi ?

– T'as choisi quoi, comme cassette ?

– Oh ! heu... j'aime mieux rien mettre, finalement.

Mon Dieu, implora-t-elle, donnez-moi encore une heure, par pitié, rien qu'une heure.

Il était minuit passé lorsqu'ils arrivèrent sur les quais de Harlem River, qu'ils quittèrent pour bifurquer dans la 116e Rue. Constanza souffrait moins des contractions elles-mêmes que de la peur de ne pas pouvoir tenir le volant, à plus forte raison conduire, quand ils parviendraient au lieu du rendez-vous. Sa main gauche, aussi raide qu'une pince de crabe à présent, était presque paralysée, et bien qu'elle pût remuer la droite, le moindre mouvement lui causait d'atroces douleurs dans le bras.

La tête en arrière et les yeux mi-clos, elle continuait à prier.

– Bon, nous y sommes, chérie, dit Billy en s'arrêtant sous un réverbère devant un immeuble délabré. Ces mecs-là ont une peur bleue de Dominique, ça m'étonnerait qu'ils fassent des embrouilles, mais vaut mieux être prudents quand même, on ne sait jamais. Donc, tu restes ici en laissant le contact, moi je monte vérifier la came et si c'est bon, on redescend faire la transaction dans la rue. OK ? Connie ? je t'ai demandé si t'étais OK...

Connie, qui sentait son cœur battre jusque dans ses doigts et ses orteils, se mordit les lèvres sous le coup d'une contraction particulièrement violente. Comme celle-ci se calmait, cependant, elle sentit qu'un liquide chaud lui coulait entre les jambes. Elle perdait les eaux.

– Vite, mon chou, dépêche-toi, balbutia-t-elle. Ça vient, je te jure. Je suis sûre que je vais accoucher. Il... il faut que j'aille à l'hosto.

Billy attrapa la trousse de matériel destinée à tester la coke et ajusta l'étui de son calibre sous son aisselle.

– Eh bien, t'es priée de le garder jusqu'à ce qu'on ait fini, dit-il sèchement. Vu ? (Il lut la souffrance sur son visage et se radoucit.) Connie, ma puce, t'en fais pas, tout va s'arranger. Dès que j'aurai fini de traiter avec Diaz, je t'emmène voir le meilleur toubib de New York.

– Mais...

– Bon, n'oublie pas, hein ? Tu fermes les portières et tu surveilles l'immeuble. Je t'aime.

– Moi aussi, fit-elle – mais il était déjà sur le trottoir.

Elle se glissa derrière le volant en grimaçant et verrouilla la porte gauche. Perdre les eaux, c'est pas dramatique, se disait-elle, répétant ce qu'on leur avait seriné pendant la préparation à l'accouchement. Cinq minutes s'écoulèrent, puis cinq autres. Les contractions étaient pires que jamais.

Incapable de maîtriser son affolement, elle ralluma la lampe pour examiner à nouveau ses doigts. Ses mains grises et froides aux phalanges noircies ressemblaient à du bois mort. Elle se regarda dans le rétroviseur. Son visage non plus n'était pas normal. Il lui fallut plusieurs secondes pour réaliser que les deux filets de liquide sombre qui ruisselaient de ses narines et lui poissaient les lèvres étaient du sang.

– S'il te plaît, Billy, je t'en prie, dépêche-toi, gémit-elle.

Elle fouillait nerveusement dans son sac à la recherche d'un mouchoir lorsqu'elle remarqua une grosse tache écarlate qui s'élargissait sur sa salopette. Ça n'était pas du tout l'humeur claire ou légèrement teintée dont leur avait parlé la sage-femme. C'était du sang ! Connie fut prise de vertige. Elle essaya d'éponger son nez qui maintenant pissait abondamment jusque sur sa chemise. Ses bras pesaient comme du plomb.

– Au secours ! cria-t-elle. Quelqu'un, vite, au secours !

Elle réalisa alors que les mots n'étaient pas sortis de sa bouche. Sa gorge était complètement nouée. Sa vue se brouilla. Tout le côté gauche de son corps était paralysé. Une terreur panique s'empara d'elle.

Au même moment, le pare-brise du véhicule explosa, projetant une pluie d'éclats de verre sur son visage. Aveuglée par le sang, elle se frotta les yeux d'un revers de main et découvrit Billy affalé sur le capot les bras en croix, la tête fracassée ballant au-dessus de la boîte à gants. Connie se mit à hurler de toutes ses forces, sans plus de succès qu'avant.

Par le trou béant du pare-brise, elle vit plusieurs hommes s'approcher. Mue par un pur réflexe de fuite, elle abattit la main sur le levier de vitesse et enclencha la première. La familiale bondit en avant, renversant au moins un des hommes et accrochant plusieurs voitures en stationnement, vira dans la Troisième Avenue sur les chapeaux de roue, le corps de Billy tomba sur la chaussée. Connie, plus morte que vive, tourna la tête juste à temps pour apercevoir deux phares menaçants et le rictus d'une calandre de camion.

Il y eut un choc effrayant, suivi d'un fracas de tôles broyées et une douleur foudroyante irradia dans son corps, puis, tout aussi soudainement, régna la paix et le silence.

1

1er JUILLET : LA RELÈVE

Onze kilomètres exactement séparaient l'appartement de Sarah Baldwin, situé à North End, du centre hospitalier universitaire de Boston. Ce jour-là – un lundi – les routes étaient sèches, l'humidité faible et, à 6 heures du matin, le trafic quasiment nul.

Les yeux mi-clos, Sarah scruta le ciel matinal, comme pour évaluer la journée qui l'attendait. Dix-neuf minutes, quarante-cinq secondes, prédit-elle mentalement.

Elle enfourcha son vélo, un Fuji douze vitesses, mit son casque et régla son chronomètre à zéro. Elle s'était fixé une marge de quinze secondes à ne pas dépasser, à l'aller comme au retour. La plupart du temps, cette compétition avec elle-même se soldait par un succès. Depuis deux ans qu'elle faisait ce trajet à bicyclette, la précision de son pronostic s'était affinée grâce à une foule de variables dépendant de son humeur et de son emploi du temps. Mardi ou mercredi ? comptez trente secondes de plus. Vrai café au lieu de déca au petit déjeuner ? quarante secondes de moins. Deux nuits d'affilée sans être de garde ? une minute de plus, minimum. Aujourd'hui, le facteur décisif se situerait quelque part entre son envie de pédaler suffisamment pour se sentir en forme et pas assez pour être en nage.

Elle jeta un coup d'œil à la rangée de maisons pimpantes bordant sa rue étroite, déclencha son chrono et s'élança. Jadis d'une exigence quasi fanatique sur sa forme physique, elle avait finalement abandonné toute forme d'entraînement hormis son sprint quotidien. Elle allait jusqu'à la limite de ses forces pour se rendre à son travail, se douchait à l'hôpital, puis endossait sa blouse pour faire ses visites. Mais aujourd'hui, rien ne serait comme d'habitude. Au centre hospitalier de Boston, comme dans la plupart des CHU du pays, le 1er juillet, c'était le jour de la relève.

Pour les médecins stagiaires, quelle que soit leur spécialité, cette journée était décisive, un rite de passage particulièrement important. De jeunes diplômés tout frais émoulus de la fac entamaient leur première année d'internat. Ceux qui la veille encore étaient internes de première année se retrouvaient brusquement propulsés en deuxième année. Pour Sarah, le changement consisterait à passer du statut d'interne de deuxième année spécialisée en obstétrique et gynécologie, à celui d'interne de troisième année dans les mêmes disciplines. Du jour au lendemain, moins de supervision et plus de responsabilités, pratiquement jour et nuit, surtout au bloc opératoire. Son expérience de l'an passé et celle, encore plus éprouvante, de l'année d'avant l'aidaient à prendre de la distance et à supporter la tension qu'elle ressentait à l'aube de ce jour capital.

Encore une année et, sauf incident de parcours, Sarah serait nommée chef de service. Au 1er juillet prochain, ses décisions, son jugement clinique seraient souverains et c'est elle qui aurait le dernier mot dans presque toutes les situations. Gravité et modestie s'imposaient à cette perspective. Bien que le poste de chef de service dans un établissement relativement secondaire comme le CHU de Boston ne fût en rien comparable au poste équivalent dans un grand centre comme le White Memorial ou d'autres CHU encore plus importants, c'était tout de même impressionnant, d'autant plus que sept ans auparavant, l'idée même de devenir médecin ne l'aurait pas effleurée.

Elle sélectionna le troisième pignon avant d'attaquer la côte de Beacon Hill, puis pédala sans effort à travers Back Bay. A quelques pâtés de maisons devant elle se dressait l'énorme bâtiment en pierre de taille qui abritait autrefois l'Institut de médecine douce Ettinger. Comme à chaque fois qu'elle passait devant cet immeuble, elle s'interrogea au sujet de Peter Ettinger. Pourquoi ne répondait-il jamais au téléphone, ni à aucune de ses lettres ? Était-il marié ? Était-il heureux ? Et qu'était devenue Annalee, la fillette malienne qu'il avait adoptée ? Elle avait 15 ans lorsque Sarah était partie. Toutes deux étaient très liées et la fin subite de leur relation avait été douloureusement ressentie par Sarah.

Trois ans plus tôt, à son retour d'Italie, son diplôme en poche, Sarah s'était arrêtée à l'Institut. Cet endroit qui avait été jadis son domicile et le centre de sa vie professionnelle, était devenu une résidence de luxe divisée en six appartements. Le nom de Peter ne figurait pas sur la liste des copropriétaires.

Quelques mois plus tard, elle avait appris que Xanadu, la coopérative de médecine douce de Peter, avait établi ses quartiers dans les collines à l'ouest de la ville. J'irai y faire un tour un de ces jours, s'était-elle dit. Peut-être qu'un face-à-face pourrait permettre une discussion.

Mais elle n'en avait rien fait.

Distraite, Sarah franchit un carrefour au feu orange sans ralentir, s'attirant un geste obscène de la part d'un chauffeur de taxi qui s'apprêtait à démarrer au vert.

Fais attention, se dit-elle. Fais très attention. Ce n'est pas le jour pour se retrouver aux urgences.

En s'engageant sur la route d'accès au campus, Sarah vérifia l'heure. Déjà plus de vingt minutes. Elle mit pied à terre et décida de faire à pied les quelques centaines de mètres qui restaient. Bien qu'elle n'eût pas décelé de sens prémonitoire dans ses performances, elle ne put s'empêcher de remarquer que ce premier jour de l'année hospitalière commençait par un échec personnel.

Devant elle, un piquet de grève occupait les deux côtés de la route, les mécontents brocardant les employés qui rentraient et braillant à l'occasion quelques slogans discordants. Le CHU de Boston n'avait connu aucun conflit social depuis plus d'une semaine, un record, pour autant que Sarah se souvienne. Mais une nouvelle catégorie de travailleurs venait de reprendre le sentier de la guerre. Elle essaya de deviner laquelle. Les filles de salle, les infirmières, les surveillantes, le personnel de nettoyage, d'entretien, de sécurité, les diététiciens, les secrétaires, les kinés, les ambulanciers, tous, les uns après les autres, avaient manifesté leur ras-le-bol. Aujourd'hui, c'étaient les équipes techniques d'entretien.

GLENN PARIS DÉMISSION !

BOSTON : TON CHU A DÉCHU

PARIS BRÛLE-T-IL ?

L'ENTRETIEN VEUT VIVRE, PAS SE FAIRE ENTRETENIR

EVERWELL OUI ! ASSISTANCE PUBLIQUE NON !

Les banderoles, pour la plupart, avaient été imprimées par un professionnel. Quel que fût leur litige avec l'administration de l'hôpital, nota Sarah, la caisse syndicale de ces travailleurs devait être pleine.

– Bonne journée pour une manif, hein ?

Andrew Truscott, interne de troisième année en chirurgie vasculaire, venait de s'approcher d'elle. Originaire de Sydney, Truscott avait un esprit caustique que son accent australien, modulable à volonté, rendait encore plus crispant. Agé de 36 ans, c'était le seul interne du même âge que Sarah. Il était difficile à dégeler, au moral comme au physique, d'un traditionalisme étroit, ancré dans ses opinions et trop souvent sarcastique. Mais c'était un chirurgien sacrément habile. Tous deux s'étaient rencontrés le jour de l'arrivée de Sarah à l'hôpital et avaient rapidement fait connaissance. Au début, Sarah avait espéré que leur relation, une certaine fraternité entre collègues, se transformerait en véritable amitié. Mais il s'avéra bientôt qu'Andrew n'autorisait personne à l'hôpital, pas plus elle que quiconque, à franchir les limites de cette fraternité.

Sarah, cependant, appréciait le contact de Truscott et avait incontestablement bénéficié de son expérience en tant que chirurgien. S'il n'avait pas été marié, elle aurait volontiers usé de ses charmes pour tenter de briser sa réserve. A ce point de sa carrière, elle n'avait toujours pas résolu la contradiction lancinante entre son envie de se surpasser dans sa propre discipline et son besoin d'amour, de sexe et de tout ce qui donnait un prix à l'existence en dehors de l'hôpital.

– Au centre hospitalier de Boston, un 1er juillet ne se conçoit pas sans un piquet de grève ou deux, vous ne croyez pas ?

– Vous parlez d'un centre hospitalier !... Devant le pavillon de droite, une file de drogués professionnels essayant d'embobiner les nouveaux internes à coups de chantage aux calculs rénaux ou à l'hernie discale. Et devant celui de gauche, une file de technos irresponsables résolus à paralyser l'hosto si on ne les augmente pas séance tenante... Ah, elle est belle la médecine !

– Leurs slogans sont de plus en plus tendancieux, observa Sarah. Vous avez vu l'appel du pied qu'ils font à Everwell ?

– Quelqu'un a dû leur dire que si Everwell nous rachetait, ils seraient augmentés illico.

– Ça ne risque pas d'arriver.

– Allez donc le leur dire, fit Truscott en souriant.

Depuis plusieurs années, l'ambitieuse, certains disaient même la cupide Mutuelle Générale Everwell, guettait comme un loup affamé le CHU de Boston, tandis que celui-ci croulait sous une avalanche de problèmes fiscaux, de troubles sociaux et de controverses relatives à l'introduction des médecines parallèles dans ses services en complément des soins traditionnels. Statutairement, il suffisait d'un vote favorable du conseil d'administration, sous réserve d'être approuvé par le ministère de la Santé, pour que l'hôpital devienne une entreprise entièrement privée à but lucratif. Et chaque arrêt de travail, chaque maldonne financière augmentaient la publicité négative faite à cette institution unique en son genre, la mettant de jour en jour un peu plus à genoux.

– Ça n'arrivera pas, Andrew, répéta Sarah. Depuis que Paris a pris les rênes, les choses vont de mieux en mieux, vous le savez aussi bien que moi. Le CHU de Boston est devenu une référence obligée. Les gens viennent du monde entier pour se faire soigner ici à cause de nos options thérapeutiques. Nous n'allons pas laisser Everwell ou qui que ce soit ruiner tout cela.

– Écoutez, chère amie, dit Truscott en fronçant les sourcils, si vous vous laissez emporter par la passion, mieux vaut abandonner la chirurgie. Dans notre métier, il faut du sang-froid, c'est la règle.

– Vous êtes aussi passionné que moi, rétorqua Sarah. Mais vous êtes trop macho pour le laisser paraître.

Elle regarda derrière les grévistes, en direction des râteliers à bicyclettes, lesquels étaient vides, à part deux vieux clous rouillés à trois vitesses, dont les pneus avaient été crevés.

– Il me semble que les aides soignantes étaient moins revendicatives pendant leur grève, reprit-elle. Je crois que je ferais mieux d'attacher mon vélo dans la salle de garde. Andrew, vous n'avez pas l'impression que tout cela est organisé par quelqu'un d'autre que les équipes d'entretien ?

– Everwell, vous voulez dire ?

Elle haussa les épaules.

– Il n'y a pas qu'eux. A cause d'Axel Devlin, de nombreuses personnes ont une piètre opinion de ce que nous faisons ici.

Axel Devlin, journaliste au *Herald* d'un conservatisme enragé, auteur d'une populaire chronique intitulée : A prendre ou à laisser, avait baptisé le CHU de Boston, dont il faisait une de ses cibles privilégiées, *la Grande Charlatanerie Générale.* En tant que doctoresse experte en acupuncture et en phytothérapie, Sarah avait été épinglée à deux reprises dans son papier, d'une façon particulièrement insidieuse. Elle n'avait jamais compris d'où il tenait ses informations sur elle.

– Qui sait ? répondit Andrew d'un ton indifférent. (Il montra de la tête le petit groupe de protestataires.) Ces types-là ne sont pas des tendres, c'est le moins qu'on puisse dire. Pas un dans le tas dont les biceps ne soient tatoués. (Il s'arrêta devant la porte d'entrée du personnel soignant et se tourna vers elle.) Eh bien, docteur Baldwin, prête à monter en grade ?

Sarah se tapota le menton pensivement avant de prendre le bras de Truscott.

– Je n'ai pas le choix. Toute autre option serait inacceptable ou illégale. Allons-y.

Lisa Summer se tient en équilibre sur une saillie rocheuse, quinze mètres au-dessus d'un lac de montagne aux eaux pures. Elle est nue, à l'exception d'une guirlande de lis blancs autour du cou et sur la tête. Le soleil brille sur son corps souple et délié, chatoie dans ses cheveux blonds comme les blés. D'innombrables fleurs sauvages font un tapis multicolore alentour, couvrant la montagne et les rochers derrière la cascade mousseuse. Là-haut, dans l'azur sans nuage, un faucon solitaire plane lentement, porté par les courants chauds.

Lisa penche la tête en arrière et laisse le soleil baigner son visage.

Elle ferme les yeux et écoute le bouillonnement de l'eau en contrebas. Alors, les bras ouverts, elle se soulève sur la pointe des pieds, respire à fond une dernière fois, et s'envole. Le vent et les embruns lui caressent la figure tandis qu'elle tombe ou plutôt qu'elle flotte le long de la chute, tournoyant dans l'air cristallin, tournoyant, tournoyant...

– Reste là, Lisa, c'est parfait, reste où tu es. Les contractions sont presque finies. Une minute dix... une minute vingt. Voilà, ça y est, impeccable. Tu t'en es très bien sortie. Très bien.

Lisa ouvrit lentement les yeux. Elle était allongée sur son tapis japonais dans sa chambre en désordre, baignée par les rayons du soleil matinal. Heidi Glassman, sa voisine, amie et infirmière-conseil, était assise à côté d'elle et lui tenait la main. Un berceau et une table à langer que Lisa avait trouvés dans une vente de charité et soigneusement retapés attendaient dans un coin près de la fenêtre.

Les cours de préparation à l'accouchement et les exercices à domicile qui se succédaient depuis des semaines portaient leurs fruits. Cela faisait trois heures que Lisa était entrée en phase de travail, mais grâce à la série d'images sensuelles qu'elle se projetait intérieurement, la douleur des contractions était restée supportable.

Le Dr Baldwin donnait à cet exercice le nom de visualisation interne et externe. C'était une forme modeste d'autohypnose, avait-elle expliqué à Lisa, une technique qui, appliquée avec soin, lui permettrait d'accoucher sans médicaments ni anesthésie, même si la dilatation et l'expulsion s'avéraient difficiles. Pour certaines contractions, Lisa avait recours à la visualisation externe : elle s'élançait du haut de son piton rocheux, ou chevauchait un dauphin dans les profondeurs sous-marines. Pour d'autres, elle se servait de la visualisation interne afin de se représenter les muscles de son utérus et le bébé de sexe masculin qu'il abritait, et les envelopper mentalement l'un et l'autre d'un épais duvet de coton.

– Comment te sens-tu ? demanda Heidi.

– Bien, très bien, répondit Lisa comme dans un rêve.

– Tu as l'air très calme.

– Je me sens divinement bien.

Inconsciemment, Lisa ouvrit et referma lentement ses mains.

– Cinq minutes d'intervalle depuis presque une heure. Tu ne crois pas qu'il serait temps d'appeler ?

– Nous avons le temps. (Elle ferma les yeux durant quelques secondes.) Il me semble que je n'ai même pas encore commencé à me dilater.

Dans sa tête, elle voyait clairement le col de son utérus. Il commençait tout juste à s'ouvrir.

– Tu veux que je vérifie ?

Heidi avait travaillé plusieurs années dans un service d'obstétrique. Personne n'était plus qualifié qu'elle pour assister le Dr Baldwin lors d'un accouchement à domicile.

– Je ne crois pas que ce soit nécessaire, dit Lisa en se frottant les doigts.

– Quelque chose te tracasse ?

– Non, non. J'ai les doigts un peu engourdis, c'est tout.

– Attends, je vais vérifier ta tension.

Heidi passa le manchon gonflable d'un tensiomètre autour du bras de Lisa et mesura la pression sanguine de l'artère brachiale. Elle releva un peu d'hypotension par rapport au dernier contrôle, mais pas plus qu'il n'était normal pendant la phase préliminaire du travail. L'infirmière se demanda ce que signifiait ce changement, puis décida que c'était sans importance. Elle nota le chiffre de la tension dans son carnet et se promit de vérifier à nouveau d'ici une quinzaine de minutes.

– Je me demande qui va gagner le concours de pronostics, dit Lisa.

– Attends, tu ne sais même pas si c'est pour aujourd'hui.

– Oh ! si, c'est pour aujourd'hui, tu peux compter dessus.

– Dans ce cas, Kevin s'est enrichi de trente dollars.

Kevin Dow, artiste peintre, était un des autres résidents du 313 rue Knowlton. Ils étaient dix en tout, artistes ou écrivains désargentés pour la plupart. Leur cohabitation avait pris le nom de *commune* et à ce titre, ils partageaient à peu près tout. Lisa, qui vendait ses poteries et restaurait de vieux meubles à l'occasion, vivait dans ce grand immeuble à pignons depuis trois ans. Et bien qu'elle eût couché deux fois avec un des hommes de la commune, elle était certaine que celui-ci n'était pas le père de l'enfant qu'elle portait, et le lui avait clairement fait savoir dès le début, à son grand soulagement.

En fait, elle se souciait fort peu de savoir qui était ou n'était pas le père, étant fermement décidée à élever son enfant toute seule. Il grandirait dans la simplicité, à force d'amour, de patience et de compréhension.

Aidée par Heidi, elle se leva et marcha jusqu'à la fenêtre. Elle avait le bras droit lourd et ankylosé.

– Tu veux que je te prépare quelque chose ? demanda Heidi.

Lisa se frotta distraitement l'épaule en regardant un écureuil bondir avec agilité sur une série de branches qui paraissaient trop fragiles pour le soutenir.

– Un chocolat, peut-être.

– Tout de suite. Lisa, tu te sens bien ?

– Ça va, merci. Je crois qu'il y en a une autre qui arrive. Ça fait combien de temps ?

– Cinq minutes, trois secondes.

– Je vais essayer de rester debout pour celle-là.

Lisa se pencha en avant et s'appuya contre le rebord de la fenêtre. Puis elle respira profondément, ferma les yeux et essaya de visualiser l'intérieur de son corps. Mais rien ne vint, ni image ni sensation de paix, rien, excepté la douleur. Je fais trop d'efforts pour y arriver, se dit-elle. Il fallait qu'elle se concentre, comme le lui avait enseigné le Dr Baldwin, qu'elle se concentre et qu'elle se prépare à l'arrivée de chaque contraction. Pour la première fois, elle ressentit une pointe de frayeur. Peut-être ignorait-elle à quel point ce serait dur. Peut-être n'était-elle pas de taille.

Elle serra les dents et s'étira.

– Combien ? demanda-t-elle.

– Quarante secondes... cinquante... une minute... une minute dix.

L'intensité de la contraction commença à diminuer.

– Une minute vingt. Ça va ?

– Oui, ça va mieux, dit-elle en s'éloignant de la fenêtre avant de se rallonger sur son tapis.

Son front ruisselait de sueur.

– Celle-ci a été monstrueuse. Je n'étais pas prête.

Lisa déglutit et perçut le goût du sang. Elle se passa la langue sur les joues et sentit la petite morsure qu'elle s'était faite en serrant les dents. A présent, la douleur de la contraction avait complètement cessé, mais celle de son bras et de son épaule persistait.

Heidi sortit de la pièce et revint juste à temps pour la contraction suivante que Lisa supporta beaucoup mieux, grâce à son aide et à une meilleure préparation. L'infirmière mesura une nouvelle fois la pression artérielle, 11-5, moins que précédemment, et les pulsions cardiaques étaient encore moins audibles au stéthoscope.

– A mon avis, on devrait appeler maintenant.

– Tout va bien ?

– Oui, oui, ta tension est normale. Mais je pense qu'il est temps.

– Je veux que tout se passe parfaitement bien.

– Ça va être parfait, Lisa. Ne t'inquiète pas.

Heidi caressa le front de Lisa avant d'aller téléphoner dans l'entrée. La chute de tension était minime, mais si la tendance se confirmait, elle aimait mieux que le Dr Baldwin soit sur place.

De l'autre côté de la rue, devant le numéro 316, Richard Pulasky s'accroupit derrière son véhicule pour retirer le téléobjectif de son Nikon. Il était certain d'avoir pris au moins deux bons clichés de face de la jeune femme, peut-être davantage. Il sortit de sa poche la photo chiffonnée de Lisa Grayson. Sur ce portrait, la jeune fille ne ressemblait pas exactement à la femme qu'il venait de voir derrière sa fenêtre. Mais c'était elle, sans l'ombre d'un doute, et cela suffisait. Son travail de six mois avait enfin abouti. La moitié des privés de la ville s'étaient cassé les dents sur cette enquête, mais lui, Dickie Pulasky, avait réussi.

Pulasky se glissa dans sa voiture du côté passager en esquissant un petit sourire. Si tout se passait bien, il palperait quinze mille dollars avant la fin de la semaine.

2

Sarah cadenassa son vélo autour du pied de lit métallique de la salle de garde d'obstétrique. Au cours de ses deux premières années d'internat, elle avait passé presque autant de nuits dans cette pièce exiguë que dans son propre appartement, sans d'ailleurs trouver plus de repos chez elle qu'à l'hôpital.

Après avoir troqué sa combinaison de cycliste contre le pantalon et la blouse bordeaux d'usage dans son service, elle se posta devant le miroir ébréché placé au-dessus du bureau. Sarah se maquillait rarement, mais en l'honneur de la nouvelle année hospitalière, elle se mit un peu de rouge à lèvres rose pâle. Puis, comme elle le faisait souvent avant de commencer sa journée, elle prit le temps de se regarder calmement. Elle se félicitait d'avoir eu systématiquement recours à un écran solaire pendant les années qu'elle avait passées en Thaïlande. La peau de son visage était encore saine, et elle avait gardé quelques taches de rousseur sur les pommettes. De petites rides plissaient le coin de ses yeux, mais ça n'avait rien de dramatique. Ses cheveux bruns, qu'elle avait longtemps laissés pousser jusque dans le bas du dos, étaient coupés court, à présent, et parsemés de rares mèches grisonnantes. Tout bien considéré, se dit-elle, pour une femme qui a travaillé quatorze heures par jour en moyenne pendant deux ans, qui est sous-payée et seule dans la vie, je me porte plutôt bien.

Comme les années précédentes, le coup d'envoi de ce jour de relève consistait en un copieux petit déjeuner, suivi d'une présentation du personnel et des internes par le directeur de l'hôpital, Glenn Paris, plusieurs chefs de service et un ou deux membres du conseil d'administration. A la différence des autres années, cependant, on remarquait la présence de vigiles chargés de vérifier l'identité des assistants à chaque entrée de l'auditorium. Sarah rejoignit Andrew Truscott juste au moment où il venait de franchir le barrage.

– Vous comptez vous mettre à votre place habituelle ? demanda-t-elle.

Depuis longtemps, Truscott avait coutume de s'asseoir au dernier rang pour assister aux conférences.

– Ma foi, ça fait quatre années consécutives que j'observe le déclin du vieux Paris de loin. Aujourd'hui, je crois que je vais essayer une position plus avantageuse.

– Je vous suis, dit-elle en l'accompagnant jusqu'au deuxième rang de l'amphithéâtre. Vous avez raison. A nos âges, la presbytie nous guette. Sauriez-vous pourquoi ils nous ont mis des vigiles, par hasard ?

Truscott resta quelques instants silencieux.

– Je suppose qu'il risque d'y avoir des persona non grata.

– Quel genre ?

– Est-ce que je sais ? Toute personne dont la présence ici n'est pas absolument obligatoire est suspecte. Je n'imagine pas qu'on puisse venir ici par plaisir. D'ailleurs, je ne doute pas que notre directeur bien-aimé consacrera quelques mots aux équipes de sécurité, soit avant, soit après avoir rabâché l'histoire de notre respectable institution. (Il leva le menton, imitant Glenn Paris.) En 1951, un demi-siècle après sa fondation, le centre hospitalier de Boston déménagea du centre-ville afin d'occuper les bâtiments abritant jadis la maison de santé Suffolk & Co mieux connue sous le nom d'asile de fous. Et bien qu'il ne subsiste aucune trace de l'ancien établissement, on dit que le spectre des aliénés hante parfois la salle où se réunit le conseil d'administration...

– Andrew, qu'est-ce que vous avez ce matin ? C'est votre promotion qui vous préoccupe ? Vous trouvez qu'elle se fait attendre ?

– Même pas, fit Truscott avec un sourire fielleux. Ce qui me contrarie, c'est que le bonhomme qui me verse mon salaire à la fin du mois, si on peut appeler ça un salaire, disons plutôt mon revenu minimum d'insertion, que ce bonhomme encourage la chirurgie esthétique parce que c'est rentable et fait installer des caméras vidéo dans les salles d'accouchement.

– Et alors ? La plupart des familles adorent assister aux naissances. Nous tenons le deuxième rang parmi les services d'obstétrique de la ville.

Avant que Truscott ait pu répondre, Glenn Paris s'avança et tapota sur le micro. Immédiatement, cent vingt voix se turent.

Glenn McD. Paris, directeur du CHU de Boston, irradiait la confiance et le succès. On le décrivait comme grand malgré son mètre soixante-cinq. Il avait le menton carré et la luminosité de son regard surprenait. L'une de ses admiratrices l'avait un jour décrit comme une combinaison d'Albert Schweitzer et de Donald Trump. Axel Devlin, par contre, avait écrit de lui qu'il était la pire calamité qui se fût abattue sur Boston depuis les Anglais.

Six ans plus tôt, un conseil d'administration aux abois avait convaincu Paris d'abandonner un important hôpital de San Diego qu'il avait brillamment sauvé de la faillite, pour venir les rejoindre. La transaction comportait les avantages suivants : soutien financier inconditionnel, carte blanche au point de vue médical, intéressement aux gains et usage gratuit d'une résidence secondaire de Back Bay reçue en donation d'un malade reconnaissant quelques années auparavant. Paris avait lancé une campagne retentissante pour redonner à l'institution une image à la fois positive et facile à identifier, pour lui réinjecter un sang neuf et non plus anémié, en un mot, pour la remettre sur les rails du succès.

On ne pouvait nier que l'homme eût en partie réussi. La dette de l'hôpital s'était, sinon résorbée, du moins infléchie vers le bas, et surtout, sa politique de traitements personnalisés et d'ouverture vers les soins alternatifs avait renouvelé la clientèle.

N'empêche qu'une partie du public et certains milieux académiques rechignaient toujours à accepter l'établissement, à tel point que plusieurs membres du Conseil d'administration sentaient venir le moment où il faudrait que le CHU de Boston change carrément de direction.

– Bonjour à tous, commença Paris. Le CHU de Boston entame ce matin sa dix-neuvième rentrée hospitalière. Le but de cette réunion est de vous présenter le personnel soignant et de vous familiariser avec les lieux. (Il fit un signe aux nouveaux internes qui se levèrent et furent applaudis.) Sachez, leur dit-il, que votre promotion est la première qui ait été sélectionnée en application du nouveau programme dit de cursus mutuel.

Nouveaux applaudissements. Quelques internes commencèrent à gigoter en se demandant quand est-ce qu'il fallait se rasseoir. Mais Paris, comme il eût fait de sa propre marmaille, les maintint debout d'un geste énergique. Le programme en question – l'hôpital établit sa liste préférentielle, les futurs internes font la leur, et un ordinateur fait le reste – avait déjà été abondamment présenté et commenté, mais Paris n'était pas du genre à bouder une innovation, quelle qu'elle soit.

Truscott se pencha par-dessus l'épaule de Sarah.

– Blankenship m'a dit la semaine dernière que le terminal s'était mis en drapeau quatre fois pendant les essais.

– Non ?

– Si. Évidemment, les autres hôpitaux universitaires ont raflé les meilleurs internes. C'était couru d'avance.

Le Dr Eli Blankenship cumulait les casquettes de médecin-chef et de directeur du programme d'enseignement. C'est en raison de son savoir impressionnant en médecine douce et de son ouverture d'esprit que Sarah s'était décidée à mettre ses propres connaissances au service du CHU de Boston. A l'époque, pourtant, à cause de son expérience unique dans le tiers-monde, Sarah était sollicitée par des hôpitaux nettement plus prestigieux.

– Veuillez vous asseoir, dit enfin Paris.

– C'est parti, murmura Truscott. « En 1951, un demi-siècle après sa fondation, le CHU de... »

– Avant d'aller plus loin, dit le directeur, je voudrais m'adresser aux équipes de contrôle hautement qualifiées à qui nous avons confié notre sécurité ce matin. Au cours de l'année qui vient de s'écouler, des fuites inadmissibles ont été exploitées par une certaine presse et par certaines personnes au service de groupements d'intérêts que je ne nommerai pas. Notre établissement en a souffert dans son image. Quelle que soit l'origine de ces fuites, qu'elles viennent des patients ou de vous-mêmes, mesdames et messieurs, elles sont intolérables.

Le bipeur de Sarah fit entendre son petit cri de souris habituel. On la demandait pour une consultation extérieure. Elle se leva, plutôt gênée, et traversa l'avant-scène le dos courbé pendant que Paris continuait à pérorer, pour gagner le plus proche téléphone.

– Tous les hôpitaux, disait Paris, se battent pour obtenir et conserver leur accréditation en lits. Comme vous le savez, cette compétition est sévère. Nous ne pouvons pas nous permettre de marquer contre notre camp. Toute forme de publicité négative, surtout si elle est sans fondement, nous fait un mal considérable. A partir de maintenant, personne ne sera admis à nos conférences thérapeutiques et nos réunions internes sans avoir montré patte blanche. De plus, tout employé de l'hôpital autre que notre porte-parole officiel qui s'exprimerait devant la presse se verrait immédiatement remercié.

Au téléphone, Sarah écouta le rapport sur sa malade et donna des instructions avant de regagner sa place dans l'amphi.

– Une de mes patientes en accouchement à domicile est entrée en phase de travail, chuchota-t-elle. Elle a encore du temps devant elle, mais sa tension est un peu basse. J'espère que le discours de Paris ne va pas s'éterniser.

– Vous faites des accouchements à domicile vous-même ? dit Truscott en la regardant, perplexe.

– Pas toute seule. Le Dr Snyder viendra m'assister. C'est la deuxième fois que nous faisons cela.

Randall Snyder, chef du service de gynécologie-obstétrique, faisait partie des cadres assis sur scène derrière Glenn Paris. Sarah lui fit un signe de tête et réalisa au même moment que Paris s'était interrompu et la fixait d'un regard sévère.

– Désolée, murmura-t-elle en articulant pour qu'il puisse lire sur ses lèvres.

– Merci, répondit pareillement Paris.

Il se racla la gorge et avala une gorgée d'eau. Dans l'auditoire, le silence était tendu.

– Croyez-moi, enchaîna-t-il finalement, cette subversion de l'intérieur est une affaire on ne peut plus sérieuse. Vous savez sans doute que des institutions plus solides que nous financièrement comptent sur notre échec pour nous mettre la main dessus. Notre hôpital est extrêmement bien situé, il a un fort pouvoir d'attraction. Mais je vous le dis fermement, mes amis, ceux qui spéculent ainsi sur notre chute en seront pour leurs frais. Depuis quelque temps déjà, je suis en pourparlers avec une riche fondation philanthropique qui poursuit une action décisive dans le domaine de la santé publique. Nous sommes en train de finaliser un accord de partenariat. Si cette fondation nous soutient, notre établissement retrouvera la stabilité financière et pourra s'agrandir considérablement. Tel était le but que je m'étais fixé devant vous il y a six ans, et je suis heureux de vous annoncer aujourd'hui que la réussite n'est plus qu'une question de mois.

Il y eut quelques timides applaudissements, qui gagnèrent peu à peu tout l'auditoire. Andrew était du lot.

– A l'applaudimètre, on mesure bien l'ambiance à bord, pas vrai ?

– Il était temps, je commençais à avoir froid aux mains.

Sur le podium, Glenn Paris rayonnait.

– Je vous en prie, ne vous gênez pas pour moi, lança-t-il, comme les applaudissements déclinaient.

– Quelle bête de scène ! souffla Truscott, tandis que l'assemblée s'esclaffait. On ne peut pas lui retirer ça.

– Oui, il a mis tout le monde dans sa poche, faut le faire !

– Il se shoote au succès.

– Avant de vous présenter ceux qui sont assis derrière moi, continua Paris, et pour ne pas quitter le terrain des interférences extérieures, je voudrais juste dire quelques mots au sujet de la poignée de manifestants que certains de vous ont croisés ce matin en venant ici. Plusieurs membres de nos équipes d'entretien ont entrepris un mouvement de revendication illégal. Nous avons de bonnes raisons de penser que c'est à l'instigation, je dirais même à l'initiative de ceux qui nous veulent du mal. Comprenez-moi bien. Nous ne permettrons pas à ces groupes de pression d'interférer en quoi que ce soit avec les soins que nous prodiguons aux malades, ni avec la bonne marche de notre administration. Ce que je vous dis là (il souligna ses mots d'un coup de poing sur la table), prenez-le pour argent comptant !

Le mot *comptant* retentissait encore dans l'amphithéâtre quand un court-circuit fit soudain disjoncter le générateur principal du centre hospitalier. Immédiatement, le groupe électrogène de secours se mit en marche. Tous les blocs opératoires, les chambres des malades et le service des urgences furent réalimentés, mais l'auditorium, qui n'avait pas de fenêtres, fut aussitôt plongé dans l'obscurité totale.

Le coup d'envoi de la nouvelle année hospitalière avait fait long feu.

3

S'il y avait un modèle, pour Sarah, dans sa pratique de l'obstétrique et de la gynécologie, c'était bien son supérieur, le Dr Randall Snyder. Tout était rassurant chez cet homme équanime, depuis ses gestes et sa voix douce jusqu'à sa Volvo grise. A 50 ans bien sonnés, il soignait toujours ses malades avec enthousiasme et compassion. Lorsqu'une nouvelle technique ou un nouveau traitement apparaissait, il était toujours le premier informé. Si une patiente de l'hôpital sans assurance-maladie avait une grossesse difficile, il l'admettait dans sa clientèle privée sans lui réclamer un sou.

Aujourd'hui, Randall Snyder avait rogné sur son emploi du temps chargé afin d'assister Sarah qu'il conduisait à présent dans le quartier de Jamaïca Plains. Tous deux s'apprêtaient à réaliser un accouchement à domicile sur la personne d'une jeune femme célibataire de 23 ans sans protection sociale et manifestant une phobie singulière des médecins et des hôpitaux.

– Comment faites-vous ? lui demanda Sarah pendant qu'ils roulaient.

– Comment je fais quoi ?

Snyder baissa le volume de la cantate de Bach qui passait sur son autoradio.

– Comment faites-vous pour continuer à pratiquer la médecine ainsi sans que ça entame votre sérénité ?

– Pourriez-vous préciser ce que vous entendez par *ainsi*, dit Snyder en esquissant un sourire.

– Mais vous savez bien, les critiques des confrères, les avocats, les compagnies d'assurances, le gouvernement qui vous dicte vos tarifs, sans parler des montagnes de paperasse et de la menace permanente du patient hargneux ou parano qui vous traîne au tribunal pour un oui ou pour un non.

– Ah ! c'est de ça dont vous voulez parler ! Mais Sarah, je ne vous ai même pas entendue citer les véritables sources de stress dans notre travail. Les cas atypiques qui tournent mal, les gens atteints d'un mal incurable, ceux qui meurent malgré tous nos efforts.

– Ça, c'est le risque médical. Le reste est affaire de...

– De médecine aussi. Ça fait partie du même ensemble. Croyez-moi, je ne suis pas le bloc de sérénité que les gens croient voir en moi. Mais il est vrai qu'en rentrant le soir à la maison, je ne bats pas ma femme sous prétexte que je n'ai pas gagné au loto, ni écrit le best-seller qui me permettrait de quitter la profession. Je ne me laisse pas abattre en dépit de tout ce que vous avez souligné parce que j'aime encore ce que je fais pour l'essentiel, et que je me sens bigrement privilégié d'avoir pu choisir ce métier. Mais pourquoi me demandez-vous ça ? Vous avez un problème ?

– Pas exactement un problème, non... Ah ! vous prendrez la prochaine à droite.

– D'accord. Rue Knowlton, n'est-ce pas ?

– Oui.

– Je connais le chemin. Continuez.

– Vous savez qu'avant de m'inscrire en fac de médecine, j'ai travaillé dans un centre de médecine douce ?

– Oui, bien sûr. Je vous ai entendue présenter certaines de vos méthodes. C'est très intéressant.

– J'avais acquis une bonne expérience en phytothérapie et en acupuncture. Mais certains événements ultérieurs m'ont incitée à élargir le champ de mes connaissances.

Certains événements ultérieurs ! songea Sarah. Tu parles d'un euphémisme. Elle hésita à entrer dans le détail de sa rupture avec Peter Ettinger avant de réaliser que ce n'était ni l'heure ni le lieu d'entamer une confession de ce genre.

– Il faut reconnaître que nos techniques avaient leurs limites, dans ce centre. Mais il y avait quelque chose... je ne sais pas, de l'innocence peut-être, quelque chose dans notre approche des soins que je n'ai jamais retrouvé ailleurs. Chaque fois qu'on prenait en main un patient, on se dévouait exclusivement à lui et à rien d'autre.

– Oui, et alors ?

– Eh bien, j'ai l'impression que dans la médecine telle qu'on me l'a enseignée depuis, il est autant question d'argent et de responsabilité que du bien-être du malade. Nous dépensons des millions et des millions de dollars en tests superflus ou même inutiles, uniquement pour être couverts en cas de procès. En même temps, la Direction générale de la santé, croyant faire des économies, nous dit combien de temps nous avons le droit de maintenir hospitalisé un patient ayant telle ou telle maladie. Et si une femme de 60 ans renvoyée chez elle trop tôt après une hystérectomie tombe et se fracture la hanche, hein ? Tout ça, ce sont des statistiques et des pourcentages. Pas de la chair ni du sang.

– Sarah, vous êtes trop jeune pour être revenue de tout.

– Docteur Snyder, j'aimerais que la jeunesse ne consiste pas seulement à se bercer d'illusions. Et je ne suis pas revenue de tout, vous le savez bien. J'estime avoir pris la bonne décision en devenant docteur en médecine. J'adore mon métier, simplement, je préférerais qu'il soit un peu plus... je ne sais pas, pur, je crois.

Randall Snyder poussa un petit rire indulgent.

– Le meilleur talc qu'on puisse obtenir sur le marché est pur à 99,44 pour cent, dit-il en virant dans la rue Knowlton. Rien de ce qui touche l'être humain n'approche un tel pourcentage, en particulier dans notre discipline. Mais écoutez, je comprends très bien ce qui vous préoccupe et je vous promets que nous poursuivrons cette discussion, pourquoi pas devant un bon dîner chez moi. Pour le moment, sachez que vous êtes en passe de devenir un sacré bon toubib, exactement le genre de personne que je souhaiterais avoir comme partenaire dans mon propre cabinet.

– Merci, Randall.

Sarah ne pouvait dissimuler sa surprise et son plaisir. Elle ne soupçonnait nullement que Snyder envisageât de s'associer avec quelqu'un, à plus forte raison avec elle-même.

– Ce que je vous dis là, ajouta le gynécologue, gardez-le sous le coude, nous prendrons le temps d'en reparler dans le courant de l'année. Je suis d'accord pour jeter un regard sans complaisance sur les aspects les moins séduisants de notre profession, à condition que vous ne soyez pas paralysée par ce que vous voyez. Et pour l'amour du ciel, ne mettez personne sur un piédestal, surtout pas moi. (Il se gara devant le numéro 313.) Maintenant, avant d'entrer chez cette patiente, j'aimerais que vous me résumiez brièvement son cas.

S'il y avait une chose que Sarah avait apprise et réapprise pendant sa formation, c'était la présentation succincte la plus précise possible d'un cas clinique. Étudiante, elle avait l'habitude de répéter montre en main dans son bain sa présentation du lendemain, oubliant l'eau qui refroidissait. A présent, cette technique était devenue une seconde nature.

– Lisa Summer est une artiste célibataire de 23 ans, gravi 2, para 0, ISG il y a trois ans, aménorrhée 38.

Autrement dit : deuxième grossesse, pas de délivrance jusqu'à aujourd'hui, fausse couche trois ans plus tôt, interruption des règles depuis neuf mois et deux semaines. Randall Snyder fit signe à Sarah de poursuivre.

– C'est une grossesse sans histoire à tout point de vue. On note un gain pondéral de douze kilos pour un poids de base de soixante-six kilos. L'examen pratiqué il y a une semaine a montré un fœtus classiquement positionné la tête en avant, l'occiput orienté à gauche. Aucun antécédent médical en dehors des maladies infantiles habituelles. Elle ne fume pas, et ne boit qu'occasionnellement. Pas de traitement particulier, à part le supplément prénatal naturel que je lui ai prescrit.

– Ah oui ! dit Snyder. Le mystérieux cocktail Baldwin. J'étais présent l'année dernière lorsque vous en avez parlé à la conférence du service. Il faudra que vous m'en reparliez un de ces jours. Continuez, s'il vous plaît.

– Sur le plan familial, c'est le vide absolu. Aucune relation présente avec ses parents ni avec le père de l'enfant.

– Aïe !

– Elle est assistée chez elle par une amie et voisine qui se trouve être une infirmière. Apparemment, Lisa a vécu une mauvaise expérience à l'hôpital dans son enfance. A présent, l'institution médicale la terrifie.

– D'où le désir d'accoucher chez elle, je suppose ?

– En partie, oui. Elle est... comment dire ?... très secrète sur elle-même et très méfiante vis-à-vis des autres.

– Même avec vous ?

– Pas autant qu'au début, mais oui, même avec moi.

– Bon, eh bien, allons-y. Nous verrons le reste sur place.

Sarah prit sa sacoche d'instruments, ainsi que le plateau contenant le matériel d'obstétrique.

– Un dernier point, dit-elle. Heidi, l'infirmière qui la surveille, m'a signalé que la tension de Lisa avait légèrement chuté et que le pouls était plus faible dans le bras droit que dans le gauche. Au dernier pointage, sa pression systolique était de 85. Quelques heures plus tôt, elle était de 110.

– Vous interprétez ça comment ?

– Disons que c'est dans la moyenne inférieure à ce stade du travail. Au téléphone, Heidi m'a dit que Lisa avait l'air normale. Ce n'est probablement rien du tout.

Sarah surprit une lueur d'inquiétude dans le regard de Snyder et comprit tout de suite qu'elle avait sous-estimé l'importance de ce détail.

– Le chiffre que vous mentionnez se situe peut-être dans la moyenne inférieure, dit-il, mais j'ai rarement observé une chute de tension chez une femme enceinte à ce stade du travail.

– Je... j'aurais sans doute dû vous en parler plus tôt, répondit Sarah.

– Du tout. Je suis alarmiste de naissance. C'est vous qui êtes dans le vrai, probablement. La baisse de tension doit être due à un peu de déshydratation. Prenez le plateau d'obstétrique, je prends celui de pédiatrie.

Comme ils sortaient de la voiture, ils entendirent mugir une sirène au coin de la rue. Ils n'avaient pas franchi le trottoir qu'un véhicule de police, gyrophare en action, s'arrêtait en faisant crisser les pneus juste derrière la Volvo. Un policier en uniforme en sortit précipitamment et, sans s'occuper d'eux, courut jusqu'à la porte du 313.

– Excusez-moi, cria Snyder en courant derrière lui, je suis le Dr Randall Snyder, du CHU de Boston. Qu'est-ce qui se passe ?

– Je n'en sais rien, doc, répondit l'agent, en reprenant son souffle. Mais je suis content que vous soyez là. On a reçu un appel en urgence au sujet d'une femme très mal en point qu'il fallait emmener en ambulance. Il y en a une qui doit arriver incessamment.

– La femme s'appelle comment ? fit Sarah, la gorge nouée.

Le policier appuya plusieurs fois sur la sonnette, puis commença à marteler la porte vitrée avec son poing.

– Summer, dit-il. Lisa Summer.

... Les gens atteints d'un mal incurable, ceux qui meurent malgré tous nos efforts... Les paroles de Randall Snyder résonnaient encore dans la tête de Sarah, tandis qu'elle montait l'escalier derrière Heidi Glassman et le policier. D'en bas, on entendait Lisa s'essouffler et geindre. Avant même d'entrer dans la chambre, Sarah sentit l'odeur du sang.

Assise, jambes écartées, sur son tapis, Lisa saignait abondamment du nez et de la bouche. Le devant de sa chemise de nuit était trempé de sang frais et l'on voyait de larges taches brunâtres sur le tapis, le sol et même les murs. Mais Sarah fut encore plus frappée par la terreur qui se lisait dans les yeux dilatés de la jeune femme. Elle n'avait rencontré ce regard qu'en de rares occasions dans sa carrière, notamment chez une cinquantenaire relevant d'opération, sur le point d'avoir un infarctus. Quelques minutes plus tard, cette femme avait subi un arrêt cardiaque complet et irréversible.

– C'est arrivé peu après que je vous ai appelée, expliqua Heidi alors que Sarah et Snyder, ayant enfilé leurs gants, s'agenouillaient aux côtés de Lisa pour entamer leur examen. Je vous aurais rappelée, mais j'étais certaine que vous étiez déjà partie. Tout se passait bien, à part la chute de tension dont je vous ai parlé, et puis tout d'un coup, Lisa a commencé à se plaindre d'une forte douleur dans la main et le bras droits. Elle s'était mordu l'intérieur de la joue au cours d'une contraction. Au début, ça saignait juste un petit peu, mais brusquement ça s'est mis à couler à flots. Elle a vomi au moins un litre de sang avant que vous arriviez. J'ai l'impression que ça vient des sinus, mais comment savoir ?

– Et sa tension ? demanda Sarah en serrant le manchon autour du bras de Lisa. Vous l'avez reprise ?

– Elle a encore baissé un peu : 10-8. Je n'entends plus du tout le pouls dans le poignet droit.

Sarah observa le bras droit de la jeune femme et comprit immédiatement pourquoi. De son côté, Snyder, qui cherchait à percevoir les pulsations de l'artère brachiale à la saignée, parvenait aux mêmes conclusions. Tout le bras, du coude jusqu'à la main, était d'aspect sombre et marbré. Les doigts étaient grisâtres, presque noirs aux extrémités. Pour une raison inconnue, les artères et les veines irriguant ce membre s'étaient bouchées. Quoique moins apparent, le phénomène menaçait de s'étendre au bras gauche et aux deux jambes de la malade.

– 10-5, annonça Sarah. Lisa, je sais que vous êtes inquiète, mais je vous demande de rester le plus calme possible tant que nous n'aurons pas diagnostiqué ce que vous avez. Voici le monsieur dont je vous ai parlé, le Dr Snyder. C'est mon supérieur.

Ils entendirent le hurlement continu d'une sirène d'ambulance qui approchait.

– Qu'est-ce... qu'est-ce que j'ai ? demanda Lisa, non moins effarée qu'apeurée.

Sarah et son chef de service échangèrent un regard. Bien que le diagnostic demandât une confirmation en laboratoire, tous deux craignaient sans même s'être consultés d'assister à l'évolution rapide d'une coagulopathie intravasculaire disséminée (CID), le cas le plus dramatique et nécessitant les mesures les plus urgentes parmi les troubles de la circulation.

Sarah demanda un linge de toilette propre et le tendit à Lisa.

– Tenez, Lisa. Mouchez-vous là-dedans en soufflant le plus fort que vous pouvez. Si on arrive à évacuer les gros caillots, une forte pression dans le nez facilitera l'arrêt du saignement.

Lisa, qui venait encore de faire de longs crachats écarlates dans la cuvette, fit ce qu'on lui demandait. Le centre du tissu s'imprégna aussitôt de sang. Mais il n'y avait pas le moindre caillot. Du coup, le diagnostic de CID devenait encore plus vraisemblable. Pour une raison quelconque, un nombre important de petits caillots s'était formé dans l'appareil circulatoire de Lisa. Ces micro-caillots mobiles commençaient à s'amalgamer et à obstruer les artères irriguant bras et jambes, mettant les quatre membres en grand danger.

Plus inquiétante encore que le blocage de la circulation, était la vitesse avec laquelle ces caillots perturbaient les facteurs indispensables à la coagulation. Le moindre saignement, quelle qu'en fût la source, mettait désormais en péril la vie de la patiente. Le pronostic s'aggravait encore du fait de la possibilité d'une attaque fatale due à une hémorragie cérébrale.

– Lisa, dans une seconde, je vais vous expliquer ce qui se passe d'après nous. Est-ce que vous avez perdu les eaux ?

La jeune femme fit non de la tête.

– J'ai très, très peur, bredouilla-t-elle. Ma main me fait horriblement mal.

– Je comprends. Je vous demande encore quelques instants.

Sarah releva les yeux vers son patron.

– Il nous faut cette ambulance, dit celui-ci. Nous avons aussi besoin d'une perfusion, et il faudrait qu'un hématologue et un spécialiste des affections organiques, les deux de préférence, nous attendent à l'hôpital.

Sa voix avait conservé son calme habituel, mais son expression était lugubre. Si le diagnostic se vérifiait, ce serait le deuxième cas de CID chez une femme sur le point d'accoucher au CHU de Boston en moins de trois mois. Le précédent cas, que ni Sarah ni Snyder n'avaient eu en charge, s'était soldé par la mort tragique de la malheureuse sur la table d'opération tandis que ses médecins tentaient désespérément de l'accoucher par césarienne. Le cerveau du bébé ayant subi une lésion avant la délivrance en raison de l'épanchement de sang dans le placenta, le nouveau-né était mort à son tour dans la semaine suivant sa naissance. Les origines de la maladie n'avaient jamais été élucidées.

– Lisa, je vous demande de m'écouter, enchaîna Snyder, et surtout de ne pas vous affoler. Nous pensons que quelque chose a déréglé la fluidité de votre circulation sanguine. Nous allons vous transporter le plus vite possible à l'hôpital pour compléter le diagnostic et vous faire le traitement nécessaire.

– Mais comment ça, quelque chose ? Pourquoi est-ce que je n'arrête pas de saigner ? demanda-t-elle d'une voix suppliante. Est-ce que mon bébé va bien ?

– Nous en saurons davantage dès que nous vous aurons branchée sur un moniteur cardiaque. Pour le moment, j'entends son cœur battre distinctement.

– Brian, dit Lisa d'une voix étranglée.

– Pardon ?

– Il s'appelle Brian. C'est un garçon. Le Dr Baldwin l'a vu sur l'échographie.

La sirène s'arrêta et ils entendirent le véhicule se garer devant la maison.

– Lisa, reprit Snyder, je sais que ce n'est pas facile, mais plus vous serez détendue, plus votre sang s'écoulera lentement et plus vous augmenterez vos chances de stopper l'hémorragie. Voulez-vous que nous appelions quelqu'un ? Vos parents ? Un frère ou une sœur ?

Lisa réfléchit quelques instants avant de secouer résolument la tête.

– Je n'ai qu'Heidi pour toute famille, affirma-t-elle.

– Entendu. Sarah, voudriez-vous appeler l'hôpital ? Sarah ?

Les yeux fermés, Sarah avait posé l'index, le médium et l'annulaire sur l'artère radiale gauche de la jeune femme, essayant de distinguer les six pulsations qui s'y manifestaient, geste pratiqué seulement par les acupuncteurs et les adeptes de la médecine traditionnelle chinoise, destiné à évaluer l'état du cœur, du foie, des reins, de l'intestin grêle, de la vésicule biliaire et de la vessie. Bien souvent, surtout chez les patients se plaignant de douleurs vagues et imprécises, une détection soigneuse par palpation des trois pulsations superficielles et des trois profondes à chaque poignet donnait un bon indice quant à l'origine du symptôme et permettait de déterminer l'emplacement des aiguilles d'acupuncture.

– Oh ! pardon, dit-elle en relevant la tête.

Gênée par l'agitation de Lisa et par le désordre persistant dans sa circulation, elle ne put rien conclure de son examen. Et comme il n'y avait quasiment plus de circulation dans le bras droit, c'était inutile d'essayer de ce côté-là.

– Je vais appeler le Dr Blankenship et lui demander de nous attendre là-bas avec quelqu'un du service hémato.

– Merci.

L'équipe du SAMU fit irruption dans la chambre. Après une brève explication de Snyder, ils hissèrent Lisa sur une civière et posèrent une perfusion sur son bras gauche. Sarah se dirigea vers l'entrée pour téléphoner.

– Docteur Baldwin, restez avec moi, implora Lisa.

– Je reviens tout de suite.

– Dites-moi, je vous en prie, est-ce que je vais mourir ?

Sarah essaya de mettre dans sa voix toute la conviction qui lui manquait :

– Lisa, il faut chasser de votre esprit ces pensées noires. Ce n'est pas le moment. Il vaut beaucoup mieux que vous restiez concentrée sur votre accouchement. Tâchez de mettre en pratique la technique de visualisation à laquelle nous avons travaillé. Vous pensez que vous pouvez y arriver ?

– C'est... c'est ce que j'étais en train de faire quand j'ai commencé à avoir mal. J'avais réussi à voir mon col. C'est vrai, je vous assure.

– Je vous crois. C'est très bien, continuez. Tâchez de vous concentrer sur votre circulation sanguine et sur l'intérieur de vos mains. C'est très important. Je vous aiderai quand nous serons arrivés à l'hôpital. M. Blankenship, le spécialiste qui va s'occuper de vous, est un type formidable. J'allais justement l'appeler. Il vous attendra en compagnie d'un hématologue. Nous allons vous tirer de là tous ensemble.

– Vous me le promettez ?

Sarah écarta une mèche de cheveux du front moite de Lisa.

– Je vous le promets, dit-elle.

– La perfu est en place, dit un des infirmiers du SAMU. Glucose 2,5 pour cent. Vous voulez qu'elle reste assise comme ça, docteur ?

Snyder confirma de la tête.

– Laissez, Sarah, je vais appeler l'hôpital moi-même. Montez dans l'ambulance avec Lisa. Je me charge d'emmener Heidi.

Pendant qu'elle escortait l'équipe du SAMU hors de l'immeuble et tout en faisant ce qu'elle pouvait pour étancher le flux de sang du nez et de la bouche de Lisa, Sarah essayait de se remémorer les circonstances de la coagulopathie foudroyante dont avait été victime la précédente femme enceinte. Grossesse normale, travail normal jusqu'au stade final, et puis brusquement, une altération catastrophique du processus de coagulation sanguine. Le même enchaînement, exactement, qu'aujourd'hui.

Et en aidant les infirmiers à charger Lisa dans l'ambulance, la même question, qui avait hanté les médecins de cette première femme, revenait obstinément dans son esprit : pourquoi ?

4

Six des neuf bâtiments de l'ancien hôpital Suffolk acquis par le CHU de Boston étaient encore en usage. Deux autres avaient été rasés et remplacés par une aire de parking. Le troisième, une construction délabrée en brique de six étages portant le nom CHILTON inscrit sur une poutrelle de béton au-dessus de l'entrée, avait été abandonné et condamné au cours des premiers mois de stage de Sarah, et demeurait ainsi depuis, comme un rappel tacite des difficultés financières de l'hôpital.

Le pavillon Chilton et son garage souterrain étaient séparés du reste de l'hôpital par une large allée carrossable formant une ellipse à l'intérieur de laquelle s'étendait une vaste pelouse agrémentée de bosquets et de tables de pique-nique en plastique blanc. L'accès à ce *campus*, comme l'avait baptisé Glenn Paris, était réservé aux administrateurs et chefs de service disposant d'une place de parking, ainsi qu'aux véhicules se rendant aux urgences.

Le trajet de la rue Knowlton au CHU, facilité par une voiture de police, sirène hurlante, précédant le break du SAMU, ne prit pas plus d'un quart d'heure. Assise à l'arrière à côté de Lisa Summer, Sarah entendit le chauffeur signaler par radio l'arrivée d'un malade en priorité absolue et imagina le gardien se rengorgeant soudain, pénétré de l'importance de sa mission, laquelle consistait à ouvrir la barrière de sécurité et à détourner le trafic gênant.

Les contractions de Lisa, qui survenaient maintenant toutes les quatre minutes environ, étaient plus fortes et plus durables. Un rapide examen révéla à Sarah que le col de l'utérus n'était dilaté que de quatre centimètres, loin de ce qu'il fallait pour une expulsion naturelle. Les saignements de nez et de bouche étaient plus abondants que jamais. Et bien que la main gauche de Lisa et ses deux pieds eussent conservé un peu de chaleur et de circulation capillaire, son bras droit était inerte et exsangue depuis le coude jusqu'au bout des doigts.

– Tenez bon, Lisa, lui souffla Sarah d'une voix qui se voulait réconfortante, nous y sommes presque.

Comme ils s'engageaient sur la route d'accès au centre hospitalier, Sarah battit le rappel de ses connaissances en matière de CID. N'ayant jamais rencontré cette pathologie au cours de sa formation pratique, elle ne disposait que de souvenirs de ses cours de fac, de quelques lectures et d'une ou deux conférences occasionnelles. Plutôt que d'une maladie spécifique, il s'agissait de la complication, assez peu commune, de blessures ou affections très différentes. Choc opératoire, surinfection, traumatisme interne, overdose de drogue, perte subite de placenta, un nombre infini de troubles du corps humain pouvaient entraîner une coagulopathie. Et le pronostic était presque toujours fatal, en partie à cause de l'état d'ores et déjà préoccupant du malade.

Mais Lisa Summer n'était ni malade ni blessée. C'était une jeune femme en parfaite santé parvenue au terme d'une grossesse en tout point normale. Peut-être n'est-ce pas un cas de CID, en définitive, se dit Sarah.

La sirène s'arrêta dès qu'ils eurent franchi les grilles de l'hôpital. Sarah reprit la tension, examina rapidement la jeune femme et commença à se préparer mentalement à faire son exposé au Dr Blankenship. Sa tâche consistait à présenter les faits d'une façon totalement impartiale, en s'abstenant de formuler tout diagnostic ou interprétation personnelle. Tant qu'un diagnostic n'était pas fondé sur des preuves, en avancer un à l'exclusion des autres était insensé et virtuellement très dangereux. En matière de diagnose, répétait souvent un de leurs professeurs à Sarah et ses condisciples, il faut être comme saint Thomas et ne rien conclure tant que vous n'avez pas touché la plaie du doigt.

Eli Blankenship, peut-être l'esprit le plus pénétrant de tout le personnel soignant de l'hôpital, confronterait ensuite les informations de Sarah avec ses propres observations. Puis il ferait une première approche diagnostique avant de donner les orientations thérapeutiques. Au demeurant, si un traitement s'imposait avant l'établissement du diagnostic définitif, il faudrait s'en tenir aux mesures d'urgence les plus pragmatiques et prier pour que ça marche.

Dans le cas d'espèce, deux vies étant suspendues à un fil, il était douteux qu'on puisse attendre les résultats des analyses de sang avant d'entreprendre un traitement. Et comme celui-ci, dans un cas de CID, mettait lui-même en péril la vie de la malade, l'un dans l'autre, se dit Sarah, la journée s'annonçait rude pour Lisa Summer et la douzaine de médecins, d'infirmières et de techniciens engagés dans une lutte acharnée afin de sauver la mère et l'enfant.

Et, suspendue au-dessus de la mêlée, demeurait la même question lancinante : pourquoi ?

Pendant que l'ambulance faisait demi-tour pour rentrer dans le bâtiment des urgences en marche arrière, Sarah aperçut Blankenship attendant dans le couloir. Comme d'habitude, elle fut frappée par l'aspect taurin du personnage. Lui eût-on demandé au premier abord de deviner sa profession, elle eût répondu videur de boîte ou docker. Le médecin-chef du CHU de Boston était un homme râblé, plutôt petit, mais doté d'un torse massif et d'une encolure de buffle. Il était quasiment chauve, n'ayant sur le crâne qu'une tonsure gris sombre. Mais en dessous de son large front, ses épais sourcils broussailleux se rejoignaient presque. Quant à ses bras, ils étaient aussi musclés que ceux d'un lutteur de foire. Même rasé de frais en début de journée, il semblait avoir aux joues une ombre bleutée indélébile.

De tous les attributs de l'homme, seuls ses yeux d'un bleu pâle intense permettaient d'avoir une idée de son génie. Il était diplômé dans plusieurs spécialités, maladies infectieuses et traumatologie notamment, mais c'était aussi un humaniste, excellent joueur d'échecs, de bridge et amateur de beaux arts. En tant que professeur, personne au CHU de Boston n'était plus ouvert ni plus respectueux des opinions des étudiants et son enseignement était unanimement loué et respecté.

Blankenship, qui avait déjà revêtu sa blouse et ses gants, s'avança au-devant de la civière dès que les brancardiers l'eurent extraite de l'ambulance, et prit immédiatement la main de Lisa en se présentant à elle. De l'autre côté de la jeune femme, sans cesser de lui tamponner le nez, Sarah vit qu'avec ce premier contact, l'éminent patron avait déjà commencé son examen et son évaluation.

Le temps qu'ils arrivent à la salle A, une des trois salles de soins intensifs, Sarah avait pratiquement achevé son exposé. Blankenship avait fait venir un technicien du laboratoire assisté d'un interne stagiaire pour faire un prélèvement sanguin, ainsi qu'une sage-femme pour brancher un moniteur sur le fœtus. D'un signe de tête, il leur enjoignit de passer à l'action. A ce moment, du sang commença à imprégner l'enveloppe de gaze qui protégeait la perfusion. Blankenship enregistra sans sourciller cette nouvelle évolution.

– Bon, écoutez, Lisa, dit-il d'une voix posée, je vais vous demander d'être patiente avec nous et de nous pardonner si vous avez l'impression de ne pas comprendre ce qui se passe. Vous avez plusieurs problèmes simultanés mettant en jeu différents systèmes de votre organisme. D'ici quelques minutes, vous allez vous retrouver environnée de médecins que vous ne connaissez pas. Les deux principaux, à côté de moi, seront Helen Stoddard, spécialiste des questions sanguines, et Andrew Truscott, qui est chirurgien. La mission du Dr Stoddard consistera à nous aider à stopper cette hémorragie, et celle du Dr Truscott, à poser une autre perfusion, ainsi qu'à veiller à votre bras droit dont la circulation, pour le moment, est insuffisante. Et bien entendu, le Dr Baldwin et le Dr Snyder seront là aussi, prêts à mettre votre bébé au monde dès que possible.

– Le bébé va bien ? demanda-t-elle.

Blankenship se tourna vers la sage-femme qui montra le moniteur cardiaque de la tête. Le rythme cardiaque du fœtus était plus élevé que la normale, signe annonciateur d'un trouble.

– Le bébé subit un certain stress, dit-il. Nous le surveillons de très près.

Au même moment, l'hématologue fit son entrée dans la salle. Le Pr Helen Stoddard était chef de service dans un autre hôpital et tenait une consultation au CHU de Boston. Résolument partisane de la vieille école, comme elle aimait à le rappeler elle-même, elle s'était montrée très critique à l'égard de ce qu'elle appelait *la complaisance du CHU de Boston pour les rebouteux de tous poils*. Au cours d'un séminaire sponsorisé par l'hôpital, elle s'était signalée par ses nombreuses interventions hostiles à l'adoption de toute technique non éprouvée par des méthodes scientifiques. Blankenship et Sarah avaient soutenu la thèse inverse, défendant le recours à certains traitements empiriques tels que l'acupuncture et la chiropraxie, et n'excluant aucune thérapie alternative du moment qu'un contrôle strict était assuré.

– Où en sommes-nous, Eli ? demanda Stoddard sans accorder ne fût-ce qu'un regard à Sarah.

– J'ai fait partir dix échantillons de sang au labo pour analyse.

– Thrombocytes et plasma aussi ?

– Oui. Le plus possible de chaque.

Helen Stoddard se livra à un rapide examen de la peau, de la bouche et des ongles de Sarah. Saturée comme une éponge, la gaze entourant la perfusion ruisselait maintenant de sang, ainsi que l'emplacement où avait été pratiquée la ponction intraveineuse.

– Pas d'antécédent au niveau sanguin, tendance hémophilique ou autre ?

– Non, absolument rien de semblable.

– On ne peut pas attendre les résultats du labo, dit-elle. Je pense qu'il faut mettre de côté un maximum d'échantillons de sérum et de thrombocytes et lui administrer de l'héparine.

Randall Snyder et Heidi Glassman arrivèrent sur ces entrefaites, légèrement essoufflés. Quelques instants plus tard, Truscott entra à son tour. Heidi remplaça Sarah au chevet de la malade, tandis que Truscott, Sarah et Snyder reculaient près de la porte.

– C'est grave, dit Sarah. Elle est vraiment mal en point.

Snyder jeta un œil au moniteur cardiaque du fœtus.

– Le bébé aussi, dit-il. Vous avez commencé les ocytocines ?

– Dans l'ambulance. Mais elle n'est pas très dilatée. Cinq, maximum.

– Seigneur !

Truscott s'octroya une minute pour examiner les membres de Lisa, puis, avec une dextérité impressionnante, fit une injection souscutanée d'anesthésique à la base du cou, prit deux repères, du bout des doigts, à partir de l'apophyse de la clavicule, et enfonça une grosse aiguille, directement dans la veine jugulaire interne. Il enfila ensuite un cathéter dans l'orifice de l'aiguille et sutura le tout. Une seconde perfusion était maintenant en place.

– D'une façon ou d'une autre, je crois qu'il va falloir la transférer au bloc pour ce bras droit, dit-il en rejoignant les autres au fond de la salle. Je ne peux pas encore me prononcer pour le gauche, ni pour les jambes. Vous pourriez lui faire une césarienne ?

Snyder prit Helen Stoddard à part. Tous deux s'entretinrent brièvement à voix basse, puis il revint en secouant la tête.

– Nous sommes peut-être déjà dans une situation où il faut choisir entre la vie de l'enfant et celle de la mère, murmura-t-il. Helen et Eli ont décidé qu'ils ne pouvaient attendre la confirmation du diagnostic par le labo. Ils ont commencé à lui donner de l'héparine. Au point où nous en sommes, ils estiment que la mère ne pourrait pas survivre à une césarienne.

De l'héparine pour une coagulopathie, songea Sarah. Pour une praticienne comme elle, dont les interventions chirurgicales reposaient avant tout sur un contrôle méticuleux des risques d'hémorragie, ce traitement était un paradoxe effrayant puisqu'il s'agissait d'injecter un puissant anticoagulant par voie intraveineuse à une patiente risquant déjà de saigner à mort. En théorie, le produit était destiné à dissoudre les caillots afin de permettre au sang fluidifié d'irriguer à nouveau les extrémités et les organes vitaux. En même temps, on opérait une transfusion continue pour remédier à la perte du volume sanguin et renouveler les facteurs coagulants. C'était un acte thérapeutique de pure compensation fonctionnant en boucle, trop souvent voué à l'échec, hélas.

Sarah reporta son regard sur la jeune femme dont elle s'était occupée depuis sept mois, maintenant à peine visible parmi les infirmiers, les médecins et les techniciens qui se pressaient autour d'elle.

En quelques minutes, Andrew avait apporté une contribution décisive aux efforts de chacun. Sarah, quant à elle, n'avait encore rien fait. Il est vrai, se dit-elle, que dans ce drame, les acteurs principaux sont tous mes supérieurs hiérarchiques. Oui, mais Lisa Summer n'en était pas moins sa patiente, et il y avait des choses qu'elles avaient travaillées toutes les deux, des choses qui pouvaient s'avérer salutaires si on les essayait, à condition évidemment qu'Helen Stoddard et Eli Blankenship ne s'y opposent pas.

Elle s'excusa et descendit dare-dare au sous-sol où une série de couloirs faiblement éclairés reliait entre eux tous les bâtiments de l'hôpital. Son armoire personnelle se trouvait au quatrième étage du pavillon Thayer, où se situaient les locaux administratifs sur les trois premiers niveaux, et les chambres de repos des internes titulaires sur les deux derniers. Sarah s'engouffra dans l'ascenseur. Quelques minutes plus tard, elle redescendait l'escalier quatre à quatre et retraversait les couloirs au pas de course, serrant sous son bras le coffret d'acajou contenant ses aiguilles d'acupuncture. Ce coffret lui avait été offert par le Dr Louis Han. Sarah avait fait la connaissance de Han, missionnaire chrétien né en Chine, à l'époque où elle enseignait en Thaïlande comme coopérante pour une association d'aide aux pays en voie de développement dans les villages meo, au nord de Chiang-Mai. Cet homme exceptionnel avait été son conseiller et maître en matière de médecine douce jusqu'à sa mort, survenue trois ans après leur rencontre. Sur le couvercle du coffret, on lisait cette devise, élégamment gravée en caractères chinois : *Le pouvoir guérisseur de Dieu est en chacun de nous.*

Dès qu'elle eut franchi les portes de la salle A, Sarah sentit que la situation avait empiré. Un tubage gastrique avait été pratiqué sur Lisa. De son nez sortait à présent un tuyau relié à un gros flacon, par où s'écoulait un flux continu de sang. Le cathéter urinaire drainait aussi une importante quantité de sang. Randall Snyder, le visage terreux, était posté à côté du moniteur fœtal dont le tracé indiquait que le rythme cardiaque du bébé avait chuté en deçà du minimum vital.

– Qu'est-ce qui se passe ? demanda Lisa en s'approchant de son patron.

– J'ai peur que nous n'ayons perdu l'enfant, souffla Snyder. Nous pourrions tenter une césarienne dès à présent, et peut-être qu'on arriverait à sauver le petit, mais Lisa n'y survivrait pas.

– Vous pensez qu'elle a ses chances quand même ?

– Je ne sais pas. Ça se présente mal.

Sarah hésita un moment, puis s'avança vers le coin où se trouvaient Stoddard et Blankenship.

– Pourrais-je vous parler ? demanda-t-elle.

Pendant un instant, elle pensa que Stoddard allait l'éconduire.

Mais, se souvenant sans doute que Blankenship avait soutenu la candidature de Sarah, l'hématologue s'éloigna vers un coin de la pièce. Blankenship lui emboîta le pas.

– Je voudrais essayer d'arrêter l'hémorragie de Lisa, commença Sarah.

– Et qu'est-ce que vous croyez que nous faisons depuis une demi-heure ? répliqua Stoddard.

Sarah crispa les mâchoires. Elle n'avait jamais imposé sa méthode ni sa philosophie à qui que ce soit, interne ou enseignant. Mais Lisa était sa patiente et la thérapie conventionnelle ne semblait donner aucun résultat.

– Docteur Stoddard, je sais que vous n'avez pas grande estime pour la médecine douce, dit-elle en s'efforçant de ne pas élever la voix, mais je poursuis le même objectif que vous. Je veux que Lisa s'en tire. Depuis cinq mois, Lisa et moi préparons cette naissance à domicile, et nous avons beaucoup travaillé l'autohypnose et la visualisation interne.

– Oui, et alors ? fit Stoddard d'une voix glacée.

– Eh bien, en combinant l'acupuncture avec le pouvoir qu'a acquis Lisa de contrôler son propre corps, il est possible que nous arrivions à endiguer les saignements. A condition, bien sûr, que vous soyez disposée à lui donner de la protamine pour neutraliser l'héparine.

– Quoi ?

– Si nous arrivons à ralentir suffisamment l'hémorragie pour lui faire une césarienne, vous pourrez lui redonner de l'héparine ensuite pour dissoudre les caillots.

– C'est inepte.

Sans perdre son calme, Sarah prit une longue inspiration. En quatre années de faculté et deux d'internat, elle n'avait jamais connu ce genre d'affrontement avec un professeur. Mais il n'était pas question de faire machine arrière.

– Docteur Stoddard, la pression sanguine de Lisa est en chute libre. Son hémorragie s'aggrave et il est peut-être déjà trop tard pour le bébé.

– Non mais, pour qui vous prenez-vous ? Vous n'êtes qu'une ignorante et je...

– Un instant, Helen, coupa Blankenship. Vous pourrez dire tout ce que vous voudrez quand tout sera fini, mais pour l'instant, nous avons une malade qui s'affaiblit de minute en minute et exige toute notre attention. Le Dr Baldwin a raison. L'héparine n'a pas l'air d'agir sur les caillots et le saignement s'est accru au point que nous n'arrivons plus à compenser avec la transfusion.

– Si vous faites ça, je me désintéresse de ce cas, dit Stoddard.

– Helen, vous êtes une des meilleures hématologues que je connaisse et un médecin d'une grande conscience. Je ne peux pas imaginer que vous refusiez de faire quoi que ce soit de bénéfique à un malade.

– Mais...

– Et au bout du compte, vous savez bien que les quelques minutes que vous demande Sarah pour faire sa tentative ne changeront pas grand-chose.

– Mais... très bien, puisque vous y tenez tant... Mais quand ce sera fini, quel que soit le résultat, cet hôpital a intérêt à clarifier sa politique vis-à-vis des charlatans, sans quoi on ne me verra plus ici.

– Nous n'y manquerons pas, Helen, c'est promis. Sarah, qu'est-ce qu'on peut faire pour vous aider ?

– Eh bien, d'abord, donner de la protamine à Lisa.

– Helen ?

– Tsss... D'accord, d'accord, mais vous me revaudrez ça, Eli. C'est ridicule, marmonna-t-elle en tournant les talons pour aller administrer l'antidote de l'héparine. Absolument ridicule.

– Maintenant, poursuivit Sarah en sentant son cœur s'emballer, je vais vous demander de vous écarter tous du lit, sauf Heidi, et de faire en sorte qu'il y ait le moins de bruit possible.

– D'accord. Autre chose ?

– Oui, s'il vous plaît. Éteignez les plafonniers.

Lisa poussa un cri tandis qu'une nouvelle contraction lui nouait le ventre. Sarah lui caressa le front et s'agenouilla à côté d'elle.

– Lisa, fermez les yeux et écoutez-moi, dit-elle doucement. Nous allons travailler toutes les deux comme d'habitude. C'est le moment de mettre en pratique ce que vous avez appris. Vous comprenez ? Bien. Commençons par le plus facile, la visualisation externe, OK ? Tâchez de vous en servir pendant vos contractions. Je vous aiderai et Heidi est là pour vous aider aussi. Entre les contractions, je veux que vous vous concentriez sur ma voix et que vous visualisiez ce qui se passe dans votre système circulatoire et dans votre cœur. Tout va trop vite... beaucoup trop vite. Il se peut qu'il y ait des caillots de sang obstruant vos artères. Tâchez de vous relaxer et de les voir aussi. Décontractez-vous... détendez-vous...

Heidi prit le relais, murmurant également dans l'oreille de Lisa, tandis que Sarah consultait un petit livret aux pages froissées. Ayant repéré les points d'acupuncture qu'elle voulait stimuler, elle posa sa première aiguille juste au-dessous de la clavicule gauche de Lisa. Puis, l'une après l'autre, elle piqua délicatement cinq autres aiguilles métalliques en différents endroits, faisant de son mieux pour surmonter le handicap dû aux bandages et à la position allongée de la malade.

La pièce était maintenant plongée dans un silence angoissant, ponctué seulement par le ronronnement de la pompe aspirante et le bip-bip à peine audible du moniteur cardiaque.

– Sarah, regardez, chuchota quelqu'un. J'ai l'impression que le sang coule déjà moins.

Sarah jeta un œil sur le drain. Effectivement, le débit de sang avait nettement diminué.

– Lisa, détendez-vous, répéta Sarah, gentiment mais fermement. Essayez de ralentir votre cœur, de retenir votre sang, et décontractez-vous. Vous pouvez y arriver, c'est en votre pouvoir.

Une minute s'écoula, puis une autre. Lisa reposait, immobile, les yeux clos. Une contraction arriva, détectable par un frémissement des muscles abdominaux. La jeune femme demeura calme et sereine.

– Sarah, ses pulsations cardiaques sont tombées de 90 à 50, annonça Blankenship. Le saignement de nez a l'air de s'être arrêté complètement, et celui de l'intraveineuse aussi. Randall, vous êtes prêt ?

– Tout est en place, dit Snyder. L'anesthésiste nous attend en haut. Quand vous voudrez.

Le tubage gastrique n'aspirait plus que de faibles quantités de sang. L'hémorragie était maîtrisée. Sarah ôta soigneusement les six aiguilles. Pendant dix, quinze secondes, on n'entendit plus un bruit.

– Allez-y, dit-elle.

5

2 JUILLET

Sarah ordonna qu'on relève la table d'opération de vingt centimètres et fixa des poignées stériles sur le scialytique. Elle veillait depuis vingt-quatre heures, courant d'une malade à l'autre sans avoir fait ne fût-ce qu'une courte sieste, et ressentait une légère brûlure autour de ses yeux rougis. Mais sa concentration, comme toujours au bloc, était aussi aiguisée que son scalpel. Après avoir réglé le faisceau lumineux, elle assura le bistouri dans sa main droite, jusqu'à ce qu'elle sente qu'il prolongeait naturellement son bras. De la main gauche, elle distendit la peau sur le haut du pubis préalablement rasé, puis, d'un seul geste assuré, elle incisa la paroi abdominale, avant d'écarter la fine couche couleur safran de graisse sous-cutanée. Du sang gicla de quelques veines que Sarah assécha avec une pince hémostatique et un cautère électrique. Elle coupa ensuite la membrane du péritoine, exposant l'utérus gravide fortement renflé.

– Tout va bien de votre côté ? demanda-t-elle à l'anesthésiste.

– C'est bon.

– OK, on y va.

Sarah effleura la surface de l'utérus avec la pointe du bistouri avant de pratiquer une petite incision dans laquelle elle inséra ses deux index afin de séparer les fibres musculaires. Enfin, d'un seul petit coup de lame précis, elle creva la poche amniotique.

– Nous y sommes, dit-elle au premier giclement des eaux. Aspiration, s'il vous plaît.

A présent, il fallait faire vite. Le puissant utérus pouvait se relâcher à chaque instant, compliquant sérieusement la délivrance du bébé. Pendant dix secondes, Sarah retint sa respiration, tandis qu'elle fouillait au fond du bassin à la recherche des jambes de l'enfant, essayant en même temps d'évaluer la position du cordon ombilical. Ses doigts se refermèrent délicatement sur les petites jambes grêles qu'elle fit sortir par l'incision. Puis vint le torse et doucement, très doucement, les bras et les épaules. Finalement, elle glissa la paume sous le crâne et fit passer la tête. L'enfant était né.

Sans perdre de temps, Sarah nettoya le nez et la bouche avec une canule aspirante. Quelques secondes plus tard, le silence tendu régnant dans la salle d'accouchement fut déchiré par les cris perçants du nouveau-né. Aussitôt, tout le monde respira.

– C'est une fille, Kathy, dit Sarah d'un ton peut-être un peu trop détaché. Une jolie petite fille. Félicitations. Monsieur, si vous voulez bien venir par ici, vous allez pouvoir couper le cordon.

Le père, qui sortait tout juste du lycée, s'avança de biais, souriant nerveusement, et fit ce qu'on lui disait, avant de revenir en hâte à la tête du lit où sa jeune femme pleurait et riait de bonheur. Sarah tendit alors le parfait nourrisson au pédiatre. Elle espérait que personne dans la pièce ne réalisait à quel point elle était proche des larmes elle-même, des larmes de tristesse et non de joie, à cause de Brian, l'enfant de Lisa, mort-né dix-sept heures plus tôt.

Il était 6 heures du matin, et Sarah venait de passer un jour et une nuit blanche incroyablement stressants au cours desquels elle avait réalisé deux accouchements normaux avant de pratiquer cette césarienne due à une présentation par le siège. Mais la veille, peu avant 13 heures, l'immense contentement d'avoir joué un rôle capital dans l'hémostase de Lisa avait fait place à une tristesse inexprimable lorsqu'elle avait dû assister impuissante à l'extraction de son bébé, mort avant même qu'ils eussent atteint la salle d'accouchement.

Comme l'enfant de la précédente victime de CID, Brian Summer avait succombé des suites d'une hémorragie massive à l'intérieur du placenta et de la séparation prématurée de celui-ci de la paroi utérine. L'eût-on fait naître une demi-heure plus tôt, il aurait eu une chance, mais seulement une chance, de survivre. Le choix crucial, au demeurant, avait consisté à diriger tous les efforts vers la mère, qu'on n'aurait certainement pas pu sauver, faute de sang, si la délivrance n'avait pas été retardée.

Avec un détachement confinant presque à la distraction, ce qui n'était guère dans ses habitudes, Sarah se vit ôter le placenta de la jeune femme, puis commencer à recoudre l'incision qu'elle avait faite. La décision de sauver la vie de Lisa avait été la bonne. L'issue du drame, néanmoins, était très difficile à accepter. Sarah s'apprêtait à poser les agrafes lorsqu'un infirmier du service de chirurgie s'approcha d'elle discrètement.

– Sarah, le Dr Truscott me charge de vous dire qu'ils ont à nouveau transporté Lisa Summer en salle d'opération, lui souffla-t-il à l'oreille.

Oh ! non, pensa-t-elle.

– Vous savez ce qui se passe ?

– Eh bien, apparemment, les anticoagulants n'ont pas débloqué la circulation dans son bras droit. Je ne sais pas au juste ce que le Dr Truscott compte faire maintenant.

– Merci, Win. J'irai vous rejoindre dès que je pourrai. J'ai presque fini, Kathy. Le pédiatre vient de me signaler que votre bébé est parfait. Son indice d'Apgar est de 9. Le maximum est de 10, mais nous ne le donnons qu'aux bébés qui naissent en jouant du violon. Le docteur va vous apporter votre fille dans un instant.

– Merci, docteur. Merci infiniment.

Sarah appliqua un bandage sur l'incision, puis ôta ses gants en s'écartant de la table.

– Nous sommes tous très heureux pour vous, dit-elle.

Elle sortit de la salle d'accouchement et se dirigea vers le pavillon de chirurgie. Pendant ce court trajet, elle fut arrêtée par une infirmière d'abord, puis par un interne, qui la félicitèrent pour le sauvetage de la jeune accouchée.

– L'hôpital entier ne parle que de ça, lui dit l'interne. Vous nous avez vraiment ouvert les yeux sur les perspectives de la médecine douce. Je suis diplômé de l'école d'ostéopathie de Philly. Grâce à vous, et c'est une première, les autres internes me posent plein de questions sur ma formation, surtout sur ce qui diffère du programme des facs de médecine traditionnelle. Ceux qui n'avaient que mépris pour les méthodes non conformistes s'y intéressent soudain beaucoup.

Les paroles de ce jeune homme auraient dû agir comme un coup de fouet sur le moral de Sarah. Mais il n'en fut rien. Tout son savoir et toute la puissance d'un matériel valant des centaines de millions de dollars n'avaient pas réussi à sauver le bébé de Lisa Summer. Ce n'était certes pas la première fois qu'elle déplorait la perte d'un nouveau-né dans son travail. La mort d'un être humain faisait partie de son métier et, d'un point de vue purement intellectuel, elle s'y était préparée. Mais pour des raisons obscures, elle n'arrivait pas, émotionnellement, à supporter cet échec, que ni la logique ni la fatalité ne pouvaient justifier.

Mentalement, elle se revoyait dans son bureau, puis dans la salle de soins, au second étage de l'Institut Ettinger. A l'époque, elle ne mettait pas moins de dévouement à soigner les malades qu'aujourd'hui. Mais sa relation avec les patients, sereine, directe et pour ainsi dire privilégiée, lui paraissait à mille lieues de celle qu'elle entretenait avec la clientèle du CHU de Boston.

La différence reposait purement et simplement sur le degré de technicité (ou de scientificité) dominant la médecine occidentale moderne. Par moments, Sarah avait l'impression de manœuvrer un planeur alors qu'on l'avait formée à piloter un jet.

Son départ de l'Institut Ettinger avait été motivé par l'intransigeance et l'intolérance de Peter Ettinger. Mais à l'origine de sa décision de passer son doctorat en médecine, il y avait des raisons beaucoup plus profondes. Elle pensait qu'en devenant médecin, les limites et les frustrations imposées à sa vie professionnelle disparaîtraient. Au lieu de quoi, malgré tout le savoir acquis, malgré toute la technologie mise à sa disposition, limites et frustrations perduraient autant, sinon plus, qu'auparavant.

Quatre femmes, à présent, faisaient partie du personnel chirurgical de l'hôpital et parmi elles, trois étaient chirurgiens en titre. Et pourtant, il n'y avait toujours qu'un seul vestiaire pour tout le département, et il était exclusivement réservé aux hommes.

Sarah ôta sa tenue d'obstétricienne, la rangea dans un placard et mit une tenue vert pâle, ainsi qu'un masque et un calot stériles. Douze heures s'étaient écoulées depuis qu'elle avait vu Truscott sonder et irriguer les principales artères du bras droit de Lisa. L'idée était d'évacuer le plus de caillots possible, en espérant que l'anticoagulant ferait le reste. Si une nouvelle intervention s'avérait maintenant nécessaire, ce ne pouvait être qu'une opération directe sur les vaisseaux obstrués.

Sarah entra dans le bloc opératoire après s'être soigneusement désinfecté les mains. De nouveau sur le billard pour la troisième fois en moins de vingt-quatre heures, Lisa était déjà anesthésiée et intubée. Son visage reflétait un calme trompeur. Sa tête, surveillée par l'anesthésiste, était séparée du champ opératoire par un drap stérile, derrière lequel Andrew et un autre praticien étaient penchés sur son bras, du même côté de la table.

Pendant un instant, Sarah crut que le second chirurgien était le même homme que celui qui avait assisté Andrew lors de l'intervention précédente. Mais lorsqu'elle tira vers elle un petit tabouret métallique pour s'asseoir, elle s'aperçut qu'il s'agissait de Ken Browne, le chef de service d'orthopédie. C'est alors seulement que Sarah vit l'avant-bras sectionné et la main aux doigts repliés posés sur le plateau de l'instrumentiste. En fait, il n'était aucunement question de délicate chirurgie vasculaire. Browne et Andrew s'efforçaient de rogner l'extrémité du radius et du cubitus de Lisa, afin de parachever ce qui n'était autre qu'une amputation au-dessous du coude de la malheureuse.

Sarah sentit ses muscles se relâcher brusquement et pour la première fois de sa vie, elle crut qu'elle allait s'évanouir. Seigneur, non, pensa-t-elle. D'abord le bébé, ensuite ça...

Andrew releva les yeux et vit sa pâleur.

– Ça ira ? demanda-t-il.

– Andrew, c'était... c'est une artiste. Elle vit de sa poterie. Ses mains sont ce qu'elle a de plus... Excusez-moi, je... je croyais qu'elle était guérie.

– Maintenant, elle va probablement guérir, répondit Andrew d'un air las. Je suis aussi navré que vous d'avoir dû en arriver là, mais la gangrène, que voulez-vous, c'est la gangrène. Nous n'avions pas le choix.

– Je comprends.

Mais en vérité, Sarah ne comprenait rien, rigoureusement rien à ce qui, en l'espace de quelques heures, avait transformé la maternité d'une femme épanouie en un véritable cauchemar.

6

L'unité de soins intensifs postchirurgicaux, plus simplement nommée l'USIC, était une salle de douze lits dont la surveillance était assurée nuit et jour, à raison d'une infirmière pour un ou deux malades. Il était rare qu'une garde s'écoule sans qu'il y ait un patient en crise. Et bien que l'atmosphère soit ordinairement feutrée et paisible, sauf en cas d'extrême urgence, elle n'était jamais silencieuse. La surveillance électronique des malades, le matériel d'aspiration, de perfusion et de respiration, produisaient sans discontinuer un bruit sourd, semblable à celui du mouvement des vagues. C'était ici, et plus encore que dans les blocs opératoires, que se menaient les vraies batailles entre la vie et la mort.

Sarah préférait de beaucoup le travail en salle d'opération au suivi fastidieux qu'imposaient les malades en état critique dans ce service. En revanche, elle appréciait vivement la sympathie qui régnait parmi le personnel de l'USIC.

A 7 h 30, ce matin du 2 juillet, six boxes de l'USIC seulement étaient occupés, mais tous allaient être pleins lorsque les différentes interventions chirurgicales prévues seraient achevées. Vers midi, les yeux fatigués par le manque de sommeil, Sarah s'assit sur le bord du lit n° 8 en attendant que Lisa Summer soit ramenée de la salle de réanimation. L'état général de la jeune femme était satisfaisant, quoique difficilement acceptable pour Sarah. Lisa avait supporté l'opération sans saignement excessif. En fait, tous les symptômes de CID s'étaient résorbés les uns après les autres, et la circulation des reins, des jambes et du bras valide était devenue fluide. Il semblait – chose inexplicable – que la césarienne avait fait cesser la crise hématique.

Lisa avait la vie sauve. Son utérus, ses sens et son système nerveux étaient intacts et elle pouvait marcher. Avec le temps, elle apprendrait à mieux se servir de sa main gauche et à contrôler la prothèse qu'on lui mettrait au bout du bras droit. Peut-être même trouverait-elle le moyen de poursuivre sa carrière d'artiste. Peu à peu, elle surmonterait sa peine et peut-être un jour aurait-elle même un autre enfant. Malgré tout, Sarah ne pouvait oublier que Lisa était sa patiente et que vingt-quatre heures plus tôt, elle s'apprêtait à mettre son fils au monde, après des mois de préparation exaltante.

– Ça va, Sarah ?

Surprise pendant qu'elle passait au crible les résultats des nombreux examens biologiques subis par Lisa afin de trouver un indice, n'importe lequel, sur les origines de la catastrophe, Sarah sursauta et, levant les yeux, reconnut Alma Young, une infirmière chevronnée de l'USIC, qui se tenait debout devant elle.

– Oui, oui, ça va. Un peu fatiguée, c'est tout.

– C'est compréhensible. Enfin, votre malade arrive dans dix minutes. La réanimation vient de m'appeler. Apparemment, elle se remet assez bien, compte tenu de ce qui lui est arrivé.

– Tant mieux, commenta Sarah sans grand enthousiasme. J'étais plongée dans ces colonnes de chiffres, espérant trouver quelque chose m'ayant échappé qui expliquerait tout.

– Peut-être que si vous faisiez une petite sieste pendant quelques minutes...

– Vous savez, si je m'endors, j'en ai pour la journée...

– Savez-vous qu'on ne parle que de votre exploit d'hier dans tout l'hôpital ? Les infirmières des urgences racontent que cette femme serait certainement morte si vous n'aviez pas tenu tête à l'hématologue.

– Alors pourquoi est-ce que tout ça me laisse un goût si amer, d'après vous, Alma ?

L'infirmière, qui en avait vu des vertes et des pas mûres en trente-cinq ans de pratique, s'assit sur le rebord du lit.

– Parce que vous êtes un bon médecin, voilà pourquoi. Vous êtes sensible et vous vous souciez vraiment de la souffrance et de la détresse des gens.

– Merci.

– Mais si je peux me permettre...

– Je vous en prie.

– Je trouve que vous en faites trop, parfois vous prenez les choses trop à cœur. Le fait que vous soyez là, en train d'examiner les résultats du labo, est un parfait exemple. C'est porter la sensibilité trop loin. J'ai vu toutes sortes d'internes et d'infirmières défiler ici et j'ai remarqué qu'une des choses que les meilleurs ont en commun, c'est ce déclic mental qui leur permet de redevenir objectif quand il le faut. Vous avez tout pour faire partie des grands, mais je crois que vous vous laissez trop dominer par vos affects, comme disent les psy.

Sarah esquissa un sourire.

– Vous voyez ça en moi ?

– Oui. Et je ne suis pas la seule parmi les infirmières. Notre sport favori, comme vous savez, est de disséquer les internes. Nous vous aimons toutes beaucoup, et nous adorons travailler avec vous, Sarah. Mais parfois vous nous faites peur. C'est comme si vous étiez toujours insatisfaite, toujours à vouloir faire l'impossible au lieu de vous contenter de ce que vous pouvez.

Les remarques de l'infirmière déclenchèrent chez Sarah un flot d'images et de sensations, la plupart désagréables, et qui toutes la ramenaient au souvenir de Peter Ettinger.

– Alma, dit-elle, je n'ai jamais été très douée pour accepter mes limites. En fait, si je ne m'étais pas persuadée que je devais me surpasser pour soigner les malades, je n'aurais sans doute jamais fini mes études de médecine.

– Expliquez-moi ça.

– Vous avez deux ou trois heures devant vous ? fit Sarah en riant malaisément.

– Je suis totalement libre jusqu'à ce que Mlle Summer arrive.

L'infirmière ne bougeait pas, c'était visiblement une invitation à se confier. Sarah réfléchit un moment. Elle avait toujours été de tempérament réservé. Le cloisonnement de sa vie – lycée dans l'État de

New York, fac dans une banlieue de Boston, coopération en Thaïlande, Institut Ettinger, études de médecine en Italie et internat au CHU de Boston –, n'avait fait que renforcer cet aspect de son caractère. Dans chacun de ces endroits, elle s'était fait des amis mais aucune de ces amitiés, sauf celle de son maître, le Dr Louis Han, n'avait survécu à ces différentes mutations. Et peu à peu, elle s'était rendu compte qu'elle ne pouvait plus, ou ne voulait plus parler d'elle-même quand on le lui demandait, même si elle en avait envie.

Maintenant, une femme avec qui elle travaillait quotidiennement depuis plus de deux ans semblait sincèrement s'intéresser à elle et à sa façon de réagir dans un cas dramatique. Peut-être était-ce le moment de se confier.

– Il y a de cela plusieurs années, commença-t-elle, dix exactement, je vivais dans les montagnes du nord de la Thaïlande, où je participais à la création d'un centre de soins, tout en enseignant et en étudiant l'acupuncture et la phytothérapie. Un homme beaucoup plus âgé que moi devint mon ami et mon maître spirituel. C'était en quelque sorte le père que je n'avais pas eu, vous voyez, ce genre de rapport. Cet homme mourut inopinément et peu après, un autre homme qui lui ressemblait beaucoup, bien qu'il fût plus jeune, arriva dans le village où je me trouvais. Il était brillant, dynamique, et s'intéressait aux mêmes choses que moi. A cette époque, il avait déjà acquis une renommée mondiale dans plusieurs domaines d'application de la médecine douce. Un mois après notre rencontre, j'étais de retour aux États-Unis, installée chez lui avec sa fille et je travaillais dans son institut.

Sarah s'arrêta, hésitant à révéler le nom de Peter et décida finalement de n'en rien faire.

– J'ai vécu à peu près trois ans avec lui et avec cette jeune fille, qu'il avait ramenée d'Afrique et adoptée quand elle n'était encore qu'un bébé. Pendant trois années, j'ai été pour elle comme une mère. Son père adoptif et moi étions partenaires d'égal à égal à l'institut, mais je travaillais toujours *pour* lui, jamais *avec* lui, et il ne manquait pas de me le faire sentir. Lorsque arriva l'événement que je vais vous raconter, il m'avait demandée en mariage. Mais le mauvais côté de sa personnalité, un ego insatiable et une intransigeance qui m'effrayait, avait déjà commencé à se manifester dans notre vie commune.

– Continuez, s'il vous plaît, dit Alma.

– Il avait un patient, un sculpteur qu'il avait véritablement guéri d'une polyarthrite, alors que ses médecins l'avaient tous déclaré incurable.

– Comment avait-il fait ?

– Oh ! un traitement diététique avec des herbes, plus quelques-unes des techniques dont je me suis servie hier avec Lisa. D'estropié, l'homme était devenu adepte du squash qu'il pratiquait tous les jours.

– Impressionnant !

– Pas pour nous. La médecine douce guérit beaucoup de gens vis-à-vis desquels la médecine occidentale se déclare impuissante. Nous autres, docteurs en médecine, ignorons encore trop de choses sur l'évolution des maladies, vous savez. Nos microscopes grossissent de plus en plus, mais en même temps, nous découvrons des choses de plus en plus petites. Nous prescrivons de la pénicilline à n'importe qui sans réfléchir, mais nous ne savons toujours pas pourquoi de deux individus soumis aux mêmes conditions, l'un héberge une colonie de streptocoques dans sa gorge, tandis que l'autre se porte comme un charme. Enfin bref, mon ami s'absenta un mois et me laissa la charge de ses malades. Il soignait toujours le sculpteur pour des maux de tête avec des herbes, de l'acupuncture et des manipulations chiropractiques. Je vis l'homme plusieurs fois et à chaque fois, il m'inquiétait davantage. Il disait que ses maux de tête allaient mieux, ou du moins n'empiraient pas, mais il marchait d'une drôle de façon. Et croyez-moi ou pas, il souriait aussi d'un air bizarre.

– Des ennuis en perspective, quoi.

– C'est ce que j'ai pensé. J'ai appelé l'hôpital du White Memorial et j'ai parlé à un neurologue qui a accepté de le voir le lendemain à 11 heures. Mon ami devait revenir du Népal le soir même, mais je décidai que son patient devait être vu quoi qu'il advienne, et fis donc le nécessaire. Cela peut vous paraître facile, Alma, mais ça ne l'était pas, car c'était en totale contradiction avec toutes les convictions de mon ami.

Sarah ne se rappelait pas avoir jamais partagé avec quelqu'un le souvenir de cette terrible dernière journée à l'Institut Ettinger. Mais Alma Young était si attentive à son récit qu'elle raconta sans peine la suite qui d'ailleurs n'était que des bribes de ce dont elle arrivait à se souvenir.

Tout semblait parfait ce soir-là. Peter écouta calmement et attentivement le rapport de Sarah sur le sculpteur, Henry McAllister, et elle lui avoua sans hésiter qu'il devait voir un neurologue le lendemain. La réaction de Peter fut le contraire de ce qu'elle craignait.

– Écoute, ma chérie, dit-il, je t'ai laissé la responsabilité de l'institut parce que tu es une personne compétente. Tu as vu ce que tu as vu, tu as pris ta décision et agi en conséquence. Je ne vois pas ce qu'il pourrait y avoir de mal là-dedans.

Plus tard, dans la soirée, ils firent l'amour passionnément, comme aux premiers jours de leur union.

Apparemment, Peter avait fait l'impasse sur l'incident pour préserver leur relation. Sarah savait que ce n'était pas si simple pour lui. Il pensait honnêtement que la médecine traditionnelle occidentale s'était tellement égarée parmi la science, la pharmacologie et une technologie inhumaine, qu'elle faisait aujourd'hui plus de mal que de bien. Au-dessus de son bureau, on lisait, en gros caractères, la définition suivante :

MALADIE IATROGÈNE : QUI EST PROVOQUÉE PAR
LES PAROLES OU L'ACTION D'UN MÉDECIN.

Or, il semblait qu'il eût tenu là l'occasion rêvée, à la fois de dénigrer la médecine moderne et de critiquer son jugement. Curieusement, il n'en avait rien fait.

Sarah partageait avec Peter la foi dans les pouvoirs illimités de la relation entre soignant et soigné. Elle accordait grand crédit à la méthode holistique, tant du point de vue du diagnostic que de celui du traitement. Mais contrairement à Peter, elle ne nourrissait aucune hostilité à l'encontre de la médecine classique. Après tout, elle n'avait survécu dans sa jeunesse à une grave crise d'appendicite qu'en étant transportée en hélicoptère dans un hôpital militaire et opérée d'urgence.

Peter avait 40 ans, douze ans de plus qu'elle. Cette différence d'âge ainsi que sa taille impressionnante – il faisait un mètre quatre-vingt-quinze –, son énergie inlassable et sa réussite matérielle n'aidaient pas Sarah à trouver sa place dans leur relation et rendaient illusoire toute prétention à s'affirmer. Mais en définitive, Peter avait choisi de l'écouter elle, plutôt que son orgueil. Peut-être avait-il compris que sa façon de voir les choses n'était pas la seule.

Ils passèrent la matinée du lendemain à faire l'amour. Lorsque Sarah arriva à l'institut pour ses consultations de l'après-midi, elle se sentait mieux dans sa peau qu'elle ne l'avait été depuis longtemps.

Cependant, vers 15 heures, elle commença à se demander pourquoi le neurologue du White Memorial ne lui donnait pas de nouvelles. Il devait pourtant avoir fini d'examiner Henry McAllister. Si Sarah avait vu juste dans son évaluation des troubles moteurs de l'artiste, une scintigraphie cérébrale d'urgence ainsi que d'autres tests s'imposaient. Le médecin avait promis d'appeler Sarah à son bureau dès qu'il aurait les premiers résultats.

15 h 30... 16 heures... 16 h 30...

Elle vérifia l'heure de plus en plus nerveusement au fur et à mesure que défilaient ses patients. Finalement, après le départ du dernier d'entre eux, elle appela White Memorial.

– Mais madame Baldwin, je pensais que vous étiez au courant, dit le neurologue.

– Au courant de quoi ?

En même temps, elle sentait sa gorge se nouer.

– Eh bien, quand je suis arrivé au bureau ce matin, il y avait un message de M. McAllister sur mon répondeur. Il a appelé vers

10 heures hier soir pour dire qu'il avait parlé à son conseiller médical et qu'il annulait son rendez-vous avec moi. Je pensais que le conseiller médical en question, c'était vous.

– Non, dit Sarah, non, j'ai bien peur qu'il ne s'agisse de quelqu'un d'autre. Merci, docteur.

– Bon, eh bien, désolé de n'avoir pu vous...

Elle avait déjà raccroché. Elle fit irruption, l'air indigné, dans le bureau de Peter qui était vautré dans son fauteuil, les pieds sur la table.

– Peter, pourquoi ne m'as-tu pas dit que tu avais appelé McAllister hier soir ?

– Parce que j'estimais que c'était sans importance.

– Sans importance ? La décision de l'envoyer consulter au White Memorial m'a tellement coûté que j'ai dû en attraper un ulcère à l'estomac.

– Eh bien, maintenant, tu n'as plus à t'inquiéter pour lui, dit-il en reposant ses pieds sur le sol.

– Mais... tu m'as dit que j'avais bien fait de prendre cette décision.

– Et c'est vrai. Tu as bien fait vis-à-vis de toi. Mais pas forcément vis-à-vis d'Henry.

– Mais comment le sais-tu ? Comment as-tu pu lui demander d'annuler ce rendez-vous sans même l'avoir vu ?

– D'abord, je ne pense pas qu'il existe beaucoup de choses qu'un docteur en médecine puisse faire que nous ne puissions faire aussi bien, sinon mieux. Ensuite, je ne lui ai pas demandé d'annuler son rendez-vous, je lui ai dit qu'il devait exercer son jugement et que quoi qu'il décide, je serais disponible pour le voir aujourd'hui à sa convenance. Il suffisait qu'il m'appelle pour me fixer une heure.

– Et est-ce qu'il a appelé ?

Ce disant, Sarah sentit son pouls battre dans ses tempes. Elle avait les joues en feu et aurait voulu bondir sur le bureau pour effacer à coups de poing la suffisance qui se lisait sur le visage de Peter.

– Alors ? Il a appelé, oui ou non ?

Peter fronça les sourcils.

– Heu... eh bien, je crois qu'avec tout ce qui s'est passé aujourd'hui, j'ai complètement oublié de vérifier.

Il écouta les messages sur son répondeur, puis appela la standardiste.

– Apparemment, il n'a pas éprouvé le besoin de rappeler, dit-il en raccrochant.

– Peter, tu sais que tu es vraiment un salaud ?

Sur quoi elle tourna les talons et fonça dans son bureau.

– Hé ! calme-toi, chérie, cria-t-il en essayant de lui courir après. Calme-toi !

Le dossier médical d'Henry McAllister était sur le bureau de Sarah. Elle composa son numéro et laissa le téléphone sonner une bonne douzaine de fois, en vain. Alors, elle appela police secours. Si elle se trompait, elle aurait l'air ridicule. Mais il n'était plus question de reculer. Pour la première fois depuis trois ans, elle avait l'impression de réagir à une situation difficile en son nom à elle, Sarah Baldwin, et non plus comme larbin de Peter Ettinger.

Elle passa en trombe devant Peter qui sortait de son bureau, dévala l'escalier et fut hors de l'institut en moins de temps qu'il ne faut pour le dire. Peter l'appela mais elle ne prit même pas la peine de se retourner.

McAllister habitait un studio mansardé en haut d'un immeuble, une dizaine de rues plus loin. Elle songea un instant à prendre un taxi, puis serra les dents, ferma les poings et s'élança au pas de course.

– Et alors? demanda Alma Young.

– Pardon?

– Qu'est-ce qui lui est arrivé, à ce sculpteur? Ne me laissez pas en plan, racontez-moi la fin.

– Oh! pardon, dit Sarah. Eh bien, dans cette situation-là, voyez-vous, si j'avais estimé que je ne pouvais pas faire plus que ce que j'avais fait, l'homme serait probablement mort. La police finit par pénétrer chez lui en défonçant la porte. Il était étendu par terre, inconscient. Deux heures plus tard, il était sur le billard au White Memorial. Il avait une tumeur maligne à évolution lente, un méningiome pour être précise, à l'hémisphère droit du cerveau. Et comme il arrive quelquefois, la tumeur avait commencé à saigner, augmentant dangereusement la pression dans le crâne.

– Dieu merci, vous étiez intervenue à temps, dit Alma, sincèrement soulagée par l'heureux dénouement d'un drame vieux de sept ans.

La réaction de l'infirmière fit sourire Sarah.

– J'ai été autorisée à pénétrer dans la salle d'opération pour assister à l'extraction de la tumeur. C'était vraiment hallucinant. C'est à ce moment-là que j'ai décidé de devenir médecin. Je voulais d'abord être chirurgien, et puis je me suis décidée pour la gynécologie-obstétrique.

– Et l'autre homme? votre, heu... ami?

Sarah haussa les épaules.

– J'ai déménagé le lendemain et nous ne nous sommes plus reparlé depuis.

– Eh bien! en voilà une histoire...

– Vous comprenez maintenant pourquoi j'ai du mal à admettre que j'ai fait tout ce que je pouvais pour un malade?

– Peut-être. Mais je persiste à penser que vous seriez mieux dans votre peau si vous reconnaissiez que vous n'êtes qu'un être humain.

Les médecins ont des capacités remarquables, mais ils ne sont pas Dieu et ne le seront jamais. Si vous n'arrivez pas à vous faire à l'idée que malgré tous vos efforts, certaines de vos patientes perdront leur bébé, leurs bras, ou les deux, que certaines y resteront, même, le métier finira par vous dévorer.

– Je comprends.

– Vraiment ?

– Oui, oui, je comprends.

Alma Young se pencha en avant et serra amicalement l'épaule de Sarah.

– Dans ce cas, docteur Baldwin, je ne veux plus vous voir désespérée parce que des circonstances pathologiques totalement indépendantes de votre volonté ont coûté à cette femme son bébé et son bras. Je veux au contraire vous entendre crier sur tous les toits que c'est grâce à votre exploit d'hier qu'elle a eu la vie sauve. C'est un magnifique succès pour un hôpital comme le nôtre, et toute personne concernée par la réussite du CHU de Boston devrait être fière de vous avoir pour collègue.

Sarah se força à sourire.

– Cocorico ! fit-elle d'une petite voix.

Les portes de l'USIC glissèrent sur leur rail et Lisa entra, poussée dans un lit roulant par un brancardier et une infirmière. Andrew Truscott arriva quelques instants plus tard. La nuit qu'il venait de passer au bloc se lisait dans ses yeux légèrement cernés, mais nul n'aurait pu deviner qu'il venait de passer deux journées consécutives sans dormir. C'était un phénomène que Sarah avait aussi remarqué chez elle. Au fur et à mesure que les années passaient, le manque de sommeil avait des effets biologiques de moins en moins apparents.

– Comment va-t-elle ?

– Ce n'est pas d'une folle élégance, ces amputations. Navré d'avoir dû en venir à cette extrémité, si j'ose dire.

– J'espère au moins qu'elle va aller mieux à partir de maintenant.

– Qu'est-ce que vous croyez ? Vous l'avez vraiment guérie avec vos satanées petites aiguilles.

– Ne dites pas de bêtises.

Comme souvent, Sarah n'arrivait pas à savoir si le ton sarcastique d'Andrew exprimait réellement ses opinions.

– Sarah, docteur Truscott, appela Alma Young, l'un d'entre vous condescendrait-il à nous aider pour porter la malade ?

– J'arrive, répondit Sarah.

– J'aime vous l'entendre dire, chère amie, fit Truscott, car j'ai une consultation qui m'attend en médecine générale. Retrouvons-nous à la cafétéria d'ici une heure, voulez-vous ? J'ai quelques questions à vous poser au sujet du numéro de prestidigitation d'hier. Alma, les consignes postopératoires pour notre jeune amie sont sous le matelas. Le Dr Biscoto, ici présente, va venir vous prêter main-forte à l'instant.

Avec l'aide de Sarah, Lisa fut portée du lit roulant jusqu'au box n° 8. Puis Sarah s'écarta, tandis qu'Alma et une autre infirmière installaient rapidement perfusion, moniteur cardiaque et cathéter urinaire.

– Elle est à vous, dit Alma en s'éloignant pour ne pas être entendue de la malade. Ça ne va pas être simple pour elle, surtout sans argent ni famille.

– Je vais demander à l'assistante sociale de venir la voir dès que possible.

– Et vous pourriez aussi lui réserver un entretien avec un psy. Elle n'a pas dit un mot depuis qu'elle a appris la mort de son bébé.

– Je sais. Merci, Alma. C'est une excellente suggestion.

Elle s'approcha du lit. Lisa était étendue, immobile, les yeux fixés au plafond. Ses lèvres, où se voyaient encore quelques taches de sang coagulé, étaient craquelées et boursouflées. Le moignon de son bras bandé se dessinait sous le drap empesé. Tout en lui parlant, Sarah examina la cicatrice de la césarienne. Pas une seule fois, Lisa ne lui répondit.

– Bonjour, Lisa, bienvenue dans la salle de soins intensifs. Est-ce que vous souffrez beaucoup ?... Surtout, si vous avez mal, n'hésitez pas à le dire aux infirmières... Ne parlez pas si vous n'en avez pas envie... J'ai deux ou trois choses à vous dire, ensuite, je vous laisserai... Vos problèmes de saignement et de caillots semblent résolus. Plus de transfusion, par conséquent.

Sarah chercha une étincelle de compréhension dans les yeux de la jeune femme, et n'en vit aucune.

– Lisa, reprit-elle, je voudrais vous dire que nous sommes tous profondément peinés par ce qui vous est arrivé et que nous compatissons à... à votre deuil. Nous allons faire le maximum pour vous aider à surmonter cette épreuve et pour en trouver les causes. Essayez d'être courageuse...

Sarah attendit vainement une réponse pendant une demi-minute. Puis elle caressa la joue de Lisa du dos de la main.

– Je reviendrai vous voir un peu plus tard.

Elle fit quelques pas en pensant qu'il devait forcément y avoir une explication quelque part. Deux cas identiques dans le même hôpital en quelques mois, se répétait-elle. Il doit bien y avoir une raison. Et elle se jura, quel qu'en soit le prix, de tout faire pour élucider ce mystère.

Elle se retourna et regarda à nouveau la jeune artiste alitée, essayant sans grand succès d'imaginer ce qu'on pouvait ressentir après avoir vécu une tragédie aussi soudaine et inexplicable. Enfin, elle sortit de l'USIC. Il lui restait quarante-cinq minutes avant son rendez-vous avec Andrew, et elle avait encore une douzaine de patientes à voir dans la matinée.

– Où vas-tu?
– Je sors.
– Tu sors, tu sors, qu'est-ce que ça veut dire? Je veux savoir où tu vas.
– Papa, j'ai 18 ans. Les autres filles de mon âge ne...
– Tu n'es pas comme les autres filles de ton âge, tu le sais très bien.
– Mais...
– Tu joues au polo, tu vas en vacances en Europe, tu rentres à Harvard à l'automne, et surtout, tu toucheras vingt millions de dollars le jour de tes 25 ans. Tu n'as rien à voir avec les autres adolescents de ton âge. Maintenant, j'aimerais que tu me dises qui tu comptes voir ce soir.
– Papa, je t'en prie...
– Qui est-ce? C'est Chuck, hein? Ce jeune péteux prétentieux qui prétend t'aimer pour tes beaux yeux. On l'a élu plus beau garçon de l'année dans sa classe de lycée, il veut devenir mannequin, et il n'a même pas l'intention de s'inscrire en fac. T'es-tu jamais demandé pourquoi un garçon pareil s'intéressait subitement à une fille qui n'avait rien de commun avec lui et pesait vingt kilos de trop par-dessus le marché?
– Papa, arrête, je t'en prie, arrête.
– Non, je ne m'arrêterai pas. Il y a des choses qu'il faut que tu entendes. Sache que ton amoureux chéri est un porc. Tous les soirs, quand tu ne t'esquives pas pour aller le retrouver, il s'enferme avec une poule nommée Marcie Kunkle. Les photos que mes hommes ont prises de ce couple charmant sont là-haut, dans mon bureau. Tu veux les voir?
– Tu l'as fait suivre par quelqu'un!
– Mais naturellement, et j'ai eu raison de le faire. Je suis ton père. Mon devoir est de te protéger jusqu'à ce que tu aies assez de bon sens et d'expérience pour être autonome.
– Comment as-tu pu faire une chose pareille?
– Chérie, écoute-moi. Tu sais combien je t'aime. Ce garçon ne s'intéresse qu'à une chose, l'argent, en l'occurrence le tien. Plus tôt tu l'apprendras, mieux ça vaudra. Ta famille est riche, c'est comme ça, tu n'y peux rien. Et tu ne sauras si un homme t'aime vraiment que le jour où tu en trouveras un qui aura plus d'argent que toi.
– Salaud!
– Je t'interdis de me parler comme ça!
– Salaud! Fumier! Tu fais exprès de saccager tout ce qui me tient à cœur, tout!... N'approche pas... Ne me touche pas... Si tu me touches, je te jure que tu ne me verras plus jamais.
– Va dans ta chambre.

– *Va te faire...*
– *Reviens ! Lisa, veux-tu revenir ici tout de suite !*
– *Non, je ne reviendrai pas... Lâche-moi ! Je t'ai dit de ne pas me toucher ! Laisse-moi partir, salaud !... Je te déteste !... Je te hais !...*
– Lisa, réveillez-vous. C'est l'infirmière. Tout va bien, Lisa, tout va bien. Il ne faut plus crier comme ça... Voilà, c'est bien. C'est fini, c'est fini.

Lisa ouvrit les yeux en battant des cils. Tout était trouble. Peu à peu, le visage inquiet de l'infirmière lui apparut plus précisément.

– Vous étiez en train de faire un cauchemar, dit Alma Young. L'anesthésie fait cet effet à certaines personnes.

Lisa détourna les yeux et fixa le plafond.

– Est-ce que je peux faire quelque chose pour vous ? Voulez-vous des glaçons ? un antalgique ?... OK. Je suis là, si vous avez besoin de moi.

Alma Young tira à moitié le rideau de chaque côté du lit et retourna au bureau des infirmières.

Derrière elle, Lisa se mit doucement à sangloter.

– Papa, gémit-elle. Oh, papa.

7

Sarah s'acheta un sablé poisseux et un café, qu'elle emporta dans la grande salle de la cafétéria réservée aux médecins, et chercha des yeux une place. Deux spécialistes des maladies organiques étaient en train de discuter, accoudés à une table en Formica, mais quatre autres tables étaient libres, ce qui n'avait rien de surprenant puisqu'on était à l'heure la plus active de la journée dans tous les services de l'hôpital. Andrew avait déjà cinq minutes de retard, mais Sarah savait que la plupart des chirurgiens arrivent toujours en retard à leurs rendez-vous, quand ils arrivent, ce qui n'est pas garanti.

Elle avait eu le temps de faire trois visites, et de ces trois patientes, l'une était déjà au courant de sa prouesse de la veille. Comme Alma Young le lui avait annoncé, tout le monde dans l'établissement parlait de la façon dont elle avait utilisé une thérapie non conventionnelle dans une situation d'urgence grave. Pendant les quelques minutes qu'elle avait passées dans son service, Sarah avait reçu un appel du directeur pédagogique qui lui avait demandé de faire un exposé pour ses étudiants, et un second appel de la secrétaire de Glenn Paris qui voulait la voir à son bureau en fin d'après-midi. Les infirmières agitaient la main ou brandissaient triomphalement le poing sur son passage, et le chef de clinique du département d'obstétrique l'invita à déjeuner car il voulait entendre de vive voix tous les détails de la guérison.

Juste au moment où elle se demandait si ce ne serait pas maladroit d'aller s'asseoir ailleurs qu'avec les deux toubibs, ces derniers rassemblèrent leurs affaires et se levèrent. L'un d'eux, un endocrinologue réputé nommé Wittenberg, vint lui serrer la main.

– George Wittenberg, dit-il.

– Je sais. Nous nous sommes rencontrés l'année dernière à la réception de Glenn Paris. Rôle du calcium dans le métabolisme et maladies de la parathyroïde, c'est bien ça ?

– Quelle mémoire !

– J'ai lu certains de vos articles pour un projet de recherche quand j'étais en fac. C'était très intéressant.

– Merci. Je venais vous féliciter, vous m'avez devancé. D'après ce qu'on dit, vous avez réussi un vrai miracle, hier.

– Il y avait plusieurs personnes au chevet de Lisa. Je n'ai fait que mon devoir, dit Sarah, sans s'offenser de la connotation négative du mot miracle.

– Sans doute, dit Wittenberg. Mais si j'en juge par la rumeur qui court dans l'hôpital, votre action a été décisive. L'histoire est déjà dans le *Globe* et le *Herald*. Quant à celui qui alimente régulièrement les calomnies d'Axel Devlin, il en sera pour ses frais, cette fois. Devlin a pondu aujourd'hui une de ses chroniques haineuses sur le CHU de Boston, mais trois pages plus loin, on trouve un article enthousiaste expliquant que la rencontre des médecines orientale et occidentale vient de sauver une vie dans le même établissement, de sorte que Devlin a l'air d'un pignouf. Vous avez lu son papier ?

– Non, pas encore.

– Tenez, dit Wittenberg en lui tendant son journal. J'ai fini de le lire et j'ai déjà nettoyé la cage de ma perruche.

– Merci.

– Pas de quoi. Vous savez, je ne suis pas tout à fait sur la même longueur d'onde que Devlin, mais je fais partie de ceux qui se sont montrés sceptiques à l'égard de l'introduction de la médecine ayurvédique à l'hôpital ou de la présence d'un chiropracteur en orthopédie. Mais après votre succès d'hier, je suis décidé à ôter mes œillères et à en apprendre davantage sur la médecine douce.

Il lui serra chaleureusement la main et s'éloigna avec son confrère. Sarah étala le journal sur la table et parcourut le compte rendu, sensationnaliste, mais raisonnablement objectif en page 5. Peut-être avait-elle réalisé un miracle, au fond, pour qu'il y eût un article favorable au CHU de Boston.

Elle lut ensuite la chronique d'Axel Devlin.

A PRENDRE OU A LAISSER

Par Axel Devlin

2 juillet

... Me voici de retour après quelques jours d'absence, chers lecteurs, toujours prêt à tirer à vue sur ceux qui veulent nous mener en bateau.

Aujourd'hui encore, c'est notre bonne vieille Charlatanerie Générale, autrement dit le centre hospitalier universitaire de Boston, que je voudrais mettre, ou plutôt qui se met tout seul dans la ligne de mire. Le directeur de l'hôpital, Glenn Paris, alias California Glenn, a prononcé hier son discours annuel à l'occasion de la rentrée hospitalière. C'est ce jour-là qu'une nouvelle promotion d'internes entame son stage pratique, tandis que la fournée précédente monte en grade.

Et bien que le grand manitou de l'hôpital n'ait eu cette fois à annoncer aucune innovation spectaculaire, genre tombola pour gagner une greffe du cœur ou opération de promotion – dix scanners le onzième gratuit –, il a souligné avec insistance que plus rien n'arrêterait l'hôpital dans sa marche irrésistible vers la perfection. *Et*, a-t-il ajouté en tapant du poing, *ce que je vous dis là, prenez-le pour argent comptant.*

Eh bien, à ce moment, oui lecteurs, à ce moment précis, il y a eu un court-circuit et toutes les lumières de l'hôpital se sont éteintes. Message reçu, Glenn ? Ton approche aurait peut-être marché à San Diego, mais ici, à Boston, nous tenons à ce que nos toubibs travaillent à la lumière électrique, pas à celle des étoiles.

– Je n'arrive pas à le croire.

– Qu'est-ce que vous n'arrivez pas à croire ?

Andrew Truscott fit glisser sur la table son plateau d'œufs brouillés insipides et de pommes vapeur réchauffées, et, tirant une chaise en plastique, s'assit à côté de Sarah.

– Ce scribouillard véreux, ce... ce pisse-copie sans scrupules...

– Ne serait-ce pas le *Herald* d'aujourd'hui que vous avez sous les yeux ?

– Mais pourquoi est-ce qu'il s'acharne à ce point contre nous, ce type ?

– Ah ! vous ne savez pas ?

– Non, quoi ?

– Il y a cinq ans, je m'en souviens parce que c'était juste après mon arrivée ici, sa femme avait besoin de se faire opérer de la vésicule. Devlin voulait qu'elle aille au White Memorial, mais elle avait un faible pour Bill Gardner et pensait qu'on serait aux petits soins pour elle. Deux jours après l'opération, elle a eu une embolie pulmonaire foudroyante et calanché aussi sec.

– C'est terrible, mais ça aurait pu arriver à n'importe qui dans n'importe quel hôpital.

– Apparemment, c'est ce que l'avocat de Devlin lui a expliqué quand il a voulu nous attaquer pour faute professionnelle. Alors il a décidé de se venger à sa façon.

– Je trouve ça affligeant.

– Ça dépend des points de vue. Il y a des gens pour qui la vendetta est une forme de thérapie. Au lieu de devenir fou, ils se font justice eux-mêmes. Le fait d'éreinter le CHU de Boston comme il le fait aide probablement Devlin à survivre.

– Et d'où croyez-vous qu'il tienne ses informations ? A lire cet article, on jurerait qu'il était assis dans l'amphi le jour de la panne.

– Sarah, je ne voudrais pas vous faire de peine, mais tout le monde ne partage pas votre enthousiasme pour cet endroit. Mais laissons Devlin. J'ai soif de détails.

– Quels détails ?

– Allons, ne faites pas la modeste, maintenant. Depuis hier, vous êtes la coqueluche du personnel. J'aimerais savoir exactement ce que vous avez fait à Lisa.

– Mais rien que vous n'ayez vu par vous-même, dit Sarah en souriant. Je n'envisageais qu'une solution pour endiguer l'hémorragie : ralentir les pulsions cardiaques en induisant un contrôle mental des points de saignement.

– Excusez-moi, mais contrôler mentalement des artères qui pissent le sang, c'est pousser le bouchon un peu loin.

– Sauf que vous avez été témoin vous-même de la réussite, Andrew. Écoutez, un bon hypnotiseur dit à un sujet qu'il va être touché au bras par un fer rouge. Quand on lui met une gomme à la place, sa peau cloque à l'endroit touché. Expliquez-moi ça. Le vrai problème, vous savez, c'est que le système nerveux est enseigné aux médecins occidentaux par des physiologistes et des anatomistes. Si nos profs étaient des yogis ou des acupuncteurs, on se ferait une tout autre idée de ce que l'homme peut ou ne peut pas contrôler dans son corps.

– Acceptez ses limites, pour les dépasser, en somme. En tout cas, je suis épaté. Vous pourriez peut-être demander à Mlle Summer d'explorer mentalement son anatomie afin de nous aider à comprendre son mal. Est-ce qu'elle sait qu'elle n'est pas la première à qui ça arrive ?

– Je ne pense pas.

– Eh bien, c'est dommage. Elle se retaperait peut-être mieux si elle savait à quel point elle a eu de la chance.

– Elle a largement le temps de se rétablir. C'est moralement que ça va être plus difficile. Andrew, vous n'avez vraiment pas la moindre idée de ce qui a pu se passer ? Cette autre femme, vous l'aviez eue comme patiente ?

– Non, et vous ?

– J'étais en vacances quand elle a été hospitalisée. Mais je l'avais vue une fois en consultation pendant sa grossesse.

– Et alors ?

– C'était une jeune femme en pleine santé, dont l'accouchement s'annonçait sans surprise, comme Lisa. Je lui avais donné mon supplément phyto habituel et souhaité une heureuse délivrance.

– Votre supplément phyto ?

– Oui. On prescrit toujours des vitamines aux femmes enceintes en traitement prénatal. C'est le régime classique. Dans les villages de montagne où j'ai travaillé en Thaïlande, les femmes prennent un supplément aussi. Il s'agit d'un mélange d'herbes et de racines broyées qu'elles boivent sous forme de tisane, deux fois par semaine. La seule enquête faite sur cette population a montré que les nouveau-nés ont un poids à la naissance et un taux de survie supérieurs à ceux qui naissent à l'hôpital de Chiang-Mai. Et pourtant, la malnutrition n'est pas un vain mot chez les Meos, sans parler de l'hygiène. J'ai participé à cette enquête avec un médecin du service public thaïlandais et un herboriste à qui je dois pratiquement tout ce que je sais dans ce domaine.

– Surprenant.

– Oui. Ça fait réfléchir.

Sarah était heureuse de parler de son travail sur les peuples thaï, et en particulier de son séjour chez les tribus meo et akha. Cela avait été une période de paix et de bonheur. Sans la mort de Louis Han et la brusque apparition de Peter dans sa vie, elle aurait certainement continué à travailler là-bas.

– Et donc, vous prescrivez ce mélange à la place des vitamines ?

– Je l'ai toujours fait, chaque fois que j'ai trouvé en ville un herboriste capable de le préparer. Je donne à chaque femme qui me consulte le choix entre un régime vitaminé et cette tisane. Certaines la prennent, d'autres pas. Je fais des statistiques aussi sur le poids et la santé des nouveau-nés, mais je n'ai pas encore assez de données pour conclure dans un sens ou dans l'autre.

– C'est fascinant. Au fait, de quelles plantes s'agit-il ?

– Vous vous y connaissez en botanique tropicale ?

– Heu... je distingue assez bien le thé de Chine et le thé de Ceylan... mais, non, blague à part, j'aimerais en savoir plus.

– Dans ce cas, tenez, voici la liste que je donne à toutes les femmes que je vois en obstétrique. Elle comprend les neuf ingrédients du mélange, avec les effets de chacun.

– Angélique, dong quai, grande consoude, plutôt insolites, comme remèdes, non ?

– Pas tant que ça. Si nous étions à Pékin, l'acide folique, le bêta-carotène, l'oxyde de cuivre et beaucoup d'autres composants de nos vitamines prénatales ordinaires seraient considérés comme exotiques.

– C'est vrai, ma foi. Décidément, cet hôpital est fait pour vous plaire, n'est-ce pas ?

– Je sais que vous avez des doutes, mais j'estime que les soins que nous donnons aux malades sont les meilleurs de la ville.

– Possible. Pour les cas de CID chez les jeunes accouchées, il n'y a pas à dire, nous avons une certaine supériorité...

Le bipeur de Sarah se déclencha, lui enjoignant d'appeler le poste 2350.

– C'est la salle d'accouchement, dit-elle. Il faut que j'y aille.

– Allez-y. Je ramènerai votre plateau.

– Merci. Dites, Andrew, vous ne croyez pas que nous devrions constituer une commission pour enquêter sur ces deux cas ?

– Super ! Ça fait bien deux semaines que nous n'avons pas eu de commission. J'adore les commissions.

– Non, mais sérieusement. Je sais bien que ce n'est pas comme une épidémie, mais tout de même, deux cas rigoureusement semblables au même endroit, ce n'est pas si courant. Moi, ça m'interpelle, en tout cas. Bon, vous m'excuserez, mais je dois procéder à une expulsion, comme disent les huissiers. On en reparlera plus tard, d'accord ?

– Entendu.

Il regarda Sarah sortir de la cafétéria, puis sortit une enveloppe de la poche de sa blouse et, pensivement, la tapota dans sa paume.

– Deux cas, c'est toi qui le dis, ma jolie, murmura-t-il. Moi, j'en vois déjà trois.

8

Le bureau des internes de chirurgie était un réduit de deux mètres sur trois sans fenêtres, qui autrefois faisait office de débarras de l'hôpital Suffolk. Le fait qu'il lui serve de bureau indignait Truscott, d'autant plus qu'il le partageait avec trois autres chirurgiens. Cela faisait partie des mesquineries qu'il avait dû supporter depuis son arrivée au CHU de Boston. Cette année aurait dû être la sienne. Il aurait dû être nommé chef de service, à tout le moins, avec un ticket pour devenir chef de clinique l'année suivante. Rien ne justifiait le choix de l'hurluberlu qui avait pris sa place, une place qui lui revenait de droit et que n'importe quel autre hôpital lui aurait accordée.

A sa sortie de l'université, il avait pratiqué un an dans l'ouest de l'Australie, avant d'épouser une touriste américaine et de décider de s'installer aux États-Unis. Il pensait que les perspectives de carrière pour un chirurgien y seraient prometteuses, sans parler du traitement, forcément meilleur. Le CHU de Boston n'était pas son premier choix, mais il accepta quand même la proposition d'Eli Blankenship en se disant qu'un poste d'interne dans la ville de Harvard, ce n'était pas si mal.

Trois mois après la fin de sa première année au CHU de Boston, Truscott commença discrètement à rechercher une place ailleurs. Malheureusement, les seules qui s'offraient à lui étaient encore pires et il décida de rester.

Il détestait Glenn Paris et l'atmosphère carnavalesque du lieu. Il supportait difficilement de travailler dans un hôpital universitaire qui se souciait si peu de recherche que c'en était devenu un sujet de plaisanterie parmi les étudiants. De plus il était indigné qu'on lui ait préféré quelqu'un d'autre après cinq ans de dévouement, simplement parce qu'il était *inflexible et intolérant*, selon les propres termes de son supérieur. Comble d'ingratitude enfin, on l'avait informé quelque temps plus tard qu'il n'y aurait ni l'argent ni l'espace nécessaires pour le garder comme chirurgien titulaire à l'expiration de son contrat de travail. Cette dernière ignominie lui avait ôté ses derniers scrupules.

A présent, Andrew Truscott sirotait un jus d'orange dans son petit bureau, tout en relisant une lettre qui lui avait été transmise par la direction du département de chirurgie. Datée du 23 juin, cette lettre émanait d'un cabinet de médecins légistes new-yorkais. En tant que président de la commission morbidité-mortalité du service, Truscott était prié de se renseigner sur les faits mentionnés et de formuler des recommandations pour les suites éventuelles.

> Cher docteur,
>
> Tout d'abord, veuillez accepter mes excuses pour ce courrier tardif. De sévères restrictions budgétaires ont affecté notre cabinet et considérablement réduit notre activité sans que notre charge de travail s'en trouve allégée pour autant.

Le cas dont je souhaite vous entretenir concerne une jeune femme de 34 ans, Constanza Hidalgo, morte au volant de son véhicule lors d'une collision avec un poids lourd en novembre de l'année dernière. Vous trouverez dans les documents joints tous les détails sur ce cas, ainsi que les conclusions de notre cabinet. De notre enquête, il ressort notamment que cette jeune femme était sur le point d'accoucher au moment de l'accident. Les examens pratiqués par notre laboratoire démontrent en outre qu'elle souffrait d'un trouble hémorragique aigu, très certainement une coagulopathie intravasculaire disséminée.

Il y a deux mois environ, un des médecins biologistes de notre équipe assistait à un congrès national au cours duquel il a entendu un confrère évoquer un cas de CID analogue survenu lors d'un accouchement qui coûta la vie à la mère et à l'enfant. C'est en revenant de ce congrès, au détour d'une conversation, que mon collaborateur m'a appris ce fait, absolument par hasard. L'hôpital où cette femme était décédée se trouve être le vôtre. Depuis, j'ai découvert, en interrogeant sa famille, que Mlle Hidalgo résidait également à Boston et qu'elle était suivie en consultation externe par un de vos services. J'ignore s'il s'agit ou non d'une coïncidence.

Il va de soi que vous pouvez utiliser ces informations comme bon vous semblera, toutefois, je serais curieux de connaître les suites que vous comptez donner à ce dossier. Merci de me tenir informé. A ma connaissance, des cas de CID se sont déjà produits lors d'une grossesse, mais pas sans cause manifeste.

Veuillez croire, etc...

Docteur Marvin Silverman
Médecin légiste

Andrew ouvrit ensuite la copie du dossier de Constanza Hidalgo au CHU de Boston. Il remontait à son enfance, mais son passé médical ne révélait aucune particularité intéressante. Elle avait honoré tous ses rendez-vous prénatals sans exception, et rien dans le déroulement de sa grossesse ne laissait présager le désastre qui les attendait, elle et son enfant.

Truscott avait déjà lu ce dossier plusieurs fois depuis qu'il avait reçu la lettre de Silverman. Cependant, il la relut, encore plus attentivement, parcourant chaque ligne du doigt, jusqu'à ce qu'il trouve ce qu'il cherchait. C'était une note de synthèse relative à une consultation externe en date du 10 août.

Ptnte en b/forme phys, continue son trav comme serveuse mi-temps. Se plaint de fatigue, mais pas d'œdème malléolaire, ni douleurs abdom, ni mx de tête, ni saignements intemp. Exam du bb : signes vitaux caract. Cœur normal, pas d'œdème, fond de l'utérus : 22 sem. Pulsations card du fœtus nettement audibles à 140/min.

Conc : grossesse intraU 22 sem.

Prosp ptnte choisit sup phyto de préf aux multivit. Lui ai donné ordonn pour 3 mois, avec instruct.

Prochaine visite : 4 sem.

La note était signée : Dr S. Baldwin.

Truscott ouvrit son attaché-case et sortit le dossier de Lisa, ainsi que celui d'Alethea Worthington, la jeune femme de 22 ans entrée en salle de travail le 4 avril au matin, victime d'une crise aiguë de CID et morte en salle d'accouchement après s'être littéralement vidée de son sang. Comme Constanza Hidalgo, Alethea Worthington avait été vue une fois en consultation d'obstétrique par Sarah. Comme Lisa, et comme Constanza enfin, elle avait opté pour le traitement à base de plantes médicinales.

Posant les pieds sur son bureau, Truscott retourna la situation dans sa tête. Que les trois victimes de la terrible hémorragie eussent chacune adopté le régime phyto de Sarah ne pouvait être qu'une coïncidence, ça ne faisait aucun doute. Sarah avait vu des dizaines de patientes, peut-être des centaines, depuis deux ans qu'elle exerçait au CHU de Boston, et la plupart avaient eu un accouchement parfaitement normal.

Néanmoins, tant qu'on n'aurait pas trouvé la cause de ces hémorragies à répétition, la possibilité d'utiliser ladite coïncidence pour enfoncer un peu plus le CHU de Boston était alléchante ; nul doute qu'un Jeremy Mallon saurait en faire usage. Truscott avait failli ne pas mentionner devant lui l'incident de la panne de courant au meeting de Glenn Paris. Mais il l'avait fait, incidemment, et Mallon, l'avocat-conseil d'Everwell, n'avait pas manqué de le répéter à Axel Devlin, lequel s'était chargé de l'interpréter avec sa hargne habituelle.

Truscott ouvrit le *Herald*. Il ne savait pas combien Mallon le payerait pour l'histoire de la panne, mais il pouvait raisonnablement compter sur l'équivalent de deux semaines de travail. Il ne crachait pas sur cet argent, naturellement, mais le plus important était une certaine lettre d'Everwell qui lui garantissait un poste de chirurgien en titre au cas où le CHU de Boston deviendrait leur propriété. Jusque-là, Mallon avait été pécuniairement généreux, mais il n'avait pas encore tenu sa promesse. Peut-être cette affaire de CID serait-elle le détonateur qui le forcerait à produire cette lettre.

Truscott sortit une cigarette française d'un étui en argent que lui avait offert une ancienne maîtresse, l'alluma, puis composa le numéro personnel de Jeremy Mallon.

– Salut, Mallon, ici Truscott, dit-il. Ravi de voir que vous avez fait si promptement usage de mon dernier tuyau. Dites-moi, j'ai ici quelque chose d'encore plus intéressant pour vous. Oui, vraiment extra... Non, j'aime mieux ne pas en parler au téléphone... OK, parfait. Ah ! une dernière chose. Vous savez, cette lettre que vous m'aviez promise... oui, c'est ça. Apportez-la quand on se verra, voulez-vous ?... Génial. Absolument génial.

Truscott raccrocha, rassembla ses photocopies et les boucla dans son attaché-case. De toutes les récompenses octroyées par Mallon, celle-ci promettait d'être la plus juteuse. Que ses révélations puissent créer des ennuis à Sarah Baldwin était le cadet de ses soucis. En tant que médecin, elle était aussi compétente et sûre d'elle-même que toutes les autres doctoresses qu'il avait connues. Mais elle représentait aussi tout ce qu'il trouvait détestable dans le CHU de Boston. Et maintenant, avec cette affaire Lisa Summer, elle et les autres excentriques de l'hôpital risquaient d'attraper la grosse tête et de rendre la vie impossible à tout le monde. Déjà, ses admirateurs se prélassaient au soleil de sa réussite comme un troupeau de brebis suralimentées. Le moment était parfait pour passer à l'attaque.

Et puis l'honneur de Sarah était sorti indemne des ragots qu'il avait répandus sur son compte par l'intermédiaire de Mallon. Il survivrait très bien à ce nouveau scoop. Le véritable enjeu était Glenn Paris et son cinéma. Désormais, la survie de l'hôpital, déjà blessé et affaibli, était rien moins qu'assurée.

Et, s'en retournant nonchalamment vers son service, Truscott souriait en savourant sa future revanche.

9

5 JUILLET

Sarah n'avait jamais aimé s'habiller. Pour autant qu'elle s'en souvienne, ce peu de goût pour la recherche vestimentaire remontait aux dimanches matin de sa petite enfance à Ryerton, le bourg de l'État de New York où elle avait grandi. Sa mère, probablement honteuse d'avoir eu un enfant en dehors des liens du mariage, passait au moins une heure tous les dimanches à la pomponner pour aller à l'église. Les robes de Sarah n'avaient pas un faux pli, ses souliers étaient impeccables. Nattes et frisettes devaient être refaites une bonne demi-douzaine de fois avant d'être jugées sans défaut. Un large nœud blanc, enfin, parachevait immanquablement le tout, et ce, jusqu'à l'apparition des premiers symptômes de la maladie d'Alzheimer de sa mère.

Ce matin-là, Sarah gesticulait devant le miroir de sa chambre, tentant de faire un choix parmi les trois ou quatre tenues qu'elle avait déjà essayées. Il était 8 heures passées et dans moins d'un quart d'heure, un taxi déjà commandé l'emmènerait à l'hôpital. Deux jours plus tôt, à l'instigation de Glenn Paris et de son département relations publiques, tous les journaux de Boston s'étaient fendus d'un article racontant comment une jeune femme avait eu la vie sauve au CHU de la ville grâce à l'heureuse conjonction des médecines occidentale et orientale. Toutefois, cette publicité pour l'hôpital avait été de courte durée.

Le lendemain, un court article non signé était paru dans le *Herald*. Selon des sources anonymes mais dignes de foi, la dramatique hémorragie obstétricale n'était pas la première mais la troisième à frapper une patiente du CHU de Boston en l'espace des huit derniers mois. Et contrairement à Lisa Summer, précisait le papier, les deux précédentes patientes étaient décédées.

Glenn Paris avait réagi immédiatement et convoqué une conférence de presse pour le 5 juillet à 9 heures du matin. Le 4 juillet, jour de l'anniversaire de l'Indépendance, étant férié, son annonce, soigneusement préparée, avait été amplement relayée par toutes les stations de radio et de télé de la métropole. A cette conférence assisteraient les Drs Randall Snyder et Eli Blankenship, ainsi que le Dr Sarah Baldwin, l'obstétricienne dont la remarquable intervention avait permis de sauver la vie de Lisa Summer.

A 8 h 15 précises, lorsque le chauffeur de taxi klaxonna devant chez elle, Sarah avait revêtu une paire de mocassins, une jupe froncée en madras, un chemisier de coton beige, une ceinture birmane en lamé et une ample veste turquoise. Sa seule concession à la solennité de l'événement consistait en une paire de collants, inconfortables en tout temps, mais particulièrement au mois de juillet.

– J'arrive ! cria-t-elle dans l'interphone.

Elle attrapa une paire de boucles d'oreilles en cuivre ciselé que lui avait façonnées un artisan akha et les mit en dévalant l'escalier. Bien qu'elle admirât Glenn Paris, jouer les vedettes dans un de ses shows extravagants n'était pas son style. Mais la divulgation d'un troisième cas de CID chez une patiente de l'hôpital demandait une prompte réponse, rassurante et informative, et Paris l'en estimait capable. Ce qui avait été une curiosité lors du premier cas, puis une sérieuse préoccupation lors du deuxième, était brusquement devenu une terrifiante priorité.

Le taxi la laissa devant le pavillon Thayer, côté rue. Glenn Paris la reçut dans son bureau et l'accueillit chaleureusement. Comme toujours, il était vêtu avec distinction. Son complet gris anthracite, sa chemise bleu ciel et sa cravate rayée sentaient le cadre supérieur à plein nez et semblaient faits exprès pour les caméras de télévision. La tension qui se lisait sur ses traits disparaissait derrière une assurance et une énergie que Sarah trouva désarmantes et séduisantes. La même aura l'avait jadis attirée vers Peter Ettinger.

– Sarah, avez-vous une idée quelconque sur l'origine des fuites exploitées par le *Herald*? commença-t-il, bille en tête.

– Non, monsieur, aucune.

– Personne ne sait! Tous ceux à qui j'en ai parlé sont comme vous. C'est invraisemblable! Une lettre sur le cas Hidalgo venant d'un cabinet de médecins légistes new-yorkais parvient à notre patron de chirurgie. Il transmet des copies aux services de pathologie, d'obstétrique, d'hématologie, de médecine générale, à la commission morbidité-mortalité, puis à moi, presque par acquit de conscience. J'en ai à peine pris connaissance que je la retrouve en substance dans ce maudit canard. C'est tout de même un monde! Chacune des personnes à qui j'en ai parlé a donné une copie de sa copie à une ou deux autres personnes, ce qui fait qu'il y a au bas mot trente individus par qui cette info a pu transpirer. Ils disent tous qu'ils pensaient que ce n'était pas important. Pas important! Vous vous rendez compte? Mais je vais le pincer, Sarah, croyez-moi. Qui que ce soit, il ou elle est allé trop loin ce coup-ci. Comprenez-moi bien, je vais le choper, coûte que coûte.

– Je n'en doute pas, fit Sarah à mi-voix.

Quoiqu'elle comprît sa colère, elle était mal à l'aise. Elle fut à deux doigts de lui rappeler que fuites ou pas, publicité négative ou pas, il se passait quelque chose d'extrêmement grave et que le centre hospitalier universitaire de Boston en était bel et bien responsable.

Lorsqu'ils sortirent du bâtiment côté campus, ils aperçurent une meute de reporters, de cameramen et d'employés de l'hôpital convergeant vers l'auditorium.

– Il va y avoir foule, on dirait, observa Paris. Tant mieux. Il faut que le public sache que nous avons la situation en main. Notre subvention est en bonne voie, mais elle n'est pas acquise. Une campagne de diffamation peut encore tout mettre par terre.

– Vous avez fait le point avec les équipes médicales? demanda Sarah, espérant le ramener au véritable problème.

– Blankenship et moi n'avons pas arrêté d'en parler depuis que l'article est paru. J'ai un vieil ami qui est administrateur au centre épidémiologique d'Atlanta. J'ai mis Eli en contact avec lui et il m'a dit qu'ils allaient essayer de nous envoyer quelqu'un avant que...

Paris s'interrompit et lui fit signe de se taire. Devant eux, au coin du bâtiment, un homme bien habillé, porteur d'un attaché-case, était en pleine conversation avec un des ouvriers du service d'entretien dont le mouvement de grève sauvage avait, deux jours plus tôt, capitulé face aux menaces de Paris de licencier tous les intéressés. Depuis, les murs de l'hôpital s'étaient couverts de tracts et d'affichettes stigmatisant la direction. Et bien que toutes les équipes de nettoyage aient repris le travail, personne ne les avait décollées.

– Vous connaissez ce type en costume, là-bas ? demanda Paris.

Sarah secoua la tête. L'homme, la quarantaine environ, avait les cheveux gominés et montrait un profil aquilin. On voyait distinctement à cinq mètres le solitaire qu'il portait au petit doigt de la main gauche.

– Je dirais que c'est un marchand de voitures ou un avocat, dit Sarah.

– C'est un fumier de première, voilà ce que c'est, fit Paris. Mais il est effectivement avocat. Et docteur en médecine, en plus.

– Impressionnant.

– Pas de quoi vous frapper. Il s'appelle Mallon. Jeremy Mallon. Ça vous dit quelque chose ? Vous ne perdez rien. Il n'a jamais eu de clientèle, mais il travaille sous contrat pour Everwell. Je crois qu'il détient même des actions chez eux. Ça fait des mois que je le soupçonne d'être à l'origine de certains de nos problèmes, de tous nos problèmes, même. Ce petit tête-à-tête confirme mes soupçons.

Soudain, Mallon les aperçut. D'un mot, il congédia l'employé. Paris fonça sur lui, l'air mauvais.

– Fils de pute ! aboya-t-il. Je savais que c'était toi.

– Je ne sais pas de quoi et à qui vous parlez, répondit Mallon d'une voix mielleuse, mais je vous engage à modérer vos épithètes en public.

Sarah le trouva tout de suite antipathique.

– Cette panne de courant a été provoquée, tout comme la grève du nettoyage, rugit Paris. Je m'en doutais, maintenant j'en suis sûr. J'espère que tu payes bien ce mouchard, parce qu'à partir d'aujourd'hui, il est au chômage.

Paris avait tellement élevé la voix qu'il fit se retourner plusieurs des personnes qui se rendaient à l'auditorium. Parmi elles, deux cadres supérieurs du CHU s'approchèrent. Sarah reconnut l'un deux, Colin Smith, directeur financier de l'établissement.

– Vous délirez, Paris, fit Mallon. Je n'ai nullement besoin de semer la pagaille chez vous. Vous vous en sortez très bien tout seul.

– Dégagez ! Fichez le camp d'ici immédiatement.

– Mais vous plaisantez ! Je me rends à une conférence de presse annoncée publiquement. Je ne manquerai pas ça pour un empire. J'ai tellement hâte de voir quels euphémismes vous allez trouver pour qualifier ce mouroir.

– Espèce de sale petit...

Les deux cadres s'interposèrent.

– Du calme, Glenn, dit Colin Smith. Il n'en vaut pas la peine.

– Sortez de mon hôpital ! Dehors ! hurlait Paris.

– Paris, vous ressemblez de plus en plus à un demeuré. Quant à votre hôpital, comme vous dites, dépêchez-vous d'en profiter, car il ne va pas tarder à vous lâcher.

– Dehors !

Colin Smith dut intervenir physiquement pour calmer son patron.

– Ma foi, j'ai mieux à faire qu'à vous écouter parler, dit posément Mallon. Vous me faites pitié. J'en serai quitte pour lire les journaux demain matin.

Sur quoi il tourna les talons et gagna la sortie.

– Fumier ! grogna Paris.

– Ne vous énervez pas, dit Smith d'une voix suppliante.

– Ils ne nous auront pas, dit Paris. Avant qu'Everwell et cette raclure ne contrôlent cet hôpital, il faudra me passer sur le corps.

– Mais ça n'arrivera pas, Glenn, fit Smith en haussant les épaules. Vous savez bien qu'on a une carte maîtresse pour réussir.

Ses paroles eurent un effet magique sur Paris. Sarah le vit desserrer les mâchoires, les poings, et finalement, sourire.

– Exact, Colin, exact. Merci de me le rappeler. Ce pauvre type me ferait douter de nous.

Il s'excusa auprès de Sarah d'avoir perdu son sang-froid, puis lui présenta Smith et son collègue, dont les responsabilités avaient trait à la gestion immobilière de l'hôpital, avant de les inviter à rejoindre le public.

– Sarah, au cas où vous ne l'auriez pas compris, ce que Colin appelle une carte maîtresse, c'est notre subvention. Elle provient de la fondation McGrath et nous l'attendons depuis trois ans. Mais pas un mot, s'il vous plaît. Rien n'est encore signé, comme je vous l'ai dit. Et s'il connaissait le montant de cette somme, vous pouvez être sûre que Mallon se démènerait pour qu'elle nous échappe.

– Mais on l'aura, dit Sarah avec une pointe d'interrogation dans la voix.

– C'est tout ou rien, maintenant, admit Paris. On a l'argent, on gagne. On ne l'a pas, Mallon et Everwell gagnent. C'est aussi simple que ça.

Comme ils atteignaient le bâtiment où se trouvait l'auditorium, ils entendirent puis aperçurent un hélicoptère aux couleurs pimpantes survoler le campus avant de manœuvrer pour se poser sur la piste dont Paris avait obtenu de haute lutte la construction sur le toit du pavillon de chirurgie.

– Vous pensez que ce pourrait être quelqu'un du centre épidémiologique ? questionna Sarah.

– M'étonnerait. Je ne suis même pas sûr qu'ils aient déjà trouvé quelqu'un pour nous. C'est plutôt un patron de chaîne télé qui vient assister à la conférence.

– A moins qu'une de nos patientes n'ait une famille très riche.

– M'étonnerait aussi. Je fais vérifier toutes les entrées par les relations publiques. Si nous avions un patient milliardaire, je vous garantis que je serais au courant. Bon, allons-y maintenant, et montrons-nous à la hauteur.

– Je vais essayer, dit Sarah.

Sanglé sur le siège du copilote dans son hélicoptère Sikorsky S 76, Willis Grayson regardait le centre hospitalier grossir sous l'appareil. La joie qu'il éprouvait à l'idée de revoir sa fille unique pour la première fois depuis cinq ans ne compensait pas sa colère contre les responsables de son hospitalisation et de son état.

A son retour de Californie où il venait de restructurer une société d'informatique, il avait trouvé un détective nommé Pulasky campé devant le portail de sa propriété de Long Island. Le détective lui avait remis des photos de sa fille, les premières que Grayson ait vues depuis longtemps, bien avant qu'elle disparaisse, en fait. L'homme avait aussi un exemplaire des deux principaux quotidiens de Boston. Et bien qu'on n'y trouvât aucune photo de Lisa Summer, Pulasky lui avait certifié que sa fille et cette patiente du CHU n'étaient qu'une seule et même personne.

Grayson envoya à l'adresse découverte par Pulasky ses hommes de main de Boston qui confirmèrent les renseignements. Il paya royalement les clichés, puis donna deux coups de fil, le premier pour convoquer son pilote, le second pour ordonner à Ben Harris, son médecin personnel, d'annuler tous ses rendez-vous et de venir le rejoindre d'urgence. Deux heures plus tard, ils atterrissaient sur l'héliport de l'hôpital.

– Ne laissez pas refroidir le moteur, Tim, dit Grayson en prenant pied sur le tarmac. Si Lisa est transportable, on va la sortir de cet enfer et l'emmener dans notre clinique. Ben, je compte sur vous pour ne rien me cacher. Souvenez-vous que c'est à moi que vous devez allégeance, non à cette fraternité médicale autoproclamée dont on nous rebat les oreilles. Si une erreur médicale a été commise sur Lisa, je veux le savoir.

Depuis quarante-quatre ans Willis Grayson puisait sa force dans la colère. Enfant, il avait tiré cette énergie de sa fureur impuissante d'être attaché sur des lits d'hôpitaux alors que les docteurs luttaient contre les crises d'asthme qui menaçaient de l'emporter. Adolescent, son dépit face aux absences prolongées d'un père industriel, et à la froideur d'une mère toute à ses mondanités s'était traduit par un comportement de plus en plus agressif, sanctionné par son renvoi de plusieurs collèges privés.

Et bien des années plus tard, lorsqu'il fut admis à la direction de l'entreprise familiale, ce fut son besoin effréné d'argent qui le conduisit à évincer progressivement son père et à transformer une société productive en une entreprise spécialisée dans le montage d'OPA. En un peu plus de vingt ans, sa fortune personnelle avait atteint un demi-milliard de dollars. Mais son caractère n'avait guère changé.

La chambre de Lisa était au cinquième étage du bâtiment sur lequel l'hélico s'était posé. L'héliport était parfaitement aux normes, mais le cinquième étage avait grand besoin d'une remise à neuf. En moins d'une minute, Grayson nota une poubelle non vidée, des murs craquelés, un vieillard sans surveillance, sanglé sur une chaise dans l'entrée, et une odeur entêtante qui devait provenir d'un mélange de crasse, de sueur et d'excréments.

– Cet endroit est une porcherie, Ben, dit-il. Je ne comprends pas. Elle pourrait s'acheter un hôpital entier et elle atterrit dans un endroit pareil...

Les hommes de Grayson lui avaient appris que la chambre de Lisa était la 515. Il passa devant le bureau des infirmières, son médecin trottinant derrière lui, en ignorant la présence de la surveillante.

Celle-ci, robuste jeune femme, diplômée d'État et nommée Janine Curtis d'après son badge, lui courut après.

– Excusez-moi, je peux vous aider ?

– Non, grogna Grayson par-dessus son épaule. Nous allons à la chambre 515.

– Navrée, je ne peux pas vous laisser passer, dit-elle, poliment mais fermement.

Grayson se raidit, puis tourna les talons, ouvrant et fermant les poings. Derrière lui, le Dr Ben Harris poussa un soupir de soulagement.

– Le vrai nom de Lisa Summer est Lisa Grayson, dit le magnat. Je suis son père, Willis Grayson, et ce monsieur est son médecin personnel, le Dr Benjamin Harris. On peut y aller, maintenant ?

L'infirmière rougit, puis se ressaisit.

– Les visites ne commencent pas avant 2 heures, dit-elle. Mais je ferai une exception pour cette fois, si Lisa est d'accord.

Grayson serra à nouveau les poings, sans les rouvrir.

– Savez-vous qui je suis ? demanda-t-il.

– Vous venez de me le dire, monsieur Grayson. Écoutez, je ne voudrais pas être...

– Ben, coupa Grayson, exaspéré, je n'ai pas de temps à perdre. Restez ici, expliquez à cette dame qui je suis et pourquoi nous sommes ici. Si elle vous crée des ennuis, appelez le directeur de ce maudit établissement et faites-le monter ici.

Et il repartit sans attendre la réponse.

Une des deux étiquettes glissées dans un cadre en plastique sur la porte de la chambre portait le nom L. Summer. L'autre était vierge. Willis Grayson hésita. Avait-il bien fait de s'abstenir d'envoyer des fleurs ou d'appeler avant ? Si, comme il le soupçonnait, on avait monté la tête à sa fille contre lui, il risquait fort d'être mal reçu. Oui, se dit-il, j'ai bien fait de venir sans prévenir.

Après la fugue de Lisa, manigancée sans doute par ce Charlie, ou ce Chuck, peu importait son vrai nom, Grayson avait dépensé des dizaines de milliers de dollars à essayer de la retrouver. La piste s'arrêtait en cul-de-sac à Miami. Et puis un beau jour, le garçon en question s'était présenté à la maison sans elle, jurant ses grands dieux qu'il ignorait où elle se trouvait. Grayson le fit suivre pendant des mois, surveilla son courrier, en vain. Finalement, le jeune homme s'était mis à la colle avec une autre fille, sans savoir ce qu'il avait risqué : les deux jambes brisées ou pire.

Non, se disait Grayson en bouillant de colère, il faudra davantage qu'un malheureux bouquet de fleurs.

Il frappa légèrement à la porte, recommença, puis l'ouvrit avec circonspection. Le mélange d'odeurs de lotions, d'amidon et d'antiseptiques lui rappela de mauvais souvenirs. Il n'était pas entré dans une chambre d'hôpital depuis une certaine nuit d'octobre, près de dix-huit ans plus tôt, qu'il avait passée avec Lisa au chevet de sa femme en train d'agoniser après un an de lutte contre une tumeur maligne.

A présent, sa fille était assise, immobile, sur un siège rembourré à grand dossier, regardant par la fenêtre. A la vue du bandage qui couvrait le moignon de son bras droit, Grayson sentit sa gorge se nouer et la moutarde lui monter au nez. Il se contint cependant, fit le tour du fauteuil et s'assit sur le rebord de la fenêtre. Lisa le dévisagea brièvement, puis ferma les yeux et regarda ailleurs.

– Bonjour, chérie. Tu ne peux pas savoir comme je suis heureux de t'avoir trouvée. Tu m'as tellement manqué.

Il attendit une réponse, sans grande illusion, car son attitude ne laissait espérer aucune réponse.

Maudits soient les salauds qui t'ont menée là, pensa Grayson, englobant amis et médecins de Lisa dans une même pensée. Qu'ils crèvent tous autant qu'ils sont.

– Je suis désolé que tu aies tant souffert, ma chérie, essaya-t-il encore. Je t'en prie, Lisa. Je t'en prie, parle-moi... Je voudrais te faire sortir d'ici. Le Dr Harris est venu avec moi. Tu te souviens de lui, n'est-ce pas ? Il est dans le couloir. Son équipe t'attend dans une clinique près de chez nous. Ils t'examineront et s'ils disent que tu es hors de danger, ils te ramèneront ici en quatre-vingt-dix minutes. Tim est sur le toit avec l'hélicoptère. Tu lui as beaucoup manqué aussi, ma chérie. Tout le monde te réclame. Lisa?

La jeune femme gardait les yeux fixés sur le paysage encadré par la fenêtre. Grayson se leva et se mit à arpenter la chambre, cherchant les mots qui lui livreraient son cœur.

Si seulement tu m'avais écouté! avait-il envie de crier. Si tu m'avais écouté au début, rien de tout ça ne serait arrivé.

– Je sais que tu m'en veux, dit-il. Mais tout peut s'arranger, maintenant. Je n'ai que toi au monde et je ferais n'importe quoi pour t'avoir à nouveau près de moi. S'il te plaît, Lisa. Je sais que tu souffres. Je veux t'aider à reprendre le dessus. Je veux t'aider à comprendre pourquoi on t'a fait ça, pourquoi on t'a amputée et pourquoi on a tué mon... mon petit-fils. Bon, bon, d'accord. (Il prit une profonde aspiration et revint vers la fenêtre.) Je comprends que ça ne soit pas facile pour toi après tout ce temps. Écoute, je vais descendre à l'hôtel Bostonian. Le numéro sera juste à côté de ton téléphone. Je vais faire le nécessaire pour qu'une infirmière privée s'occupe de toi, et je vais mettre Ben Harris en contact avec tes médecins. S'il te plaît, ma poulette, je... je t'aime. Je t'en prie, laisse-moi revenir dans ta vie.

Il hésita, puis pivota pour se diriger vers la porte.

– Reviens plus tard, papa, dit-elle subitement.

Grayson se figea. Était-ce dans sa tête, ou bien avait-il réellement entendu sa voix?

– Cet après-midi, dit-elle. A 3 heures. Je te promets que je te parlerai à ce moment-là.

Elle avait dit cela d'un ton clair et neutre, sans colère ni indulgence.

Willis Grayson se retourna et la contempla. Lisa n'avait pas bougé et regardait toujours dehors.

– D'accord, dit-il finalement. 15 heures.

Il l'embrassa tendrement sur le front mais Lisa ne réagit pas.

– Je serai ici à 3 heures, murmura-t-il. Merci, ma chérie. Merci.

Avant de sortir, il s'arrêta encore dans l'embrasure de la porte et regarda son membre mutilé.

Ils me le payeront, se dit-il.

10

Sarah et Paris pénétrèrent dans l'auditorium par la porte principale, traversèrent la salle, et montèrent sur scène. Seuls les derniers rangs étaient inoccupés et les gens continuaient à arriver par petits groupes. Les trois grandes chaînes de télé étaient représentées par leur antenne régionale, chacune ayant une nacelle de projecteurs, un opérateur vidéo et un reporter installés entre la scène et le premier rang. Bien qu'elle regardât rarement la télé, Sarah reconnut deux visages qu'elle avait vus aux informations. L'apparition possible de quelque rare maladie avait évidemment un fort pouvoir d'attraction sur le public.

Le podium, tendu de velours bordeaux, était hérissé d'une dizaine de micros. Cinq chaises pliantes étaient placées derrière, trois d'un côté, deux de l'autre. Eli Blankenship et Randall Snyder étaient déjà assis sur deux d'entre elles, encadrant un siège vacant, que Paris désigna à Sarah.

Si Paris s'inquiétait de la présence ou de l'absence d'un représentant du centre épidémiologique, il ne le montrait en aucune façon. Il parcourut l'assistance du regard, boutonna son veston et s'approcha des trois internes.

– Eh bien, cette fois, on ne pourra pas se plaindre de l'indifférence du public, dit-il à mi-voix. Ça aurait été encore plus crédible avec un membre du centre épidémiologique, mais bon, on s'en passera. Je vais dire quelques mots en guise d'introduction, ensuite ce sera votre tour, Eli, puis vous, Randall, et Sarah en dernier. Je vous suggère de faire des interventions brèves et de vous cantonner aux questions posées. Rappelez-vous que moins vous en direz, plus il sera difficile de déformer vos propos. Je vous demande de ne pas dépasser dix minutes chacun, questions comprises. Au besoin, je vous laisserai un peu plus de temps à la fin. Et ne vous tracassez pas, vous vous en sortirez tous très bien.

Sarah savait que cet encouragement lui était particulièrement destiné.

– Il est dans son élément, hein ? dit-elle, alors que Paris gagnait la tribune.

– C'est son rôle, répondit Blankenship, et il le tient très bien, en effet. Vous, par contre, vous n'avez pas l'air dans votre assiette. Vous y arriverez ?

– Je le croyais jusqu'à ce que je monte sur la scène. Regardez-moi cette foule...

Blankenship lui tapota fraternellement l'épaule.

– Souvenez-vous du vieil adage médical, dit-il. Il n'y a de saignement qui ne cesse tôt ou tard.

– C'est très rassurant. Merci beaucoup!...

Le laïus préliminaire de Paris, débité sans notes et avec son aplomb habituel, brossait le tableau d'une institution entièrement dévouée à la santé et au bien-être des citoyens de Boston, et, qui ne craignait pas de monter au créneau pour débattre des problèmes d'intérêt général.

– Nous sommes en contact permanent avec le centre épidémiologique d'Atlanta, dit-il, et nous avons obtenu l'assurance qu'un de leurs meilleurs spécialistes viendrait nous assister dans l'enquête très poussée que nous menons. J'avais espéré qu'il serait ici à temps pour cette conférence, ajouta-t-il en montrant une chaise vide, malheureusement, ça n'a pas été possible.

Les trois cas de CID, expliqua-t-il, ne pouvaient être qu'une coïncidence. Le CHU de Boston avait toutefois décidé de prendre le taureau par les cornes et de procéder sans délai à une enquête en tenant le public régulièrement informé.

Sarah était troublée que Paris insiste sur l'arrivée imminente d'un épidémiologiste, alors qu'il venait de lui dire qu'il n'était même pas sûr qu'on avait désigné quelqu'un. Mais, raisonna-t-elle, c'est inoffensif comme exagération, et compréhensible, vu les circonstances. Il essaye simplement de multiplier les arguments. Et de fait, lorsqu'il présenta Eli Blankenship, c'était comme si le *Herald* ne lui avait jamais forcé la main.

Galvanisée par la performance de son patron, Sarah sentit sa tension baisser. Mais ce ne fut pas avant que Blankenship eût pratiquement achevé son exposé qu'elle osa affronter les regards du public. S'il était vrai, comme elle l'avait entendu dire une fois, que l'amphi pouvait contenir deux cent cinquante places, il n'y avait aujourd'hui pas moins de deux cents personnes. Nombre d'entre elles étaient des étudiants ou des internes, et Andrew, qui faisait partie du lot, avait regagné sa place habituelle au milieu du dernier rang. Mais il y avait aussi, à en juger par leur apparence et leur tenue vestimentaire, un certain nombre de citoyens lambda. Parmi eux, Sarah reconnut une femme qu'elle préparait à son futur accouchement à domicile, comme elle l'avait fait avec Lisa. Il n'était pas difficile d'imaginer ses pensées et son inquiétude.

Mais une autre femme assise non loin d'Andrew avait davantage retenu son attention. Elle était africaine, non seulement de peau, mais dans sa coiffure, ses bijoux et sa façon de s'habiller. Et malgré la distance et la lumière aveuglante des projecteurs, son éclatante beauté tranchait parmi les visages qui l'environnaient. Sarah fouilla la salle du regard lorsqu'elle réalisa que la jeune vénus noire avait les yeux fixés sur elle et souriait.

J'ai déjà rencontré cette femme quelque part, se dit-elle, j'en suis sûre, mais où ?

Blankenship regagna sa place, salué par des applaudissements mesurés. Sarah le félicita à voix basse bien que, préoccupée par le souvenir de l'Africaine, elle n'eût pas écouté sa réponse à la dernière question.

Comme elle s'y attendait, Randall Snyder fut à la fois rassurant et pragmatique dans sa présentation et dans ses réponses. Les trois cas de CID étaient inquiétants, mais on ne pouvait les relier avant d'avoir vérifié les diagnostics successifs.

– D'ici là, conclut-il, sachez que mon service met tout en œuvre pour qu'un dépistage systématique de toute prédisposition hémorragique soit entrepris sur chaque malade admis ou consultant en obstétrique.

Les applaudissements furent nettement plus fournis que pour Eli, alors que son intervention avait été de courte durée et couvrait moins d'aspects du sujet. La puissance de l'image du père, se dit Sarah en se souvenant qu'à chaque élection présidentielle, depuis ses 18 ans, elle donnait son vote au candidat qui incarnait l'audace, de préférence au père protecteur, et qu'elle n'avait réussi son pari qu'une seule fois.

Maintenant, c'était son tour. Dans un effort de rigueur, elle avait dactylographié sur une série de bristols les différents points qu'elle souhaitait aborder. En cinq minutes, elle termina sa présentation. Tout en parlant, elle sentait une distance entre elle et le public. Elle était mal à l'aise, ses propos lui paraissaient pompeux et beaucoup moins objectifs qu'elle n'aurait voulu.

Hé ! attendez ! avait-elle envie de crier. Ces questions m'intéressent vraiment, mais ici, du haut de cette estrade, il m'est difficile de vous en parler. Pourquoi n'irions-nous pas... à l'Arboretum, jeter des couvertures sur la pelouse et débattre des vrais problèmes : pourquoi tombe-t-on malade ? qu'est-ce que la maladie ? que signifie la guérison ? etc.

Néanmoins, elle conclut son discours en remerciant son public et en l'invitant à lui poser des questions. Immédiatement, une forêt de mains se leva, révélant un auditoire moins indifférent qu'il n'y paraissait. Du regard, Sarah interrogea Paris pour savoir s'il voulait se lever et choisir lui-même les intervenants. Mais le directeur se contenta de sourire et de lui adresser un clin d'œil. Elle se retourna vers l'assistance et, au hasard, désigna quelqu'un.

– Croyez-vous vraiment que l'acupuncture et la méthode de

visualisation des cellules sanguines ont stoppé l'hémorragie de Lisa Summer ?

Bien sûr, pauvre imbécile, pensa-t-elle.

– Je crois sincèrement que ces deux facteurs y ont contribué. Et comme je vous l'ai dit, d'autres actions thérapeutiques étaient entreprises en même temps que la mienne.

– Avez-vous déjà arrêté un saignement chez un malade avec votre technique ?

Je suis sûre, ma vieille, se dit-elle, qu'en te concentrant à fond, tu pourrais avoir l'air *encore plus* condescendant.

– Pas dans les mêmes conditions. Mais j'ai assisté à plusieurs opérations où l'anesthésie ne relevait que de l'acupuncture, et à chaque fois, l'épanchement sanguin se trouvait considérablement réduit.

– Parlez-nous un peu plus de votre formation. Vous dites que vous avez travaillé dans un centre de médecine douce. A quel endroit ?

– Ici à Boston. Il s'agissait de l'Institut Ettinger.

Annalee ! voilà, j'ai trouvé, se dit Sarah, tellement surprise de sa découverte qu'elle regarda fixement l'Africaine. Annalee Ettinger lui sourit et agita les mains en signe de reconnaissance. Sept ans s'étaient écoulés depuis le moment où Sarah avait quitté l'adolescente, adoptée toute petite par Peter Ettinger à son retour du Mali. Mais ce n'était pas à cause des années passées qu'elle avait mis tant de temps à la reconnaître. Lorsque Sarah avait quitté l'appartement de Back Bay, Annalee était une fillette de 15 ans, attachante et pleine de qualités, mais elle souffrait aussi d'une timidité maladive et pesait sept à huit kilos de trop. Sa transformation tenait du miracle. Son visage aux pommettes saillantes semblait né du ciseau d'un statuaire.

Elles échangèrent un long regard, certaines, à présent, d'avoir mutuellement établi le contact. Annalee souriait et lui adressait force signes de tête.

– Ettinger ? reprit le dernier intervenant. N'est-ce pas le même Ettinger qui fait des pubs à la télé pour un produit amaigrissant ?

– Franchement, je n'en sais rien, répondit Sarah. A part les nouvelles et les jeux que je vois de temps en temps quand je suis de garde, je ne regarde pratiquement jamais la télévision. Et je n'ai pas été en contact avec M. Ettinger depuis plusieurs années.

– Mais oui, c'est lui ! s'écria une femme. C'est le même homme. J'utilise son produit, et j'ai déjà perdu quinze kilos. C'est génial.

Un énorme éclat de rire balaya la salle et Sarah comprit qu'elle avait perdu le contrôle. Glenn Paris se hâta de la remplacer sur le podium.

– Merci beaucoup, docteur Baldwin, dit-il, pendant que le public applaudissait.

Sarah regagna sa place.

Était-ce parce que son exposé prêtait à controverse, était-ce faute de conclusion nette et définitive, Sarah eut l'impression que la réaction de l'assistance était rien moins qu'enthousiaste. Si Snyder remportait le voyage aux Bahamas et si Blankenship avait encore le droit de participer le lendemain, elle s'en sortait avec des encouragements et une boîte de jeux de société.

Ignorant les chuchotements approbateurs de Blankenship et Snyder, Sarah fixait les pieds de Glenn Paris, attendant qu'il prononce les mots qui mettraient un terme à la conférence. Sa prestation n'avait rien eu de transcendant, mais elle n'était pas désastreuse. L'essentiel était qu'elle soit terminée. A présent, d'autres questions occupaient son esprit, des questions sur ces sept années de séparation. Et les réponses appartenaient à cette jeune Malienne qui applaudissait debout avec la foule.

Glenn Paris congédia l'auditoire avec la promesse de tenir le public informé de l'évolution de la situation. Aussitôt, une horde de reporters fit irruption sur l'estrade, se bousculant sans ménagement autour des orateurs. Craignant qu'elle ne s'en aille, Sarah adressa des regards inquiets à Annalee, mais celle-ci, d'un geste, l'assura qu'elle avait tout son temps.

Finalement, les journalistes commencèrent à se disperser. Sarah s'apprêtait à quitter Paris quand une femme d'un certain âge s'approcha, une serviette en cuir sous le bras. Sarah l'avait remarquée car elle était restée debout, figée au fond de la salle, pendant toute la durée de la conférence. Elle était assez quelconque, plutôt petite de taille, et vêtue d'un banal tailleur gris. Des mèches brunes et grises se mêlaient en quantité égale dans ses cheveux courts, et sa permanente était fort soignée. Bien qu'il y eût quelque chose de paisible et d'agréable dans son visage, ses traits disparaissaient presque entièrement derrière une énorme paire de lunettes rondes à monture d'écaille. En survolant la foule du regard, Sarah l'avait prise pour une grand-mère du voisinage, trop timide pour se frayer un chemin jusqu'à une place libre.

– Docteur Baldwin, monsieur Paris, dit-elle, je m'appelle Rosa Suarez.

Sa façon de prononcer son nom était nettement latine.

– Oui, madame Suarez, fit Paris, incapable de masquer l'impatience dans sa voix. Qu'est-ce qu'on peut faire pour vous ?

La femme souriait patiemment.

– Vous savez, cette personne du centre épidémiologique à laquelle vous avez fait allusion, le spécialiste de haut niveau qu'on vous a promis ?

– Oui, dit Paris. Oui, eh bien ? Qu'est-ce que vous lui voulez ?

– Eh bien, c'est moi.

11

Le jardin public, un carré de sable avec quelques bancs en bois auxquels manquait une latte sur deux, et une aire de jeux qui criait misère, était situé à un quart d'heure à pied du centre hospitalier. Sarah se fit remplacer par une autre interne, signa le registre de sortie, et partit se balader bras dessus bras dessous avec celle qui avait bien failli devenir sa belle-fille. L'Annalee Ettinger qui marchait à son côté – élancée, sûre d'elle et même mondaine, chose surprenante – n'avait qu'une lointaine ressemblance avec la gamine bouffie et complexée à qui Sarah avait tenté désespérément de donner son amitié. Dès les premières minutes de leur conversation, Sarah perçut une complicité, une intimité, qu'elle n'avait jamais ressenties du temps de Peter.

– Je t'ai écrit quand j'étais en fac de médecine, dit Sarah pendant qu'elles s'asseyaient toutes les deux sur le banc le moins sale. Deux ou trois fois. Tu ne m'as jamais répondu.

Annalee hocha la tête.

– Je sais. Environ un an après ton départ, un jour que je cherchais quelque chose dans le bureau de mon père, j'ai trouvé une de tes lettres. Il n'y avait ni enveloppe ni adresse pour la réponse. J'en ai fait une copie et je l'ai gardée. A l'époque, j'étais une gamine trop introvertie, complètement centrée sur mes problèmes et incapable d'extérioriser quoi que ce soit. J'aurais dû faire un effort sur moi-même et essayer de reprendre contact avec toi. Quelles qu'aient été tes raisons, c'est toi qui nous avais quittés, tu comprends. En fait, je crois qu'à ce moment-là, ça n'avait pas assez d'importance dans ma vie pour que je m'en soucie vraiment.

Sa voix était profonde et mélodieuse, ses ongles couverts d'un vernis cramoisi. Autant elle était bêtasse et égocentrique à l'âge ingrat, autant elle semblait aujourd'hui une femme accomplie.

– Je suis désolée d'être partie de cette façon, dit Sarah. J'étais hors de moi. Malgré tout, je n'arrive pas à croire que Peter ait pu en arriver à intercepter ton courrier.

– Lui aussi a été très peiné et irrité que tu sois partie en claquant la porte. Je t'en ai voulu jusqu'à ce que je découvre cette lettre. (Elle sortit un paquet de blondes de son sac et fit tinter ses nombreux bracelets – huit ou dix à chaque poignet – en éjectant deux cigarettes d'une tape.) Tu ne fumes pas, je présume ?

– Plus depuis des années.

– Bien. Tant mieux pour toi.

Elle alluma sa cigarette et aspira profondément la fumée par la bouche et le nez.

– Dans une des lettres que je t'ai écrites, j'essayais de t'expliquer les motifs de mon départ, dit Sarah. Mon Dieu, je frémis à l'idée de la version de l'histoire que tu as dû entendre.

– Mon père est un homme formidable, mais il est rancunier, c'est une de ses faiblesses. Sais-tu qu'il s'est marié, environ un an après ? S'il y eut un mariage revanchard, c'est bien celui-là. Il a épousé une grande bourge fortunée, bien sous tous rapports, probablement descendante d'une famille d'immigrants du *Mayflower*. Je suis surprise qu'il ne t'ait pas envoyé de faire-part.

– Très drôle. Tu vois, Annalee, je crois sincèrement que les événements qui doivent arriver finissent toujours par arriver. Chez ton père, j'aimais l'homme à 95 pour cent. Mais dans les 5 pour cent restants, il y avait des choses importantes avec lesquelles je ne me voyais pas vivre jusqu'à la fin de mes jours. Et je ne pensais pas qu'elles pouvaient changer, voilà tout. Je trouve ça génial qu'il se soit marié.

– Oui, eh bien, à l'heure qu'il est, Doc, il ne doit pas être du même avis. Son mariage n'a duré qu'un an.

– Ah ! je vois. Tu t'entendais bien avec elle ?

– Étant donné que je devais être la première femme de couleur qui ne soit pas sa domestique, on peut dire que nos rapports n'étaient pas trop mauvais. Mais en fait, je ne la voyais pas souvent. Peu de temps après ton départ, Peter m'a envoyée en pension. C'est pour cette raison que je n'ai pas pu essayer de te retrouver. J'étais trop déboussolée. C'était peut-être une bonne idée de me mettre en pension, mais à ce moment-là, je l'ai ressenti comme une vacherie. Quand il m'a ramenée du Mali, il rêvait que je devienne prof de fac, concertiste classique, ou quelque chose de ce genre. Le fait est que ça n'en prenait pas le chemin. Enfin, bref, comme je n'étais presque jamais à la maison, l'impression que j'ai eue, c'est que Carole – elle s'appelait Carole – a disparu du jour au lendemain.

– Et quand est-ce qu'il a fermé l'institut ?

– Peu de temps après. Nous avons habité Boston pendant un long moment, puis son affaire de Xanadu a commencé à se mettre en place.

– Ah ! c'était le rêve de Peter, fit Sarah. Je savais qu'il le réaliserait un jour ou l'autre.

Xanadu était le premier maillon de ce qui devait devenir une luxueuse chaîne de résidences communautaires axée sur la recherche d'une qualité de vie à base de diététique, d'exercice physique, de respect des cycles saisonniers, de gestion du stress et de médecine douce. Peter s'était ouvert de cet ambitieux projet, dès le premier jour de leur rencontre, et ils avaient passé d'innombrables heures à en discuter et à l'analyser ensemble.

Au moment de la rupture, Peter avait commencé à s'enquérir de terrains disponibles et d'investisseurs, et il avait même fait faire une maquette architecturale de l'ensemble résidentiel, que l'on pouvait voir, sous une cloche de verre, dans la salle de conférences de l'institut. La conception des logements devait faire l'objet de soins particuliers. Toutes les constructions s'inspireraient des anciens préceptes de santé et d'harmonie prônés par les sages indiens pratiquant la médecine ayurvédique.

– Aujourd'hui, ça commence sérieusement à prendre tournure, dit Annalee, mais l'entreprise a été longtemps à deux doigts de s'effondrer. Il était même question de liquidation judiciaire, à un moment.

– Et alors, qu'est-ce qui s'est passé ?

– Il y a eu ce produit, voilà.

– Quel produit ?

– La fameuse poudre dont ils parlaient à ta conférence. Ça lui a vraiment sauvé la mise. Et la mienne aussi, accessoirement. C'est à partir de là que j'ai commencé à revivre. C'est miraculeux, comme produit.

– Je ne comprends pas.

– La préparation ayurvédique phyto-amaigrissante Xanadu, la PAPAX, dit-elle. Ne me dis pas que tu n'en as jamais entendu parler !

– Jamais, du moins jusqu'à tout à l'heure. J'étais très embarrassée quand ils ont commencé à en parler. Tout le monde semblait au courant, sauf moi.

– C'est parce que tu ne regardes pas la télé. Depuis le temps que Peter s'exhibe sur toutes les chaînes pour vanter son produit, c'est étonnant qu'il n'ait pas décroché un oscar. En tout cas, son produit est archiconnu. (Elle écrasa sa cigarette et en ralluma une autre presque aussitôt.) Ce qu'il fait, c'est ce qu'on appelle des publireportages. Ça ressemble à une véritable émission, ça dure une demi-heure, il y a des clips, des vedettes invitées, tout ça quoi, mais en vérité, c'est de la pub. C'est programmé surtout aux heures creuses, tard le soir ou le dimanche matin, et tu peux me croire, ça rapporte. Les murs de son bureau sont tapissés de diagrammes qui montrent l'évolution des ventes. Depuis qu'il a commencé cette campagne de pub, il y a quelques mois, la progression est phénoménale. Du coup, la guigne qui semblait associée à l'image de Xanadu s'est évanouie.

– Est-ce que le produit est vraiment efficace ? demanda Sarah. Ça m'intéresserait bougrement d'en connaître la composition.

– Efficace ? Oh ! que oui ! Mais ce n'est pas Peter qui a inventé le mélange, c'est le Dr Singh, un médecin indien. Il n'est pas docteur en médecine, il pratique la médication ayurvédique. Tu dois savoir ce que c'est, non ?

– La médecine ayurvédique était enseignée aux Indes des siècles avant Hippocrate et Gallien. Et si elle a survécu jusqu'à nos jours, il faut croire qu'il y a de bonnes et sérieuses raisons.

– Oui, eh bien, ce Dr Singh est venu apporter sa poudre à Peter il y a quelques années et je crois qu'il lui a proposé une sorte de partenariat. Je ne connais pas tous les détails, mais je sais que ça impliquait que Peter soit le porte-parole de l'entreprise. Le Dr Singh est certainement très brillant, mais ce n'est pas l'être le plus dynamique ni le plus photogénique qui soit. Tu as entendu parler de lui?

– Non, jamais.

– Je ne le connais pas très bien non plus. En tout cas, comme j'avais dû essayer au moins deux cents régimes amaigrissants sans aucun succès, Peter m'a demandé si je voulais lui servir de cobaye pour essayer son truc avant d'investir dedans. Et le résultat, dit-elle en pirouettant devant Sarah, il est devant toi!

– Bravo. Et tu n'as pas eu trop de mal à suivre ton régime?

– Quel régime? Si toi tu suivais la campagne publicitaire de Peter, tu saurais que la PAPAX n'oblige à aucune privation, juste un peu de modération et la suppression de quelques aliments défendus.

– Explique-moi un peu ce que tu entends par modération, répondit Sarah en souriant, de plus en plus émerveillée par la métamorphose de cette fille naguère maussade et renfrognée.

– C'est surtout ça qui est formidable, dit Annalee. Au début, quand j'ai commencé à prendre la poudre, j'ai essayé de manger moins, et j'ai perdu du poids. Au bout d'un mois ou deux, j'ai craqué, tu me connais, et je me suis remise à bouffer comme un chancre. Eh bien, j'ai *continué* à maigrir. C'est ça qui a convaincu Peter. Fantastique, non?

Sarah se leva et la serra affectueusement dans ses bras.

– Oui, c'est le mot. (Elle tenait Annalee par les épaules et se recula pour admirer son visage.) Annalee, j'ai toujours pensé que tu étais une fille exceptionnelle et que problèmes ou pas, tu avais un potentiel formidable. Je veux que tu saches que je t'avais sous-estimée. Tu es véritablement devenue quelqu'un de merveilleux... une jeune femme superbe.

– Merci, Sarah. Toi aussi, tu n'es pas ordinaire. Mais en me décrivant, tu as oublié un qualificatif.

– Attends un peu, heu... merveilleuse, superbe... quoi d'autre?

– Enceinte! Et heureuse, se dépêcha-t-elle d'ajouter après avoir surpris une ombre sur le visage de Sarah. Très heureuse. J'ai fait cet enfant contre vents et marées et si j'ai mon mot à dire, c'est toi qui le mettras au monde.

– Hé! mais c'est géant, ça! Merci de ta confiance. Je vais mettre mon chef de service sur le coup. Annalee, je suis folle de joie pour toi. Tu es bien sûre que tu es enceinte, au moins?

– C'est le Planning Familial qui a fait tous les examens. Ces gens sont super, il n'y a pas mieux dans le genre. Comme j'ai toujours eu des règles problématiques, ils ont attendu plusieurs semaines avant de se prononcer et m'ont fait faire deux fois le test. C'est pourquoi moi-même, j'ai mis un certain temps à me considérer comme enceinte.

– Eh bien, toutes mes félicitations. Je te ferai un bilan complet et peut-être même déjà une échographie. Ça va être épatant, Annalee.

– J'en suis sûre. J'étais en train de me demander qui j'allais consulter quand j'ai lu cet article sur toi dans le journal. Là-dessus, j'ai vu cette conférence de presse annoncée à la télé, et j'ai dit à mon petit ami : « Taylor, les premières mains qui toucheront notre enfant seront celles de Sarah Baldwin. »

– Taylor ? sympa, comme prénom, j'aime bien. Raconte-moi tout. A quoi ressemble-t-il ? Qu'est-ce qu'il fait ?

– Voyons, heu... de visage, il ressemble un peu à Denzel Washington, et de corps, à Michael Jordan.

– Ouah !

– Et c'est un musicien, un excellent musicien, même. Basse, guitare, et saxo, à l'occasion.

– Rock and roll ?

– Seigneur, non ! Jazz. J'ai chanté dans son groupe pendant un moment. C'est comme ça qu'on s'est connus. Tu vois, il n'y a pas qu'à Peter que la poudre du bon Dr Singh a profité. J'étais à l'université du Massachusetts, en train de préparer une maîtrise de psychologie sans grand enthousiasme. Je n'y arrivais pas trop mal, mais je ne voyais personne. Et puis brusquement, la femme en moi a fait irruption et supplanté la gamine empâtée. Je me suis retrouvée propulsée dans un autre univers et j'ai complètement déjanté pendant quelque temps.

– C'est compréhensible.

– J'ai atterri sur la côte Ouest, avec un tas de gens qui passaient leur temps à courir et à chanter sur les plages de sable. J'ai même essayé de jouer dans des films. J'ai eu la touche avec quelques producteurs, mais je crois que ce qui les intéressait surtout, c'était de me toucher les nibards et le reste. Finalement, j'ai rencontré Taylor. Il s'appelle West, Taylor West. Et c'est comme ça que je me suis complètement requinquée. Il est souvent parti en tournée et nous ne roulons pas exactement sur l'or. Alors, il y a quelques mois, j'ai accepté l'offre de Peter et je suis rentrée pour venir l'aider à Xanadu.

– Et qu'est-ce que ça lui fait, d'apprendre qu'il va être bientôt grand-père ?

– Heu... Il ne le sait pas encore. Je viens juste de lui présenter Taylor. Et il pense toujours que je vais reprendre la fac en janvier.

Sarah réfléchit quelques instants.

– J'espère bien que tu finiras par le passer, ce diplôme. Mais tu sais, pour ton bébé, je pense que tu devrais le lui dire. Ne le prends pas en traître.

– Mmm. Je vais voir.

– De toute façon, Annalee, d'un point de vue purement physique, il ne va pas tarder à se demander pourquoi, dans ton cas, sa miraculeuse poudre ayurvédique fait soudainement un bide, si j'ose dire...

– Il y a du vrai dans ce que tu dis, fit l'Africaine en souriant.

– J'aime te l'entendre dire, merci. Ça fait plaisir de voir que j'ai quelques notions d'obstétrique... Et tant qu'à faire, vois-tu, je me sentirais plus à l'aise si tu lui disais aussi que tu m'as vue. La plupart des blessures sont refermées au bout de sept ans, même chez un animal comme Peter. Et puis c'est comme ton état, tôt ou tard, tu cracheras le morceau.

– Si tu le souhaites, je lui dirai.

– Oui, j'y tiens. Enfin, fais comme tu le sens. C'est toi qui décides. Mais comme tu vis chez lui et qu'il te soutient financièrement...

– Je comprends.

– Par contre, je crois que ça ne servirait à rien de mentionner la disparition de mes lettres.

– C'est de l'histoire ancienne.

– Exactement. Ça me rend nerveuse rien que d'y penser. C'est tout de même dingue qu'à la seule idée d'affronter ton père, même indirectement, j'ai encore le trac, après tant d'années !

– Je ne sais pas si c'est dingue, mais tu as fichtrement intérêt à être plus relax quand tu mettras mon bébé au monde.

Annalee éclata de rire et son visage épanoui n'en fut que plus séduisant.

– Tu peux compter sur moi, j'y veillerai. Il me reste une chose à te demander.

– Vas-y.

– Si tu tiens à ce que ce soit moi qui t'accouche et si tu veux donner à cet enfant toutes les chances d'être en parfaite santé, il faudra que tu arrêtes de fumer.

Annalee fronça les sourcils et plissa ses yeux en amande.

– Tu ne pourrais pas me trouver autre chose à arrêter à la place ?

– Non, ma belle, c'est très important, fit Sarah en secouant la tête.

– Bon, d'accord, fini les clopes, alors.

– Parfait. (Sarah regarda sa montre.) Écoute, il faut que je retourne à l'hôpital. Mais si tu veux bien me raccompagner, j'aimerais te donner au moins un aperçu de ma version des faits concernant mon départ il y a sept ans.

– Tu n'es pas forcée, tu sais.

– Je sais, dit-elle en glissant son bras sous celui d'Annalee.

Lorsqu'elles arrivèrent devant les grilles du centre hospitalier,

Annalee avait passé son bras autour des épaules de Sarah et hochait tristement la tête.

– Rien de ce que tu viens de me dire ne me surprend beaucoup, dit-elle. Peter n'est pas le mauvais cheval, mais il est parfois difficile. Maintenant, si je te dis qu'Henry McAllister lui est plus dévoué que jamais, je suppose que toi non plus tu ne seras guère surprise. Il est venu dîner à Xanadu et Peter lui a confié la réalisation d'une grande fontaine au milieu de la pelouse principale.

– Tu as raison, ça ne m'étonne pas tellement.

En même temps, Sarah replongeait sept ans en arrière. Bien qu'elle ait rendu visite une fois à McAllister après son opération, il ignorait manifestement qu'elle lui avait sauvé la vie. De son côté, Sarah avait décidé de ne pas lui en parler. En son âme et conscience, elle le savait et c'était seulement ça qui comptait, du moins le pensait-elle à l'époque.

– Bon, fit Annalee, s'empressant de changer de sujet, moi d'abord et ce mouflet que je porte ensuite, on va prendre le plus grand pied de notre existence dans les mois qui viennent. Je vais cesser de fumer, de boire, de faire la nouba, de manger n'importe quoi, et... et, hum, voyons est-ce que je dois aussi arrêter de...

– Non. Pour ça, tu peux continuer pratiquement jusqu'à ton terme.

– Dans ce cas, tu as devant toi une femme qui s'apprête à entamer une grossesse modèle.

– Un vrai cas d'école. Bon, écoute, puisque tu es sur place, pourquoi n'en profites-tu pas pour passer ta première visite ? J'ai juste le temps de te faire un examen rapide pour voir si tout va bien. Tu n'auras qu'à t'inscrire ensuite et faire le prélèvement de sang et d'urine avant de rentrer chez toi. Et puis j'ai quelque chose à te donner que je vais passer prendre dans mon armoire. C'est un échantillon de plantes médicinales que prennent beaucoup de mes patientes en traitement prénatal. Il faut que tu commences dès maintenant. A condition, bien sûr, que tu préfères le traitement naturel aux produits pharmaceutiques.

– Quelle question ! Tel père, telle fille, dit Annalee en souriant. D'ailleurs, je ferai tout ce que tu me conseilleras. C'est toi le toubib, après tout, non ?

Rosa Suarez rangea ses vêtements dans la commode en bois d'érable, puis elle posa le cadre contenant les photos d'Alberto, son mari, de ses trois filles et de ses quatre petits-enfants sur la table de chevet recouverte d'un napperon en dentelle. La chambre d'hôte qu'elle avait choisie dans la liste qu'on lui avait fournie à son bureau n'était pas du meilleur goût, mais elle offrait le confort minimum et surtout, à pied, elle n'était pas trop loin du CHU de Boston.

Après vingt-cinq ans de métier et des dizaines d'enquêtes aux quatre coins du pays, défaire une nouvelle fois ses valises pour se réinstaller dans un nouveau décor ne lui faisait ni chaud ni froid. Mais il y avait quelque chose de spécial dans cette mission. Longue ou brève, concluante ou pas, cette enquête serait la dernière de sa carrière. Rosa avait laissé sa lettre de démission sur le bureau de son chef de service et promis à Alberto que cette fois, elle arrêterait pour de bon.

Tout le monde y trouverait son compte. A 70 ans, presque dix ans de plus qu'elle, son mari avait encore de belles années pour profiter de sa retraite en sa compagnie. La direction du centre saisirait l'occasion pour embaucher un jeune à sa place, infusant un sang neuf dans le service. Et surtout, ils se débarrasseraient d'une collègue encombrante, de cette vieille entêtée qui, à en croire beaucoup, avait fait capoter une des enquêtes les plus importantes qu'on leur ait confiées.

– Madame Suarez, il y a deux gros colis qui viennent d'arriver pour vous, cria la propriétaire derrière la porte.

– Voudriez-vous signer le reçu pour moi, madame Frumanian? Mais n'essayez pas de les porter. Ce sont des livres, je descends tout de suite.

Rosa avait passé des heures en bibliothèque après qu'on l'eut désignée pour enquêter sur le cas de Boston. Elle posa son porte-documents sur le lit et sortit les notes qu'elle avait prises. Une préparation méticuleuse, un souci scrupuleux du détail, telles étaient ses qualités maîtresses, clefs d'un succès qui avait failli ne jamais se démentir. Elle ne s'était pas fait faute de les exploiter en toute circonstance, même à San Francisco, et cette fois encore, elle n'y manquerait pas.

Elle savait très bien que son chef de service n'avait aucune envie de lui confier cette mission. Le fiasco du REI lui avait très probablement coûté une promotion et depuis lors, il s'appliquait à la cantonner dans des travaux de paperasserie, à lui faire dresser d'interminables bibliographies ou dépouiller des kilomètres de données informatiques. Mais lorsque Boston avait appelé, Rosa était la seule épidémiologiste qui fût disponible pour aller sur le terrain.

Elle enfila le survêtement gris que lui avaient offert ses filles pour Noël et descendit à pas feutrés l'étroit escalier. Mme Frumanian montait la garde devant les deux cartons, visiblement impatiente d'en vérifier le contenu. Bien enveloppée, mais épanouie et joviale, elle avait un visage sillonné de rides que Rosa trouvait intéressant.

– Je vais me débrouiller, madame Frumanian, merci, dit-elle.

– Allons donc, vous plaisantez! Je suis deux fois plus forte que vous et vous êtes mon hôte. Laissez-moi porter tout ça.

Elle avait un fort accent d'Europe centrale, mais Rosa n'arrivait pas à savoir de quel pays. La propriétaire ouvrit prestement les cartons avec un couteau à éplucher qu'elle sortit de sa poche de tablier.

– *Hématologie... Sérologie, modèles de programmation informatique... Calculs différentiels... Coagulation*, lut la vieille dame au fur et à mesure qu'elle déballait les volumes. Deux de mes fils sont en fac de sciences. Ils rapportent toujours ce genre d'ouvrages quand ils viennent en vacances, mais ne les lisent jamais.

– Eh bien, moi, madame, j'ai l'intention de passer une bonne partie de mon temps à les lire, déclara Rosa.

De retour dans sa chambre, toujours flanquée de sa propriétaire, Rosa invita celle-ci à la laisser seule, en y mettant le plus de doigté possible. Si elle voulait avancer dans son travail, il fallait établir des limites dès maintenant. Elle avait une occasion unique de conclure sa vie professionnelle en beauté. Cette fois, elle ne ferait confiance à personne. Rigoureusement personne.

12

Un bouquet de fleurs exotiques d'une valeur de cent cinquante dollars couché dans les bras, Willis Grayson monta quatre à quatre l'escalier du cinquième étage du pavillon de chirurgie. Une légère grippe l'ayant empêché de se servir de sa piscine depuis son retour de la côte Ouest, un peu d'exercice ne lui ferait pas de mal.

Le matin même, il était ressorti de l'hôpital, exultant à l'idée que sa fille avait accepté de lui parler. Plus tard dans la journée, Ben Harris et lui avaient passé une heure avec le Dr Randall Snyder. Bien que ce ne fût pas un génie, indiscutablement l'obstétricien lui avait paru honnête et compétent. Et comme l'impression de Ben à son sujet était somme toute très favorable, la fureur instinctive de Willis à l'encontre des médecins qui avaient soigné sa fille était en grande partie retombée. Du même coup, certaines de ses préventions concernant le CHU de Boston s'étaient dissipées. Les soins prodigués à Lisa semblaient adéquats, surtout si l'on considérait que Snyder et l'hôpital avaient cru dès le début que Lisa était insolvable.

Il était certes déconcertant d'apprendre que Snyder et son équipe ne disposaient d'aucun indice sur ce qui avait pu déclencher les problèmes sanguins de la jeune femme. Néanmoins, rien n'était négligé pour résoudre cette angoissante question. Grayson chargea Ben Harris de contacter sans délai les meilleurs spécialistes, afin qu'ils puissent se pencher sur le cas de sa fille.

Aussitôt après sa visite à Lisa, Grayson devait se rendre à un rendez-vous avec les responsables du service d'orthopédie et de rééducation. Sans minimiser leur dévouement, il comptait les informer poliment de son intention de confier la mise au point et l'implantation de la future prothèse de Lisa à l'Institut Rusk de New York, incontestablement plus expérimenté dans ce domaine. Enfin, s'il avait le temps, il essayerait de rencontrer cette jeune interne en obstétrique qui, aux dires de ses collègues, avait si magistralement contribué à sauver la vie de sa fille. Et s'il se confirmait que Mlle Baldwin avait joué un tel rôle, ordre serait immédiatement donné de s'enquérir de ses souhaits et de lui octroyer une récompense appropriée.

Dopé par la perspective de reprendre un contrôle qui lui avait échappé depuis près de cinq ans, Grayson déboula au pas de charge dans le corridor desservant la chambre 515. Il n'y avait plus d'étiquette sur la porte. Il toqua une fois, puis poussa doucement le battant. Les deux lits étaient faits et la chambre inoccupée.

– Qu'est-ce que... Nom d'un chien!

Cruellement déçu, haletant d'angoisse et de rage, Grayson ouvrit les deux armoires et inspecta la salle de bains. Tout était propre et vide. Le matin, après avoir quitté Lisa, il avait tenté de la faire transférer dans une chambre individuelle. Ayant appris que toutes les chambres de l'étage étaient doubles, il avait laissé des instructions formelles à la surveillante pour qu'on informe les admissions qu'il était prêt à payer le prix qu'on voudrait afin que le deuxième lit de la chambre 515 demeure vide.

Qu'avait-il pu se passer, nom de nom!

Il jeta ses fleurs sur un des lits et se précipita au bureau des infirmières. Janine Curtis, l'infirmière à qui il avait eu affaire quelques heures plus tôt, était là, apparemment prête à une confrontation.

– Mademoiselle Curtis, qu'est-il arrivé à ma fille?

Elle soutint crânement son regard.

– Il ne lui est rien arrivé, monsieur, dit-elle en se dominant. Elle va bien. On l'a transférée dans une autre chambre.

– Mais nous étions convenus ce matin qu'elle resterait où elle était et que personne d'autre n'occuperait sa chambre.

– Oui, monsieur, c'est ce que vous, vous aviez demandé. Mais Lisa a souhaité changer de chambre et nous avons accédé à sa demande.

– Eh bien, où est-elle, alors? aboya-t-il.

– Je regrette, monsieur, mais je ne peux pas vous le dire.

– Mademoiselle Curtis, je ne suis pas d'humeur à jouer aux devinettes.

– Madame Curtis, s'il vous plaît, corrigea-t-elle, et il ne s'agit nullement d'une devinette. Votre fille nous a clairement fait savoir qu'elle ne désirait pas vous voir.

– Quoi ?

– Elle m'a priée de vous dire que si vous désiriez lui parler, vous pouviez revenir demain matin. Elle verra alors dans quelles dispositions d'esprit elle se trouve.

– Mais enfin, c'est scandaleux, elle m'a dit tout à l'heure de repasser aujourd'hui à 15 heures. Où est-elle, bon sang ?

– Monsieur Grayson, veuillez baisser le ton, s'il vous plaît. Notre patiente nous a donné des instructions catégoriques et notre intention est de les exécuter. Je vous suggère de faire ce qu'elle dit et de revenir demain.

– Et moi, je vous suggère de faire très attention à ce que vous dites. Vous n'avez pas l'air de savoir à qui vous parlez.

– Monsieur Grayson, vous vous êtes déjà présenté ce matin, sans la moindre ambiguïté. Très franchement, ça ne fait aucune différence à mon niveau. Lisa est une adulte, maîtresse de ses décisions et de sa vie. C'est une malade de mon service et je suis redevable de sa tranquillité. Elle a traversé une épreuve très pénible et je compte faire tout ce qui est en mon pouvoir pour accéder à ses demandes et lui être agréable.

Sur quoi elle sourit froidement au millionnaire et retourna à son travail.

Grayson la fusilla du regard, songea brièvement à fouiller toutes les chambres de l'étage, y renonça et déguerpit en fulminant.

La première entrevue entre Andrew Truscott et Jeremy Mallon avait eu lieu quelque deux ans et demi plus tôt lors d'un match de base-ball entre les Red Sox et les Yankees. Avant que Glenn Paris ne dénonce le contrat entre Everwell et le CHU de Boston, la mutuelle avait recours au centre hospitalier pour héberger quelques-uns de ses patients. Chaque année, en guise de remerciements aux internes, Everwell louait un bus, le remplissait de caisses de bière, invitait tout le personnel soignant à déjeuner à la bonne franquette, puis l'emmenait au stade de Fenway Park.

Ayant eu vent du profond écœurement de Truscott vis-à-vis du CHU, Mallon s'était débrouillé pour être assis à côté de lui. Avant le troisième changement de batte, ils étaient convenus de différents noms de code pour désigner l'hôpital et ses principaux cadres, et s'étaient découvert une mutuelle aversion pour Glenn Paris et ses méthodes folkloriques. Au cinquième changement, Truscott avait eu le temps d'insinuer qu'il ne rechignerait pas à fournir certaines informations sur le fonctionnement interne de l'hôpital, moyennant quelques compensations. Et à la fin du match, ils avaient échangé leur numéro de téléphone et décidé de se revoir prochainement.

Depuis ce jour, trente mille dollars avaient transité de la poche de Mallon à celle de Truscott au gré d'une coopération suivie et fructueuse.

Truscott gribouilla un nom fictif sur le registre des visiteurs de la tour Federal et monta en ascenseur jusqu'au vingt-neuvième étage où se trouvaient les bureaux du cabinet Wasserman & Mallon.

Sa relation avec l'avocat n'était pas à proprement parler idyllique. Il n'aimait pas l'homme, en qui il avait peu confiance, et bien que Mallon fût trop fuyant pour être percé à jour, Andrew soupçonnait ces sentiments d'être réciproques. Toutefois, il n'était pas douteux que chacun avait grandement profité des services de l'autre. Et avec les documents qu'il apportait ce soir-là dans son attaché-case, leur collaboration semblait vouée à se poursuivre.

Sur la plaque de cuivre fixée à la porte d'acajou du cabinet, figuraient les noms et qualités de quatre associés et d'une vingtaine de consultants. Jeremy Mallon était le seul titulaire d'un doctorat en médecine en plus de ses diplômes de droit. Les locaux étaient spacieux, pourvus d'une grande bibliothèque vitrée et de multiples bureaux de secrétaires. On voyait aux murs une profusion de toiles de maîtres parmi lesquelles un Kandinsky, un Odilon Redon et un Georgia O'Keeffe. Truscott se demanda en passant combien de dommages et intérêts perçus pour faute professionnelle et transformés en honoraires avait coûté cette collection.

Dès qu'il eut passé le bureau de l'hôtesse d'accueil, Andrew sentit une odeur de cuisine chinoise. Et après s'être brièvement arrêté devant un ravissant paysage vénitien de Boyd Harte et une saisissante œuvre réaliste contemporaine signée Scott Pryor, il n'eut plus qu'à suivre les effluves de canard laqué pour aboutir au bureau de Mallon. Bien que l'abondance d'emballages en carton blanc dispersés sur la table en tek suggérât un petit banquet, l'avocat était seul.

– Entrez, Andy, entrez, dit-il en lui désignant un siège avec sa baguette. Je ne savais pas ce que vous aimiez, alors j'ai commandé un peu de tout.

Andrew tressaillit imperceptiblement en s'entendant appeler Andy, diminutif qu'il n'avait jamais supporté. En dépit des sommes rondelettes qu'il percevait, il se tenait sur ses gardes face à Mallon qui, malgré ses manières affables, avait toujours l'air de cacher son jeu. Andrew le sentait prêt à le dévorer avec la même voracité blasée qu'il mettait à dévorer son poulet au gingembre, si cela servait ses intérêts.

– Il y a de la bière, du vin, choisissez, tout est dans le frigo au-dessous du bar, dit Mallon. Pardonnez-moi si j'ai l'air pressé, mais Axel attend de mes nouvelles pour pondre sa chronique et ensuite, j'ai une réception à mon club à laquelle ma femme tient absolument que j'assiste.

– Pas de problème.

Mon club, songea Truscott. Quoi que l'homme le mît mal à l'aise, il ne pouvait s'empêcher d'admirer son ascendant et sa classe. Depuis qu'il le connaissait, il avait plus d'une fois regretté de ne pas avoir fait une carrière de juriste. Et il enrageait à l'idée qu'il y aurait pu avoir ici même une plaque de cuivre marquée Wasserman, Truscott & Mallon.

– Vous avez regardé les nouvelles ce soir ? demanda Mallon.

– Non. Je sors du travail.

– Ce maudit Paris est passé sur toutes les chaînes. J'en ai vraiment marre de voir la tête de ce pitre à la télé.

– Patience, il finira bien par capituler, dit Andrew en tapotant sur sa mallette.

– Oui, eh bien, j'espère que vous apportez quelque chose de percutant, parce que nous n'avons plus beaucoup de temps devant nous.

– Que voulez-vous dire ?

– Je veux dire ceci : la concurrence est chaque jour plus sévère dans le secteur hospitalier et médical en général. Des empires se constituent, les petits sont infailliblement mangés par les gros. Personne n'est à l'abri d'une OPA, ce qui rend tout le monde parano, non sans raison. Pour l'instant, Everwell est en assez bonne position. Mais ils sont tellement à court de lits et d'espace pour leurs bureaux qu'ils estiment ne plus pouvoir attendre éternellement que le CHU de Boston demande grâce. Ils se tournent déjà vers d'autres solutions dont les moins mauvaises leur coûteront des millions de plus que ce que leur coûterait l'achat d'un CHU en faillite. Des millions, vous m'entendez ? Et n'importe comment, même s'ils achetaient autre chose, ils n'auraient jamais autant de place et de matériel que chez vous. Il nous faut cet hôpital.

– J'ai entendu des rumeurs selon lesquelles des licenciements massifs seraient envisagés. Ça montre bien que les problèmes financiers empirent, non ?

– Il y a une grande différence entre des rumeurs et des faits concrets, Andy. Peut-être que vous avez entendu parler de licenciements, mais d'après mes sources, le CHU s'apprêterait au contraire à embaucher. Depuis plusieurs années, j'ai des informateurs chez les principaux créanciers et bailleurs de fonds de l'hôpital, y compris dans la banque qui détient une de ses hypothèques. Ils m'ont appris que récemment, Paris et son conseiller financier, Colin Smith, ont cessé de quémander de l'argent. Ils ont même commencé à payer certaines factures. Je pense que ça ne peut être dû qu'à cette fondation dont parle Paris dans le discours que vous m'avez enregistré.

– C'était la première fois que je l'entendais parler de ça, dit Truscott.

– Vous êtes sûr qu'il n'a jamais divulgué le nom de cette fondation ?

– Vous avez entendu la bande.

– Je veux ce nom, Andy, et vite. Si nous savons contre qui nous nous battons, nous avons des chances de pouvoir monter une contre-offensive. Si Paris et Smith réussissent à sortir cet hôpital de l'impasse, nous ne retrouverons jamais une occasion pareille. L'enjeu est considérable, ne l'oubliez pas.

– En admettant que je vous trouve ce nom, dit Andrew avec audace, j'espère qu'une petite portion de ces millions me sera réservée.

Les yeux de Mallon lancèrent des éclairs.

– Andy, dit-il en soupirant, arrêtez de vous prendre pour un dur, voulez-vous, et n'essayez pas de m'extorquer Dieu sait quel bakchich. Commencez par trouver le nom de cette fondation et laissez-moi choisir la récompense. Nous savons tous les deux que vous n'avez aucun avenir à la Grande Charlatanerie, point final. Et dois-je vous rappeler qu'à l'exception de quelques hôpitaux perdus dans la cambrousse, le marché est déjà saturé de chirurgiens généralistes ? Il est clair que ceux qui obtiennent les meilleurs postes étaient déjà chefs de clinique à la fin de leur internat. Vous n'allez pas vous plaindre sur votre CV qu'on vous a refusé une promotion. Votre avenir est avec nous, vous le savez bien et nous aussi. Alors aidez-nous de votre mieux et dégotez-moi ce nom.

Truscott rougit. Il n'était visiblement pas à la hauteur. Mallon excellait dans l'art de manipuler son monde en jouant de la carotte et du bâton. Andrew ne pouvait que s'écraser en attendant qu'il lui dise ce qu'il exigeait de lui. Mais patience, se dit-il, mon jour viendra.

– Compris, dit-il.

– Très bien. Maintenant, qu'est-ce que vous m'apportez dans cette mallette ?

Andrew lui tendit la feuille que Sarah lui avait donnée, ainsi que des copies des trois dossiers médicaux accompagnés de notes qu'il avait prises.

– Ceci concerne Sarah Baldwin, annonça-t-il.

– Ah ! oui, encore un mauvais point pour nous, dit-il. Cette femme est devenue le chouchou des médias.

Andrew revit Sarah, future chef de service d'obstétrique, en train de le chapitrer avec son air suffisant sur les mérites de la médecine alternative.

– Eh bien, votre ami Devlin est peut-être en mesure d'y mettre bon ordre.

Mallon jeta un œil à la feuille de Sarah sur son traitement prénatal.

– Tormentille, pied-de-griffon, feuilles de millepertuis, ce sont des espèces d'herbes médicinales, ça, non ?

– Oui. Ça se prend en infusion, comme vous le voyez. C'est un mélange assez tarabiscoté et la plupart des plantes ont différents noms. Baldwin recommande aux femmes enceintes de les prendre, de préférence au traitement habituel. Elle prétend qu'une étude faite quelque part dans la jungle a prouvé que ces herbes étaient plus efficaces que ce qu'elle appelle les vitamines industrielles.

– Hallucinant. Continuez, Andy.

– Tout le monde au CHU pensait que Lisa Summer était le second cas de CID. Or, il se trouve que c'est faux, c'est le troisième. (Il montra la lettre du médecin légiste new-yorkais.) Comme vous le verrez sur la copie de leur dossier, les trois femmes victimes de CID, outre qu'elles sont patientes du CHU, ont toutes en commun d'avoir opté pour la potion magique du Dr Baldwin.

A voir l'expression de Mallon, il était clair que Truscott pouvait se dispenser d'explications complémentaires.

– Est-ce que d'autres obstétriciens prescrivent ce traitement ? demanda-t-il.

– Non.

– Où se procure-t-elle ces plantes ?

– Chez un herboriste de Chinatown, je ne sais pas lequel au juste. Vous voulez que je trouve de qui il s'agit ?

– Absolument. Mais c'est trop tard pour ce soir. Dès que nous aurons fini, je vais faxer tout ça à Devlin. Et ne vous inquiétez pas, personne d'autre ne mettra la main sur ces dossiers. Dites-moi, est-ce que vous pensez que le fait d'avoir pris ces plantes ait pu déclencher l'hémorragie ?

– Non, je ne crois pas. Mais il existe de nombreux cas où l'allergie à une substance se traduit par une sensibilité accrue à autre chose.

– Donnez-moi un exemple, dit Mallon en griffonnant des notes sur un calepin.

– Eh bien... Tenez, beaucoup d'antibiotiques, la tétracycline entre autres, provoquent chez certains individus une forte sensibilité au rayonnement solaire. On comprend mal la réaction et elle peut être extrêmement sévère. Personne ne sait d'avance quels utilisateurs de tétracycline vont développer ce symptôme. Beaucoup n'ont rien du tout. Alors ce qu'on fait, c'est que nous disons à tous les consommateurs de ce médicament de ne pas s'exposer au soleil.

– Oui, en effet, ça me revient, maintenant. Est-ce que vous avez étudié attentivement cette liste de plantes ?

– Je l'ai parcourue. C'est assez obscur pour moi. J'ai essayé d'identifier certaines herbes dans une flore.

– Et alors ?

– Il va falloir que quelqu'un d'autre se penche dessus. Quelqu'un qui ait plus de temps que moi et qui puisse se rendre dans une bibliothèque spécialisée. Les différents noms, latins, anglais et orientaux rendent la taxinomie horriblement compliquée.

– Tant mieux. Plus c'est compliqué, mieux ça vaudra. J'entrevois d'innombrables erreurs potentielles. Désignation mal comprise, bon de commande erroné...

– Contrôle du dosage insuffisant, compléta Andrew, contamination par d'autres plantes ou par des pesticides.

– Oui, c'est effrayant quand on y pense, surtout si l'une quelconque de ces herbes a un effet virtuel sur la coagulation. (Mallon passa une demi-minute à réfléchir en tapotant sur le bureau avec sa gomme.) Enfin, tout ça serait évidemment plus percutant si nous avions des preuves biologiques, dit-il finalement. Mais d'ici là, j'imagine que Devlin pourra se défoncer avec ça. C'est de la dynamite, votre truc, Andy, de la super-dynamite.

– Oui, je sais.

– Dites-moi, quelle relation avez-vous avec cette Sarah Baldwin ?

– Je n'en ai aucune, dit-il après un court instant de réflexion.

– Bon, eh bien, faites ce que vous pouvez pour dénicher d'autres renseignements sur elle. N'importe quoi, tout peut être utile. (Il prit deux enveloppes dans un tiroir de son bureau.) Voici une récompense pour votre loyauté et pour cette information, dit-il en lui en tendant une. Et voici la lettre du directeur médical d'Everwell que vous réclamiez. Le poste vous est réservé à condition qu'Everwell acquière le CHU. Pas d'acquisition, pas de poste, c'est clair ?

– C'est clair.

– Bien. J'aime que les choses soient claires. Beau travail, Andy, très beau travail. (Il glissa les documents dans son attaché-case qu'il referma d'un claquement sec.) Plutôt que d'essayer de faxer tout ça à Devlin, je vais lui apporter moi-même. Navré de vous bousculer, mais ma femme m'attend.

– Pas de problème, dit Truscott tandis qu'ils sortaient dans le couloir. J'ai près d'une semaine de sommeil en retard et il faut que je me repose un peu, d'autant plus que je dois rencontrer Willis Grayson demain matin.

– Willis Grayson ? Vous voulez dire le vrai Grayson, le milliardaire ?

– Oui. Je ne vous en ai pas parlé ? Bon Dieu, quel idiot je suis ! Je voulais vous le dire en arrivant, et puis j'ai été tellement absorbé par...

– Me dire quoi ? fit Mallon en se figeant sur place.

– La fille qui a survécu à l'hémorragie, celle qui est toujours à l'hôpital.

– Oui ?

– Il s'avère que c'est la fille de Grayson.

– Hein ?

– Je ne connais pas toute l'histoire, mais il semble qu'elle ait vécu une existence de hippie pendant plusieurs années sous le nom de Lisa Summer. Grayson s'est pointé ce matin en hélicoptère. Il a pris rendez-vous avec tous les médecins concernés de près ou de loin par son cas.

– Pourquoi ?

– Je ne sais pas au juste. Je présume qu'il veut savoir exactement ce qui s'est passé. J'ai rendez-vous avec lui à 11 heures.

Mallon se frotta le menton.

– Savez-vous à quel hôtel il est descendu ?

– Grayson ? Non. Aucune idée.

– Ça ne fait rien. Je trouverai tout seul. Dans quel état est sa fille ?

– Elle est terriblement dépressive, mais sur le plan physiologique, elle va beaucoup mieux. Son bras, enfin, ce qu'il en reste, se cicatrise rapidement.

– Et elle a donc perdu son bébé, un garçon, je crois ?

– C'est ça, oui.

– Le petit-fils de Willis Grayson...

– Pardon ?

– Rien, rien.

Soudainement indifférent à Truscott, Mallon décrocha un téléphone, appela Axel Devlin et le prévint qu'un coursier apporterait d'ici peu un paquet à son intention. Puis il composa un autre numéro.

– Allô ! Qui est-ce, c'est Brigitte ?... Ah ! Luanne, comment ça va ? Ici Jeremy... Bien, très bien, merci. Dites, heu... vous êtes au courant de cette réception, n'est-ce pas ?... Bon. Mme Mallon est là-bas en ce moment et elle m'attend. Voudriez-vous aller la trouver et lui dire que je vais être en retard. En fait, dites-lui que si je ne suis pas là à 10 heures, je ne viendrai pas du tout. Compris ?... Merci, Luanne. Merci beaucoup. Je vous verrai plus tard cette semaine.

Il posa le récepteur et, s'adressant à lui-même autant qu'à Truscott :

– Je ne pense pas que Mary-Ellen m'en voudra, après dix-sept ans de mariage, pour une soirée manquée, dit-il. Écoutez, Andy, je vais rester ici, finalement, et passer quelques coups de fil. Vous connaissez le chemin, n'est-ce pas ?

– Oui. Vous allez essayer de contacter Grayson ?

– Je suis certain qu'il a des dizaines d'avocats. Mais ça m'étonnerait qu'il y ait beaucoup de docteurs en médecine parmi eux. Les hommes comme Grayson exigent toujours ce qu'il y a de meilleur en tout. Il suffit de lui expliquer qui est le meilleur dans ce genre d'affaire. Bon, je vous laisse, mon vieux, bonsoir.

Et il regagna son bureau sans même serrer la main de Truscott.

A PRENDRE OU A LAISSER
Par Axel Devlin

2 juillet

Dans la série nous vivons dangereusement sans le savoir, je m'en voudrais, chers lecteurs, de vous laisser dans l'ignorance des récents événements survenus au CHU de Boston, mieux connu sous le nom de Grande Charlatanerie Générale. Lors d'une conférence de presse particulièrement racoleuse, Glenn Paris, alias California Glenn, a bien voulu informer le public des dernières avanies de son établissement, je n'ose plus dire hospitalier. Il paraît que des patientes du service d'obstétrique au nombre de trois ont été victimes d'une grave hémorragie appelée CID. Une de ces malheureuses a perdu son bras. Les deux autres n'ont pas eu cette chance et sont décédées. Quant à leurs trois bébés, ils sont tous morts avant terme. CINQ MORTS ; UNE HANDICAPÉE. L'heure est grave, mes amis. Il se passe des choses terrifiantes au CHU de notre ville.

Toujours soucieux de soigner son image, Paris avait donc organisé hier un spectacle pitoyable dans le but de calmer les inquiétudes légitimes du public concernant cette calamité aux allures d'épidémie. Médecins et chirurgiens ont avancé des explications et Paris a promis une enquête du centre épidémiologique d'Atlanta. Dernière intervention, enfin, et non des moindres, le Dr Sarah Baldwin, herboriste, acupuncteur et obstétricienne, a raconté comment elle s'était précipitée au secours de ses confrères impuissants pour sauver la vie de la dernière victime de CID avec ses petites aiguilles.

Or, il se trouve que ni le Dr Baldwin ni Paris n'ont divulgué au public une chose cruciale que ces trois infortunées ont en commun. Toutes avaient absorbé un SUPPLÉMENT PRÉNATAL A BASE DE PLANTES concocté par le Dr Baldwin en personne. Il s'agit d'un mélange de neuf plantes différentes, sous forme de racines ou de feuilles portant des noms comme tormentille ou pied-de-griffon. Le bon docteur a, paraît-il, l'habitude de prescrire ce mélange à toutes les patientes de son service à la place des vitamines classiques, inoffensives et dûment contrôlées par la Direction du Médicament. Maintenant, deux consommatrices de ces plantes prétendument médicinales sont mortes et une troisième est infirme à vie. Coïncidence ?

J'ai exposé toute cette affaire à un pharmacien de mes amis et à l'heure qu'il est, il n'en est pas encore revenu. Il est maintenant en possession de la liste des plantes composant la mixture du Dr Baldwin et a promis de se livrer à une recherche approfondie. Mais une chose est sûre, c'est qu'il ne pourra pas répondre à deux ou trois questions que voici : d'où viennent ces racines et ces feuilles ? qui vérifie qu'elles sont exemptes de contamination ? qui vérifie la composition du mélange ?

Incroyable, n'est-ce pas, ce qui peut arriver dans un établissement public à vocation médicale lorsqu'il s'écarte de plus en plus des normes de la Faculté. A bientôt, chers lecteurs, restez à l'écoute et ne dites pas que le vieil Axel ne vous avait pas prévenus.

13

6 JUILLET

Sarah se tient debout dans le bloc opératoire, sous une lumière crue et bleutée. Elle met un enfant au monde par césarienne devant un aréopage d'observateurs comprenant à peu près toutes les personnes avec qui elle a été en contact au cours de cette semaine mouvementée.

– Je suis désolée, votre bébé est mort, dit-elle à l'accouchée dont le visage est recouvert d'un drap blanc.

Elle se tourne vers les spectateurs et s'incline.

– Navrée, mesdames et messieurs, son bébé est mort. Dommage, n'est-ce pas ?

Glenn Paris lui sourit d'un air approbateur, ainsi que Randall Snyder et Annalee Ettinger. Alma Young, en uniforme, applaudit et lui envoie des baisers. Plusieurs reporters de la conférence de presse lèvent le pouce. D'autres la prennent en photo. Puis, d'un geste emphatique, elle soulève le drap... et découvre son visage. Ses yeux sont deux trous vides ensanglantés et sa bouche s'ouvre démesurément dans un cri muet d'agonie.

Sarah s'éveilla en sursaut, trempée de sueur froide. Il était 4 h 30 du matin.

Elle sortit du lit en tremblant et enfila son peignoir. Puis elle se prépara un thé et fit couler un bain chaud. Elle était terrifiée, non seulement par le contenu de son rêve, mais par le fait même de l'avoir fait. Pendant toute sa petite enfance, elle avait été la proie de toutes sortes de cauchemars. Dans le scénario le plus impressionnant, et le plus récurrent puisqu'il revenait jusqu'à deux ou trois fois par semaine, elle se retrouvait toujours liée, bâillonnée et totalement sans défense. Et dans cette situation, selon les nuits, elle était ensuite poignardée, battue, étouffée, précipitée dans le vide ou jetée à la mer. Au cours de ces rêves épouvantables, elle ne voyait jamais le visage de son agresseur. En de rares occasions, l'homme, car elle ne doutait pas que c'en fût un, la brûlait avec des cigarettes. Et par moments, ces cauchemars d'une netteté suffoquante la hantaient tellement qu'elle refusait purement et simplement d'aller se coucher.

Au début de son adolescence, poussée par l'un de ses professeurs, inquiet, elle alla consulter une psychologue. Il parut à cette femme évident qu'un événement dans le passé de Sarah, isolé ou répétitif, était à la source de ces accès de terreur nocturne. Mais la mère de Sarah, qui à l'époque sombrait déjà dans la démence, ne put fournir que peu d'informations utiles.

La psychologue prescrivit alors à Sarah un certain nombre de séances d'hypnose et prit même un jour de congé pour l'emmener au centre psychothérapique universitaire de Syracuse. Ce fut peine perdue. Sarah n'arrivait pas à faire le lien entre un fait quelconque survenu dans son enfance et ces visions obsessionnelles.

Pendant ses années de faculté, les cauchemars, s'ils n'étaient pas moins terrifiants, se firent moins nombreux. Elle essaya de reprendre une psychothérapie et des séances d'hypnose et consentit même à avaler certaines pilules destinées, aux dires de son médecin, à altérer la structure neurologique de son sommeil. La seule chose que le médicament altéra, ce fut sa moyenne trimestrielle, qui passa de 12 à 9 sur 20.

Mais finalement, elle réussit à trouver la paix. Le salut était entre les mains de peuplades primitives qu'elle était allée aider à l'autre bout du monde. Dans un village montagnard près de Luang Chiang Dao, à quelques kilomètres de la frontière birmane, le Dr Louis Han la confia aux soins d'un guérisseur, un petit homme ratatiné et voûté qui, selon Han, n'avait pas moins de 110 ans.

Le guérisseur, qui parlait un dialecte mandarin qu'elle ne comprenait pas, communiquait avec Sarah par l'intermédiaire de Han. Que ses cauchemars eussent pour catalyseur un événement du passé ou du futur était sans conséquence, expliqua-t-il. Ce qui importait, c'est qu'elle n'était pas à son aise au moment de s'endormir. L'esprit qui l'avait guidée dans la vie diurne demeurait enfermé en elle. Les cauchemars terribles n'étaient rien d'autre que cet esprit du jour exprimant sa colère d'être emprisonné et exigeant sa liberté afin de pouvoir lui aussi se reposer et se régénérer.

Pour mettre fin à ses mauvais rêves, assurait l'homme, tout ce que devait faire Sarah, c'était se livrer à quelques minutes de contemplation paisible à la fin de la journée, histoire de se mettre en contact avec son esprit diurne et de le relâcher.

Ce soir-là, après lui avoir donné ces précieux conseils, il avait préparé pour elle une tisane dont Louis Han lui-même ignorait la composition. Toujours est-il que Sarah la but de bon cœur et se laissa bientôt gagner par le sommeil. Lorsqu'elle se réveilla, deux jours plus tard, elle avait fait connaissance avec l'esprit diurne qui l'habitait, un cygne gracieux d'une blancheur immaculée.

Depuis lors, tous les soirs, elle méditait avant de s'endormir et voyait souvent son cygne prendre son essor. Toutes ses journées, même les plus tendues, s'achevaient dans la quiétude et la paix. Et les épouvantables cauchemars qui avaient si longtemps tourmenté son âme et défié les médecins n'étaient jamais réapparus.

Jamais, sauf cette nuit.

L'alimentation d'eau chaude dans l'immeuble de Sarah, d'ordinaire inefficace en début de journée, même pour une simple douche, était prodigue à cette heure matinale. Sarah se plongea dans le bain et laissa couler un petit filet d'eau chaude jusqu'à ce que ses tremblements aient disparu. Les choses n'arrivent jamais sans raison, se raisonna-t-elle. Cette croyance, cette certitude, était un des piliers sur lesquels elle avait construit sa vie. De tels événements, se dit-elle, adviennent pour nous prévenir de quelque chose, ou nous indiquer que le moment est venu de prendre une autre direction. Le temps de se sécher et de remettre son peignoir, elle avait interprété le message, ou plutôt les deux messages annoncés par son cauchemar.

De façon compréhensible, bien que totalement inacceptable, elle s'était laissé subjuguer par une charge de travail excessive. Ses périodes de méditation et d'introspection étaient devenues de plus en plus brèves et improductives. La connexion avec son moi spirituel était rompue. Elle se consacrait de moins en moins à elle-même, au profit de son travail, croyant naïvement que son dévouement suffisait pour lui donner la force d'affronter chaque journée. Son cauchemar venait de la détromper brutalement.

L'autre avertissement qu'il lui donnait, c'est qu'elle avait fait trop, beaucoup trop d'apparitions sur le devant de la scène. Une chose était de faire des cours aux étudiants, aux internes de première année ; autre chose était de se produire sous les projecteurs devant un parterre de journalistes caméra au poing. A partir d'aujourd'hui, décida-t-elle, retour aux valeurs fondamentales, au vrai travail. Plus de conférences de presse, plus d'interviews.

Elle s'approcha silencieusement de la fenêtre. Les premières lueurs de l'aube commençaient à éclaircir le ciel terne, couleur d'ardoise, brouillé par le crachin. Un autre bénéfice de son rêve était qu'elle avait du temps devant elle avant d'aller au travail. Du temps pour se concentrer et envisager sereinement l'avenir. Elle résolut de faire désormais sonner son réveil vingt minutes plus tôt quand elle ne serait pas de garde. Elle mit un enregistrement de vagues océanes en guise de bruit de fond, posa un gros coussin par terre et s'assit dans la position du lotus.

Sa respiration se fit plus lente et plus superficielle. La tension de ses muscles commença à se relâcher. Ses pensées, moins diffuses, se concentrèrent sur la journée qui commençait, les tâches qui l'attendaient, qu'elle souhaita ardemment accomplir de son mieux.

C'est alors que le téléphone sonna.

A la cinquième sonnerie, elle sut que le répondeur n'était pas branché ; au dixième, que son correspondant était soit entêté, soit en difficulté. Convaincue, à cent contre un, que c'était une erreur de numéro ou pire, un mauvais plaisant, Sarah rampa jusqu'à l'appareil posé au pied de son lit.

– Allô ! dit-elle, s'éclaircissant la voix qu'elle avait encore ensommeillée.

– Docteur Baldwin ?

– Oui.

– Rick Hochkiss à l'appareil. Je suis correspondant à l'Associated Press et j'étais présent à la conférence de presse que vous avez donnée hier.

– C'est excessivement inconvenant et grossier de votre part d'appeler à une heure pareille. (Elle hésita à lui raccrocher au nez.) Qu'est-ce que vous voulez ?

– Eh bien, tout d'abord, j'aimerais avoir vos commentaires sur les accusations portées contre vous par Axel Devlin dans sa chronique parue ce matin...

Assise devant le miroir dressé sur sa tablette de malade, Lisa Grayson essayait tant bien que mal de s'arranger les cheveux. Dans quelques minutes, son père viendrait lui faire sa troisième visite, et cette fois, elle était prête à le voir. Elle avait pris cette résolution la nuit précédente. Moins d'une heure plus tôt, un garçon de course était venu lui apporter un collier en or portant son nom ciselé en caractères élégants, avec un diamant en guise de point sur le I de Lisa.

Si son père s'était contenté de ça, s'il avait continué à ignorer ses sentiments profonds et à ne pas tenir compte de ce qui était le plus important pour elle, elle aurait peut-être décidé de l'envoyer promener à nouveau. Mais il y avait un petit mot accompagnant le cadeau. Il était écrit sur du papier à lettres que sa mère avait fait faire des années auparavant, en tête duquel figurait une gravure de Stony Hill, la demeure familiale. Lisa reposa sa brosse et examina l'image en se demandant si sa chambre était toujours la même. Puis elle relut ce que lui disait son père.

Ma chère Lisa,

Je sais que tu m'en veux beaucoup d'avoir fait des choses qui t'ont blessée. Je te demande pardon, mille fois pardon de n'avoir pas pris le temps de mieux te comprendre. J'ai besoin de toi. Je t'en prie encore, pardonne-moi et reviens dans ma vie. Je te promets que cette fois, je respecterai tes choix.

Je t'aime,

Papa.

Je te demande pardon... Les mots étaient écrits et réécrits, de la main de son père. Elle les attendait depuis cinq ans. Cinq années de vie commune manquées. Si seulement il avait compris plus tôt que c'étaient les seuls mots auxquels elle aspirait...

J'ai besoin de toi... Lisa toucha le bandage couvrant ce qui restait de son bras. A présent, son père lui manquait aussi. Peut-être n'avait-il jamais cessé de lui manquer.

Le téléphone interrompit ses pensées.

– Allô !

– Lisa, c'est Janine, au bureau des infirmières. Votre père est revenu.

– Bien. Il est temps. Voudriez-vous lui dire de venir ?

Lorsque Willis Grayson frappa à la porte, Lisa était debout au milieu de la chambre, prête à l'accueillir. Il tenait une rose d'une main et un journal de l'autre. Il s'arrêta un instant dans l'embrasure, le temps de se rendre compte s'il était ou non bienvenu. Puis il jeta fleur et journal sur le lit et se précipita dans les bras de sa fille.

– Tu ne peux pas t'imaginer combien j'ai souffert sans toi, dit-il.

– Papa, tu m'as écrit pour me demander pardon de ta conduite envers moi, pardon de m'avoir éloignée de toi. Tu n'avais rien besoin de dire d'autre.

– Je veux que tu reviennes à la maison avec moi. Aujourd'hui.

– J'ai peur qu'ils ne veuillent pas me lâcher avant demain.

– Ils te lâcheront aujourd'hui si tu sais le leur demander. J'ai déjà parlé au Dr Snyder et au Dr Blankenship. Ta circulation est redevenue normale et tu pourras te faire ôter tes agrafes dans notre hôpital.

– Dans quel état est ma chambre ?

– A Stony Hill ?

– Oui.

– Mais je... je pense qu'elle n'a pas changé. Elle est pareille que le jour où tu... elle est comme elle a toujours été. Tu viendras ?

– Il faut que j'aille récupérer des affaires chez moi et que je dise adieu à mes amis.

– Tim et moi allons t'aider, dit Grayson, tout à la joie de ces retrouvailles auxquelles il ne croyait plus. Ton amie Heidi peut venir quand elle veut et rester avec nous le temps qu'elle voudra. Je l'ai rencontrée à plusieurs reprises. C'est une femme très bien.

– Tu crois qu'on pourrait partir maintenant ?

– On prévient les infirmières et dès que tes médecins passeront, ils te signent ton bon de sortie et on y va.

– Je voudrais voir le Dr Baldwin avant.

Grayson se rembrunit et serra les mâchoires.

– Lisa, viens t'asseoir quelques minutes. Je voudrais te parler de quelque chose.

Il lui tendit le *Herald* ouvert à la page de la chronique d'Axel Devlin.

– Deux femmes sont mortes ? C'est vrai ?

– Eh oui, hélas ! Est-ce que tu avais pris ces plantes ?

– Toutes les semaines. Deux fois par semaine vers la fin. Les deux autres femmes aussi ?

Grayson confirma de la tête.

– Lisa, il y a deux messieurs dans le couloir que j'aimerais te présenter. Ce sont des avocats. Je veux que ce soient eux qui nous défendent.

– Qui nous défendent ?

Grayson montra du doigt son bandage.

– Si quelqu'un, qui que ce soit, est responsable de ce qui t'est arrivé et... et de la mort de mon petit-fils, ton fils, je veux qu'il ou elle le paye aussi chèrement que toi.

– Mais le Dr Baldwin...

– Lisa, je ne dis pas qu'elle est responsable, pas plus elle que quiconque, d'ailleurs. Je veux juste que tu parles avec ces messieurs.

– Mais...

– Chérie, quelque chose a déjà coûté la vie à deux femmes et à leur bébé. Il faut absolument savoir de quoi il retourne. Par respect pour leur mémoire, pour toi et aussi pour toutes celles qui sont exposées à ce risque.

– Du moment que tu me promets que rien ne sera fait sans mon consentement, dit-elle timidement.

– Entendu.

– Papa, je te parle sérieusement.

– Rien ne sera fait sans ton consentement. Maintenant veux-tu parler à ces messieurs ?

– Si tu y tiens absolument...

– J'y tiens absolument.

Grayson revint à la porte qu'il ouvrit et fit un geste en se penchant dans le couloir. Quelques instants plus tard, deux hommes portant des attachés-cases entrèrent dans la chambre. L'un d'eux était bedonnant, l'autre mince, avec des traits anguleux et des yeux gris au regard froid.

– Mlle Lisa Grayson, dit fièrement son père en se tournant vers le gros. Lisa, je te présente Gabe Priest. Son cabinet défend la plupart de nos intérêts dans mes affaires de Long Island.

L'homme de loi s'avança de quelques pas, s'apprêtant à tendre sa main droite à Lisa. Il s'aperçut alors de sa bévue, recula et hocha la tête.

– Et monsieur représentera nos intérêts à Boston, poursuivit Grayson en faisant signe à l'autre de s'approcher. Lisa, je te présente Jeremy Mallon.

14

A 1 h 15 de l'après-midi, pour la première fois de sa vie professionnelle, Sarah demanda à être remplacée en salle d'opération. Elle était en train d'effectuer une ligature des trompes par laparoscopie, intervention simple s'il en est, et qu'en l'occurrence elle s'était réjouie à l'avance de faire. Mais la matinée n'avait été qu'une succession étourdissante d'entretiens, d'explications et de conversations téléphoniques, et malgré tous ses efforts, elle n'arrivait pas à se concentrer assez pour se sentir décontractée, le bistouri à la main.

Pour un médecin préoccupé par des problèmes, personnels ou professionnels, il n'y a pas d'endroit plus dangereux qu'un hôpital. Ce précepte, Sarah l'avait entendu répéter à maintes reprises lors de ses cours obligatoires sur la gestion du risque et la responsabilité. Mais elle n'avait jamais eu l'occasion d'en vérifier le bien-fondé à titre personnel. Dans le meilleur des cas, expliquait un de ses professeurs, la possibilité de commettre une faute lourde était comme un corbeau constamment perché sur l'épaule du praticien, se nourrissant de fatigue, de surmenage, de routine et de perte de concentration. Un mariage en déroute, des soucis financiers, l'alcool, les drogues ou des accusations d'incompétence constituaient autant de facteurs alarmants venant s'ajouter à une probabilité d'erreurs déjà déconcertante.

Une distraction passagère, l'omission d'une virgule dans le dosage d'une prescription, le fait de ne pas déceler un changement, même mineur, dans un résultat d'analyse parmi des dizaines d'autres, les possibilités de catastrophe dans la pratique hospitalière étaient infinies et souvent bien camouflées.

Que le praticien en question soit un chirurgien, pensait Sarah, et que vienne s'ajouter la pression due au déballage public de ses problèmes, le corbeau se transforme en vautour. Elle emporta une tasse de thé dans une pièce vide réservée aux internes et s'allongea, essayant de combattre une vague mais persistante migraine.

Le coup de fil de 5 h 30 du matin avait été rapidement suivi de trois autres de même nature réclamant son point de vue sur la chronique d'Axel Devlin. Au bout du dixième *pas de commentaire* et du quatrième *veuillez ne pas rappeler*, elle avait débranché son téléphone.

Elle avait vainement essayé de se replonger dans sa méditation et, finalement, enfilé sa combinaison jaune et pédalé sous la pluie fine jusqu'au bar-marchand de journaux situé au coin de sa rue. Il y avait trois autres personnes dans le magasin. Sarah eut l'impression d'être la cible de tous les regards en payant son café-tartine puis, de l'air le plus dégagé qu'elle put, le numéro du jour du *Herald*. Blottie dans l'encoignure d'une boutique close, au détour de la rue, elle parcourut, puis relut attentivement la prose d'Axel Devlin.

L'article l'ébranla profondément, mais davantage pour ses sous-entendus déguisés et son intention de nuire manifeste que pour son contenu. Ce qu'écrivait Axel Devlin, en substance, était vrai. Les trois victimes de CID avaient été reçues par Sarah en consultation et toutes avaient bel et bien choisi son supplément phyto de préférence aux vitamines. Mais leur problème sanguin, quelle qu'en fût la cause, était sans rapport aucun avec ce traitement. Les plantes qu'elle leur avait prescrites étaient rigoureusement les mêmes, en nature et en dosage, que celles qu'une étude scientifique approfondie avait jugées supérieures aux produits synthétiques. Sarah possédait des duplicatas de cette étude, publiée dans un des périodiques médicaux les plus prestigieux d'Asie, et elle se serait fait un plaisir de les communiquer si on le lui avait demandé.

La composition du mélange était l'œuvre de Kwong Tian-Wen, un des herboristes les plus expérimentés et les plus respectés du Nord-Est, que l'on ne pouvait soupçonner de frelatage. Sarah n'aurait pas eu de peine à démontrer que la pureté de ses produits rivalisait avec celle de la plupart des produits pharmaceutiques, surtout de synthèse, quand elle ne l'excédait pas. Maintes fois, depuis que le recours systématique aux produits artificiels de substitution était encouragé par la réglementation gouvernementale, des laboratoires industriels se livrant à une production effrénée avaient été convaincus d'écouler des médicaments de qualité inférieure aux normes. Et ces médicaments, bien souvent, mettaient en jeu la vie des malades. Pourtant, les sanctions infligées à ces entreprises se limitaient en général à de vagues admonestations, au pire à une amende sans conséquence.

Sarah n'aurait pas demandé mieux que de mettre tout cela sur le tapis si seulement Devlin avait fait son travail, si seulement il lui avait demandé son avis. A présent, elle était confrontée à la perspective peu réjouissante d'organiser elle-même une conférence de presse dans le seul but de répondre clairement et publiquement à ces allégations.

Au cours de la matinée qui venait de s'écouler, elle avait travaillé dans une atmosphère contrastant du tout au tout avec les félicitations et autres tapes dans le dos consécutives à son intervention au chevet de Lisa Summer. Le temps qu'elle arrive dans son service pour faire ses visites, des exemplaires du *Herald* circulaient partout, dans le bureau des infirmières, les chambres des malades, et même dans le vestiaire du personnel.

Beaucoup d'infirmières l'accueillirent avec une froideur presque tangible, chuchotant dans son dos et échangeant des gestes et des regards qu'elle surprenait du coin de l'œil. Mais personne ne fit ouvertement allusion à l'article devant elle ; personne, sauf son chef de service, le directeur du personnel et le directeur des relations publiques.

A midi, elle trouva le temps de se soustraire à la tourmente pour aller voir Lisa. Si quelqu'un méritait d'entendre de sa bouche un démenti des accusations de Devlin, c'était bien elle. Sarah fut atterrée de découvrir une chambre vide, nettoyée et attendant le prochain malade, et encore plus d'apprendre que Lisa avait quitté l'hôpital avec son père moins d'un quart d'heure plus tôt, sans même avoir essayé de la joindre. Aucun message, juste un bon de sortie signé par Randall Snyder et hop ! partie sans plus de cérémonie. Une heure plus tard, Sarah demandait à être remplacée au bloc opératoire.

A 14 h 30, une courte sieste et trois aspirines eurent calmé son mal de tête. Elle étala la page du *Herald* sur le petit bureau métallique et sortit un bloc-notes du tiroir. Elle avait toujours été combative de tempérament. Par deux fois dans le passé, elle avait décidé de refuser à Axel Devlin l'honneur d'une réponse à ses ragots perfides. Cette fois, il était hors de question qu'elle tourne le dos à ses persécutions. Elle formulerait et reformulerait sa position et défendrait mordicus sa qualification. Et elle n'aurait de cesse que les techniques journalistiques diffamatoires et irresponsables du chroniqueur soient exposées sur la place publique.

A Welesley, sa thèse d'anthropologie avait reçu force louanges, autant pour son contenu que pour l'élégance du style. Il n'y avait pas de raison pour qu'elle ne puisse à son tour publier un droit de réponse qui remettrait Devlin à sa place et, du même coup, plaiderait énergiquement pour une certaine conception de la phytothérapie.

Elle relut la chronique avec soin, soulignant phrases et mots clés. Bien que ce ne fût pas essentiel, cela l'aiderait à remonter à la source des informations de Devlin. Glenn Paris avait parlé de fuites répétées portant sur le fonctionnement interne de l'hôpital et avait même menacé de licenciement quiconque en serait trouvé responsable. Cette chronique était-elle le résultat d'une nouvelle série de fuites, ou bien quelqu'un essayait-il de l'enfoncer elle en particulier ?

Supplément prénatal à base de plantes... neuf plantes différentes sous forme de racines ou de feuilles... Tormentille... pied-de-griffon...

Se pouvait-il qu'une de ses malades soit allée voir Devlin et lui ait transmis la liste de plantes qu'elle leur donnait avec l'ordonnance ? Non, ça n'avait pas de sens. Elle n'avait jamais fait mystère de l'existence du supplément et de sa composition. Et personne, pas même Devlin, ne s'y était particulièrement intéressé, du moins jusqu'à maintenant.

Deux consommatrices de ces plantes prétendument médicinales sont mortes et une troisième est infirme à vie...

Sarah griffonna machinalement sur le bord de son bloc. Qui savait qu'à un moment ou à un autre elle avait vu ces trois victimes de CID à l'hôpital ? Qui avait eu accès à leur dossier ? A qui d'autre qu'un médecin Devlin pouvait-il se fier pour obtenir ces renseignements ?

D'où viennent ces racines et ces feuilles ? Qui vérifie qu'elles sont exemptes de contamination ? Qui vérifie la composition du mélange ?

Même le ton adopté par Devlin pour poser ces questions avait un air professionnel. Quelqu'un lui avait soufflé ces mots. Ce quelqu'un était presque à coup sûr un médecin. Sarah ferma les yeux pendant une minute ou deux, fouillant sa mémoire, faisant le tri des certitudes et des hypothèses.

– Non ! s'exclama-t-elle soudainement. Oh non !

De dépit, elle jeta son stylo contre le mur. Puis elle attrapa son manteau et sortit en trombe de la pièce.

– Pourquoi, Andrew ? gémissait-elle en dévalant l'escalier. Au nom du ciel, pourquoi ?

– Pour le fric, évidemment, dit Truscott avec candeur.

Sarah abattit son poing sur le *Herald* et tomba pile sur le petit portrait encadré d'Axel Devlin précédant sa chronique.

– Andrew, je savais que vous n'aimiez pas Glenn et que vous détestiez cet endroit. Mais nous sommes amis depuis près de deux ans. Comment avez-vous pu me faire un coup pareil pour un peu d'argent ?

– Pas un peu d'argent, très chère. Pour beaucoup d'argent. Quant au fait d'être votre ami, le dernier ami dont je me souvienne m'a volé mon vélo en classe de 5e pour le donner à une fille qui lui plaisait.

– Oh ! Andrew...

– Vous vous en relèverez, ma belle. Vous êtes probablement la femme la plus compétente que je connaisse. Et souvenez-vous qu'il n'existe pas de publicité négative. Il n'y a que de la publicité tout court. Cet article attirera l'attention sur vous et sensibilisera le public à votre cause.

– C'est de la foutaise, ce que vous me dites là, Andrew, et vous le savez très bien. Qui vous a payé, tonna-t-elle en lui lançant des regards furieux. Devlin ? Everwell ?

– Ça ne vous regarde absolument pas. Mais vous savez, Sarah, je n'ai rien inventé, ni sur l'hôpital ni sur vous. Vous avez bel et bien vu ces trois femmes et vous leur avez bel et bien donné vos plantes miraculeuses.

– Andrew, avant de refiler des informations incomplètes à un type comme Devlin, vous auriez pu au moins prendre le temps de m'en parler ou de lire les études faites sur ce traitement. Vous savez fort bien que ce que vous avez fait est malhonnête et les moyens employés encore plus. Vous ne pourriez pas au moins l'admettre ?

– Je vais vous dire, fit Truscott avec une soudaine véhémence. Je l'admettrai dès que vous, vous admettrez que depuis que vous êtes arrivée dans cet endroit, vous n'avez cessé d'emmerder le monde avec votre attitude de sainte nitouche sur nos insuffisances et notre insensibilité à nous, pauvres toubibs ordinaires, et ce, quoi que nous fassions. Vous vous baladez partout en affichant une mine supérieure, l'air de dire si seulement vous connaissiez tous les secrets que je connais, si seulement vous étiez des médecins aussi complets que moi, et tout le monde ici en a ras le bol.

– Mais...

– Laissez-moi finir ! Vous pensez peut-être que vous nous aidez à élargir notre champ d'activités. Mais même ici, même à la Grande Charlatanerie, où pratiquement tout est possible, vous êtes considérée comme une cinglée. Parmi vos collègues, les femmes estiment que vous n'êtes pas assez professionnelle, et vous intimidez tellement les hommes qu'ils vous fuient, comme un capitaine fuit les icebergs. Alors, avant de me critiquer, vous feriez peut-être mieux de balayer devant votre porte.

Sarah se sentait dangereusement au bord des larmes. Elle s'était trompée, totalement trompée au sujet de cet homme. Oui, mais en attendant, c'est elle qu'il venait de mettre sur la défensive. Depuis qu'elle exerçait au CHU de Boston, elle avait senti envers elle un respect et une acceptation quasi unanime de la part du personnel, masculin ou féminin. Plusieurs personnes, telle Alma Young, avaient même pris soin de le lui dire ouvertement. Elle était mieux notée d'année en année, et après deux décennies de pratique en solo, Randall Snyder envisageait de la prendre comme adjointe. Alors pourquoi se laissait-elle abattre par cette histoire, et intimider par cette mauvaise réplique de Peter Ettinger ?

Elle se mordit la lèvre, jusqu'à ce qu'elle soit certaine qu'elle ne fondrait pas en larmes. Puis elle ramassa le *Herald* d'un geste furibard et fonça vers la porte.

– Où allez-vous ? demanda Truscott.

– Je retourne travailler.

– Qu'est-ce que vous allez faire, maintenant que vous savez tout ça ?

– Si vous voulez savoir si je vais en parler à Glenn, la réponse est : je ne sais pas encore.

– Ils ne me vireront pas. Pas sans preuves formelles.

– Andrew, dit-elle sans se retourner, grâce à ce que vous avez fait, pour l'instant, j'ai d'autres chats à fouetter que de savoir s'ils vont vous virer ou non.

15

7 JUILLET

La salle de culture physique, un solarium modulable dans le fond du bâtiment principal, était aussi bien équipée que la plupart des clubs sportifs. Annalee Ettinger, bien que nettement moins férue d'exercice que son père, s'entraînait presque quotidiennement. Il y avait un portique universel, des poids et haltères, barre fixe et barres parallèles, tapis de jogging, ainsi qu'une piscine à remous, un trampoline et un sauna. Aujourd'hui, Peter venait de passer une heure avec son entraîneur et remettait ça avec les haltères. Annalee faisait semblant de faire des tractions aux anneaux, attendant le moment propice pour engager la conversation.

Quoique Peter ne lui inspirât plus la même crainte révérencieuse qu'autrefois, elle ne se sentait pas particulièrement à l'aise en sa présence. Et elle avait beau le connaître suffisamment pour deviner sa réaction à l'avance dans presque toutes les circonstances, elle ignorait absolument comment il prendrait ce qu'elle s'apprêtait à lui révéler.

Elle le regarda et ne put se défendre d'une certaine admiration. A 48 ans, il avait le corps d'un homme de 30 ans. Il travaillait sa musculature et sa souplesse avec un acharnement frisant l'obsession et faisait quarante minutes de tai-chi par jour pour entretenir son équilibre et sa concentration. Dans sa vie professionnelle comme dans sa vie privée, il n'avait pas l'habitude de la faiblesse ni de l'échec. Comment jugerait-il la décision qu'avait prise sa fille ?

Annalee n'avait pas 2 ans quand il l'avait ramenée du Mali. Dans ses récits d'adoption, Peter laissait clairement entendre qu'il lui avait sauvé la vie. Sa mère était morte de dysenterie et ses chances de survie étaient alors minimes.

– Je voulais ramener chez moi chaque orphelin que je rencontrais dans les villages, lui avait-il souvent raconté. Mais comme c'était impossible, j'ai comparé des dizaines de facteurs chez des dizaines d'enfants et finalement, je t'ai choisie parce que tu ne voulais pas me lâcher la jambe.

Dès le début, il n'avait fait aucune différence entre les critères d'excellence et de réussite qu'il exigeait de lui-même et ceux qu'il exigeait d'elle. Ce n'était peut-être pas juste, mais il ne connaissait pas d'autre façon de procéder. Durant sa scolarité, ses problèmes persistants d'embonpoint n'avaient cessé de le tracasser. Mais bien qu'elle se sentît toujours jugée et souvent en défaut, elle n'avait jamais douté qu'il l'aimât plus que n'importe qui au monde.

Au cours de leurs vingt années de vie commune, il avait connu bien des femmes, vécu avec deux d'entre elles, et en avait épousé une. Mais jamais elle n'avait eu l'impression d'être reléguée au second plan. Et maintenant, malgré ses années de rébellion, il l'avait chaleureusement accueillie chez lui, l'entretenait, et la considérait comme faisant partie de Xanadu, le rêve de sa vie.

La communauté de Xanadu s'étendait sur soixante hectares de terre arable et de forêt sillonnés par des murets de pierre centenaires. La Grande Maison, tel était son nom, une vaste bâtisse de treize pièces pleine de coins et de recoins, datait de 1837. A l'époque où Peter s'était porté acquéreur de la propriété, cette maison était dans un tel état de délabrement que plusieurs architectes l'avaient estimée irrécupérable. Depuis lors, Peter s'était employé à leur donner tort. Totalement retapée dans le style d'origine, avec ses pièces de trois mètres sous plafond, c'était aujourd'hui un endroit de rêve, le joyau et le cœur de Xanadu. Peter avait donné à Annalee un petit bureau au rez-de-chaussée et fait d'elle son assistante, directrice du marketing et des relations publiques. Il avait été décidé, bien plus par lui que par elle en vérité, qu'en reprenant ses études en janvier, elle opterait pour la gestion d'entreprise comme matière principale. Dix-huit mois plus tard, elle était censée passer sa maîtrise dans la même discipline, tout en continuant à accroître son rôle à Xanadu, lors des vacances et pendant l'été.

Pour lors, cependant, ce plan soigneusement élaboré était voué à changer d'une manière ou d'une autre.

– Hé ! p'pa, t'assures ! T'assures vraiment un max aux haltères, dit-elle.

Peter faisait des flexions du torse, un poids de cinq livres dans chaque main. Son front et ses cheveux argentés coupés au rasoir scintillaient de sueur, juste ce qu'il fallait, ni trop, ni trop peu. Sudation irréprochable, se dit-elle. C'est bien lui, ça ; du Peter tout craché.

– Profite de ta jeunesse tant qu'il est temps, répondit-il sans ralentir. Ça devient chaque jour plus difficile. Tu arrêtes ?

– Oui. Je ne me sens pas en super-forme, aujourd'hui.

A ces mots, Peter s'interrompit brusquement.

– Maintenant que tu le dis, j'ai remarqué en effet que tu n'avais pas l'air très bien ces jours derniers, dit-il en s'épongeant avec sa serviette.

N'importe quoi, pensa-t-elle. Ils n'avaient pas dû se voir plus de cinq minutes au cours de la semaine passée. Pas la peine d'essayer de m'impressionner, Peter, lui dit-elle mentalement, je suis déjà impressionnée.

– Un peu pâlotte, peut-être ? dit-elle.

– Voilà, exactement. (Il releva les yeux sur son beau visage noir comme l'ébène.) Oh, très drôle !...

Annalee se rappela que le sens de l'humour de son père était nettement moins développé que ses autres attributs. Mieux valait qu'elle surveille ses instincts narquois au cours de la discussion à venir. Allongée sur le tapis de sol, elle étira son long corps gracile, en se demandant s'il remarquerait le léger renflement sous son collant.

– J'ai des aigreurs d'estomac, ces temps-ci, dit-elle.

– Un peu de tisane de ginseng, peut-être.

Il suivit des yeux un motoculteur pétaradant à flanc de colline en direction du chantier au bord de l'étang.

– Et je me sens ballonnée, aussi.

– Dans ce cas, il faudrait peut-être rajouter de l'écorce de pommier et du safran en infusion.

– Et... et je n'ai pas eu mes règles depuis cinq mois.

Peter se raidit et pivota lentement vers elle.

– Depuis combien de temps ?

– Cinq mois.

– Dois-je supposer que tu es enceinte ? fit-il, les yeux mi-clos.

Annalee esquissa un fin sourire.

– Judicieuse déduction, dit-elle.

– West, le musicien ?

– Oui. Il se prénomme Taylor, p'pa, au cas où tu l'aurais oublié.

– Tu es certaine ?

– Qu'il s'appelle Taylor ?

– Non. Que tu es enceinte.

Annalee scruta l'expression de son père, cherchant à y déceler un indice de ce qu'il pensait. A première vue, ce n'était pas très encourageant.

– Oui, j'en suis certaine. Et Peter, avant que tu ne poses la question suivante, je tiens à ce que tu saches que je suis très heureuse.

– C'est déjà ça.

– Ne te moque pas de moi, s'il te plaît.

Peter enfila un ample T-shirt en tissu-éponge. Annalee voyait sur son visage qu'il était en train de supputer quelles seraient les conséquences de la nouvelle. Son mécontentement était visible, ce qui n'avait rien d'étonnant. Il était rare qu'il approuve quelque chose qu'il ne créait ou ne contrôlait pas.

– Et Taylor ? demanda-t-il.

– Il est encore souvent en déplacement à cause des tournées de son groupe. Mais tôt ou tard, on se mariera.

Peter empoigna un haltère de dix livres et fit machinalement une douzaine de développements, avec un bras, puis avec l'autre.

– Tu l'aimes ? dit-il abruptement.

La demande laissa Annalee interloquée, d'autant qu'elle survenait avant les questions prévisibles sur les revenus présents et potentiels de Taylor.

– Oui... Oui, je l'aime, énormément.

– Et sa musique, c'est sérieux ?

– Oui. Très sérieux.

Annalee n'en croyait pas ses oreilles. Elle avait toujours pensé que son père réservait ce type d'attitude aux clients qui le payaient.

– J'ai un ami, un patient en fait, qui est vice-président des disques Blue Note. Tu connais ce label ?

– Si je le connais ! C'est la meilleure boîte de production dans le monde du jazz.

– Je peux obtenir une audition au groupe de Taylor en vue d'enregistrer un disque.

– Peter, ce serait fantastique.

– Après le mariage.

– Ça, ça dépend un peu de...

– Et si mon ami les trouve assez bons, je sponsoriserai l'album.

– Je vois.

– A condition que vous choisissiez de vivre tous les trois ici, à Xanadu, du moins jusqu'à ce que vous soyez suffisamment à flot financièrement.

– C'est très généreux de ta part.

– Annalee, je n'ai qu'une enfant, c'est toi. Je veux que tu aies une belle vie.

– Je comprends, dit-elle, encore sous l'effet de la surprise et rendue perplexe par sa réaction. Je ne peux pas affirmer que Taylor acceptera tes conditions, mais j'espère bien que oui.

– Moi aussi, dit Peter. Et naturellement, j'aimerais que l'enfant naisse ici, à Xanadu. On fera venir les meilleures sages-femmes du monde pour t'assister.

– Peter, je... j'avais plus ou moins décidé déjà que le bébé naîtrait à l'hôpital dans un service d'obstétrique.

– Ah ?

Annalee eut très nettement l'impression que son père savait d'avance ce qu'elle allait dire ensuite.

– J'ai déjà vu une obstétricienne. Elle est d'accord pour me prendre comme patiente et pour m'accoucher.

– Elle ?

Annalee soupira.

– C'est Sarah. Sarah Baldwin. Je suis allée la voir au centre hospitalier où elle travaille.

L'explosion qu'elle redoutait n'eut pas lieu.

– Je sais, dit simplement Peter.

– Quoi ?

– Je t'ai vue à la télé au milieu du public de la conférence de presse. C'est peu dire que tu te distinguais du reste de l'assistance.

– Pourquoi ne m'as-tu rien dit ?

– Mais je te le dis. J'ai même beaucoup à dire maintenant que je sais ce que tu étais allée faire là-bas. Je refuse que mon petit-enfant soit mis au monde dans un hosto infesté de germes, empestant l'antiseptique et coutumier des bavures médicales. Et surtout par Sarah Baldwin.

– Mais...

– Annalee, il y a le numéro d'hier du *Herald* et le *Globe* de ce matin sur ce banc, là-bas. Tu trouveras dedans des informations concernant Sarah. Je présume que tu ne les as pas lues et que tu n'as pas non plus écouté les nouvelles hier soir, sinon tu m'en aurais certainement parlé.

Il attendit patiemment qu'elle eût consulté les deux quotidiens.

– Elle t'a prescrit ces herbes ? demanda-t-il.

– Oui. Je... je pensais que ce serait quelque chose que tu approuverais.

– Je n'approuverai jamais rien de ce que peut faire Sarah Baldwin, sauf peut-être si elle renonçait définitivement à ses efforts destructeurs pour combiner médecine officielle et médecine douce.

– Mais...

– Annalee, il y a des messieurs qui vont venir me voir cet après-midi à 2 heures. J'aimerais que tu assistes à notre entretien.

– Des messieurs ? Qui ça ?

– 2 heures précises à mon bureau. Et je t'en prie, pas un mot à Sarah Baldwin, en tout cas pas avant d'avoir entendu ce que ces hommes ont à dire. D'accord ?

Annalee lut la peine et la colère sur les traits de son père. Elle savait que Sarah l'avait blessé en le quittant. Mais elle ne savait pas à quel point jusqu'à maintenant.

– D'accord, dit-elle enfin.

16

8 JUILLET

Lydia Pendergast se plia à mi-corps et lentement, très lentement, tendit les bras en direction du sol. Adossés contre un des murs de la petite salle de consultation, Sarah, un kinésithérapeute nommé Zacharie Rimmer et une des infirmières du service d'orthopédie l'observaient, les yeux pleins d'espoir.

– Plus bas, toujours plus bas, dit Lydia. Vous pariez que je ne m'arrête plus ?

C'était une fringante septuagénaire qu'une lombalgie récalcitrante avait longtemps clouée au lit. Plusieurs orthopédistes et neurochirurgiens avaient affirmé qu'une dégénérescence arthritique due à des ostéophytes était la cause de son handicap. Parmi les raisons qui les dissuadaient d'opérer, ils citaient pêle-mêle l'âge de la patiente, la précarité technique de l'intervention et le développement déjà important des ostéophytes, qui sont les excroissances osseuses pathologiques au voisinage des articulations. Finalement, l'un d'eux l'avait adressée à l'unité expérimentale de traitement de la douleur du CHU de Boston, un service interdisciplinaire de plus en plus réputé dans le nord-est du pays.

Peu après son arrivée à l'hôpital, Sarah s'était portée volontaire pour mettre ses compétences d'acupuncteur en pratique dans ce service. D'habitude, elle y travaillait une demi-journée par semaine.

Le bout des doigts de Lydia effleura le sol.

– Dieu que la terre est basse, chantonna-t-elle sans se relever. Bon, ça, maintenant, c'est pour vous, docteur Baldwin.

Elle écarta légèrement les pieds et continua à se baisser jusqu'à ce que ses paumes soient à plat par terre, puis attendit que Sarah prenne un cliché avec le vieux Polaroid du service. Enfin, elle se redressa, et fit une courte révérence, sous les applaudissements du personnel.

Dieu vous bénisse. Dieu vous bénisse tous...

Les paroles de Lydia Pendergast résonnaient encore dans la tête de Sarah tandis qu'elle remontait l'escalier du bâtiment Thayer pour aller ranger ses aiguilles d'acupuncture dans son armoire. Un traitement couronné de succès, une malade reconnaissante, du travail en perspective, la journée paraissait presque normale, surtout comparée aux deux précédentes. Le personnel hospitalier la traitait avec une certaine froideur, chose déplaisante, mais certainement pas insupportable. Il se trouvait toujours quelqu'un pour la réconforter au moment où elle pensait craquer. Mais la presse, qui la harcelait sans répit avec un culot phénoménal, lui créait un tout autre problème. Elle avait cessé de répondre au téléphone chez elle, et demandé à la standardiste de l'hôpital de filtrer soigneusement ses appels.

Ce n'était pas gai, mais toute chose a une fin, se disait-elle, prenant son mal en patience.

Sarah avait ouvert son armoire dont la porte la masquait partiellement, lorsque celles de l'ascenseur s'écartèrent, livrant passage à Andrew Truscott. Il s'engagea en hâte dans le couloir et entra dans la chambre 421, une de celles que Sarah utilisait fréquemment pour se reposer. Elle trouva étrange qu'il récupère à un tel moment, bien que l'heure du déjeuner approchât. Peut-être avait-il besoin de faire passer un mal de tête ou bien quelque souci en dormant.

Cette pensée la fit sourire.

Un souci au moins lui serait épargné, celui d'être dénoncé à Glenn Paris. Sarah avait décidé de n'en rien faire peu après leur confrontation et le lui avait dit le lendemain. Elle n'escomptait pas qu'il l'en remerciât et, de ce point de vue, ne fut donc pas déçue.

– Faites ce que vous voulez, lui avait-il dit d'un ton irrité. Sans preuves, et avec votre réputation actuelle à l'hôpital, je doute que Paris ou quiconque s'intéresse à vos racontars.

Truscott avait parfaitement raison. Elle avait assez de problèmes comme ça sans se lancer dans une bataille avec la direction, bataille incertaine d'ailleurs, puisque c'était sa parole contre la sienne. Elle n'aurait pourtant pas hésité à l'accuser si elle avait jugé que ça servait à quelque chose. Du reste, si les fuites continuaient, elle n'aurait bientôt plus le choix.

Sarah s'apprêtait à refermer son armoire lorsque les portes de l'ascenseur se rouvrirent. Margie Yates, une interne en pédiatrie, s'avança sur le palier. Mère de deux enfants, elle était l'épouse d'un type charmant, directeur du service social de l'établissement. Yates était brillante, séduisante, mais instable aussi, et travaillée par un terrible besoin de plaire. Embusquée derrière la porte de son placard, Sarah ne put s'empêcher de la voir rajuster sa blouse blanche et se regarder brièvement dans un miroir de poche avant de se glisser furtivement dans la chambre 421.

Tiens, tiens, Andrew et Margie Yates ! se dit Sarah en refermant discrètement son armoire. Pas vraiment une surprise. Pendant qu'elle gagnait la cage d'escalier à pas feutrés, elle se souvint qu'Andrew parlait rarement de sa femme ou de sa fille. Quant à Margie, des rumeurs lui prêtaient de temps en temps des aventures avec d'autres médecins de l'hôpital. Tous deux avaient des ego démesurés et un énorme besoin de reconnaissance. Leur flirt, pour désagréable qu'il fût à observer, était dans la logique des choses.

Sarah prit un sandwich au thon, des chips et un jus d'ananas à la cafétéria, qu'elle emporta sur la terrasse du campus. D'abord ses aveux de trahison, ensuite Margie Yates, songeait-elle. Depuis quelques jours, la cote d'Andrew était en chute libre. Elle mangea rapidement et rentra dans l'hôpital par le bâtiment de chirurgie. Soudain, le nom d'Andrew retentit dans un haut-parleur. On le demandait d'urgence à la chambre 227. Un interne de première année en chirurgie passa devant elle en courant et se rua dans l'escalier menant au deuxième étage.

– Hé ! Bruce, qu'est-ce qui se passe ? lui cria-t-elle.

– J'sais pas, dit-il d'une voix affolée. Rupture du triple A, peut-être.

Le triple A, autrement dit l'anévrisme de l'aorte abdominale. Sa rupture constituait sans doute l'urgence chirurgicale la plus absolue. Si elle avait eu des obligations pressantes dans son service, ce qui n'était pas le cas pour au moins une heure, Sarah aurait quand même offert son assistance. En plus, pensa-t-elle méchamment, Andrew Truscott n'est peut-être pas dans la meilleure forme pour procéder d'urgence à une intervention de chirurgie vasculaire.

La chambre 227 présentait tous les signes de panique et d'organisation chaotique consécutives à une crise soudaine dans un hôpital universitaire. Bruce Lonegan et un autre interne s'activaient fébrilement autour d'un homme âgé, visiblement en état de détresse profonde. Il était inconscient ou à peine conscient, gémissant et secoué de spasmes.

– Prise de sang, vite ! Dix unités pour compatibilité, et vérifiez qu'il y a un bloc de prêt, gueula Lonegan. Art, mettez-lui une sonde artérielle et que quelqu'un essaye de lui prendre sa tension ! Bon Dieu, qu'est-ce qu'il fout, Andrew ?

– Qu'est-ce que je peux faire ? s'enquit Sarah alors que le haut-parleur répétait son appel à l'intention de Truscott.

– Ce type est un malade d'Andrew, dit Lonegan. Il est venu de lui-même il y a trois ou quatre jours pour un anévrisme. Comme il avait une insuffisance cardiaque, ils ont décidé de retarder l'opération pour s'occuper de ça avant. L'intervention était prévue pour demain. C'est une infirmière qui l'a trouvé dans cet état en passant dans la chambre. Sa tension dégringole à vue d'œil. Il est dans le cirage. Son ventre a l'air tendu. C'est une rupture du triple A, à tous les coups. Bon sang, est-ce qu'ils appellent aussi Andrew sur son bipeur ?

Sarah se souvint alors qu'il n'y avait pas de haut-parleur dans les salles de repos du bâtiment Thayer. Andrew n'avait manifestement pas laissé le numéro de sa chambre au standard. Si son bipeur était éteint, il n'y avait aucun moyen de le joindre. Je suis la seule à savoir où il est, se dit-elle. Elle décrocha le téléphone de la table de chevet et suggéra au standard d'essayer la chambre Thayer 421.

– Si le Dr Truscott ne répond pas, rappelez-moi aussitôt, précisa-t-elle.

Lonegan et l'autre médecin avaient été rejoints par quelqu'un du service de médecine interne. Il était clair que le malade déclinait. Lonegan exerçait depuis exactement une semaine. Sans le secours d'un spécialiste en chirurgie vasculaire, le patient était perdu.

– Le haut-parleur ne marche peut-être pas là où se trouve Andrew, dit Sarah en réalisant que c'était à elle de prendre les choses en main en attendant l'arrivée de quelqu'un de plus compétent. J'ai donné des instructions pour qu'on le cherche. En attendant, vérifiez vos perfus, mettez-y du fluidifiant, prenez son pouls et faites préparer la salle d'op. Pourquoi est-ce qu'il a des convulsions comme ça ?

– C'est parce que sa tension est tombée à 8, dit l'interne qui venait d'arriver.

Bien qu'elle n'écartât pas cette explication, Sarah ne s'en satisfaisait pas. Elle avait vu beaucoup de malades en état de collapsus, dont certains tressautaient effectivement comme des épileptiques. Mais il y avait quelque chose de différent chez cet homme. Sans se faire remarquer, elle vérifia soigneusement les six pulsations de l'artère radiale, comme elle l'avait fait pour Lisa Summer. Elle en perçut plusieurs qui paraissaient affaiblies. Elle n'avait pas assez d'expérience pour en déduire quoi que ce soit de précis, mais sentit qu'il se produisait chez cet homme un phénomène plus général que la rupture d'une artère, peut-être un déséquilibre du métabolisme.

La phlébotomiste venait juste d'achever les prélèvements de sang. Sarah la prit à part.

– Faites faire l'analyse biochimique la plus détaillée possible, dit-elle. En priorité absolue, le plus vite qu'ils peuvent. Insistez sur l'ionogramme, le sucre, le calcium, le phosphore et le magnésium.

Le téléphone sonna. Sarah décrocha vivement, écouta quelques secondes et raccrocha.

– Le Dr Truscott arrive dans une minute, annonça-t-elle.

Cinq minutes plus tard, Andrew déboulait dans la chambre au pas de charge. Entre-temps, un anesthésiste était arrivé auprès du malade, une transfusion du sang d'ailleurs incomplètement testé était en cours, et des brancardiers attendaient derrière la porte, prêts à transporter l'homme au bloc. La famille du patient avait également été alertée et informée de l'aggravation subite de son état. Contrairement à l'intervention de routine programmée à l'avance, une rupture d'anévrisme opérée en urgence réduisait considérablement les chances de survie.

– Navré, fit Truscott en prenant immédiatement le contrôle, mon maudit bipeur m'a lâché.

Sans prêter attention à Sarah, il examina rapidement le vieil homme et ordonna un transfèrement au bloc. Puis il se tourna vers le jeune interne qui lui fit un compte rendu quelque peu embrouillé de la situation.

– La salle d'opération est prête, conclut Lonegan, et les prélèvements de sang sont partis au labo.

– Parfait, mon vieux, dit Truscott en auscultant à nouveau l'abdomen du malade. Vous avez bien fait parce qu'on va lui ouvrir le bide avant qu'il ait le temps de faire ouf !

Les brancardiers firent irruption dans la chambre et chargèrent l'homme sur une civière mobile. Truscott se tourna alors vers Sarah.

– Eh bien, quel bon vent vous amène, docteur ? Mon client aurait-il un problème gynéco par-dessus le marché ?

Une infirmière pouffa. Sarah garda son sang-froid, se souvenant que Truscott ne valait pas la peine qu'on s'énerve.

– J'ai pensé que vous étiez peut-être un peu las et qu'un coup de main vous dépannerait, dit-elle. Je savais que vous, heu... comment dire ?... que vous vous reposiez dans la chambre 421. J'étais à mon armoire quand vous y êtes entré. C'est comme ça qu'on a fini par vous trouver.

Truscott blêmit et les coins de sa bouche se mirent à trembler.

– Ah ! heu... merci, merci beaucoup, bredouilla-t-il. Je vous dois une fière chandelle.

– Surtout n'en concluez rien, répondit-elle en le regardant droit dans les yeux.

Truscott fit un signe aux brancardiers qui s'éclipsèrent avec leur patient, et sortit à son tour. Sarah restait seule dans la chambre avec une infirmière. Le sol était jonché de cotons sanglants, d'emballages de gaze, d'enveloppes de seringues, de gants de latex et autres déchets. On se serait cru dans une tente de la Croix-Rouge en temps de guerre. Sarah enfila des gants et commença à ramasser les détritus.

– Laissez, dit l'infirmière, je m'en occupe.

– Pourquoi ? Vous êtes plus qualifiée que moi pour ça ?

L'infirmière lui sourit.

– Merci, dit-elle.

A ce moment, la phlébotomiste entra précipitamment dans la chambre, un document informatique à la main.

– Où sont-ils tous ? demanda-t-elle, hors d'haleine.

– Partis en salle d'op. Pourquoi ?

L'autre lui tendit la feuille imprimée.

– Son taux de magnésium est de 0,4. Le patron du labo m'a dit de vous dire qu'ils avaient vérifié deux fois et que...

Sarah n'écoutait plus. Elle jeta un œil au téléphone, se ravisa et s'élança dans le couloir. Un tel taux de magnésium, très inférieur à la normale, éclairait d'un tout autre jour le tableau clinique. Il aurait menacé en n'importe quelle circonstance la vie du malade qui, en l'occurrence, courait à sa perte si on n'y remédiait pas avant d'opérer. Elle supposa qu'il résultait d'une intolérance au puissant traitement diurétique qu'on avait administré au vieil homme pour corriger son problème cardiaque.

MALADIE IATROGÈNE, se rappela-t-elle. Maladie provoquée par l'action ou les paroles d'un médecin. En même temps, elle revoyait l'écriteau suspendu au-dessus du bureau de Peter. Tout laissait croire que la rechute spectaculaire du patient provenait, non de sa maladie, mais de son traitement, autrement dit, des diurétiques et non de l'anévrisme. Elle arriva au bloc opératoire juste au moment où les portes se refermaient derrière la civière.

– Andrew, attendez ! s'écria-t-elle.

Il fallut moins d'une demi-heure à l'homme pour réagir à la perfusion de magnésium et reprendre conscience. Terence Cooper, tel était son nom, avait été charpentier de marine avant de partir à la retraite, un an auparavant. Il avait un rire tonitruant découvrant une bouche édentée et voulut donner rendez-vous à Sarah dès qu'il l'aperçut, assurant que sa femme n'y voyait aucun inconvénient.

– Mme Cooper n'arrête pas de me dire d'essayer autre chose, dit-il.

Sarah lui abandonna sa main quelques instants avant de se diriger vers la porte. Andrew la devança. Jusqu'alors, il ne lui avait pratiquement rien dit.

– Pour la chambre 421, commença-t-il, je peux vous expliquer ce...

– Inutile, je m'en fiche royalement, répliqua-t-elle. Sauf que vous auriez pu être plus vigilant quand vous êtes arrivé de là-haut. Je suppose que c'est parce que vous... dormiez, que vous n'avez pas vérifié les oligo-éléments avant de l'emmener au bloc.

– Je suppose que vous avez raison.

– Très bien, dit Sarah en le repoussant pour gagner le couloir. J'adore avoir raison.

– Merci de m'avoir sauvé la mise, cria-t-il derrière elle. Vous êtes une sacrée toubib !

Sarah avait une réponse toute prête, mais elle se contenta de secouer la tête et poursuivit son chemin. Juste comme elle arrivait dans son service, une infirmière du bureau lui tendit le téléphone.

– Un appel pour vous, docteur Baldwin.

Elle prit le combiné, croyant que c'était Andrew qui voulait encore se disculper. Mais la voix était celle d'Annalee Ettinger.

Sarah s'assit au bord du lit de la salle de garde et écouta le récit de l'entrevue entre Annalee et son père.

– Je ne sais pas ce qui le contrarie le plus, de savoir que j'ai consulté un docteur en médecine, ou que je t'ai consultée toi en particulier.

– C'est moi qui compte le moins dans cette histoire. Je connais une obstétricienne à Worcester qui se fera un plaisir de t'accoucher à domicile.

– Peter ne veut pas de médecin. Que des sages-femmes. Il envisage même d'en faire venir une du Mali.

– Et toi, qu'est-ce que tu penses de tout ça ?

– Je suis navrée pour toi de tout ce qu'on a écrit dans les journaux. Mais ça ne m'a pas influencée, ni dans un sens ni dans l'autre.

– Tant mieux.

– Et les promesses de Peter non plus. Ni l'argent ni le piston pour le groupe de Taylor. Seulement j'ai beau essayer, je n'arrive pas à faire table rase de tout ce qu'il a fait pour moi... depuis le début.

– Je comprends.

– Je sais qu'il n'est pas parfait, mais...

– Annalee, tu n'as pas besoin de te justifier. Je me mets parfaitement à ta place. En plus, tu es une jeune femme vigoureuse et en pleine santé. Je suis persuadée qu'il n'y aura aucun problème. Je vais quand même t'envoyer les coordonnées de cette obstétricienne au cas où tu aurais besoin de son aide.

– Merci de ne pas me rendre la vie plus difficile avec ça, Sarah.

– Mais arrête donc...

Un long silence s'ensuivit.

– Sarah, il y a autre chose, reprit Annalee. Peter a voulu absolument que j'assiste à une réunion dans son bureau.

– Continue.

– Il y avait quatre types et Peter. Ils veulent le payer pour vérifier la composition de ton mélange phyto et pour enquêter sur un nommé Kwang, ou Kwok, un nom comme ça. Tu sais qui c'est ?

Sarah sentit sa gorge se nouer.

– Ouais, je sais de qui il s'agit, dit-elle. Qui étaient ces types ?

– Il y en avait deux en costard qui venaient de New York, des avocats. Ils accompagnaient un certain Willis Grayson, le père de la fille que tu as sauvée. Ce doit être un gros ponte, celui-là, parce que Peter était tout miel avec lui. Je crois que j'étais censée le connaître, mais en fait, je ne sais pas qui c'est.

– Et l'autre homme, qui était-ce ? demanda Sarah.

Elle avait l'impression que sa main se glaçait autour du récepteur.

– Un autre avocat. Plus onctueux que les deux autres, si tu vois ce que je veux dire. Il s'appelle Mallon.

– Malheureusement, je le connais aussi.

– Sarah, Peter a sorti beaucoup de vacheries sur toi. Je crois que c'était ça qu'il voulait que j'entende. Il a dit que tu n'avais jamais été la phytothérapeute et l'acupuncteur hors classe que tu prétendais être. J'ai failli lui dire d'arrêter, puis j'ai voulu m'en aller mais je n'ai pu faire ni l'un ni l'autre. Je... je suis désolée.

– Annalee, ne t'excuse pas. Fais ce que tu penses être juste et ne perds pas le contact avec moi. Ça me fait plaisir que tu m'aies téléphoné.

– Je suis désolée, répéta Annalee.

Sarah raccrocha sans rien ajouter. Elle avait peur de fondre en larmes et Annalee n'avait pas besoin de cette épreuve supplémentaire. C'était à désespérer de la vie. Du temps où ils s'aimaient et travaillaient ensemble, Peter lui avait dit, et avait répété à qui voulait l'entendre, qu'elle était une des meilleures spécialistes américaines d'acupuncture et de phytothérapie qu'il eût connues. Et voilà que brusquement, elle était nulle !...

Sarah cala deux oreillers sous sa tête et fixa le plafond. La vérité était qu'en devenant docteur en médecine, en s'efforçant de concilier ce qu'il y avait de meilleur dans les médecines occidentale et orientale, elle était devenue une menace pour les praticiens des deux bords. Qu'Andrew et Peter, les deux praticiens qui l'attaquaient maintenant, soient tous deux des hommes pouvait être ou ne pas être significatif. En fait, elle soupçonnait fort que ça l'était.

Elle se retourna contre l'oreiller et durant quelques minutes d'abandon et de solitude, pleura toutes les larmes de son corps. Puis, la colère reprenant le dessus, elle sentit sa combativité lui revenir. Elle n'avait rien, strictement rien à se reprocher, sinon d'avoir mis à mal deux ego hypertrophiés. Elle attrapa le téléphone et demanda au standard qu'on joigne Eli Blankenship pour elle. Une minute plus tard, il la rappelait.

– Docteur Blankenship, dit-elle, je ne sais pas très bien à qui je dois m'adresser ni ce que je dois faire au juste, mais j'aimerais vous voir le plus tôt possible. Je crois qu'on s'apprête à me poursuivre en justice.

17

20 JUILLET

Sarah ne se souvenait pas d'avoir été aussi intimidée ni aussi mal à l'aise. La salle du conseil d'administration du CHU de Boston était longue et étroite, comme la massive table en noyer qui l'occupait, laquelle était entourée de vingt chaises en cuir rouge grenat à dossier surélevé, le tout reposant sur un épais tapis d'Orient. Bien qu'elle n'eût jamais vu cette salle auparavant, Sarah en avait entendu parler, surtout par ses collègues médecins qui ne se privaient pas d'énumérer tout le matériel que Glenn Paris avait choisi de ne pas acheter afin de la faire construire.

Cinq hommes étaient assis à une extrémité de la table, Paris, les Drs Snyder et Blankenship, Colin Smith et un avocat à l'air bégueule et pointilleux du nom d'Arnold Hayden. Ils s'étaient servi à boire sur une table roulante abondamment pourvue en alcools, et bavardaient tranquillement en sirotant leur verre. A l'autre bout de la table, Sarah contemplait la ville balayée par la pluie à travers les hautes baies vitrées, tout en regardant sa montre de temps à autre.

La nouvelle était officiellement tombée quelques jours plus tôt par le biais d'une lettre de Jeremy Mallon à la compagnie d'assurances de Sarah, la Mutuelle générale du personnel hospitalier. Lisa Grayson portait plainte contre elle pour faute professionnelle. Quarante-huit heures plus tard, un des agents de la MGPH avait chargé un avocat nommé Matthew Daniels d'assurer sa défense. La réunion de ce soir avait lieu à sa demande.

Sarah avait parlé presque une heure au téléphone avec son nouvel avocat, sans arriver à s'en faire une idée bien définie, sinon qu'il était du Sud et ne s'embarrassait pas de circonlocutions, ce qui en soi était plutôt rassurant. Et si elle s'imaginait Daniels chauve et bedonnant, c'était plus, devait-elle s'avouer, à cause de vagues réminiscences de stéréotypes hollywoodiens qu'en raison de ce qu'il lui avait dit.

– Sarah, lui cria Paris, venez donc prendre un verre de chablis. Ça nous rend nerveux de vous voir toute seule dans votre coin.

Sarah hésita, puis opta pour la docilité et accepta. Paris et les deux autres patrons s'étaient montrés relativement cordiaux avec elle depuis la fatidique nouvelle, mais elle les sentait tous les trois effleurés par le doute.

– Je me demande pourquoi ce Daniels a tenu à ce que nous nous réunissions ici et non à son cabinet, grogna Arnold Hayden. Incorrect, ça ; extrêmement incorrect.

– Vous le connaissez ? lui demanda Smith.

– Non. J'ai commencé à me renseigner sur lui mais il me manque des éléments. Il a fait son droit à l'université d'Essex.

– Rien à voir avec Harvard, hein ?

– Tout juste si on peut appeler ça une fac de droit, fit Hayden d'un ton narquois. Son cabinet est à l'enseigne de Daniels, Hannigan et Goldstein. Je n'ai jamais entendu parler d'eux, mais j'ai quelqu'un qui va se renseigner.

– Je suis sûre que la mutuelle n'aurait pas désigné une personne incompétente pour me défendre, dit Sarah. C'est leur argent qui est en jeu. Et puis ça m'étonnerait qu'il faille un virtuose du barreau pour prouver mon innocence. Il se trouve qu'il y a trois malheureuses femmes qui ont pris mon supplément, c'est la seule et unique chose sur laquelle Mallon puisse s'appuyer. Nous pouvons lui en opposer beaucoup d'autres qui l'ont pris aussi et ont eu un accouchement parfaitement normal.

– Juste, dit Blankenship. Ce qui serait idéal, évidemment, ce serait un cas de CID similaire, mais chez une femme n'ayant jamais pris autre chose que les vitamines classiques.

– J'aimerais mieux être reconnue coupable que de voir une autre femme subir une épreuve pareille, dit Sarah.

– Bien sûr, bien sûr, cela va sans dire. N'empêche que si ça se produisait ou si ça s'est produit quelque part, vous et votre mélange seriez immédiatement mis hors de cause.

Sarah regarda sa montre et se mit à faire les cent pas dans la salle. Matthew Daniels avait déjà cinq minutes de retard. A son arrivée, le groupe se trouverait composé de deux avocats, deux profs de médecine, deux cadres administratifs, et elle. Le fait qu'elle fût la seule femme était plus ou moins neutralisé par sa qualité de docteur en médecine. Mais rien ne pouvait compenser sa situation d'accusée. En vérité, elle était parmi ces messieurs comme un chien dans un jeu de quilles. La soirée aurait été nettement plus facile pour elle si Rosa Suarez avait accepté de venir. Mais l'épidémiologiste avait décliné la proposition, arguant de son indépendance vis-à-vis de la politique de l'hôpital.

Depuis son entrée en scène, il semblait que Rosa Suarez avait élu domicile dans le centre hospitalier. On la voyait partout, arpentant les couloirs, schéma directeur en main, ensevelie derrière des tonnes de volumes à la bibliothèque, prenant des notes dans la salle des archives, ou questionnant le personnel. Au début de son enquête, elle avait longuement interrogé Sarah. Bien qu'elle rechignât à parler d'autre chose que de sa mission, on savait qu'elle avait un mari nommé Alberto qui l'attendait en Géorgie, et qu'elle ne connaissait personne à Boston. Sarah l'avait invitée à dîner, mais Rosa avait refusé poliment. Elle était affable, parlait d'une voix douce et sans agressivité aucune, mais son intelligence et sa détermination étaient visibles.

– Sarah, demanda Paris, avez-vous revu point par point les ingrédients de votre supplément ?

– J'ai revu la liste, oui, mais pas l'explication de chaque composant. C'est Rosa Suarez qui s'en charge. Nous en saurons plus dès qu'elle aura les premiers résultats de l'analyse biochimique.

– Vraiment ? Quelle drôle de petite bonne femme ! Elle travaille d'arrache-pied. Je n'ai qu'une chose à lui reprocher, c'est de ne jamais me tenir au courant de rien. J'ai comme l'impression qu'elle ne m'aime pas beaucoup, Dieu sait pourquoi. Est-ce que quelqu'un sait où elle en est ?

– Elle m'a emprunté un technicien et a carrément monté un labo parallèle au mien pour faire ses cultures, dit Blankenship. Je suis d'accord avec Glenn, Sarah. Mme Suarez est certainement très compétente, mais elle est aussi très secrète. Cependant, j'ai l'impression, à tort ou à raison, qu'elle finira par trouver le fin mot de cette histoire.

– Ce qui nous dispenserait des services de votre avocat, lequel prend ses libertés avec l'horaire, ajouta Paris.

– En retard à son propre rendez-vous, glousse Arnold Hayden. Incorrect ; excessivement incorrect.

Au même instant, comme pour lui donner la réplique, la porte s'ouvrit et Matt Daniels fit son entrée à reculons, secouant son parapluie et son imper trempés dans le couloir. Dès qu'il pivota, Sarah eut l'agréable surprise de constater que son imagination l'avait entièrement trompée. Il était grand, bien découplé, les cheveux très bruns avec un beau visage buriné.

– Daniels, Matt Daniels, dit-il en s'épongeant le front et les cheveux avec un mouchoir aussi dégoulinant que son parapluie. Navré d'être en retard, j'ai crevé. C'est ma faute, remarquez. Je ne sais pas ce qui m'arrive aujourd'hui, j'accumule les bourdes.

Sarah retrouva la même prononciation impayable qu'au téléphone, en un peu moins accentué, toutefois. Pour un premier contact, il ne lui inspirait que de bonnes vibrations, et elle trouvait notamment génial qu'il ait l'air à peu près aussi déplacé qu'elle parmi ces messieurs. Il s'avança pour serrer la main de celui dont il était le plus proche, en l'occurrence Randall Snyder. Mais comme il sentait le chien mouillé, le patron d'obstétrique préféra se dispenser de cette civilité et Daniels recula en se contentant d'incliner la tête.

Incorrect, pensa Sarah en réprimant un sourire. Excessivement incorrect.

Daniels fit le tour de la table pour gagner une chaise libre, posa son attaché-case à plat et en sécha le dessus avec sa manche de veste. Peut-être voyait-il la perplexité et un début de moquerie se peindre sur le visage des cinq hommes, en tout cas, il n'en laissait rien paraître.

– Monsieur Daniels, je suis Sarah Baldwin, dit-elle en lui tendant une main qui sembla fondre dans la sienne.

– Matt, dit-il. Appelez-moi donc Matt.

Elle entreprit alors de lui présenter les cinq hommes, mais victime d'un trou de mémoire, sécha sur le nom d'Arnold Hayden.

– Eh bien, je vous présente à nouveau toutes mes excuses, commença Daniels après que Hayden eut remédié, non sans quelque irritation, à l'oubli de Sarah, et je vous remercie tous d'avoir accepté de venir ce soir. Notre adversaire dans cette affaire est un certain Jeremy Mallon. J'ai décidé d'organiser cette réunion après avoir discuté avec lui ce matin. Comme vous allez le voir, il est malheureusement résolu à aller jusqu'au bout.

Aucun commentaire à ce stade sur son redoutable rival. Sarah remarqua que les dirigeants du CHU échangeaient un regard et n'eut pas de mal à deviner leurs pensées. Dans les poursuites pour faute professionnelle, à en croire Glenn Paris, Mallon avait une réputation légendaire.

– Monsieur Daniels, savez-vous qui est Jeremy Mallon ? demanda Arnold Hayden.

Oho... songea Sarah. C'est parti mon kiki...

– Eh bien, en fait, monsieur, je dois vous dire que non.

– Dans ce cas, monsieur... hum, Daniels, poursuivit l'avocat en se raclant la gorge, je crois qu'avant de commencer, il serait souhaitable que vous nous fassiez part de votre expérience en matière de faute professionnelle médicale. L'hôpital n'a encore jamais été poursuivi, mais il pourrait l'être si par malheur Sarah perdait son procès, et non seulement par les Grayson, mais par les familles des autres victimes. Et chose plus grave encore, nous risquons de faire l'objet d'un pilonnage en règle de la presse locale. Alors, j'espère que vous ne trouverez pas présomptueux de ma part de vous demander ça.

– Du tout, monsieur Hayden, fit Daniels sans perdre contenance. Présomptueux ? Jamais de la vie. Heu, voyons voir. La réponse à votre question est la suivante : je n'ai défendu qu'un seul médecin pour faute professionnelle. Il s'agissait d'un dentiste. Une de ses clientes prétendait avoir des maux de tête et d'estomac à cause d'une molaire qu'il lui avait arrachée. Nous sommes allés au tribunal et ma foi, j'ai gagné.

– Voilà qui est très encourageant, dit Hayden d'un ton passablement aigre. Auriez-vous une idée des raisons qui ont conduit la MGPH à vous désigner pour ce cas précis ?

– Eh bien, pour tout vous dire, bien que je me félicite naturellement de leur choix, je me suis posé la même question. Je figure depuis pas mal d'années sur la liste des avocats susceptibles de défendre leurs intérêts et c'est la première fois qu'ils me confient une cause.

– Mais c'est fantastique, ça ! explosa Paris. Monsieur Daniels, je ne voudrais pas me montrer désobligeant, mais il faut que vous sachiez qu'il y va de l'existence même de cet hôpital. L'enjeu est donc d'une importance capitale. La faillite de notre centre hospitalier est pour Jeremy Mallon, votre adversaire, comme vous l'appelez, une idée fixe. Et il est terriblement efficace dans son domaine, lequel consiste essentiellement à poursuivre des médecins. Vous ne pensez pas que nous devrions demander à la MGPH de désigner quelqu'un d'autre ?

Sarah observa le visage de Daniels pendant qu'il préparait sa réponse. S'il était décontenancé par les deux attaques successives de Hayden et de Paris, ça ne se voyait nullement sur son visage qui pour lors rappelait celui de Fess Parker dans le rôle de Davy Crockett, lorsqu'il hésite à rester pour assurer la défense de Fort Alamo. Son expression était grave mais il y avait une étincelle de défi dans ses yeux bleus qu'elle seule était à même d'apprécier.

– Eh bien, je dois vous avouer, dit-il finalement, que je le regretterais vivement pour plusieurs raisons. Mais puisque vous avez évoqué cette hypothèse, je pense qu'il faut en tenir compte.

– Bien, dit Paris.

– Toutefois, enchaîna Matt, je tiens à préciser un certain nombre de points. Tout d'abord, le Dr Baldwin, ici présente, est ma cliente. C'est à elle de décider si je dois rester ou pas. D'autre part, depuis mon dernier entretien avec le Dr Baldwin, j'ai fait quelques recherches et consulté différentes personnes. Et Mallon ou pas Mallon, j'ai la conviction d'être en mesure d'assurer sa défense avec de bonnes chances de succès.

– Comment pouvez-vous dire ça, alors que vous n'avez pratiquement aucune expérience dans ce domaine ? demanda Hayden.

– Parce que la loi est la loi, monsieur Hayden. Et j'ai la naïveté de croire que la procédure légale offre des chances égales aux deux parties pour autant qu'on s'attache à trouver la vérité. Or, j'ai toujours aimé rechercher la vérité.

Glenn Paris se tourna vers Sarah.

– Sarah, notre opinion est que vous seriez mieux conseillée et mieux défendue par quelqu'un de... comment dirai-je ? de plus expérimenté que M. Daniels. Mais il a raison. Vous êtes sa cliente. Je vous laisse juge.

Sarah leva les yeux vers Daniels qui soutint hardiment son regard.

– Dans ce cas, monsieur Paris, je vous le dis franchement, et à condition évidemment que mon poste ne soit pas en jeu, je trouve que si M. Daniels se comporte au tribunal comme il vient de le faire ici, je suis en d'excellentes mains. Monsieur Daniels... Matt, je suis sûre que s'il s'avérait nécessaire de coopérer avec M. Hayden ou avec tout autre avocat du CHU, vous n'hésiteriez pas, n'est-ce pas ?

– Bien entendu.

– Alors, monsieur Paris, je vous confirme que je souhaite être représentée par M. Daniels.

– Nom d'un chien ! s'exclama soudain Eli Blankenship, je crois que je viens tout juste de réaliser qui est notre ami Daniels. Voyons un peu, Matt, et dites-moi si je me trompe. Fin du neuvième changement, pas de hors-jeu, ligne de bases occupée, 3 à 6 contre le batteur de Toronto.

– Oui, oui, fit Matt impatiemment, c'était moi, en effet. Merci de le rappeler, mais c'est de l'histoire ancienne.

– De rappeler quoi ? demanda Sarah.

– Neuf lancers, neuf frappes, trois dehors et jeu, poursuivit Blankenship. Un des matchs éclairs les plus faramineux qu'on ait jamais vus. Je savais bien que votre nom me disait quelque chose.

– Mon vrai prénom a dû vous égarer, dit Daniels un peu plus obligeamment. Peu de gens savaient que je m'appelais Matt.

– Dites, ça ne vous ferait rien de m'expliquer de quoi vous parlez ? intervint Sarah. C'est moi l'accusée dans ce procès, je vous le rappelle.

– J'ai peur de ne pas bien vous suivre non plus, se plaignit Paris à son tour.

– Black Cat Daniels, expliqua Blankenship. C'est comme ça que tout le monde l'appelait. Dix ans comme lanceur remplaçant dans l'équipe des Red Sox.

– Douze ans, corrigea Daniels. Maintenant, si ça ne vous fait rien, j'aimerais que nous revenions au sujet de...

– Pourquoi Black Cat ? interrompit Paris.

Daniels soupira.

– Docteur Baldwin, Sarah, je suis vraiment désolé. Je me doute que ça ne doit pas être réjouissant d'être soupçonnée comme vous l'êtes, et que la perspective de ce procès vous inquiète. Et d'entendre mes compétences remises en question d'emblée avant de subir tous ces bavardages sur le base-ball, n'arrange évidemment pas les choses.

– Non, non, dit-elle, ça va, merci. D'ailleurs je suis curieuse d'en savoir plus, moi aussi.

– OK. Monsieur Paris, mon surnom vient du fait que j'avais la réputation d'être superstitieux sur le terrain.

– Il tapait toujours du pied devant le premier piquet en entrant sur le stade, dit Blankenship. Il ne s'asseyait jamais sur le banc de touche. Il ne lançait jamais sans avoir un petit ruban rouge à la ceinture.

– Bleu, rectifia Matt. Vous êtes incollable en base-ball.

– Bleu, bleu, bien sûr, que je suis bête ! Vous êtes toujours comme ça ? Superstitieux, je veux dire ?

– Je... heu... disons que je porte toujours un certain intérêt aux rituels porte-bonheur, si c'est ce que vous voulez dire. Mais croyez-moi, monsieur Blankenship, ça n'entre absolument pas en ligne de compte ici. En salle d'audience, je porte ce ruban attaché dans le dos, caché par ma veste. Maintenant, revenons à nos moutons, s'il vous plaît. Comme M. Paris l'a fort bien dit, l'enjeu est d'une importance capitale. Et malheureusement, il semble que notre honorable adversaire ait pris une longueur d'avance sur nous.

– Comment ça ? fit Paris.

Daniels sortit un document de sa mallette.

– Sarah, l'homme qui vous fournit vos plantes médicinales est un certain M. Kwong, c'est bien ça ?

– C'est ça, oui. M. Kwong Tian-Wen.

– Eh bien, cet après-midi, M. Mallon a obtenu des autorités un mandat de perquisition contre lui, et son magasin a été placé sous scellés. Demain à 8 heures, il sera là-bas avec un pharmacien expert, un adjoint du shérif et Dieu sait qui encore. Il a l'intention de prélever des échantillons sur place, de les faire analyser et de s'en servir comme pièces à conviction.

– Vous ne pouvez pas faire quelque chose ? demanda Paris.

– Si vous permettez, monsieur, je m'en remettrai à M. Hayden pour répondre à cette question.

– Pas à ce stade, Glenn, dit Hayden. Mallon essaye juste de gagner du temps. Docteur Baldwin, comment expliquez-vous qu'il ait pu avoir le nom de cet herboriste aussi rapidement ?

– Plusieurs possibilités me viennent à l'esprit, dit-elle.

– Mais encore ? fit Paris.

– Je suis obligée de faire quelques vérifications avant de nommer qui que ce soit. Par ailleurs, je fais totalement confiance à M. Kwong. C'est un des meilleurs spécialistes du pays en botanique médicale. Plus vite Mallon fera sa perquisition, plus vite il déchantera.

– Je pense que quelqu'un de l'hôpital devrait être présent, dit Daniels. Retrouvons-nous demain matin à cette adresse.

Sur quoi il tendit une copie du mandat à Hayden.

– Impossible, allégua ce dernier. J'ai une plaidoirie à 8 h 30.

– Et vous, Eli ? demanda Paris. Vous pourriez parfaitement nous représenter.

– Oui, je crois que je peux y être.

– Parfait, Eli, et mille mercis. Vous aurez droit à du rab de dessert. Il nous reste à espérer que Sarah ne s'est pas trompée. Daniels, vous comprenez ce que nous voulons dire concernant Mallon ? Il a plaidé des dizaines, peut-être des centaines de procès pour faute professionnelle. Il a une énorme équipe derrière lui et il exploitera la moindre faille, le moindre indice, c'est couru d'avance. Vous comprenez ?

– Je dois reconnaître qu'il n'a pas l'air du gars qui se laisse embobiner comme un novice, admit Daniels.

– Mais vous pourriez peut-être mettre un de vos collaborateurs sur le coup, suggéra Hayden. Messsieurs Hannigan et Goldstein ont-ils quelque autorité en la matière ?

Bon Dieu, songea Sarah, quand est-ce qu'ils vont lui fiche la paix ?

– En fait, dit Daniels, je suis assez soulagé que vous évoquiez cette question.

– Ah ! voilà, ils ont bel et bien de l'expérience en matière de faute professionnelle, se réjouit Hayden. Excellent, ça. La coopération est essentielle dans ce genre d'affaire.

– Eh bien, pas exactement, monsieur. Voyez-vous, Bill Hannigan détestait ce métier de juriste, mais sa femme ne voulait pas qu'il démissionne. Et puis l'an passé, elle l'a quitté pour s'unir à un autre membre du barreau, alors il a tout arrêté. La dernière fois que j'ai entendu parler de lui, il était disc-jockey dans une boîte de Lake Placid.

– Et Goldstein ?

Daniels se frotta le menton en soupirant.

– Pour ne rien vous cacher, Goldstein est une invention pure et simple. Avant mon arrivée, Billy exerçait tout seul, mais son cabinet s'appelait Hannigan & Goldstein. Je crois qu'il voulait attirer la clientèle juive, quelque chose dans ce goût-là. Alors j'ai fait réimprimer du papier à en-tête en mon nom seul, mais j'oublie toujours de demander le changement de notre petit encart dans les pages jaunes.

– C'est excessivement incorrect, éructa Hayden. Ex-ce-ssi-vement incorrect.

– Sarah, dit Paris, il me semble qu'au vu de cette supercherie, vous seriez bien inspirée de reconsidérer votre décision.

– Monsieur Paris, « supercherie » me paraît un bien grand mot. Il n'y a eu aucune tentative pour dissimuler la vérité. Je crois que nous nous passerons très bien de M. Goldstein, et je réitère toute ma confiance en M. Daniels.

– Très obligé, fit celui-ci. Bon, alors puisque nous sommes tous dans le même camp, maintenant, je suggère que nous réunissions nos forces pour gagner ce procès. Début du premier round, demain 8 heures.

– Excessivement incorrect, marmonna une voix.

18

A part l'employé du service de nuit, Rosa Suarez était seule dans la salle des archives de l'hôpital. Il était presque 22 h 30 et elle n'avait pas mangé depuis midi. Mais en un sens, ça n'était guère déplaisant. Cela faisait plus de deux ans qu'elle n'avait pas travaillé aussi tard le soir, deux ans qu'elle ne s'était sentie portée par un tel défi.

La phase initiale de son enquête serait achevée cette nuit et son chef de service attendait non moins impatiemment qu'Alberto son retour à Atlanta. L'un comme l'autre, cependant, risquaient d'être déçus par ce qu'elle avait à leur annoncer. Jusqu'à présent, elle n'avait aucune explication pour les cas atypiques de CID. Toutefois, deux choses étaient claires. D'un point de vue purement statistique, il n'y avait virtuellement pas de possibilité que les trois cas de CID résultent d'une coïncidence. Et d'autres tragédies analogues surviendraient pratiquement à coup sûr, à moins qu'on en trouve les causes sous-jacentes et qu'on y remédie.

Un certain nombre de données non différenciées et beaucoup de combinaisons devaient maintenant être dépouillées par l'ordinateur du centre épidémiologique, et il fallait aussi vérifier soigneusement les résultats des premières cultures. Après quoi, selon toute vraisemblance, Rosa reviendrait à Boston. Elle avait d'ores et déjà mis en évidence des dizaines de points communs aux trois victimes, certains pouvant s'avérer très parlants, d'autres trop obscurs pour être pris au sérieux. Toutes appartenaient au même groupe sanguin, A positif, et résidaient dans un rayon de 5 kilomètres autour de l'hôpital. En tant que patientes, toutes avaient été associées de près ou de loin au CHU de Boston depuis au moins quatre ans et chacune avait déjà été enceinte une fois auparavant. Parmi les facteurs moins éloquents figurait le fait qu'elles étaient toutes nées au mois d'avril, pas la même année toutefois, qu'elles étaient les aînées de leur fratrie et qu'aucune n'avait dépassé le niveau d'études secondaires. Toutes les trois, enfin, étaient droitières et avaient les yeux marron.

Il restait des éléments à recueillir, mais le point le plus problématique de la recherche, et de loin, demeurait ce mélange de plantes médicinales que leur avait prescrit Sarah Baldwin pendant leur grossesse. Un botaniste de l'Institut Smithson et une amie de l'université Emory avaient fourni des données initiales sur les neuf composants. Mais une recherche biochimique beaucoup plus approfondie s'imposait. Rosa pressentait intuitivement que ces plantes en elles-mêmes n'étaient pas nocives, mais on ne pouvait exclure qu'elles aient eu une sorte d'effet d'accompagnement au cours d'une réaction biologique létale. Cependant, les outils de sa fonction étaient les chiffres et les probabilités, non le pressentiment ni l'intuition.

Elle appela l'employé dont le bureau se trouvait de l'autre côté du gros meuble contenant le fichier.

– Ramon, excusez-moi, mais je veux juste m'assurer qu'il ne reste plus aucun dossier dans le groupe sur lequel nous travaillons.

– On a compulsé sept années de femmes ayant accouché et subi une transfusion pendant ou après la délivrance. Vous les avez toutes passées en revue, madame Suarez. Savez-vous que depuis votre arrivée à l'hôpital, vous avez passé plus de temps aux archives que tout le personnel soignant réuni ?

– Ça ne m'étonne pas. En tout cas, c'est ma dernière soirée ici. Je ne reviendrai pas avant un moment. Demain, je rentre à...

Elle s'interrompit et écarquilla les yeux en se penchant sur le graphique qu'elle avait devant elle. Il concernait Alethea Worthington, le second cas de CID. Elle avait épluché le dossier ligne par ligne, tout comme ceux de Constanza Hidalgo et de Lisa Summer. Ce qui venait d'attirer son attention toutefois ne se trouvait pas sur la page mais entre celle-ci et la précédente. Elle souleva le dossier et l'examina sous différents angles.

– Un problème, madame Suarez ? lui cria l'employé.

– Non, non, tout va bien, merci. Dites-moi, Ramon, auriez-vous un canif par hasard, ou bien une lime à ongles ?

– J'ai un couteau suisse de l'armée dans mon sac, ça fait que j'ai l'un et l'autre ensemble.

– Formidable. Et pourriez-vous en même temps me rapporter les deux dossiers de...

– Summer et Hidalgo, je sais, je sais.

– Merci infiniment, Ramon.

Rosa ôta le cache en plastique qui protégeait le dos de la reliure puis, utilisant la lentille de ses verres à double foyer comme loupe, inspecta de haut en bas la tranche latérale gauche des pages percées en deux points par des broches métalliques. En feuilletant avec le pouce la liasse très compacte à cet endroit, elle remarqua une rognure de papier blanc qui dépassait légèrement, la même dont elle avait aperçu l'autre extrémité à droite du brochage avant d'enlever le cache. Elle fit une marque discrète sur les pages enserrant la rognure avec la pointe d'un porte-mine, coinça la lame du canif dans l'interstice correspondant et secoua énergiquement le dossier, dos vers le bas. Deux minuscules chutes de papier s'en échappèrent, qu'elle récupéra et scella dans une enveloppe. Rosa repéra les mêmes rognures au voisinage de la broche intérieure, mais laissa celles-ci en place et replaça le cache. Deux pages au moins avaient été arrachées du dossier.

Il lui fallut une dizaine de minutes pour trouver des rognures identiques dans le dossier de Constanza Hidalgo, auquel manquaient deux pages, peut-être trois.

Le dossier de Lisa Summer était de loin le plus épais des trois. Contrairement aux autres, il n'y manquait aucune page, mais le temps que Rosa s'en assure, il était 11 heures passées. Elle posa le lourd volume sur les deux autres et pour la première fois depuis deux heures, se leva et s'étira. La signification de sa découverte n'était pas du tout claire dans son esprit. Mais bien que le dossier Summer fût apparemment intact, deux des trois dossiers de CID avaient été falsifiés, ce qui évidemment avait une portée considérable.

Dehors, la pluie battante avait cessé. Quelques étoiles clignotaient faiblement entre les nuages. Stimulée par ce nouveau tournant, Rosa était tentée de rester éveillée toute la nuit comme elle l'avait fait si souvent, pour travailler et tenter de découvrir la clef de cette énigme. Mais elle avait 60 ans et ce genre de surmenage risquait de lui coûter cher, d'autant que la journée du lendemain à Atlanta s'annonçait chargée. Il fallait qu'elle dorme quelques heures avant de prendre son avion à l'aube.

Elle souffrait de ne pouvoir partager sa découverte avec quelqu'un qui l'eût écoutée et conseillée. La confrontation d'idées qu'elle avait connue jadis avec ses collègues était irremplaçable. Mais les blessures occasionnées par le scandale du REI restaient douloureuses, même après deux ans. Et cette douleur lancinante lui rappelait qu'elle devait se confier le moins possible.

Rosa rassembla ses affaires, remercia l'employé et lui promit de revenir sous peu. Puis elle sortit du bâtiment par le campus. Deux femmes étaient mortes de mystérieuses complications médicales et leurs dossiers avaient été trafiqués. Rosa se creusa les méninges à la recherche d'une explication plausible. Son imagination lui en suggérait à la fois trop et pas assez. Ce qui avait commencé comme un passionnant casse-tête épidémiologique tournait au fait divers sordide.

Sarah serra la main des cinq dirigeants et les remercia de leur empressement à la défendre. Commencé dans l'affrontement et la tension, la réunion s'était conclue par plusieurs décisions d'importance. De l'avis général, la clef du succès consistait à trouver, au CHU de Boston ou ailleurs, un cas de CID chez une femme sur le point d'accoucher n'ayant jamais eu de contact avec Sarah.

Matt Daniels invita Paris et Snyder à contacter leurs confrères dans tout le pays, et Blankenship à dépouiller la littérature médicale sur le sujet. Colin Smith s'engagea à défrayer Arnold Hayden, lequel promit de rester en cheville avec Daniels. Enfin, le groupe résolut de présenter un front uni, tant à la presse qu'à Mallon. Sarah était et demeurait innocente jusqu'à preuve irréfutable du contraire. Demain, Eli Blankenship accompagnerait Sarah et son défenseur à la boutique de l'herboriste chinois.

– Merci, et bravo, Matt, lui dit Sarah, tandis qu'il récupérait son parapluie et son imper. Vous vous êtes tiré d'une situation embarrassante avec beaucoup de classe et de retenue.

– Du tout. C'est vous, au contraire, qui m'avez soutenu. Sans votre coup de batte, j'étais out.

– Je ne suis pas experte en base-ball, mais de fait, est-ce qu'on n'est pas exclu de la partie si quelqu'un donne un coup de batte à votre place ?

Matt afficha pour la première fois de la soirée un sourire chaud et spontané qu'elle ajouta à la liste de ses charmes.

– Je ne sais toujours pas pourquoi le MGPH m'a désigné pour votre affaire, mais je m'en réjouis. Je suis moins combinard que la plupart des avocats contre qui je plaide, mais je vous garantis que je suis acharné et dur à cuire. Mes courriers partent toujours le jour même et Dieu merci, je suis un peu plus finaud que je n'en ai l'air.

– Je vous assure que je ne m'inquiète pas. D'ailleurs, j'espère bien qu'on fêtera demain soir la fin de l'affaire la plus courte que vous ayez eue. Dites-moi, comment avez-vous fait pour jouer au base-ball tout en suivant vos cours de droit ?

– Eh bien, j'étais remplaçant, voyez-vous. Lanceur remplaçant. J'ai toujours eu une bonne frappe, mais j'ai tendance à ne pas assez surveiller la balle. Dès ma deuxième année de championnat, la presse a commencé à dire que je manquais de détente, que les Red Sox ne comptaient pas me garder, etc., que ce serait ma dernière année comme professionnel. Finalement, à force de collectionner les coupures de presse calamiteuses, je me suis dit qu'il fallait que je songe à me recycler. J'ai commencé à bûcher mon droit entre deux championnats. Huit saisons plus tard, je raccrochais ma batte et m'inscrivais au barreau. J'avais été sélectionné plusieurs fois par les Red Sox et les Expos en coupe, par Pawtucket comme international, et il me restait encore un contrat d'un an en première division.

– Mais vous auriez pu vous retrouver à la fois sans diplôme et sans engagement.

– Pas du tout. Avec deux pattes de lapin, une amulette égyptienne, le ruban bleu dont parlait le Dr Blankenship, plus une demi-douzaine d'autres petits rituels, c'était dans la poche.

– Vous croyez vraiment à tous ces trucs-là ?

– Pour paraphraser ce que disait Mark Twain du Bon Dieu, j'ai choisi d'y croire au cas où.

– Un avocat superstitieux, international de base-ball et amateur de Mark Twain, dit Sarah. On ne peut pas dire que vous soyez conformiste.

– Vous non plus. Seigneur, il va être 11 heures, et la baby-sitter qui m'attend !...

Quoique leur relation fût strictement professionnelle et qu'elle dût le rester du point de vue éthique, autant pour elle que pour lui, Sarah fut déçue d'apprendre qu'il était marié.

– Vous avez des enfants ?

– Un fils de 12 ans, Harry. Il vit presque toute l'année avec sa mère.

– Ah ! bon, je comprends.

– On se retrouve demain matin chez Kwong, alors ?

– D'accord, vous savez où c'est ?

– J'y suis allé en reconnaissance. C'est le genre de détail que je ne néglige jamais. Je vais sur Brooklyn. Je vous emmène ?

– Merci, mais j'habite à l'opposé et j'ai un vélo. La pluie vient de s'arrêter, en plus, et j'adore rouler dans les odeurs de terre mouillée.

Matt lui tendit la main.

– Ne vous en faites pas, dit-il. Tout se passera bien.

– Je sais. J'ai encore une dernière question. Avant votre arrivée, Hayden a laissé entendre que n'importe quel avocat aurait fixé un tel rendez-vous dans son cabinet. Pourquoi pas vous ?

Matt enfila son imper et prit son pépin d'une main, sa mallette de l'autre.

– Pour être franc, je voulais faire bonne impression, sur Glenn Paris et son équipe, mais surtout sur vous. Or, il s'en faut de beaucoup que mon cabinet soit le plus opulent de la ville.

– Je vois.

– Et puis, ajouta-t-il en souriant finement, M. Goldstein est terriblement désordonné. Ça sera pour une prochaine fois, peut-être. Dormez bien. Je compte sur vous demain.

Sarah le regarda s'éloigner vers l'ascenseur. L'appréhension que lui inspirait le rendez-vous dans l'échoppe de Kwong Tian-Wen était en grande partie compensée par la satisfaction de revoir son avocat dans moins de dix heures.

– Dites, elle est finie, votre réunion ?

Sarah n'avait pas pris garde à la femme de ménage qui depuis près d'une heure balayait et aspirait le couloir, en attendant que la salle du conseil se libère.

– Ah ! oui, pardon, allez-y.

– Pas de mal. Il est séduisant comme tout, ce monsieur-là.

– Oui, c'est exactement ce que je pensais. Mais j'ai comme l'impression que ça ne vous a pas échappé non plus.

– C'est-à-dire que je ne regardais pas que lui. Je vous regardais aussi, docteur...

Sarah sortit du bâtiment et traversa le campus pour rejoindre l'endroit où elle avait enchaîné son vélo. Le gazon fraîchement coupé, les buissons en fleurs embaumaient sous le ciel nettoyé par l'averse. Bien éclairées et surveillées à toute heure par des vigiles, l'allée piétonnière et la pelouse environnante n'offraient rien de particulièrement menaçant, quoiqu'on signalât quelques femmes harcelées de temps à autre et qu'il y ait même eu un cas d'agression.

Les jardiniers plantaient régulièrement des écriteaux réclamant le stationnement des deux roues aux seuls endroits idoines, mais ceux-ci étant situés en dehors du campus, le personnel de service la nuit continuait à attacher vélomoteurs et bicyclettes à tout ce qui dépassait peu ou prou de l'entrée des bâtiments.

Sarah avait cadenassé son Fuji aux barreaux d'un soupirail situé à côté de l'entrée de service du pavillon de chirurgie. C'était un endroit commode qu'elle avait souvent utilisé sans problème, mais ce soir-là, elle fut frappée par l'obscurité ambiante. Le néon au-dessus de la porte était éteint et du reste, elle ne se rappelait pas l'avoir jamais vu allumé. Elle scruta les ténèbres et avança précautionneusement, s'arrêtant à chaque pas. L'homme était tassé contre le mur, à moins d'un mètre devant elle.

Sentant une présence, Sarah se figea. Elle s'efforça de percer l'obscurité, mais ses yeux n'y étaient pas encore habitués. Un silence oppressant semblait épaissir la nuit. Elle tendit l'oreille, cherchant à déceler un souffle, convaincue que quelqu'un l'épiait, et porta son poids sur sa jambe droite, prête à déguerpir.

– Qui est là ? dit Sarah d'une voix qui l'effraya elle-même. Qu'est-ce que vous voulez ?

Cinq secondes interminables s'écoulèrent, puis dix.

– N-n-ne p-partez p-pas, je v-v-vous en p-p-prie, bégaya une voix d'homme chuchotante.

Sarah se tourna vers la voix tout en reculant instinctivement. La silhouette de l'homme émergea de l'ombre. Il n'était pas plus grand qu'elle et semblait très chétif. Sarah distinguait à peine les contours de sa tête.

– Docteur B-B-Baldwin, je vous s-suis dep-puis p-plu-plusieurs jours. Il f-f-faut que je v-vous p-parle.

– C'est vous, Sarah ?

Sarah se retourna brusquement. Rosa Suarez était debout à moins de dix mètres, placée de telle sorte qu'elle voyait Sarah sans voir l'inconnu. Celui-ci chargea tête baissée et s'enfuit en bousculant Rosa qui faillit perdre l'équilibre.

– Hé ! monsieur, attendez ! cria Sarah.

Mais il avait déjà traversé la pelouse et fonçait vers la sortie. Le cœur battant, Sarah se précipita vers Rosa.

– Ça va ? Il ne vous a pas fait mal ?

– Ça ira, merci, répondit Rosa, elle aussi haletante, en regardant vers le campus où l'homme avait déjà disparu. Qui était-ce ?

– Pas la moindre idée. Il m'a appelée par mon nom et m'a juste dit qu'il voulait me parler. Dès qu'il a entendu votre voix, il a filé.

– Étrange.

– Il bégayait affreusement. Je crois que je n'ai jamais entendu quelqu'un bégayer autant. Et il m'a dit qu'il m'avait suivie, aussi. Maintenant que j'y pense, il me semble l'avoir déjà remarqué. Il a une voiture bleue de marque étrangère, une Honda, je crois. Seigneur, il m'a fichu une de ces frousses ! Regardez, j'en tremble encore.

Rosa lui prit les mains et Sarah cessa presque aussitôt de trembler. Elle ôta son antivol et les deux femmes s'éloignèrent côte à côte vers l'entrée de l'hôpital, Sarah poussant son vélo d'une main.

– Je suis désolée de ne pas avoir pu participer à votre réunion ce soir, dit Rosa. Ça s'est bien passé ?

– Oui, très bien. Mais l'avocat de Lisa a obtenu un mandat contre mon herboriste dont la boutique va être perquisitionnée demain matin.

– Ça vous inquiète ?

– Non, au contraire, ça me soulage plutôt qu'autre chose. Plus vite ils analyseront ces plantes, plus tôt ils verront que je n'y suis pour rien.

Rosa s'arrêta et la regarda. Sarah vit nettement que quelque chose lui trottait dans la tête, quelque chose dont l'épidémiologiste voulait l'entretenir.

– Sarah, je... vous me feriez plaisir en me raccompagnant jusque chez moi. Ma chambre d'hôte est à un quart d'heure à pied. Je voudrais vous expliquer pourquoi j'ai préféré m'abstenir de venir à cette réunion.

– Vous n'êtes pas obligée.

– Ça m'inquiète de vous savoir suivie. Je crois que ce que j'ai découvert peut s'avérer très important, surtout si ce qui vient de vous arriver est lié à votre affaire.

– Je vous écoute.

– Il faut d'abord que je vous parle de moi. A Cuba, mon pays d'origine, j'étais docteur en médecine...

Sarah écouta, captivée, le récit concis et émouvant que Rosa Suarez lui fit de sa vie. Exilée politique, elle s'était retrouvée trimbalée de cité de transit en camp de réfugiés, ne parlant qu'un anglais approximatif et désespérant de jamais arriver à faire valider ses diplômes aux

États-Unis. Après avoir vécu de quelques emplois subalternes, elle avait réussi à entrer au centre épidémiologique d'Atlanta à l'échelon le plus modeste de la hiérarchie. Son mari, poète et pédagogue dans leur patrie, avait quant à lui trouvé du travail dans un atelier de reliure où il était resté jusqu'à sa retraite.

En quelques années, à force de courage et d'intelligence, Rosa se hissa au premier rang et devint une des meilleures épidémiologistes du centre. Certains de ses succès – un rôle majeur joué dans le dépistage de la maladie du légionnaire à Philadelphie, la découverte du lien entre la fréquence de certaines leucémies dans un comté du Texas et les essais nucléaires qu'on y avait menés dans les années 50 – étaient parvenus en leur temps jusqu'aux oreilles de Sarah. C'est alors qu'au sommet d'une carrière jusque-là brillante, Rosa fut désignée pour enquêter sur l'émergence soudaine de foyers d'infection en différents points de l'agglomération de San Francisco. Le germe incriminé, peu ordinaire, avait déjà causé la mort de plusieurs personnes immunodéficientes.

Les résultats de son enquête, comprenant des milliers de questionnaires et de cultures microbiennes, désignaient directement l'armée comme responsable. Les militaires, soutenait-elle, se servaient d'un marqueur bactériologique qu'ils croyaient inactif pour tester leurs théories sur la guerre bactériologique et les courants d'air dans les tunnels du REI, le réseau express interurbain. Dès qu'elle comprit que son enquête empiétait sur le sacro-saint secret-défense, Rosa redoubla de discrétion, mais pas assez, malheureusement, pour éviter les fuites avant d'avoir verrouillé son dossier.

Une commission d'éminents microbiologistes et de spécialistes des maladies infectieuses, tous plus décorés les uns que les autres, fut chargée par le Congrès d'avaliser ses conclusions. Ils ne trouvèrent qu'erreurs et lacunes tout au long de son travail. Des programmes informatiques que Rosa avait conçus elle-même fonctionnaient mal ou pas du tout. Des calculs de probabilité censés étayer des hypothèses n'étayaient rien du tout. Des techniciens de laboratoire niaient avoir reçu des échantillons qu'elle jurait leur avoir expédiés. Finalement, et avec un cynisme éhonté, un des experts de la commission trouva la trace de la bactérie dans une décharge privée à proximité de la ville. La direction du laboratoire créateur et utilisateur de la décharge admit sans se faire prier sa responsabilité. Le labo en question fut condamné à payer une amende mais peu après, Rosa apprit qu'il avait bénéficié d'un contrat juteux avec le ministère de la Défense.

– Finalement, dit-elle, la décharge fut évacuée et le site nettoyé. Et naturellement, le taux d'infection commença à diminuer. On me remisa dans la naphtaline, pour parler crûment, et je n'en suis sortie pour effectuer la présente enquête que faute de personnel disponible.

– Ils ont saboté votre travail ! s'exclama Sarah. Je n'arrive pas à y croire. Ou plutôt si, j'y crois trop bien.

– En tout cas, vous comprenez maintenant pourquoi je me suis montrée distante dans cette affaire, y compris avec vous.

– Par pitié, Rosa, ne vous souciez pas de ça. Faites votre travail en paix.

– Demain matin, je retourne à Atlanta pour quelque temps. J'en suis encore à la phase préliminaire de mon enquête, mais je suis tombée sur des choses troublantes et je voulais vous mettre en garde.

– Me mettre en garde ?

– Ce n'est pas ce que vous croyez, rassurez-vous, fit Rosa en lui tapotant le bras. En fait, je voulais vous dire depuis plusieurs jours déjà que mes premières recherches laissaient plutôt présager une infection qu'une toxine ou un poison. Mais je... j'hésite toujours à parler de mon travail à qui que ce soit.

Elles étaient arrivées devant la maison victorienne à crépi rose où logeait Rosa.

– Alors contre quoi vouliez-vous me mettre en garde ?

– Sarah, vous êtes très gentille, très dévouée et vous faites honneur à votre profession. Je vois bien la peine que vous causent les accusations portées contre vous. Je ne peux pas encore entrer dans les détails, mais j'ai de bonnes raisons de croire que quelqu'un essaye de m'empêcher d'élucider ces trois cas de CID. A tort ou à raison, je suppose que ce quelqu'un n'est pas vous, et vous invite donc à la plus grande réserve et à vous méfier de votre entourage.

– Mais...

– Je vous en prie, Sarah. C'est déjà une épreuve pour moi d'avoir dû vous dire le peu que je vous ai dit. Je vous en apprendrai davantage le moment venu. D'ici là, j'ai encore beaucoup de travail à accomplir et vous, il faut que vous prépariez votre défense.

Sarah soupira.

– Votre supposition est juste, vous savez. Je ne suis pas cette personne.

Rosa lui tapota à nouveau le bras.

– Je sais, Sarah. J'en suis même sûre. Soyez patiente avec moi et faites très, très attention.

Sarah attendit que l'épidémiologiste ait pénétré chez sa logeuse. Puis elle enfourcha son vélo et s'éloigna en pédalant lentement vers le centre-ville. Pendant quelques minutes, elle s'employa à clarifier ses idées. N'y arrivant pas, elle préféra se concentrer sur son avocat, nouveau venu dans sa vie, ainsi que sur l'étrange petit homme bégayant qui avait voulu l'aborder dans la nuit. Mais toujours, ses réflexions la ramenaient à l'énigmatique mise en garde de Rosa.

Si l'intention de la Cubaine avait été de l'effrayer, elle y était parfaitement arrivée.

19

21 JUILLET

La boutique de l'herboriste Kwong Tian-Wen occupait le rez-de-chaussée et le sous-sol d'un immeuble en brique délabré de cinq étages. Sarah se maquilla et s'habilla un peu plus soigneusement que de coutume et quitta son appartement à 7 h 15, décidée à faire à pied les trois kilomètres qui la séparaient de Chinatown. Elle avait quelque appréhension à la perspective d'affronter Jeremy Mallon et restait sous le coup de la stupeur causée par l'apparition du bègue et par l'étrange avertissement de Rosa Suarez. Mais il faisait très beau, le ciel était d'une luminosité exceptionnelle et la certitude de se voir bientôt innocentée, jointe au plaisir de revoir son avocat, lui mettait du baume au cœur.

Elle avait connu Kwong à l'époque de l'Institut Ettinger, et quand elle eut passé son externat, elle se fournit auprès de lui en plantes médicinales, le préférant à d'autres membres de la communauté holistique de Boston dont elle souhaitait vérifier le sérieux. Il jouissait d'une excellente réputation, mais elle eut quand même deux entretiens approfondis avec lui avant de le choisir. Il ne parlait pratiquement pas anglais mais Sarah maîtrisait encore suffisamment le chinois qu'elle parlait assez bien naguère, pour mener des transactions commerciales. Quand elle avait besoin d'une traduction, Kwong frappait avec sa canne au plafond ou contre un tuyau, et dans la minute apparaissait un de ses petits-enfants nés en Amérique.

Dès leur premier tête-à-tête, Sarah fut impressionnée par le savoir du vieil homme, et séduite par sa philosophie délibérément optimiste. Et puis bien sûr, il lui rappelait de façon frappante, physiquement et métaphysiquement, son ancien maître Louis Han. Elle ne pouvait s'empêcher de penser qu'en Kwong revivait un peu de son mentor disparu prématurément.

Au début, Sarah allait elle-même chercher les commandes qu'elle lui passait. Mais devant l'afflux de malades, elle fut bientôt contrainte de se les faire livrer. A présent, elle réalisait combien ses visites à l'échoppe de l'herboriste lui manquaient. La détérioration de ses rapports avec Kwong était un regret de plus à mettre sur la liste des désagréments causés par la pratique hospitalière.

La boutique était dans une ruelle étroite, derrière le quartier de Kneeland. En arrivant, au détour de la rue, Sarah aperçut le vieillard et Debbie, une de ses petites-filles, debout devant leur immeuble. Elle se demandait pourquoi ils n'étaient pas à l'intérieur quand elle remarqua le ruban de vinyle jaune posé en travers de l'entrée et de la vitrine. Elle fut peinée en imaginant la honte de Kwong lorsqu'un huissier ou un policier s'était présenté pour mettre les scellés chez lui.

– Bonjour, monsieur Kwong, dit Sarah en cantonais. Bonjour, Debbie. Je suis navrée de ce qui vous arrive, ajouta-t-elle en montrant les rubans.

Kwong répondit par un geste évasif de sa main noueuse, mais Sarah voyait bien qu'il était inquiet. Elle réalisa soudain qu'ils ne s'étaient pas vus depuis près d'un an. Sa barbiche grisonnante était négligée et tachée de nicotine sous la lèvre, sa robe de soie bleue, seul vêtement qu'elle l'eût jamais vu porter, fripée et trouée. Avait-il tant vieilli, ou bien le voyait-elle autrefois avec des yeux plus naïfs qu'aujourd'hui ?

– Depuis qu'ils ont mis ces rubans, expliqua Debbie, un monsieur a monté la garde sans arrêt devant la boutique. Il fait les cent pas toute la journée dans la rue. Il dit que personne ne doit rentrer parce qu'on risque de soustraire à la justice ce qu'il y a dedans. Qu'est-ce que ça veut dire ?

– Rien, Debbie, dit Sarah. Tout va rentrer dans l'ordre avant même que tu t'en aperçoives. Mais je suis désolée que toi et ton grand-père ayez dû subir tous ces ennuis.

La faiblesse et la vulnérabilité du vieillard se voyaient au premier coup d'œil. Sarah espéra que Mallon et ses hommes se contenteraient de prélever les échantillons dont ils avaient besoin et de prendre congé. S'ils essayaient en quoi que ce soit d'intimider Kwong, ce serait à Matt de le protéger à tout prix. Elle s'apprêtait à tenter d'expliquer la situation à l'herboriste par l'intermédiaire de Debbie lorsque Matt arriva, du bout de la ruelle. Eli Blankenship marchait pesamment à son côté en gesticulant, comme s'ils étaient engagés dans une discussion épineuse. Sarah se sentit soulagée en voyant le patron du CHU. Personne ne pouvait rivaliser avec lui par la stature, tant physique qu'intellectuelle. A côté de lui, quoique assez fort et élancé, Matt paraissait maigrichon.

Elle les présenta à Kwong avec l'aide de Debbie. La seule chose que l'herboriste attendait d'eux, visiblement, était qu'ils le laissent tranquille.

Matt s'excusa et entraîna Sarah et Blankenship à l'écart.

– Est-ce que le vieux comprend ce qui lui arrive ? murmura-t-il.

Sarah haussa les épaules.

– Il est loin d'être gâteux, dit-elle. Je suis certaine qu'il sait en gros ce qui l'attend. Mais je ne suis pas sûre qu'il ait compris que tout ça me concerne moi, et pas lui.

– Il a l'air d'avoir sacrément tâté de la pipe à opium.

– Et alors ? L'opium fait partie de leur culture. Quelqu'un sait-il où est Mallon ?

– Non, fit Matt. Mais je m'attends à ce qu'il soit en retard, c'est un vieux truc pour indisposer la partie adverse et la pousser à la faute. Le pire, c'est que ça marche. (Il les fit revenir près de Kwong et de la jeune fille.) Debbie, dit-il gentiment, veuillez nous excuser auprès de votre grand-père pour la gêne que nous lui causons et dites-lui que nous le dédommagerons sans faute.

La fillette, vêtue d'un jean flottant et d'un sweat-shirt, devait avoir dans les 13 ans. Son visage était rond et ses cheveux courts, noirs comme le jais. Sarah allait dire à Matt d'être plus explicite lorsque Debbie commença à débiter la traduction à toute vitesse. Kwong répondit par un vague grognement et un revers de main dédaigneux.

– Il dit que c'est un plaisir de vous servir et que vous n'avez pas besoin de l'indemniser.

A ce moment, une grosse Lincoln noire s'arrêta à l'extrémité de la rue. Sarah se tourna vers Kwong et essaya de le rassurer du regard.

– Le petit gros, c'est le shérif Mooney, précisa Matt à Eli. Mais regardez ce grand type, est-ce que ce n'est pas celui qui fait de la pub à la télé pour un produit amaigrissant ?

Sarah poussa un petit gémissement et regarda en direction des occupants de la Lincoln qui venaient de mettre pied à terre. Peter Ettinger, raide comme un piquet et dominant le shérif et Mallon d'une tête, la fixait droit dans les yeux depuis le bout de la ruelle. Même dans la lumière indirecte du pâle soleil matinal, ses cheveux argentés semblaient phosphorescents.

– Salopard, murmura-t-elle. Ça doit être lui le témoin expert de Mallon.

Elle donna une petite tape amicale sur l'épaule de Kwong qui paraissait plus effaré que jamais, et resta en arrière tandis que les deux groupes, tels les combattants de quelque sport macabre, s'approchaient l'un de l'autre pour faire les présentations.

Le shérif du quartier, le médecin-chef du CHU de Boston, Peter, Matt, un pauvre vieux Chinois qui n'en peut mais et une jeune adolescente, résuma-t-elle mentalement. La confrontation ressemblait de plus en plus à un défilé de carnaval. Et elle prit une tournure plus bizarre encore quelques instants plus tard lorsque tous se retrouvèrent devant la porte du magasin. Celui-ci était un capharnaüm indescriptible, sans endroit bien défini ni pour circuler ni pour s'arrêter. Huit personnes, en tout cas, semblaient nettement excéder sa capacité d'accueil.

Matt ramena ses trois adversaires auprès de Sarah. Peter se laissa présenter à elle comme si de rien n'était et lui tendit une main qu'elle refusa de serrer.

– Alors, docteur, dit-il, on a des petits ennuis...

Son air condescendant était en tout point semblable à celui qu'il affichait lors de l'affreuse journée de la rupture à l'institut.

– Alors, mon cher, répliqua-t-elle, je vois qu'on est encore plus méprisant et plus odieux que jadis.

Méfie-toi, mon salaud, pensa-t-elle. Je ne suis plus la gamine aux yeux candides que tu as ramenée de la jungle. Si c'est la bagarre que tu veux, tu ne vas pas être déçu, crois-moi.

– Vous vous connaissez ? s'étonna Matt.

– Il est arrivé jadis au Dr Baldwin de travailler pour moi, répondit hâtivement Ettinger.

– De trimer, serait plus exact, Matt. Je n'en suis pas fière, mais nous avons vécu ensemble pendant trois ans avant que je me ressaisisse et fasse le mur.

– Vécu ensemble ! s'exclama l'avocat. Mallon, qu'est-ce que c'est que ce cirque ?

Mallon resta décontenancé quelques secondes durant lesquelles Sarah lut dans ses yeux qu'il était pris au dépourvu. Peter ne lui avait rien dit ! Le salopard voulait tellement prendre sa revanche qu'il avait soigneusement tu leur passé commun.

– Heu... je... M. Ettinger est ici pour nous aider à établir le bien-fondé de notre cause, fit Mallon d'un air bravache. Nous... nous n'avons aucunement l'intention de le faire comparaître à l'audience. Il nous assiste en tant qu'expert, un point c'est tout.

– Si vous n'avez rien trouvé de mieux qu'un amant jaloux comme témoin, ironisa Matt, vous me décevez énormément. Ça m'ennuierait de plaider une affaire gagnée d'avance. Ce n'est pas mon style. Bon, on y va ou quoi ? Comment procède-t-on ?

Mallon ne répondit pas. Mais à voir son visage de marbre, il était clair que Matt avait marqué un point.

– Bien joué, lui souffla Sarah. A présent, faites attention qu'il ne s'en prenne pas à M. Kwong.

Les rubans de vinyle furent enlevés et les combattants, emmenés par Kwong et sa petite-fille, entrèrent à la queue leu leu dans l'échoppe. Grande rencontre de catch à quatre, songea Sarah avec un sourire. Devant moi, shérif Mooney, l'arbitre, avec sa veste blanche des grands jours. A ma gauche, Jeremy Mallon, tout à la fois charmeur et serpent. A ma droite, Eli Blankenship, le taureau du Massachusetts. Derrière eux, Peter Ettinger, l'homme-grue, et Black Cat Daniels, le fou du stade ; on les applaudit bien fort.

Une fois entrée, Sarah observa sans déplaisir que les chevrons dépassant du plafond obligeaient l'homme-grue à garder la tête baissée. Elle trouva la boutique encore plus désordonnée et plus odorante qu'elle ne l'était dans son souvenir. Des roseaux, des racines, des fleurs et des feuilles séchées s'empilaient un peu partout. Il y avait des barils d'épices et des sacs de tubercules. Le vieux comptoir à dessus de verre et les étagères derrière étaient surchargées de jarres, de pots, les uns pleins de scorpions desséchés, les autres, d'énormes scarabées, et l'on voyait même une anguille dans un bocal empli d'un liquide glauque. Quelques pots portaient une étiquette écrite en caractères chinois, mais la plupart n'en avaient pas.

Deux chats à longs poils quelque peu galeux, l'un d'un blanc pur, l'autre noir comme la suie, étaient roulés en boule dans un coin. Et dressé comme un totem ou plutôt un point d'exclamation au milieu du bric-à-brac, un présentoir en fer offrait un choix de produits pour les pieds du Dr Scholl.

– Je crois qu'un jury serait peu enclin à se montrer indulgent avec nous si on le trimbalait dans un endroit pareil, chuchota Blankenship.

– Espérons qu'on n'en viendra jamais là, répondit Sarah.

– Eh bien, comment fait-on ? demanda Matt à Mallon.

Celui-ci, ne réalisant apparemment pas que son costume Armani était copieusement jauni par la botte de fleurs de tournesol contre laquelle il s'était frotté, parcourut lentement la boutique du regard, l'air dégoûté. Visiblement, il était de nouveau sur le sentier de la guerre.

– Nous avons la liste des ingrédients du mélange du Dr Baldwin, dit-il finalement. Nous allons les demander les uns après les autres à M. Kwong. Sa petite-fille pourra traduire si nécessaire. Les échantillons seront ensuite répartis dans deux sacs étiquetés. L'un d'eux sera scellé par le shérif Mooney, et vous ou le Dr Baldwin y apposerez vos initiales. Le second sera examiné par M. Ettinger qui prendra les notes qu'il estimera utiles. Ensuite, il identifiera scientifiquement chaque élément avec une équipe de botanistes et de chimistes. Êtes-vous d'accord avec cette procédure ? conclut-il en se tournant vers Matt.

– Sarah, Eli, ça vous va ? demanda ce dernier.

– En tant que représentant du centre hospitalier universitaire de Boston, je souhaite examiner aussi les échantillons, dit Blankenship.

– Vous connaissez les plantes médicinales ? demanda Sarah.

– Oh ! un peu.

Son petit sourire laissait deviner que ce qu'il appelait *un peu*, comme dans bien des domaines, eût fait d'autres des experts en la matière.

Elle le prit à part avec Matt.

– Il faut que je dise quelque chose, murmura-t-elle.

– A nous ou à tout le monde ?

– Faites très attention, avertit Blankenship. Rappelez-vous que c'est l'ennemi que vous avez en face de vous.

– Entendu. (Elle se racla la gorge pour chasser le trac.) Monsieur Mallon, avant que vous ne commenciez, je voudrais vous dire que la composition du mélange que j'utilise a été élaborée en Asie du Sud-Est. C'est moi qui ai rapporté la formule de là-bas. Elle a été rédigée en chinois par un brillant herboriste et guérisseur. J'ai ici une copie de cette version. C'est cette liste dont M. Kwong se servait pour préparer la tisane que je prescrivais. Certains des noms figurant sur la liste que vous avez, c'est-à-dire celle que je donnais à mes patientes, ne sont que l'équivalent anglais, d'après moi le plus exact, des termes vernaculaires mentionnés sur la liste d'origine.

– Du moment que les deux listes se présentent dans le même ordre et que vous certifiez d'un commun accord avec M. Kwong que ce que nous mettons dans les sacs est la même chose que ce que vous avez donné à Lisa Grayson, je n'ai pas d'objection à ce que vous appeliez les plantes par un nom ou par un autre. M. Ettinger et son équipe nous fourniront l'appellation scientifique et la formule chimique correspondantes. J'aimerais toutefois avoir une copie de cette liste en chinois.

Debbie traduisit à Kwong ce qui avait été décidé et lui remit la liste. Sarah était certaine que le vieil homme avait la composition du mélange en mémoire. Mais le dire à Mallon n'eût fait que desservir leur cause.

– OK, fit Mallon. N° 1, ginseng oriental.

– Panax pseudoginseng, murmura Blankenship.

Debbie fit un signe à son grand-père. Celui-ci hocha impatiemment la tête et après un bref coup d'œil à la liste, tira de sous le comptoir une grande jarre emplie de fragments de racine jaunâtres. Il en remplit deux sacs en plastique au moyen d'une vieille pellette métallique. Sarah authentifia l'un d'eux en paraphant le cachet, et le donna à Matt qui le donna au shérif. L'autre passa successivement entre les mains de Blankenship et de Peter, le patron du CHU en vérifiant rapidement le contenu, celui de Xanadu le reniflant, puis sortant une particule qu'il goûta et roula dans ses doigts. Enfin, après quelques mimiques perplexes surtout destinées à l'irriter, se dit Sarah, il le plaça dans son attaché-case.

Le deuxième ingrédient, une autre racine, fut traité de la même façon, ainsi que le troisième qui, sur la liste de Sarah, s'appelait pin du Siam.

– Il s'agit de morceaux d'écorce de l'arbre médarah, expliqua-t-elle. Endémique jusqu'à Java, mais présent aussi en Chine méridionale. Excellent pour les gastrites et les affections intestinales. Parfait pour les nausées matinales.

Ce disant, Sarah s'aperçut qu'à l'autre bout du comptoir, le shérif Mooney fixait d'un air inquisiteur le contenu d'un bocal en verre posé sur l'étagère la plus élevée, derrière une série de grandes jarres. Elle tendit le cou pour voir ce que le policier trouvait si intéressant et se disposait à prévenir Matt lorsque Kwong commença à agiter frénétiquement les bras en poussant des cris.

– Non, non, non ! hurlait-il en grimaçant de colère. Non, non, non !

Il se mit à gesticuler devant sa petite fille et à crier en montrant la jarre d'une capacité de vingt litres environ de laquelle il venait de sortir un échantillon, le quatrième sur la liste. Jamais jusque-là Sarah ne l'avait entendu élever la voix. Mais l'expression de panique qu'elle surprit dans ses yeux ne lui était pas inconnue. C'était celle qu'elle avait vue si souvent dans ceux de sa mère alors que la maladie d'Alzheimer étendait son emprise sur elle. Quelque chose avait mal tourné. Très, très mal tourné.

20

– Debbie, qu'est-ce qui se passe ?

La jeune fille, qui essayait vainement de calmer son grand-père, secoua la tête.

Sarah attrapa une petite chaise à dos canné et parvint à convaincre le vieillard de s'y asseoir. Kwong continuait, bien que d'une voix étranglée, à adresser à Debbie comme à tout le monde un flot de paroles en chinois, débitées à toute allure. Sarah s'agenouilla au pied de la chaise et lui prit la main jusqu'à ce qu'il finisse par se calmer.

– Je ne sais pas ce qui s'est passé, dit Debbie. Il a pris les plantes avec sa mesure, les a mises dans les petits sacs, et tout se passait apparemment très bien. Et puis tout d'un coup, il en a reniflé un petit morceau et s'est mis à pousser des cris. J'ai très peur pour lui. Il n'a pas l'air bien du tout.

Kwong, qui avait déjà un teint cireux de nature, parut encore plus pâle que d'habitude à Sarah. Mue par un réflexe professionnel, elle lui prit le pouls au poignet et crut un instant que le cœur du vieillard battait à tout rompre. C'était le sien qu'elle sentait à travers le bout de ses doigts. La tournure prise par les événements se répercutait à l'évidence, sinon sur sa raison, du moins sur ses nerfs à elle. Elle s'attendait à tout sauf à une réaction aussi hystérique de la part de l'herboriste, dont l'égarement faisait craindre quelque erreur redoutable. Mais là encore, Kwong Tian-Wen n'était plus l'homme qu'elle avait connu.

– Comment le trouvez-vous, docteur Blankenship ? Vous croyez qu'il tiendra le coup ?

– Et vous, ça ira ? murmura-t-il.

Sarah se mordit la lèvre et secoua la tête.

– Je n'en reviens pas de le voir dans cet état.

– Mais qu'est-ce qui se passe ici ? demanda soudain Mallon.

Sarah pivota brusquement vers lui comme un chat effarouché.

– Il est malade, voilà ce qui se passe ! (Elle respira profondément pour dompter sa colère.) Excusez-moi, je ne voulais pas vous agresser. Écoutez, il faut que je parle à M. Daniels et je pense que le Dr Blankenship devrait examiner M. Kwong.

Mallon recula, tandis que Sarah s'entretenait à voix basse avec son avocat. Pendant ce temps, Eli Blankenship auscultait Kwong, lui palpait le cou au niveau de la carotide, observait ses pupilles, ses ongles et écoutait sa respiration.

– OK, dit Matt après avoir entendu Sarah. Voici la situation : la quatrième plante de la liste est censée être une variété de camomille. Apparemment, M. Kwong est bouleversé parce que cette jarre ne contient pas ce qu'il escomptait.

– Qu'est-ce qu'il y a dedans, alors ? demanda Mallon avec une avidité de squale. Ça figure sur la liste ou pas ? Debbie, demandez-lui ce que c'est que cette plante. Demandez-lui s'il en a mis dans la mixture du Dr Baldwin.

– N'en faites rien, Debbie, contra Matt aussitôt. Bon sang, Mallon, qu'est-ce qui vous prend ? Eli, comment se porte monsieur, d'après vous ?

– Il me faudrait un stéthoscope. Je crois qu'il va bien mais je ne peux rien affirmer.

Kwong, à présent, était beaucoup plus calme, quoique toujours aussi déconfit. Il restait assis, les mains sur les genoux, fixant des yeux la jarre délictueuse en secouant la tête.

– Debbie, ta mère est chez elle ? demanda Sarah. Je pense que nous devrions le transporter en haut et l'allonger.

– Il n'y a personne à la maison, dit la fillette. Mais je peux m'occuper de lui. Il n'y a qu'à lui donner de son vin chinois. Il adore ça.

– Une minute, s'il vous plaît, intervint Mallon. J'aimerais qu'on réponde à mes questions.

– Permettez, fit sèchement Matt. La procédure est interrompue.

Cependant Peter, qui avait inspecté méticuleusement la plante, se racla la gorge pour réclamer l'attention.

– Je peux me tromper, dit-il d'un ton suggérant au contraire qu'il était très sûr de lui, mais je pense que ceci n'est autre que la plante appelée vulgairement noni, en latin Morinda citrifolia. On en fait des cataplasmes dans les îles du Pacifique pour arrêter les saignements, et des infusions pour régler la menstruation des femmes et soigner les hémorragies internes. C'est très puissant et très efficace.

Ce qu'impliquait la déclaration d'Ettinger n'échappa à personne. Kwong Tian-Wen avait, semblait-il, fourni par erreur une plante tropicale ayant une forte action sur la coagulation sanguine à la place de la camomille. Pendant quelques instants, tout le monde voulut parler en même temps : Mallon ordonnait à Peter de faire faire au plus tôt un rapport biochimique sur la plante, Matt criait à Mallon de ne pas insister, Blankenship rassurait Kwong et lui demandait s'il se sentait assez bien pour continuer, et Sarah suggérait que Debbie aille chercher les médicaments de son grand-père pour qu'on essaye de comprendre ce qu'il avait.

La confusion et le bruit furent brusquement interrompus par le shérif Mooney.

– Excusez-moi, dit-il d'une voix forte, mais j'ai rendez-vous à mon bureau et il va falloir que je rentre. Mais auparavant, j'ai peur que M. Kwong ne doive encore s'expliquer sur un petit problème. (Il se tourna vers Blankenship.) Docteur, pensez-vous que M. Kwong pourrait se lever et aller nous chercher ce bocal là-haut ? Celui contenant la poudre brunâtre, tout à fait au fond, à l'extrémité de l'étagère.

– Eh bien, heu, si c'est vraiment important, je présume que...

– Un instant, coupa Matt. Shérif Mooney, à quoi jouez-vous ? Vous n'avez pas le droit de harceler ce pauvre monsieur.

Mooney se tourna vers l'avocat et, les deux pouces dans sa ceinture qui retenait tant bien que mal sa bedaine proéminente, le regarda en plissant les yeux.

– C'est la première fois qu'on se rencontre, Matt, dit-il, mais j'ai comme l'impression que je vous connais déjà. J'ai apprécié vos talents de lanceur. En fait, j'étais dans les tribunes le jour de ce fameux match contre Toronto. Mais je n'apprécie pas tellement que vous me disiez ce que j'ai le droit ou pas le droit de faire.

– Mais...

– Surtout quand c'est vous qui avez tort. (Il tira un papier de sa poche intérieure et le passa à Matt.) Ce mandat a été délivré hier après-midi par le juge John O'Brien. Il me donne le droit d'entrer dans ce magasin et d'y prélever les échantillons que je veux.

– Délivré sur quelle base ?

– Sur la base d'un appel téléphonique que nous avons reçu d'un informateur, concernant monsieur. Je me suis fait délivrer le mandat préventivement et je n'avais pas l'intention de m'en servir avant d'avoir fait quelques vérifications. Mais j'ai travaillé pour les stups dans le temps, et je sais reconnaître de l'opium quand j'en vois. Or, c'est précisément ce qui se trouve dans ce bocal là-haut, d'après moi.

Le vocabulaire anglais de Kwong, tout limité qu'il fût, incluait visiblement le mot *opium*. Son affolement le reprit de plus belle.

– Opium, pas moi ! s'écria-t-il entre deux vociférations en chinois. Pas à moi, opium !

Ce que Sarah lisait maintenant sur son visage n'était plus du désarroi mais de la pure terreur.

– Mais bon Dieu, Mooney, fichez-lui la paix, vous voyez bien que ce n'est pas le moment ! s'exclama Daniels.

– Mademoiselle, voudriez-vous demander à votre grand-père de m'approcher ce bocal, s'obstina le shérif, inflexible.

D'un sursaut, Matt s'empara lui-même du bocal et le déposa violemment sur le comptoir.

– Tenez, le voilà, votre bocal, puisque vous y tenez tant. Vous n'avez pas honte d'imposer ça à un vieillard devant sa petite-fille ? Pour qui vous prenez-vous ?

– Pour un flic qui n'aime pas les trafiquants, quel que soit leur âge.

Au même moment, Kwong, qui jusque-là agitait ses bras squelettiques en poussant des cris perçants, se figea en bleuissant tandis que sa respiration devenait laborieuse.

– Grand-père ! s'écria Debbie.

Sarah et Eli comprirent simultanément ce qui se passait. A la suite d'un œdème pulmonaire, l'homme venait d'avoir une défaillance cardiaque sans doute due à une insuffisance coronarienne. Tous deux se hâtèrent de l'allonger par terre. Il suffoquait à présent, ahanant par saccades avec un bruit sifflant et repoussant les mains qui voulaient l'étendre sur le dos.

– Appelez une ambulance, ordonna Blankenship à la cantonade. Sarah, vous pouvez communiquer avec lui ?

– Je crois.

– Mettez-vous à côté de lui et tâchez de le calmer. Il faut essayer de gagner du temps en attendant que l'équipe du SAMU lui donne de l'oxygène et de la morphine.

Sarah lui tamponna le front et le visage avec une serviette. Il était luisant de sueur. Elle lui chuchota un mot rassurant à l'oreille et lui frotta le dos. De l'oxygène et de la morphine, songeait-elle. De l'oxygène et de la morphine...

– Eli ! dit-elle subitement. L'opium !

Le professeur comprit immédiatement. Les opiacés avaient souvent un effet radical sur les défaillances cardiaques en agissant comme sédatif. De ce point de vue, la morphine était particulièrement recommandée, mais l'opium pouvait aussi convenir.

– Est-ce qu'on est sûr de ce qu'il y a dans ce bocal ? demanda-t-il.

Sarah épongea de nouveau le front de l'herboriste. Son teint, maintenant, était livide. Son œdème pouvait très bien provoquer un arrêt cardiaque irréversible avant l'arrivée des secours.

– Debbie, viens vite, s'il te plaît, dit-elle. N'aie pas peur, surtout. On a besoin de ton aide... Demande à ton grand-père si c'est vraiment de l'opium qu'il y a dans ce bocal. Dis-lui que c'est très, très important.

La fillette ne bougea pas.

– Je n'ai pas besoin de lui demander, dit-elle au bout d'un moment. C'est de l'opium. C'est son opium. Tout le monde le sait dans la famille. Il en fume avec ses amis, mais ça lui arrive de moins en moins. Et d'habitude, il le conserve à la cave dans une boîte fermée à clef. Je ne comprends pas ce que ça fait sur cette étagère.

– Merci, Debbie, dit Sarah. Tu as bien fait de nous le dire. Ne t'inquiète pas.

Eli Blankenship était déjà en train de verser une pincée de poudre sous la langue du vieil homme. Sarah reporta son attention sur Kwong et tenta de l'apaiser en lui épongeant de nouveau le front et en lui parlant doucement. Au bout d'une minute, Blankenship lui donna une autre dose.

– Vous avez exercé dans la jungle, dit-il. Cette façon de procéder est un peu affolante pour un vieux routier des hôpitaux comme moi.

Mais déjà, la respiration de Kwong était plus régulière et son teint redevenait normal. Il peinait encore à chaque aspiration, mais ses yeux ne reflétaient plus la même terreur mortelle qu'auparavant.

– Sa tension diminue et je sens mieux son pouls, dit Sarah d'une voix remplie d'espoir.

Pour la première fois depuis le début de la crise, elle échangea un regard avec Matt.

– Bravo, lui souffla celui-ci du bout des lèvres.

Lorsque l'ambulance arriva, Eli venait d'administrer une troisième pincée d'opium à Kwong qui ne râlait plus. En quelques minutes, s'activant sous les yeux médusés des deux parties, infirmiers et secouristes eurent placé une perfusion, un masque à oxygène et sanglé leur malade sur une civière. En tant que médecin traitant, Blankenship avait prescrit les médicaments adéquats. Quoique la situation parût maîtrisée, il insista pour accompagner Kwong. Celui-ci fut chargé dans l'ambulance et le médecin-chef grimpa à l'arrière avec une surprenante agilité. Puis il leva le pouce à l'intention de Sarah, et le véhicule démarra.

Jeremy Mallon marmonna vaguement à Matt qu'il lui téléphonerait, avant de pousser ses deux associés stupéfaits vers la sortie. Debbie courut chez elle laisser un mot à sa mère lui disant de la retrouver au White Memorial.

Sarah, soudain presque aussi blême que l'herboriste, s'effondra dans la chaise cannée. Matt lui apporta un verre d'eau.

– C'est formidable, ce que vous avez fait, Sarah.

– Heureusement que le Dr Blankenship était là. C'était lui le meilleur.

– Oui, mais c'est vous qui avez pensé à l'opium. Vous croyez que le vieux va s'en remettre ?

– Je ne sais pas. Il... il a l'air si fragile. C'est comme s'il avait vieilli de dix ans en l'espace de quelques mois.

– Il n'était pas comme ça avant ?

– Pas du tout. Matt, tout ça n'arrange pas mes affaires, n'est-ce pas ?

– Eh bien, ça dépend. Ça fait longtemps que Kwong vous approvisionne avec cette fausse camomille, d'après vous ?

– Je ne sais pas. Je ne sais plus quoi penser.

– Eh bien, moi, je flaire déjà une embrouille au moins. Qu'est-ce que faisait cet opium sur cette étagère ?

– Peut-être que Tian-Wen devient sénile. A ce moment-là, il aurait aussi bien pu le mettre dans sa vitrine.

– Non, vous ne me ferez pas croire ça. Pas encore, en tout cas. Une dénonciation téléphonique ? A d'autres !...

– Et l'herbe noni ? En admettant que Peter ait raison, et je crois malheureusement qu'il a raison, comment expliquez-vous ça ?

– Je ne sais pas. Le vieux s'est peut-être bel et bien trompé. Ce serait le seul fondement légitime de l'affaire. Mais l'opium, non, c'est trop énorme. Ça sent le coup monté à plein nez.

– Mais vous n'avez aucun moyen de prouver que Tian-Wen a été piégé, si c'est le cas ?

– Non, pour l'instant, je n'en vois aucun.

– Alors je suis coincée d'un côté comme de l'autre.

– Le fait est que nous allons avoir du boulot pour remonter la pente, dit-il d'un air sombre. Mais le travail ne m'a jamais fait peur. On y arrivera.

A ce moment, le chat noir de Kwong se dressa sur ses pattes, s'étira et vint nonchalamment se coucher aux pieds de Matt.

21

La boule fusa sur la piste en suivant une trajectoire bien droite, mais nettement plus près du fossé que Leo Durbansky ne l'aurait voulu. Dix hommes en tout, cinq de l'équipe du commissariat du quatrième district et cinq du club de tir de Dorchester, retinrent collectivement leur souffle. La boule semblait mettre une éternité à atteindre le bout de l'allée.

– Va, ma grande, souffla Mack Peebles à côté de Leo. Vas-y, roule, roule.

La scène semblait tout droit sortie des meilleures séquences sportives de l'année qu'on voit à la télé le soir du réveillon. Leo flottait comme sur un nuage. La dernière boule du dernier match de la saison, avec à la clef le gain du championnat, lequel opposait les éternels perdants aux éternels gagnants. Et aux commandes de son équipe péniblement remontée des profondeurs du classement au cours des trois dernières reprises, Leo Durbansky venait de jouer son va-tout.

La boule en gaïac marron de marque Brunswick pénétra avec autorité dans le triangle, faisant exploser neuf quilles comme sous un tir d'obusier. Mais la dixième oscilla sur sa base comme un métronome, d'abord lentement puis de plus en plus vite, ne laissant aucun doute sur son intention de rester debout. Plusieurs coéquipiers de Leo grognèrent. L'un d'eux lui tapa amicalement sur l'épaule. C'est alors que, sortie de nulle part, une quille rebondit sur l'allée juste au bord de la fosse et se mit à tournoyer sur le côté avec une lenteur désespérante.

Les deux équipes se figèrent. La quille ressuscitée, comme mue par une force invisible, heurta la dixième avec un *clic* infinitésimal avant de s'immobiliser. Légèrement déséquilibrée au moment de l'impact, la dixième quille hésita encore un quart de seconde, puis s'abattit, vaincue.

Les cris et les acclamations dépassèrent tout ce que Leo avait entendu jusque-là. Durbansky était un flic bien tranquille qui, en vingt ans de carrière, ne s'était signalé par aucune action déshonorante, mais par aucune action d'éclat non plus. A présent, son nom et son exploit de ce soir allaient passer à la postérité. Mack Peebles promit de soumettre l'épisode à *Sport Illustrated* pour sa rubrique Au-dessus du lot. Joey Kerrigan parla d'appeler son cousin qui travaillait à la page sportive du *Herald*. Et même ceux de Dorchester lui payèrent une bière.

Il était 11 heures passées lorsque Leo décida de rentrer chez lui. Il avait déjà appelé Jo, sa femme, pour lui annoncer l'événement et lui dire de ne pas l'attendre. Mais qui sait ? peut-être l'avait-elle attendu quand même. La nuit était fraîche et sans lune. Sachant qu'il avait éclusé pas mal de bière, Leo conduisait encore plus prudemment que d'habitude. Et il n'aurait probablement jamais vu le mouvement dans la cage d'escalier du sous-sol à droite devant lui s'il avait roulé plus vite.

Leo appuya doucement sur la pédale de frein de sa Taurus et éteignit d'instinct ses phares. Un homme en poussait un autre qui trébuchait et se débattait vers le haut des marches. L'agresseur, un blond, avait une bonne demi-tête de plus que sa victime. Sa main droite saillait au fond de la poche de sa gabardine, dans une position telle que Leo ne doutait pas qu'elle tînt un revolver. Le flic coupa le moteur, ouvrit sa boîte à gants et sortit son arme de service.

Normalement, s'il avait été en patrouille, il aurait dû demander immédiatement des renforts par radio. Mais il n'avait pas de CB dans son véhicule personnel, et en pareil cas, c'était à lui et à lui seul de réagir en fonction des circonstances. En temps ordinaire, il aurait très probablement laissé tomber. Mais ce n'était pas une nuit comme les autres. Il vérifia le barillet de son arme et, tassé au volant, vit la silhouette la plus petite précipitée de force dans une Oldsmobile récente noire ou bleu marine, la tête rabattue vers le plancher et les genoux sur le siège. C'était une position dans laquelle la victime était pratiquement impuissante, facile à contrôler, et qui dénotait un comportement de professionnel de la part du blond. Leo s'humecta les lèvres.

Il apprit par cœur le numéro de l'Oldsmobile pendant qu'il la suivait le long de l'artère des quartiers sud, puis sur la voie express. Il avait la bouche sèche et les mains moites. Malgré lui et malgré la situation, il revivait sans cesse son triomphe au bowling de Beantown. La boule roulant vers sa cible résonnait dans son esprit comme un crescendo de timbales et sa collision avec les quilles comme l'explosion d'une mine.

Il passait le pont de la rivière Neponset, quand il aperçut un mouvement à travers la vitre arrière de la voiture qu'il avait prise en chasse et se demanda si le pauvre type ne venait pas de se faire buter. Il haussa les épaules à cette idée car si c'était ça, il n'y pouvait rigoureusement rien. Mais dans le cas contraire, cette nuit féerique promettait peut-être mieux qu'un trophée de bowling.

Leo était en train d'imaginer combien sa femme serait fière de sa citation à l'ordre du mérite quand l'Oldsmobile vira à droite et s'engagea dans une ruelle sombre et pratiquement inhabitée. Il ralentit et laissa un peu d'écart se creuser entre les deux voitures. Ça ne serait pas le premier cadavre largué dans cette zone, se dit-il. Mais cette fois, le destin en avait décidé autrement. Sans quitter sa proie des yeux, Leo sortit une paire de menottes de sa veste pliée sur la banquette arrière et la fourra dans sa poche.

Les feux de l'Oldsmobile étaient déjà éteints mais Leo voyait nettement sa grosse silhouette se profiler sur le fond rougeoyant de la métropole. Elle était garée devant la façade d'un immeuble incendié. Leo repéra deux ou trois façons de s'approcher sans être vu. Le plafonnier clignota quelques secondes tandis que le truand ouvrait la portière droite, tirait son prisonnier sur le pavé et l'obligeait à s'agenouiller.

C'est peut-être pas du tout un professionnel en fin de compte, se dit Leo. Jamais un vrai pro n'aurait laissé la lumière intérieure s'allumer. Il tendit le bras et éteignit la sienne. Puis il ouvrit doucement sa portière, se glissa à l'extérieur et se baissa aussitôt, un genou en terre. Il entendait les voix des deux hommes mais de trop loin pour comprendre ce qu'ils disaient.

Ignorant totalement à quel moment se commettrait le meurtre à présent prévisible, Leo devait se rapprocher au plus vite. Il avait l'estomac tout retourné et sentait un désagréable mélange de bière et de bile lui remonter à la gorge.

Fais gaffe, se dit-il. Garde ton sang-froid comme tu l'as fait tout à l'heure avant de lancer, et tu es sûr de coller cet empaffé contre le mur.

Il assura son flingue dans sa main, le doigt sur la détente et, d'une rapide foulée, se rapprocha jusqu'à trente mètres environ.

– N-n-non, s-s'il vous p-p-plaît. P-p-pas ça. Je-je ne f-fais de mal à p-p-personne.

– T'as une minute pour me dire à qui t'as parlé de ça. Ça fait soixante secondes. T'en as déjà plus que cinquante.

– N-non, je v-v-vous en p-p-prie.

La victime, qui trébuchait pratiquement sur chaque syllabe, gémissait et pleurait. Leo s'approcha encore jusqu'au coin d'une vieille palissade. Il était maintenant à moins de quinze mètres de la scène. Il pestait intérieurement de ne pas avoir une lampe torche à bord de sa Taurus. Telles que les choses se présentaient, il avait un net avantage. Avec le rayon en pleine poire, le type pouvait être menotté en moins de deux. Il avança encore de cinq pas, puis encore de cinq autres.

– C'est bon, tu l'auras voulu, dit le tueur.

– Bouge pas ! glapit Leo, le cœur battant. Pas un geste ou j' te...

Le blond tourna légèrement la tête. A cet instant, Leo comprit que l'autre ne renoncerait pas sans combattre. Il allait appuyer sur la détente lorsque l'homme plongea de côté, tournoyant dans l'air. Leo fit feu une fraction de seconde avant de voir une langue de feu jaillir dans la pénombre. Il entendit le claquement sec de l'arme du blond par-dessus son cri de douleur.

J' t'ai eu ! pensa Leo. J' t'ai eu !

Le tueur, qui était tombé lourdement, gueulait comme un putois et se contorsionnait par terre en prenant sa jambe à deux mains. Sa victime s'était éloignée à quatre pattes et s'enfuyait maintenant à la course. Ça doit être un pauvre cave sans envergure, celui-là, raisonna Leo tandis qu'il disparaissait dans l'obscurité. Le gros gibier qu'il voulait et qui allait lui valoir sa décoration était en train de gigoter sur le dos devant lui. Il doit être recherché, pensa-t-il. Peut-être même au fichier central.

– Bon, ça suffit, connard, on ne bouge plus. Police !

Leo avait sorti ça en braillant comme à l'exercice mais curieusement, il n'entendit pas sa voix. Soudain un vertige le saisit... il se sentit partir en même temps qu'une nausée l'envahissait... C'est alors seulement qu'il prit conscience de la sensation cuisante qu'il avait au cou, juste en dessous de l'oreille. De la main gauche, il tâta maladroitement l'endroit et un sang chaud et abondant lui poissa les doigts et la manche. La nausée et le vertige s'accentuèrent. Il tomba sur un genou. Puis, lentement, très lentement, il bascula sur le côté.

La dernière chose qu'entendit Leo Durbansky fut le grondement gigantesque d'un millier de Brunswick déboulant simultanément sur un millier d'allées avant de s'engouffrer au fond d'un millier de fosses dans une girandole de quilles.

22

29 AOÛT

Juste après midi, Sarah pénétra dans Boston Common, le principal jardin public de la ville, qu'elle traversa d'ouest en est pour se rendre à l'endroit où elle devait rencontrer Matt. Déjà chaude à l'aurore, la journée était maintenant étouffante. Des hommes d'affaires en chemisette à manches courtes, le nœud de cravate desserré, prenaient leur déjeuner à l'ombre des grands arbres, leur veste soigneusement pliée sur l'herbe à côté d'eux. Sur le vaste terrain où avaient lieu jadis les pendaisons publiques, des petits groupes de mamans en short et débardeur papotaient tranquillement tandis que leurs enfants s'égaillaient alentour.

Sarah aurait bien aimé pouvoir se détendre elle aussi et regrettait de ne pas avoir rendez-vous avec Matt pour un pique-nique (avec des sandwichs à la dinde sauce basilic, c'eût été le rêve), suivi d'une balade le long de Charles River Basin. Mais sans être aussi exigeante, n'importe quoi eût été préférable à ce qui les attendait tous les deux. A 13 heures, en effet, dans une salle du second étage du palais de justice, Matt et elle devaient affronter un tribunal saisi d'une plainte pour faute professionnelle à son encontre.

Matt lui avait expliqué la procédure en détail, n'omettant pas de préciser qu'elle n'était pas forcée d'être présente. Il avait souligné que les médecins poursuivis assistaient rarement à l'audience, surtout quand la décision risquait de leur être défavorable, comme c'était le cas aujourd'hui. Mais les consultations de Sarah à l'hôpital lui laissaient une certaine liberté et d'autre part, elle éprouvait un besoin presque morbide de vivre jusqu'au bout sa bataille judiciaire, si bien qu'elle avait insisté pour venir.

Le système en vigueur, d'abord expérimenté dans l'Indiana avant d'être adopté dans le Massachusetts, s'efforçait de supprimer les litiges fantaisistes mettant aux prises les citoyens et le corps médical. L'objectif poursuivi était de diminuer les primes d'assurance astronomiques qui poussaient de nombreux médecins à cesser d'exercer. Ces primes et surtaxes rétroactives, qui s'élevaient à cent mille dollars par an, pas moins, pour certains spécialistes, comptaient pour beaucoup dans la hausse vertigineuse des dépenses de santé. Et cette protection exorbitante étant obligatoire dans l'État pour avoir le droit d'exercer, les médecins souhaitant continuer à soigner les gens dans le Massachusetts n'avaient d'autre choix que d'accroître leur clientèle et de prescrire toujours davantage d'analyses en labo pour se couvrir à l'avance.

Le tribunal, composé d'un juge, d'un avocat et d'un médecin de la même spécialité que celui contre lequel la plainte était déposée, ne se réunissait pas pour établir la culpabilité ou l'innocence, avait expliqué Matt. La seule question à laquelle il devait répondre était celle-ci : en admettant que les allégations de Lisa Grayson soient vraies, y avait-il eu ou non faute professionnelle ? Autrement dit, le litige était-il bien fondé et la plainte recevable ?

– Les tribunaux se prononcent beaucoup plus souvent en faveur du plaignant qu'en sa défaveur, avait indiqué Matt. Mais même s'il perd en première instance, le plaignant peut poursuivre le véritable procès en déposant une caution qui dans le Massachusetts se monte à six mille dollars, pour couvrir les frais de justice et les honoraires d'avocat de la partie adverse. A ce moment-là, le juge peut encore refuser la caution s'il estime que le plaignant n'aura pas les moyens de l'honorer. Notez qu'avec les Grayson, cela ne risque pas d'arriver.

Une balle de base-ball tout éraflée et verdie par l'herbe jaillit de la pelouse et, roulant sur le trottoir, vint s'arrêter juste aux pieds de

Sarah. Elle la ramassa et la lança d'une main énergique à l'adolescent qui courait après. Celui-ci, de type hispano, la bloqua sans peine de sa main gantée et lui sourit timidement sous sa casquette aux couleurs des Red Sox.

– Pas mal, comme lancer, pour une fille, hein Ricky? cria une voix qu'elle reconnut aussitôt.

Il lui fit un signe du bras de l'autre bout de la pelouse, puis salua ses jeunes partenaires avant de s'élancer vers elle au pas de course. Il portait des baskets, un T-shirt Greenpeace et le pantalon de son costume de ville. Tout en parlant, il faisait des gestes avec son gant comme si celui-ci prolongeait naturellement son bras.

– Merci pour ton arrêt, Ricky, dit-il en passant devant le garçon. Ton lancer franc s'améliore nettement. Salut, les gars! Peut-être à demain.

– Il est gentil, dit Sarah.

– C'est un criminel, répondit Matt. Non, j'exagère... mais pas tant que ça. Ces gamins forment un gang, Los Muchachos. Il y a quelques années, j'ai été commis d'office pour défendre deux des leurs. Rien de bien grave, heureusement. Toujours est-il que je leur ai montré mes coupures de presse, seulement les bonnes, bien entendu, et qu'on est devenus copains. Toute la bande joue au base-ball, maintenant, et quelques-uns s'occupent même de leurs cadets. Ricky, que vous venez de voir, a constitué une équipe dans son lycée. Il a du talent.

– C'est grâce à vous.

– Sûrement pas. C'est grâce à eux. Je me suis contenté de leur dire que c'était tout aussi cool de taper sur une balle que sur la tête des gens. La semaine prochaine prend fin la mise à l'épreuve de Ricky. J'ai quelques entrées gratuites pour un match entre les Sox et Baltimore. Au départ, je les gardais pour mon fils Harry et moi. Mais il doit rentrer chez lui pour je ne sais quelle excursion avec des camarades de classe. Alors j'emmènerai Ricky à la place. C'était censé être une surprise, mais je le lui ai déjà dit. Je ne suis pas très doué pour les surprises.

– Il habite où, votre fils? demanda Sarah.

– En Californie, fit Matt avec une mine peinée.

Le ton de sa voix la dissuada de poser d'autres questions sur le sujet. Après quelques instants d'un silence douloureux, il esquissa un pâle sourire et montra de la tête l'extrémité de Boston Common.

– Mon bureau est par là-bas, dit-il.

Sarah fut soulagée de se détourner de son visage pour marcher.

Les vêtements de ville de Matt se trouvaient dans son bureau, lequel occupait le cinquième étage d'un immeuble en grès réhabilité. Elle trouva l'appartement, un trois pièces, beaucoup moins lugubre et désordonné qu'il ne l'avait décrit, et s'en étonna.

– Tout est relatif, dit-il. Malheureusement, dans ce métier où les avocats pullulent presque autant que les morues dans la baie, l'image et le standing comptent énormément. Un jour, rien que pour vous faire bisquer, je vous emmènerai voir les bureaux de Mallon.

– Non, merci, dit Sarah.

Il la présenta à sa secrétaire, une charmante dame nommée Ruth, qui avait quelque chose de maternel. Avant même qu'elle eût prononcé un mot, Sarah devina qu'elle brûlait d'envie d'engager la conversation.

– M. Daniels est un homme merveilleux, commença Ruth, quelques instants après que Matt fut parti se changer dans son cabinet.

– Je n'en doute pas. Ça se voit, d'ailleurs.

– Et un remarquable avocat aussi. Et puis un bon père. Il dit que vous êtes la cliente la plus importante qu'il ait eue. D'habitude, il travaille dur, mais je ne l'ai jamais vu passer autant de temps sur une affaire que sur la vôtre.

– Voilà qui est rassurant.

Sarah sourit, un peu gênée, et farfouilla sur la table à café à la recherche d'un magazine. Elle se décida pour un mensuel consumériste écorné et vieux de trois mois, s'assit et fit mine de se plonger dedans. Mais le message qu'elle comptait ainsi transmettre ne fut pas compris de Ruth qui reprit son bavardage de plus belle.

– Il est encore ici quand je m'en vais le soir et il y est déjà quand j'arrive le matin. La personne qu'il voyait avant ne voulait pas comprendre à quel point c'est important pour lui de se constituer une clientèle, surtout après ce qui s'est passé avec Harry et tout. Je crois que c'est pour ça qu'elle a rompu, parce qu'il ne s'occupait pas assez d'elle. Moi, elle ne me plaisait pas trop, n'importe comment. Trop snobinarde, si vous voyez ce que je veux dire. M. Daniels peut trouver mieux.

Subitement, Sarah se trouva partagée entre l'envie de dire à cette femme d'arrêter de déballer la vie privée de son patron, et celle de la cuisiner pour qu'elle lui raconte absolument tout ce qu'elle savait sur lui. Elle opta pour une situation intermédiaire.

– Qu'est-ce qui s'est passé avec Harry ? demanda-t-elle, repensant à l'expression affligée de Matt et envisageant le pire.

– Oh ! ce n'est pas Harry. C'est son ex. Il y a quelques années, elle a kidnappé l'enfant, on ne peut pas appeler ça autrement, et s'est enfuie avec lui en Californie. Los Angeles, carrément. M. Daniels l'a attaquée, ou plutôt il s'est défendu en justice, sans succès malheureusement, alors que tout le monde savait qu'elle buvait et qu'il était beaucoup plus apte qu'elle à élever le gamin.

– C'est très triste.

– Comme vous dites. Et il est trop soucieux du bonheur d'Harry pour rien refuser à cette femme. École privée, stage nature en été, toujours plus d'argent pour les fringues, sans parler du prix de l'aller-retour LA-Boston, quand d'aventure elle le permet. Je rédige beaucoup de chèques, par conséquent je sais ce que lui coûtent ces voyages. Je crois que c'est pour ça que votre affaire compte tellement pour lui. S'il gagne, votre compagnie d'assurances lui confiera certainement d'autres cas. Je... je ne vous embête pas trop ? M. Daniels n'arrête pas de rouspéter parce que je parle trop aux clients. Mais la vérité, c'est que s'il en avait davantage, des clients, je passerais moins de temps à bavarder, vous voyez ce que je veux dire ?

Sarah se demanda combien de temps elle aurait mis pour en savoir aussi long sur son laconique avocat que ce qu'elle venait d'apprendre en quelques minutes de la bouche de sa secrétaire. A ce moment, le vieil interphone sur le bureau de Ruth se mit à grésiller.

– Pardonnez-moi de vous faire attendre, Sarah, dit la voix de Matt. J'ai appelé un client pour une broutille et il m'a tenu le crachoir pendant une éternité. Je n'en ai plus pour longtemps. Ruth, quoi que vous fassiez, interrompez-vous et tâchez de divertir madame. Qu'elle ne croie pas que nous sommes un de ces cabinets vieux jeu où l'on traite les clients comme au confessionnal.

Le palais de justice, un vieil édifice en pierre de taille, était à cinq minutes à pied du bureau de Matt.

– Il ne faut surtout pas que vous escomptiez un coup de théâtre ou un revirement spectaculaire, dit-il tandis qu'ils attendaient au feu rouge pour traverser Washington Street. Aujourd'hui, Mallon va nous enfoncer froidement, méthodiquement, sans mettre de gants. Tout lui sera bon, déclarations sous serment, lettres d'experts, j'en passe et des meilleures. Un tir de barrage implacable, quoi. Quand il aura fini, nous allons divertir le tribunal avec des arguments qui reviennent grosso modo à dire que la mère de Mallon se déguise en camionneur la nuit pour pénétrer dans des clubs de tantes. C'est notre baptême du feu, en quelque sorte, sauf que l'adversaire a des flingues et pas nous. Autrement dit, ça ne va pas être une partie de plaisir. Mais rappelez-vous que c'est juste une escarmouche.

– Ça promet...

– Ne vous en faites pas. Nous avons nos chances. Ne vous laissez surtout pas ébranler par ce que vous allez entendre. Souvenez-vous d'une chose, c'est que c'est l'ennemi que vous avez en face de vous, comme vous le disait Eli l'autre fois dans la boutique de Kwong. Je l'ai vu hier, à propos.

– Tian-Wen ?

– Oui. Je suis retourné là-bas plusieurs fois. J'ai renoncé à le prendre comme client à cause de conflits d'intérêt évidents avec votre affaire, mais je lui ai dégoté Angela Cord, qui est une excellente avocate. Je l'aime bien, ce vieux bougre. Au fait, il se plaint que vous ne soyez pas allée le voir une seule fois depuis qu'il est sorti de l'hôpital.

– Avec tout ce qui m'est arrivé, je... je n'ai pas voulu y aller. Il est charmant, je suis navrée qu'il ait eu cette attaque et qu'on l'ait inculpé pour détention d'opium, mais en fait, je suis assez mécontente de lui. C'était bel et bien son opium. Il ne le nie pas.

– D'accord, mais vous disiez vous-même que pour un Chinois, le fait de fumer de l'opium est plus culturel que criminel. Par ailleurs, il continue à nier avoir jamais détenu de l'opium dans sa boutique. Et il maintient aussi que même s'il avait pris cinquante fois sa dose habituelle, il n'aurait jamais confondu cette herbe noni avec de la camomille.

– N'empêche que c'est ce qui s'est passé. Le fait de nier sa responsabilité n'altère pas la réalité des faits. J'ai fumé de l'opium, Matt, j'en ai fumé plusieurs fois quand j'étais en Thaïlande et je sais quel effet ça peut avoir. Il est très possible que par négligence, en raison de son âge, de l'opium ou d'un mélange des trois, Tian-Wen ait fait cette confusion. Et à cause de lui, à cause de la préparation fautive de mon traitement, des gens sont morts.

– Je regrette, je n'y crois pas.

– Je l'espère bien. Vous êtes mon avocat. Mais tant que vous n'aurez pas démontré qu'il a été victime d'un coup monté, ce qui suppose que vous trouviez qui a monté ce coup et pourquoi, je le considère responsable de la mort tragique de ces femmes, et je me considère, moi, coresponsable pour avoir eu recours à lui.

Ils firent le tour du terre-plein de béton et de granit situé en face de l'entrée du palais. Devant eux, un petit groupe d'une vingtaine de manifestants trépignait sur place, empêché d'accéder à l'escalier central par un unique policier. Un peu plus loin, une équipe de télé de *Channel 7* était en train d'interviewer un des manifestants, un homme barbu et émacié qui portait une longue robe rouge à capuchon.

– Je n'aime pas trop ce genre de chose, fit Matt, s'arrêtant à distance pour évaluer la situation.

– Qu'est-ce que c'est que ce cinéma ?

– Sauf erreur, je crains que ce ne soit pour vous. Vous avez lu le *Herald* ce matin ?

Sarah secoua la tête.

– J'ai pris mon poste à l'hôpital à 7 heures. C'est tout juste si j'ai eu le temps d'avaler une tasse de café. Ne me dites pas qu'on parle encore de moi.

– De vous et de votre hôpital. Il y a un article en page 4 à propos d'une subvention que vient de recevoir le CHU pour construire un gigantesque centre ultramoderne destiné à étudier scientifiquement certains secteurs de la médecine douce. Est-ce qu'il y a un pavillon Charlton ?

– Chilton, corrigea Sarah. Il est aujourd'hui abandonné et muré. D'ici quelques mois, ils vont le démolir pour commencer les travaux du nouveau centre. Mais c'est loin d'être un scoop. Tout le monde le sait à l'hôpital depuis des semaines.

– Eh bien, c'est nouveau pour le *Herald*. Et juste en face de ce papier, en page 5, il y a une brève annonçant que vous passez en première instance pour faute professionnelle cet après-midi. Et naturellement, Axel Devlin en parle aussi. *Le commencement de la fin pour le Dr Ciguë*, je crois qu'il écrit quelque chose comme ça. Il y a eu plusieurs appels au bureau de gens qui voulaient des détails. Je n'ai répondu à personne, mais Ruth m'a dit qu'elle avait l'impression que quelqu'un organisait une manifestation de soutien pour vous. Je pense qu'il doit s'agir de ça.

– Oh ! non, gémit-elle.

– On ne peut pas accéder au tribunal incognito, à moins d'avoir pris des dispositions à l'avance. J'ai peur qu'il ne faille se résigner à un petit bain de foule. Alors permettez-moi de vous donner mon conseil en tant qu'avocat. Ne dites pas un mot dans les minutes qui vont suivre, à part *merci* et *pas de commentaire*. Compris ?

– Pas de commentaire... Merci... fit Sarah d'une petite voix.

Le petit groupe de sympathisants était essentiellement constitué d'adeptes de la médecine parallèle. Sarah en reconnut quelques-uns, notamment un kinésithérapeute très doué et un acupuncteur, jadis enseignant à Pékin. Il y avait également trois femmes qui avaient pris son supplément phyto et eu un accouchement parfaitement normal. Deux d'entre elles portaient leur enfant dans un sac à dos.

A l'approche de Sarah et de Matt, le groupe s'écarta et applaudit.

– Tenez bon ! cria quelqu'un.

– Bonne chance, docteur, dit une femme. Nous sommes avec vous.

Elle portait une pancarte sur laquelle on lisait :

VIVE LA MÉDECINE DOUCE

Le personnage drapé dans sa robe rouge interrompit son dialogue avec le journaliste de la télé et se précipita en tendant une main osseuse.

– Docteur Misha Korkopovitch, bioénergie et chamanisme, dit-il. Nous sommes à fond de votre côté, docteur Baldwin. Vous nous avez rassemblés comme personne n'avait réussi à le faire avant.

– M-merci, bredouilla Sarah, tandis que Matt s'empressait de gravir les marches. Matt, tout ça ne me dit rien qui vaille. Certaines de ces personnes sont d'authentiques thérapeutes pour qui j'ai la plus grande estime. D'autres, comme ce Misha, sont probablement des dingues.

Matt se retourna avant d'entrer dans le bâtiment.

– Pas tellement différent d'un groupe de vrais toubibs, si je comprends bien.

– ... Alors, quels sont donc les documents dont nous disposons pour étayer notre dépôt de plainte ?...

Jeremy Mallon consulta brièvement ses notes, puis se mit à faire lentement les cent pas devant le tribunal. Sur le banc des plaignants, deux autres avocats, l'un à peu près de son âge, l'autre nettement plus vieux, l'observaient attentivement.

– Les avocats de Grayson, souffla Matt à l'oreille de Sarah.

Il fit un signe de tête en direction du public, fort clairsemé au début mais dont quelques-uns des manifestants venaient de grossir les rangs. Willis Grayson et son entourage composé de quatre personnes firent leur entrée et se faufilèrent entre deux travées. Avant que Sarah ait pu détourner la tête, le regard glacial du milliardaire rencontra le sien. La colère et la puissance qu'il reflétait la firent frémir. Elle reporta son attention sur Mallon en se demandant ce que devenait Lisa, si elle se rétablissait et si on lui avait donné la possibilité de venir aujourd'hui.

La doctoresse qui siégeait, une obstétricienne de Harvard du nom de Rita Dunleavy, et l'avocat qui l'assistait, un homme chauve et renfrogné nommé Keefe, encadraient le juge Judah Land, lequel, au dire de Matt, était un implacable vétéran totalisant plus de vingt-cinq ans de magistrature.

Dans ses observations préliminaires, Mallon avait utilisé les mots : dangereux, hasardeux, irresponsable, négligent, arrogant, hors norme, défectueux et fatal. Sarah, prétendait-il, avait prescrit un cocktail de substances nocives à des patientes particulièrement sensibles et vulnérables puisqu'elles s'apprêtaient à mettre un enfant au monde.

– Compte tenu de l'absence de contrôle sur les médicaments à base de plantes médicinales, poursuivit Mallon, il existe une infinité d'étapes entre le sol de l'Asie du Sud-Est et la circulation sanguine d'une femme de Boston, au cours desquelles quelque chose a pu se dégrader. Les documents que nous souhaitons soumettre aujourd'hui à votre appréciation sont des lettres émanant, d'une part d'un obstétricien, le Dr Raymond Gorfinkle, et d'autre part d'un spécialiste en phytothérapie qui n'est pas docteur en médecine, M. Harold Ling. Les remarques de ces deux experts établissent clairement que le Dr Baldwin a agi en dehors des normes de la médecine officielle en prescrivant un supplément à base de plantes médicinales à la place des vitamines prénatales, et en dehors des normes de la médecine dite douce dans la façon dont elle a fait préparer son mélange et se l'est fait délivrer. La lettre de M. Ling met notamment en cause les compétences de l'herboriste qui s'est procuré les plantes prescrites par le Dr Baldwin et les a dosées et mélangées pour préparer la tisane en question.

Mallon se lança ensuite dans la lecture à haute voix des deux lettres accusatrices. Gorfinkle, obstétricien exerçant à Roxbury, dans la banlieue sud de la ville, soulignait qu'en trente ans et quelques de pratique, il avait vu ses patientes recourir à toutes sortes de rites et d'usages singuliers. Certains étaient à son avis malsains, d'autres inoffensifs. Mais il n'avait jamais vu d'acte médical radicalement déviant se commettre *à l'instigation d'un médecin.* Selon lui, à Boston, Massachusetts, dans la dernière décennie du XXe siècle, le fait de substituer des plantes médicinales, quelles qu'elles fussent, à des vitamines dûment contrôlées par la Direction du médicament, constituait un acte médical déviant et contraire à l'éthique.

L'opinion de Ling, herboriste dans le quartier chinois de New York, n'était pas moins sévère. Les infusions de plantes médicinales avaient certes un certain pouvoir guérisseur, écrivait-il, mais seulement en petite quantité et à condition d'être délivrées par un pharmacien herboriste reconnu et compétent. D'après lui, Kwong Tian-Wen, usager connu d'opium, n'était ni l'un ni l'autre. En outre, il estimait que l'herbe noni contenue dans le bocal que Kwong croyait remplie de camomille, pouvait avoir provoqué des problèmes de coagulation sanguine.

– Ling est un des plus vieux amis de Peter, chuchota Sarah. Et Gorfinkle s'est fait soudoyer, comme d'habitude. Il gagne des fortunes en témoignant contre ses confrères.

– Ça ne m'étonne pas, dit Matt. Je suis sûr que mon ex-femme adorerait me faire ce que Ettinger est en train de vous faire.

– Monsieur Daniels, dit le juge Land, d'un ton si las qu'il semblait insinuer que Matt pouvait aussi bien rester coi, vous avez cinq minutes pour présenter vos arguments. Je vous rappelle que vous ne pouvez pas faire état de lettres d'expert ni de témoignages écrits à ce stade.

– Oui, je sais, Votre Honneur, merci... Sarah, écoutez, lui murmura-t-il en classant ses papiers. Pour l'instant, je ne veux rien dire qui permette à Mallon de savoir à l'avance quelle partie de son plaidoyer nous avons l'intention de contester. Au point où nous en sommes, je ne vois pas comment nous pourrions remporter cette première manche. Nous risquons d'aggraver notre cas.

– Je comprends, dit Sarah, mais elle était loin d'en être sûre.

– Votre Honneur, docteur Dunleavy, monsieur Keefe, commença Matt, évitant de recourir au procédé déambulatoire de son adversaire et ne se permettant qu'un soupçon d'accent, ce que nous attendons aujourd'hui est la démonstration du bien-fondé de la plainte déposée par mon confrère M. Mallon. Je crains malheureusement que ce que nous avons entendu ne soit qu'un écran de fumée. Quels sont les éléments qui font défaut ? Quel vide M. Mallon essaye-t-il de dissimuler derrière toute cette fumée ? Je présume que vous l'avez compris comme moi. Il essaye de dissimuler le fait qu'il n'a rien, rigoureusement rien dans son dossier, pas le moindre commencement de preuve permettant d'établir un lien quelconque entre un acte thérapeutique qu'aurait commis ou n'aurait pas commis le Dr Sarah Baldwin et la coagulopathie dont a été victime Lisa Grayson. Franchement, avec une argumentation aussi fragile, je m'étonne que M. Mallon ait le front de venir soumettre ce litige à votre tribunal. Nous avons entendu le point de vue de M. Gorfinkle concernant sa conception de l'éthique médicale. Nous avons entendu M. Ling dire de telle herbe qu'elle *pouvait* avoir telle action sur la circulation sanguine. Ce ne sont là qu'opinions personnelles et spéculations sans fondement. Il n'y a rien de scientifique là-dedans et nous attendons toujours d'un expert assermenté qu'il vienne nous prouver que le médecin dévoué et scrupuleux qu'est le Dr Baldwin a mal agi et surtout qu'à cause, je dis bien à cause de son action thérapeutique, un enfant est mort-né et une mère a subi un dommage corporel grave. A défaut d'un tel témoignage, je considère que le bien-fondé de la plainte de M. Mallon n'est pas établi. Dans ces conditions, je demande l'annulation des charges pressenties contre ma cliente.

– Bravo, lui souffla Sarah après qu'il se fut rassis. Bravo.

– Zéro, ça ne vaut pas tripette, répondit-il en se penchant vers elle.

– Hein ?

– C'est moi qui projette un écran de fumée. Et si vous regardez les têtes des trois membres du jury, vous verrez qu'ils ne se leurrent pas. Mallon a fait plus qu'il n'en fallait pour gagner.

Le juge remercia les deux parties, promit de se prononcer dans l'heure, et leva l'audience.

Matt ne dit pas un mot en sortant du tribunal et en reprenant le chemin de son cabinet.

– Eh bien ? dit Sarah finalement.

– Eh bien, quoi ?

– Eh bien, qu'est-ce que vous en pensez ?

– Qu'est-ce que je pense de quoi ?

Il avait l'air absent et perplexe.

– Mais de ce qui vient de se passer, pardi !

– Je pense que nous avons perdu.

– Bon, et alors ? Vous disiez déjà ça avant.

– Ça ne me console pas pour autant. Nous avons été rudement matraqués là-dedans. Et Mallon n'a pas eu le moindre effort à fournir pour arriver à ses fins. (Il s'assit pesamment sur un banc public.) Sarah, écoutez-moi, reprit-il. Les cadavres de bébé et les jeunes mères estropiées ne font pas bon effet sur les jurés. Ça peut même les rendre très agressifs. Je ne sais pas si Mallon réussira à établir un lien solide entre les plantes de M. Kwong et l'hémorragie de Lisa Grayson, ni même si un juge lui permettra d'invoquer les autres cas de CID. Mais à vue de nez, avec l'inculpation de Kwong pour toxicomanie et le témoignage de la pauvre Lisa, fragile, jolie comme un cœur et manchote, il est capable de faire vibrer la corde sensible des juges suffisamment pour qu'on nous impute l'ensemble des torts, tout en se dispensant de preuve, ou plus exactement en faisant de vous sa preuve absolue. Or, c'est une situation dans laquelle la défense n'a jamais envie de se trouver.

Il y avait dans ses yeux, dans le tremblement de son menton, un désarroi et une nervosité que Sarah ne lui connaissait pas.

– Il vaudrait peut-être mieux que vous alliez au bout de votre pensée, dit-elle.

Il releva les yeux, surpris qu'elle l'eût si vite percé à jour.

– Eh bien, le fond de ma pensée, c'est qu'il y a une option dont nous n'avons jamais discuté mais qu'à mon avis, nous devrions sérieusement prendre en considération.

– A savoir ?

Black Cat Daniels mordilla sa lèvre inférieure et écrasa un mégot du bout de sa chaussure.

– A savoir de laisser tomber, dit-il.

23

Trois familles vivaient dans le vieil immeuble à toiture en bardeau situé au fond d'une impasse dans un quartier déshérité de Dorchester. Les gouttières fuyaient, le revêtement de façade criait misère et la cage d'escalier avait sérieusement besoin d'un coup de peinture. Traînant un lourd attaché-case, Rosa Suarez pénétra dans la courette et commença péniblement à gravir les marches. La constitution de sa banque de données était bien avancée, mais elle n'en avait encore rien tiré qui fût susceptible d'expliquer les trois cas de CID survenus au centre hospitalier universitaire de Boston.

A sa demande, le centre épidémiologique d'Atlanta avait envoyé une circulaire à des centaines d'hôpitaux pour s'enquérir de l'existence d'autres cas similaires. Mais ceux qu'on lui avait signalés jusqu'à maintenant avaient tous une explication logique, qu'il s'agisse de décollement prématuré du placenta, de toxémie ou de surinfection.

A présent, dans l'espoir de débusquer quelque fait qui lui aurait échappé, Rosa revenait sur ses pas. Elle comptait d'abord interroger les familles des deux victimes décédées, et plus tard dans la semaine, Lisa Grayson. Parallèlement, elle s'astreindrait à vérifier et revérifier l'énorme quantité de cultures biologiques qu'elle avait entreprises.

Bien que son supérieur hiérarchique ne lui eût pratiquement rien dit de vive voix, les premiers signes d'impatience du centre avaient commencé à se manifester par une brève note de service. Le Dr Wayne Werner, épidémiologiste en chef, aurait achevé ses travaux actuels et se trouverait donc disponible pour une nouvelle mission éventuelle d'ici trois ou quatre semaines, y apprenait-on. Toute personne du département sollicitant son assistance dans une enquête en cours devait soumettre une demande par écrit dans les quinze jours. Rosa savait très bien que cette note était au mieux un appel du pied pour qu'elle fournisse un premier résultat sous forme d'hypothèse plausible, au pire une menace impliquant son remplacement prochain.

Le nom grossièrement écrit au-dessus de la boîte aux lettres du premier étage était BARAHONA. Fredy Barahona, manœuvre de son état, passait toutes ses journées à la maison, souffrant du dos à la suite d'un accident de travail pour lequel il percevait une pension d'invalidité. Sa femme, Maria, travaillait la nuit dans une usine fabriquant des chaussures de sport. D'un premier mariage, elle avait eu une fille, une seule, Constanza Hidalgo.

Rosa subissait le contrecoup de près de sept semaines d'investigation. Elle avait perdu du poids, s'était disputée avec son mari pour la première fois depuis des années et avait contracté un tic nerveux au coin d'un œil. Mais elle était suffisamment alarmée et déterminée pour aller jusqu'au bout. Elle voulait absolument partir sur un succès. Et chose plus importante encore, elle voulait éviter une catastrophe, selon elle imminente.

Quelqu'un avait délibérément caviardé les dossiers médicaux d'au moins deux des cas de CID sur lesquels elle enquêtait. Sarah Baldwin était suivie et avait été mystérieusement accostée une fois. Et la procédure méticuleuse qui avait si souvent réussi à Rosa au long de sa carrière ne donnait aucun résultat. Elle avait l'impression de tourner sur la pointe des pieds autour d'une bombe à retardement sans trop savoir comment la désamorcer. Au point où elle en était, la seule chose dont elle fût à peu près sûre, c'est qu'il y aurait d'autres décès de femmes enceintes et d'autres bébés mort-nés, si on ne trouvait pas rapidement les réponses aux questions qui se posaient.

Maria Barahona était une femme empâtée, usée par le labeur, mais elle avait certainement dû être jolie. Elle s'efforçait de faire bonne figure, mais le chagrin causé par la perte de sa fille unique avait laissé des cernes indélébiles autour de ses yeux. Une fois, au cours de son premier entretien avec Rosa, elle avait fondu en larmes, mais s'était vite ressaisie et avait continué à répondre aux questions après s'être excusée. A présent, son mari somnolant à l'autre bout de la salle à manger sur une chaise longue dépenaillée, elle venait de servir le thé à Rosa et lui reparlait une fois de plus de Connie. Bien que son anglais fût très correct, elle semblait soulagée de pouvoir s'exprimer en espagnol.

– Il y avait de la drogue dans la voiture, vous savez, dit-elle. Ils nous ont dit qu'on lui avait trouvé des traces de marijuana dans le sang, mais je n'y crois pas. C'était une bonne fille et une fille heureuse. Et tellement jolie, aussi. Son seul tort, c'est d'être tombée amoureuse de ce salopard de Billy Molinaro, excusez mon vocabulaire, madame Suarez.

– Vous n'avez pas besoin de vous excuser, madame Barahona.

– Elle était si jolie... Vous l'auriez vue, madame Suarez... Quand elle passait dans la rue, les ouvriers restaient la truelle ou le pinceau en l'air pour la regarder. Nous avions déjà choisi le nom de son garçon, Guillermo. Les gens l'auraient appelé Billy, mais Connie tenait beaucoup à la version espagnole.

Maria Barahona commençait à radoter et, comme lors de son premier entretien, elle était à nouveau au bord des larmes. Rosa prit les devants, espérant la distraire par ses questions.

– Madame Barahona, il y a entre trois et cinq ans, votre fille s'est fait soigner au centre hospitalier de Boston. Sauriez-vous pourquoi, par hasard ?

La souffrance qui ravageait les traits de la pauvre femme sembla se dissiper un peu tandis qu'elle se concentrait sur la question.

– Je... je ne me souviens plus. Elle avait des maux de tête et d'estomac, surtout quand elle avait ses... heu... quand elle était indisposée. Mais en général, ça allait mieux dès qu'elle prenait des médicaments. Elle avait toujours eu la plus grande confiance dans les médecins du centre hospitalier. S'ils lui avaient dit : prenez ce comprimé à 4 h 03, ma Constanza serait restée assise à regarder sa montre jusqu'à ce qu'il soit exactement 4 h 03.

Encore une impasse. Rosa regarda fixement par terre, essayant d'imaginer la terreur croissante de Connie Hidalgo durant les dernières heures cauchemardesques de sa vie. L'épidémiologiste se creusait la cervelle. Avait-elle tout essayé, ou bien restait-il encore des zones d'ombre ?

– Madame Barahona, Maria, je sais que Connie vivait avec Billy Molinaro. Quand est-ce qu'elle est partie définitivement de chez vous ?

– Ils avaient prévu de se marier, dit Maria, visiblement gênée. Et elle venait encore souvent coucher ici. Très souvent.

– Pardonnez-moi, Maria, il n'y avait aucun sous-entendu derrière ma question. Je me demandais juste s'il restait des affaires à elle dans sa chambre, c'est tout. Et si c'est le cas, avec votre permission, j'aimerais aller y jeter un coup d'œil.

– Bah ! si vous pensez que ça peut vous aider, allez-y, regardez, fouillez. C'est la chambre du fond à droite. Je n'ai touché à rien. Par contre, je ne vous accompagnerai pas, si ça ne vous fait rien, parce que j'ai mon dîner à préparer. Je travaille la nuit, voyez-vous.

– Je sais, fit Rosa en regardant Fredy Barahona qui avait une barbe de trois jours et n'avait pas bougé le petit doigt depuis son arrivée.

Elle se demanda s'il avait jamais préparé un seul repas de sa vie et se trouva bien chanceuse d'être mariée depuis quarante ans à Alberto Suarez.

– Merci, Maria. Je vais me débrouiller.

La chambre de Connie Hidalgo révélait une femme n'ayant jamais vraiment cessé d'être une petite fille. Le bureau et le lit, peut-être peints par Connie elle-même, étaient blancs avec des lisérés roses, les housses des oreillers garnies de fanfreluches. Il y avait des animaux en peluche absolument partout, une centaine en tout, peut-être plus, des zèbres, des éléphants, des ours, des orangs-outans, des chatons et naturellement toutes sortes de chiens. Les murs étaient couverts de posters représentant des îles lointaines et des villes illuminées au néon. Rosa déglutit péniblement, suffoquée par une bouffée de poignante tristesse. En dépit des traces de marijuana retrouvées dans son sang, elle sentait que Connie serait devenue une mère aimante et attentive.

Rosa prit une photo encadrée sur le bureau et tira les rideaux pour mieux la voir. L'air encore plus aguichant que sur la photo de presse jointe à son dossier, Connie posait main dans la main à côté d'un jeune homme basané, endimanché et souriant avec assurance qui, Rosa en fut tout de suite convaincue, ne pouvait être que Billy Molinaro. C'était une photo d'amateur, prise à bord d'un bateau, sans doute quelque vedette destinée à promener les touristes. Derrière, se dessinaient les silhouettes des gratte-ciel de Manhattan. Connie, élancée, exhibant sa magnifique poitrine et superbement bronzée, était absolument ravissante.

Sans trop savoir ce qu'elle cherchait, Rosa ouvrit les tiroirs du bureau, avant de parcourir une maigre rangée de livres, des romans à l'eau de rose pour la plupart, ainsi que quelques ouvrages de bibliothèque non rendus. Parmi eux se trouvait un album de photos-souvenirs de l'école Sainte-Cécile. Il était assez insignifiant et faisait pâle figure à côté des luxueux albums en couleurs des écoles fréquentées par les filles de Rosa.

Elle feuilleta les pages composées de photos noir et blanc, cherchant celles où figurait Connie. A première vue, il n'y en avait aucune et d'autre part, les rares dédicaces de ses camarades ne débordaient pas de passion. *Mes amitiés à une nana super-sympa... On ne se connaissait pas beaucoup, mais j'espère que tu auras une belle vie... Bonne chance, de la part de ta copine de latin...* Rosa examina de nouveau la fille radieuse et sensuelle campée sur le pont d'un bateau-mouche en compagnie du fringant jeune homme qu'elle comptait épouser. Les dédicaces de ses condisciples ne cadraient pas du tout avec cette jeune beauté.

Après les photos de groupe, il y avait des portraits individuels, de petit format, tous en noir et blanc, à raison de dix par page, alors que l'album de ses filles en comptait quatre par page, grand format et en couleurs. A côté de chaque cliché on lisait, imprimé en caractères minuscules, le résumé des activités de chaque élève au cours de son année à l'école Sainte-Cécile. Constanza Hidalgo avait été serveuse à la cafétéria, et membre du club gastronomique. Rien d'autre. Ni musique, ni théâtre, ni sport. Rosa scruta le portrait de Constanza. Même en tenant compte du fait que la photo n'était pas très nette, elle doutait qu'elle l'eût reconnue si son nom n'avait pas été marqué dessous.

Elle reprit la photo encadrée et compara les deux. La jeune écolière de l'album-souvenir était certes la même que celle qui posait avec Billy Molinaro, pourtant, elle était... méconnaissable. La bouche était la même, et les yeux aussi, bien qu'ils n'eussent pas du tout le même éclat que sur la photo la plus récente. Mais dans l'album, le visage était beaucoup plus poupin, et beaucoup moins attrayant. C'était comme si toutes les rondeurs disgracieuses avaient fondu.

Rosa posa l'album sur le lit et poursuivit son inspection de la chambre. Il n'y avait rien d'autre d'intéressant, ni sur les rayonnages ni par terre. Elle ouvrit la petite penderie. Outre deux robes de maternité, elle découvrit plusieurs ensembles extrêmement habillés, des jupes de soirée et plus d'une douzaine de paires de chaussures toutes plus chic les unes que les autres. Si ce que voyait Rosa était les vêtements que Connie avait choisi de ne *pas* emporter chez Billy Molinaro, que dire de ce qu'elle devait avoir chez lui ? Nul doute que l'ex-serveuse de cafétéria s'était transformée en une candidate potentielle à un concours d'élégance.

Le plancher de la penderie, comme le reste de la pièce, était couvert d'animaux en peluche. Rosa ne sut jamais ce qui avait attiré son attention, ni quel instinct l'avait poussée à se baisser pour fouiller derrière l'amoncellement hétéroclite que formait cette ménagerie. Toujours est-il que sous les ours, léopards des neiges et autres toucans, se trouvait un carton à chaussures fermé avec des élastiques.

Et à l'intérieur du carton, il y avait un journal intime.

Matt fit le bonheur de sa secrétaire en la congédiant pour le reste de l'après-midi. Dès qu'elle fut partie, Sarah et lui se partagèrent le sandwich au corned-beef et les frites qu'il avait achetés au fast-food du coin, et pendant quelque temps, ils bavardèrent absolument de tout et de rien.

– Vous êtes obligée de rentrer bientôt à l'hôpital ? demanda-t-il en lui versant le café tenu au chaud dans le pot de sa vieille cafetière électrique.

– J'ai des patientes à qui il faut que je signe un bon de sortie et du courrier à dicter, et puis je dois récupérer mon vélo. Mais je peux rester encore un peu.

– Bon, tant mieux. Il y a certaines choses qu'il faudrait que nous réexaminions.

– Laisser tomber, par exemple ?

– Non. Je voudrais discuter avec vous de ce qui nous attend et comprendre comment fonctionnent les compagnies d'assurances comme la MGPH qui couvrent les risques de faute professionnelle.

La tension que Sarah avait vue se développer chez son avocat au cours des six dernières semaines semblait maintenant inscrite de façon permanente sur son front. Quand ils s'étaient rencontrés pour la première fois, son innocence était si évidente, son affaire si limpide... A présent, Sarah n'était plus sûre de rien. S'en remettant à lui, elle avala une gorgée de café et lui demanda de poursuivre.

– D'abord, je tiens à ce que vous sachiez que je suis persuadé qu'il y a quelque chose de tordu dans cette affaire. Je sais que vous n'êtes pas convaincue, mais je persiste à croire que Kwong Tian-Wen a été victime d'un coup monté destiné à le faire paraître et surtout à *vous* faire paraître responsable des trois cas de CID.

– Mais pour l'instant, nous ne pouvons toujours pas prouver que ni lui ni moi ne sommes responsables. Nous n'avons que la parole de Tian-Wen.

– Et celle de sa famille. Nous pouvons échafauder une défense basée sur l'hypothèse que quelqu'un s'efforce de vous faire porter le chapeau, mais sans la réponse aux questions qui ? et comment ? ça ne tiendra pas la route.

– Autrement dit, si nous plaidons sur cette base au tribunal, c'est perdu d'avance.

– Sarah, nous allons tout faire pour y arriver, dit-il en serrant les poings.

– Oui, mais dites, n'est-ce pas vous qui me disiez qu'en règle générale, le système judiciaire parvient à discerner ce qui est la vérité et ce qui ne l'est pas ?

– En règle générale ne signifie pas toujours. Dans le cas présent, les choses ne sont pas si simples. Tian-Wen est vieux et fragile. Il lui arrive souvent de ne plus savoir où il en est. J'arriverai peut-être à obtenir une dispense médicale pour lui éviter de comparaître à la barre. Mais ce ne sera que reculer pour mieux sauter parce qu'en fait, il n'est pas si malade que ça. Mallon le fera déposer chez lui, tout simplement, en utilisant peut-être un circuit vidéo. D'une façon ou d'une autre, le jury s'arrangera pour connaître son âme et sa conscience, comme ils disent.

– Mais comment Mallon expliquera-t-il que tant de femmes aient pris de ma tisane sans avoir eu le moindre problème ?

– Je présume que vous connaissez la réponse mieux que moi.

– Vous voulez dire qu'il prétendra juste que Tian-Wen s'est trompé avec certains lots et pas avec d'autres ?

– Ou alors que pour une raison quelconque, la ou les plantes incriminées créent une réaction chez certaines femmes et pas chez d'autres. Dans ce genre de situation, il suffit d'avoir une réponse toute prête. Elle n'a pas besoin d'être juste. Avec Willis Grayson de son côté, Kwong Tian-Wen du nôtre et la tendance qu'ont les jurys à croire qu'ils examinent des plaintes non contre des individus en chair et en os mais contre de gigantesques et richissimes compagnies, j'ai peur que nous n'en soyons réduits à nous disculper. J'imagine déjà le réquisitoire de Mallon.

Il prit sa balle de base-ball, son gant, et commença à aller et venir en faisant sauter la balle d'une main dans l'autre.

– Cette ravissante jeune artiste avec deux bras vigoureux et un bébé parfaitement viable a placé tous ses espoirs et toute sa confiance dans le Dr Baldwin. Le Dr Baldwin commet sur la jeune artiste enceinte aux bras vigoureux un acte médical anormal et irrégulier, quelque chose qui se situe largement en dehors des normes admises par sa profession. Et soudain, la ravissante jeune artiste perd son bébé et son bras droit. Étant donné qu'il ne s'est rien passé d'autre durant la grossesse de notre ravissante jeune artiste, le Dr Baldwin doit fournir la preuve qu'elle n'est pas responsable de cette tragédie.

– C'est gai !...

– En termes juridiques, ce petit tour de passe-passe rhétorique s'appelle *res ipsa loquitur*, ce qui veut dire : la chose parle d'elle-même. C'est un canon de revolver qu'aucun défenseur n'a envie de voir pointé sur lui. Mais ça arrive, hélas ! surtout dans les procès pour faute professionnelle, d'après ce que j'ai lu.

– Je croyais que j'étais présumée innocente jusqu'à preuve du contraire.

– Si Mallon arrive à faire admettre à un juge que la chose, ou plutôt les faits parlent d'eux-mêmes, nous sommes cuits. Et qui plus est, si nous perdons ce premier procès, il y a de fortes chances pour que les deux autres familles attaquent à leur tour en réclamant le montant de la garantie d'assurance qui vous restera, et même tout ce que vous possédez ou que vous pourriez gagner dans votre vie.

Il s'arrêta et tomba assis dans son fauteuil.

– Qu'est-ce qu'on doit faire alors, à votre avis ?

– Avant que je réponde à cette question, il me reste une chose à vous dire. C'est en rapport avec Willis Grayson et ça me turlupinait pratiquement depuis le début de votre affaire. J'ai fini par m'en rendre compte en le voyant aujourd'hui avec son armée de juristes. Il ne veut pas seulement que vous perdiez ce procès, Sarah, il veut vous enterrer.

– Je... je ne comprends pas, dit-elle, saisie soudain d'un frisson d'angoisse.

– Willis Grayson n'est pas à un ou deux millions près, nous sommes d'accord ?

– Oui... sans doute.

– Je suis sûr qu'il ne cracherait pas sur les 60 pour cent de dommages et intérêts colossaux que lui octroierait un juge. Mais au juger, comme ça, je dirais que ça resterait encore inférieur aux seuls intérêts qu'il perçoit sur son compte en banque personnel. Telles que je vois les choses, c'est Mallon qui court après cet argent et qui tient à enfoncer votre hôpital. Mais ce que veut Grayson, c'est que vous ou quiconque sera jugé responsable de la tragédie de sa fille passe à la trappe pour très, très longtemps.

– Je n'arrive pas à croire que Willis Grayson m'en veuille au point de vouloir me détruire. C'est dingue, complètement dingue ! Mais savez-vous ce qui est encore plus dingue, Matt ? Ce qui passe les bornes de la dinguerie ? C'est que je ne suis même pas sûre moi-même que ce ne soit pas légitime.

– Je vous ai déjà dit ce que je pensais de ça.

– Je sais. Qu'est-ce qu'on fait, alors ?

– Eh bien, nous pouvons essayer de transiger en proposant un règlement à l'amiable, sans plaider coupable, naturellement. Notez que je ne suis pas du tout certain que la MGPH acceptera, pas plus que Mallon ou Grayson, mais enfin, on ne sait jamais. C'est un compromis destiné à mettre fin aux tergiversations. Nous, nous disons que nous aurions gagné au terme des débats mais que les frais de justice auraient été supérieurs au montant du règlement à l'amiable. La partie adverse dit que même s'il n'y a pas de reconnaissance de culpabilité, le fait que la MGPH propose de payer implique qu'ils ont eu raison d'engager des poursuites. A ce moment-là, la polémique s'épuise d'elle-même et chacun retourne à ses activités. Le tourbillon finit par s'apaiser et tout rentre dans l'ordre comme si de rien n'était.

– On peut faire une chose pareille ?

– On peut essayer.

– Et vous pensez qu'on devrait le faire ?

Matt plaqua ses mains l'une contre l'autre et jeta un regard lointain par la fenêtre. Sur son front, les rides se creusèrent encore davantage.

– Si j'étais sûr qu'ils acceptent, je vous répondrais oui, sans hésiter. Mais de toute façon, je crois qu'il faut essayer quand même.

– J'ai besoin de réfléchir. De combien de temps est-ce que je dispose ?

– Une semaine environ. Un peu plus, si vous y tenez.

– Merci.

Elle se sentait égarée, mal à l'aise et soudain très fatiguée. Kwong Tian-Wen, Mallon, Lisa, Willis Grayson, Peter, celui d'hier et celui d'aujourd'hui, tourbillonnaient et se mélangeaient dans sa tête. Elle reposa sa tasse et se leva pour partir.

– Je vous raccompagne à l'hôpital, dit Matt.

– Merci, Matt, mais c'est inutile.

– Si, si, j'insiste. J'y tiens beaucoup.

Sarah pivota vers lui, mais il détourna aussitôt les yeux et se mit à ranger des documents dans sa mallette.

J'insiste, j'y tiens beaucoup, avait-il vraiment dit ça ?

– D'accord, répondit-elle.

Matt gardait les yeux fixés sur l'arrière de la voiture qui les précédait en conduisant sa Legacy rouge sur Longfellow Street. Sarah n'aurait jamais imaginé qu'elle pût se réjouir un jour d'être dans un embouteillage, et pourtant c'était le cas. Le trajet du bureau au CHU qui aurait dû prendre un quart d'heure était parti pour durer quarante minutes au bas mot. Ils avaient gardé le silence à part quelques mots échangés sur son affaire. Elle le regardait directement en lui parlant mais continuait à surveiller son expression du coin de l'œil quand elle se taisait. Le moment ne pouvait être plus mal choisi, songeait-elle. Tomber amoureuse de l'avocat qui la défendait pour faute professionnelle n'était certainement pas ce qu'elle avait fait de plus malin. C'était ce qui lui arrivait, cependant, et elle n'y pouvait pas grand-chose.

Bien qu'il ne le lui eût pas dit, Sarah sentait que son attirance pour Matt était réciproque. Cependant, des raisons éthiques évidentes lui interdisaient non seulement d'agir en fonction de cette attirance, mais de l'exprimer. S'ils concluaient son affaire par une transaction à l'amiable, peut-être ces considérations n'auraient-elles plus lieu d'être et pourraient-ils alors apprendre à se connaître vraiment et, qui sait ? à s'aimer.

Mais avant de lui donner son accord, pour un tel compromis, il fallait encore qu'elle sache quelque chose.

– Dites-moi, Matt, si vous pouviez choisir à l'avance la meilleure issue possible pour cette affaire, je veux dire, l'issue qui vous arrangerait le mieux, ce serait quoi ?

Il la regarda bizarrement.

– Quelle drôle de question ! Qu'est-ce que vous voulez dire, qui m'arrangerait le mieux ?

– Financièrement, pour votre carrière, voyez.

Elle faillit céder à l'envie de lui révéler ce qu'elle avait appris de sa situation grâce à Ruth, puis y renonça. Cette femme était trop pipelette et, malgré sa gentillesse, devait être un handicap dans son travail.

Pendant un moment, elle eut peur que Matt ne devine qu'elle en savait plus qu'elle n'en disait.

– Ma foi, répondit-il finalement, si je pouvais choisir par ordre de préférence, l'option la plus désirable serait une joute oratoire au finish contre Jeremy Mallon qui le laisserait KO tout en me rapportant argent et publicité à gogo, suivie d'un verdict du jury vous innocentant sur toute la ligne.

– Et la moins désirable ?

– Exactement le même scénario, j'imagine, sauf qu'on perdrait au lieu de gagner. A ce moment-là, je serais probablement fini comme avocat dans les procès pour faute professionnelle et même sans doute dans les procès civils en général. Dans ce métier, tout le monde sait qui est gagnant et qui est perdant. Et personne n'a envie de confier sa vie ou sa fortune à un loser invétéré.

– Est-ce que c'est pour ça que vous recommandez que nous transigions ?

Il écrasa la pédale de frein et lui lança un regard furieux, ignorant les klaxons qui se déchaînaient derrière eux.

– C'est ce que vous pensez ? demanda-t-il.

– Je... pardon... excusez-moi. Non, ce n'est pas ce que je voulais dire et ce n'est pas ce que je pense. Bon Dieu, Matt, j'ai quelque peine à mettre mes idées en ordre aujourd'hui. J'aimerais tellement que toute cette affaire soit derrière nous.

L'expression de l'avocat se radoucit aussitôt. Il tendit le bras et lui serra la main, avant de reprendre le volant pour négocier un virage.

– Sarah, sachez que je me laisserais mettre des éclats de bambou sous les ongles si je pensais que ça pouvait nous aider à gagner au tribunal. Mais j'ai travaillé comme un forcené en cherchant tous les angles d'attaque possibles et imaginables et je retombe à chaque fois dans une impasse. Si j'incline sans doute un peu trop vers un règlement à l'amiable, c'est sans doute parce que la séance d'aujourd'hui m'a donné un aperçu des dangers auxquels nous nous exposons. Cela dit, si c'est ce que vous souhaitez ou s'ils refusent notre offre, je suis prêt à me lancer à corps perdu dans la bagarre. Je sais que vous n'y connaissez pas grand-chose en base-ball, mais figurez-vous que les lanceurs remplaçants sont connus pour être particulièrement casse-cou et inconscients des périls. Si j'ai évoqué ce type d'arrangement, c'est parce que je pensais que c'était ce qu'il y avait de mieux pour *vous*. Il se peut que ça soit mieux aussi pour moi, mais croyez-moi, c'est accessoire. Toutefois, réfléchissez quand même. Cette affaire a déjà eu beaucoup trop de répercussions dans le public et elle n'a même pas encore débuté. Si nous allons jusqu'au procès, vous allez tenir la vedette d'un jeu de massacre dont vous n'avez pas idée. A ce moment-là, je vous jure qu'Axel Devlin sera le cadet de vos soucis.

– Je comprends, Matt. Pardonnez-moi d'avoir dit ça. Je vous préviendrai dès que j'aurai pris ma décision.

Il hocha la tête et reprit sa conduite sans mot dire.

– Ne vous en faites pas, reprit-il quelques instants plus tard. D'une façon ou d'une autre, les choses finiront par se décanter. Et quoi qu'il advienne...

– Oui ?

Vas-y, Matt, supplia-t-elle mentalement. Allez, dis-le. Dis que quoi qu'il advienne, nous ferons front côte à côte. Dis-moi à quel point tu es heureux de m'avoir rencontrée.

– ... Je, heu... Je veux que vous sachiez que je suis derrière vous à cent pour cent.

Le silence retomba et deux minutes plus tard, il s'arrêta devant l'entrée principale de l'hôpital. Sarah le remercia et songea un instant à lui livrer son cœur. Finalement, elle tourna les talons et s'éloigna. Il subissait assez de pression comme ça. Si par malheur elle avait mal interprété ses sentiments, cela n'aurait fait qu'empirer les choses.

Elle pénétra dans le campus par le portail de sécurité et se dirigea vers le pavillon de chirurgie où elle avait laissé sa bicyclette en faisant le tour des jardins. Un peu de marche en plein air lui ferait le plus grand bien avant les longues heures de mise à jour de son courrier qui l'attendaient. Transiger ou combattre ? Ses pensées défilaient à toute allure. Absorbée par ses réflexions, elle ne réalisa ce qui s'était passé qu'à quelques mètres du bâtiment.

Un seau de peinture laquée écarlate avait été déversé sur son vélo. Une poupée en chiffon, également maculée de rouge vif, était ficelée à la selle. Un des bras, arraché, gisait par terre. Le ventre était tailladé et crevé. Un carton était épinglé sur le torse. Dessus, écrit en grossiers caractères, on lisait :

MÉDECINE PARALLÈLE = MEURTRE SUR ORDONNANCE

Sarah essaya vainement de garder son calme. Les joues sillonnées de larmes, elle se précipita dans le bâtiment. Son premier appel fut pour le responsable de la sécurité. Le second fut pour Matt.

– Appelez-moi d'urgence à l'hôpital, Matt, dit-elle à son répondeur. Il faut que je vous voie le plus tôt possible. J'ai décidé ce que je voulais faire.

24

– Les cultures sont fichues ! Absolument toutes. Ça n'est jamais arrivé, jamais !

Chris Hall, jeune et brillant technicien en microbiologie, secouait la tête d'un air égaré. C'était à ne pas croire. Rosa le réconforta d'une tape amicale sur le bras, bien qu'elle fût probablement la plus contrariée des deux.

– Quand est-ce que vous les avez vérifiées pour la dernière fois ? demanda-t-elle.

– Hier après-midi. J'examine les étuves tous les jours après le déjeuner. Il n'y a pas que les vôtres de perdues. Des dizaines et des dizaines d'expériences et de cultures sont ruinées. Bon Dieu, ce n'est pas possible ! Wheelock, Caro, Blankenship, ils vont tous être furax. J'ai changé les milieux de culture hier et ce que j'ai jeté était limpide, clair comme de l'eau de source. Le nouveau milieu a dû être contaminé par une cytotoxine quelconque.

– Du calme, Chris, dit Rosa. Ce genre de chose arrive en microbiologie, vous le savez mieux que personne, surtout avec des cultures sur tissus.

Contrairement aux bactéries cultivées en laboratoire sur de la gélose, les virus ne pouvaient se développer qu'au sein d'un milieu vivant cytogénétique, autrement dit, fait de cellules proliférantes.

– J'aimerais bien qu'on me montre un labo qui n'ait jamais eu de problème de contamination avec des cultures tissulaires, reprit-elle. S'il existe, ils n'ont pas de clients. Vous aviez mis de côté des échantillons congelés ?

– Quelques-uns, oui.

– Parmi ceux que je vous avais donnés ?

– Je ne crois pas, docteur Suarez. Je suis désolé, vraiment.

– Chris, écoutez. Si vous l'avez fait exprès, vous pouvez vous excuser. Sinon, remettez votre labo en ordre et ne vous inquiétez pas. On se débrouillera.

Elle était déterminée à ne pas aggraver par des reproches le désespoir de ce technicien consciencieux. Mais sa fatigue et sa frustration avaient dégénéré en une migraine tenace qui lui martelait les tempes et la rendait plus irritable de minute en minute. Malgré tout, quoiqu'elle préférât n'en rien dire à Chris Hall, la perte des cultures n'était pas aussi désastreuse qu'elle aurait pu l'être, du moins pas pour l'instant. Depuis le scandale du REI, elle était devenue d'une méfiance maladive, au point de tout sauvegarder, même pour un travail insignifiant. Elle avait envoyé un double de tous ses échantillons à son vieil ami Ken Mulholland, au labo du centre épidémiologique d'Atlanta. Au dernier pointage, une semaine auparavant, il n'avait rien trouvé.

– J'espère que les autres seront aussi compréhensifs que vous, dit Chris.

– Ils le seront. Il n'y a pas de raison. Vous avez le registre où étaient consignées toutes les cultures que vous faisiez pour moi ?

Il lui tendit un cahier de labo standard à couverture cartonnée où figurait le nom de Rosa. Celle-ci ouvrit son attaché-case et déposa le cahier par-dessus le journal intime de Connie Hidalgo. Elle comptait s'attaquer à ce dernier dès qu'elle aurait avalé un Tylenol et piqué un petit roupillon.

– Est-ce que je vous ai dit que je commençais juste à distinguer quelque chose dans certaines de vos éprouvettes ? demanda Chris.

– Non, vous ne m'avez rien dit.

– J'avais mis une croix dans la marge du cahier devant chaque échantillon pour me souvenir de les contrôler plus souvent. Il n'y avait encore rien de défini, attention. On voyait juste que la surface du tissu était légèrement fripée, comme il arrive parfois au premier stade d'une infection. On observe le même genre de réaction quand les cellules tissulaires elles-mêmes ne sont plus assez oxygénées. C'est là que nous savons qu'il faut décongeler un nouveau lot.

– Merci, Chris. Je déchiffrerai le code quand je serai dans ma chambre, pour voir ce qu'il y avait dans ces tubes.

– Si quelque chose commençait à apparaître sur ces cultures, ce dont je doute fort, ce devait être le virus le plus lent à se développer que j'aie jamais vu.

– Ce n'est probablement rien. Merci de m'en avoir parlé, Chris. J'apprécie vivement votre coopération et je mettrai un mot au Dr Blankenship pour lui dire combien vous avez été efficace.

– Merci. J'aurai bien besoin de soutien après ce désastre.

Rosa piocha deux Tylenol dans son porte-monnaie, qu'elle goba avec une gorgée de l'eau tiède prodiguée par la totalité des robinets de l'hôpital, avant de quitter celui-ci. La chaleur humide de l'après-midi réfléchie par le trottoir et les murs lui rappelait son pays. Et cela lui rappelait aussi que ni son patron, ni son mari, ni ses enfants n'avaient souhaité qu'elle retourne à Boston. Personne, sauf Rosa elle-même. A présent, en dépit de la contamination des cultures, elle pressentait que son travail acharné allait peut-être, peut-être seulement, s'avérer payant.

Un journal intime que personne n'avait encore lu et un registre de labo où figurent des cultures virtuellement positives, se répétait-elle. Ce n'était pas grand-chose, mais davantage tout de même que ce dont elle disposait quelques heures plus tôt.

Sa robe était trempée de sueur quand elle arriva chez sa logeuse avec qui elle sacrifia encore plus laconiquement que d'habitude au papotage de rigueur. Puis elle monta dans sa chambre, soulagée que Mme Frumanian n'eût pas démonté le petit ventilateur fixé à sa fenêtre.

Après avoir enfilé un short et un T-shirt, Rosa entreprit de décoder les cultures mentionnées par Chris Hall. Il y en avait deux, la 172A et la 172B, toutes deux faites sur un tissu à base de cellules de fibrocyte. Les clés de décodage, consignées dans un de ses fichiers personnels, lui livrèrent l'origine des échantillons. Il s'agissait de prélèvements de plasma sanguin effectués sur Lisa Grayson au moment de l'hémorragie. Rosa parcourut le reste du cahier du jeune laborantin, après quoi elle appela Ken Mulholland à Atlanta. Le virologue ne signala aucune prolifération sur les échantillons en sa possession, qu'il s'agisse de cultures sur cellules de fibrocyte ou sur d'autres types de cellule. Une impasse de plus.

Rosa s'étendit sur son lit, ferma les yeux et essaya de faire un petit somme, comme elle se l'était promis. Au bout de quelques minutes, elle y renonça. Elle aurait amplement le temps de dormir quand l'affaire serait finie. Elle se rassit, posa un bloc et un stylo à côté d'elle, ajusta ses grosses lunettes sur l'arête encore rougie de son nez, et ouvrit le journal de Constanza Hidalgo.

Les confessions de la jeune femme couvraient une période de cinq ans et chaque jour ou presque comportait des annotations. Certaines n'avaient que quelques mots, d'autres s'étendaient sur plusieurs pages tapées à la machine et agrafées ensuite à la date correspondante. Beaucoup de personnes n'étaient citées que par les initiales de leur nom ou par d'autres abréviations. De temps en temps, le texte était enrichi de dessins, de petits portraits croqués sur le vif, non dépourvus de talent.

Le journal commençait le jour du dix-septième anniversaire de Connie et s'arrêtait peu avant ses 22 ans. La première annotation du cahier laissait entendre qu'un autre l'avait précédé. Rosa plongea immédiatement dans l'existence triste et les pauvres rêves d'une fille timide, peu instruite, vivant avec une mère qui n'avait guère de temps à lui consacrer et un beau-père qui la tripotait sans vergogne depuis des années. En poursuivant sa lecture, Rosa prit la résolution de ne jamais divulguer ce journal à Maria Barahona. A partir de sa 20e année, sa fille ne parlait plus d'attouchements. Si Maria n'avait rien su du vivant de Connie, il n'y avait pas de raison de lui imposer ça maintenant.

Plusieurs visites dans différents services du CHU étaient mentionnées au fil des années. Certaines, comme l'avait rapporté sa mère, étaient dues à des maux de gorge et des migraines. A 18 ans, on relevait un épisode de blennorragie soignée aux urgences et contractée à la suite de rapports avec un nommé T.G. *qui*, disait-elle, *a menti en me disant qu'il m'aimait. Je le savais*, avait-elle rajouté au bas de la note. *D'ailleurs c'était chouette tant que ça a duré. Qui ne risque rien n'a rien.*

Rosa commençait à se lasser et s'apprêtait à refermer le cahier lorsque son attention fut attirée par une nouvelle visite au CHU. Connie avait alors 19 ans.

3 avril

A l'hôpital ce matin. Mal à la tête. Drôle de petit bonhomme que ce Dr S. sur qui je suis tombé. Un Arabe, je crois, ou quelque chose dans le genre. Il m'a dit qu'il fallait que je maigrisse. Lui ai dit que les régimes ne me faisaient rien mais lui dit qu'avec son traitement, on se prive de rien.

Veut me revoir dans une semaine. Je ne pense pas que j'irai, mais on ne sait jamais. Il est gentil.

L'intérêt de Rosa se ranima subitement. D'autres visites au même médecin avaient suivi. A plusieurs reprises, il était fait mention d'une certaine poudre amaigrissante. Et une perte de poids impressionnante s'ensuivait. En quelques mois, Connie Hidalgo avait perdu près de vingt-cinq kilos, trente-cinq en tout sur une période de six mois, pour finir à cinquante-quatre kilos. Une telle métamorphose était en soi ahurissante. Mais Rosa fut encore plus intriguée quand elle réalisa que les pages manquantes de son dossier hospitalier correspondaient à cette période. Rien dans la suite du dossier ne permettait d'établir un lien entre ces visites et son décès brutal. Si un tel lien existait, cependant, Rosa ne doutait pas qu'elle le trouverait.

Elle était en train de déchiffrer la suite du journal lorsque Ken Mulholland l'appela d'Atlanta.

– Rosa, j'espère que je ne vous réveille pas, dit-il. Vous aviez une voix fatiguée tout à l'heure.

– Je l'étais, mais je me suis ressaisie. Vous savez, nous, les vieilles dames, on dort on veille comme on peut...

– Puissions-nous tous être vieux comme vous l'êtes. Écoutez, Rosa, après notre conversation, j'ai pris le streptoscope et refait l'analyse des échantillons dont vous m'avez parlé. L'un d'eux, juste un, a un drôle de morceau d'ADN qui se balade. Mon technicien est en train de revérifier. J'ai l'impression que c'est viral, pourtant les tissus ont l'air clair. L'échantillon n'est pas assez consistant pour que je me prononce. Pourriez-vous en obtenir un autre ?

– De la même patiente ? Peut-être. Mais elle était malade quand on a prélevé le sérum et elle ne l'est plus maintenant.

– Je vois.

– Écoutez, ce que je pourrais vous avoir de mieux, c'est du sérum pris pendant sa convalescence. Je vais voir ce que je peux faire, mais je ne suis pas du tout sûre d'y arriver. La patiente en question poursuit un des médecins de l'hôpital pour faute professionnelle. Je doute qu'elle soit très chaude pour coopérer.

– Et les deux autres, celles qui ont eu le même problème ?

– Décédées toutes les deux.

– Et il n'y a pas d'autres cas ?

– Non, dit Rosa. Du moins pas encore, ajouta-t-elle après un instant d'hésitation.

Lorsque Matt répondit à l'appel de Sarah, celle-ci était pelotonnée sur son divan, vêtue d'un jean troué, et entamait son troisième verre de chardonnay. Elle avait rempli une déclaration auprès du bureau de la sécurité du CHU, une autre destinée à la police, et laissé un mot à Glenn Paris, absent pour cause de meeting. Puis elle avait signé le registre des sorties et accepté l'offre de la secrétaire de son service de la raccompagner chez elle. Quant à son courrier, il pouvait attendre.

– Qui a pu faire ça, d'après vous ? demanda Matt après qu'elle lui eut brossé le tableau.

– Que voulez-vous que je vous dise ? Tout le monde et personne... Ces trois filles ont des amis, de la famille, sans parler des Dupont-Lajoie qui s'improvisent justiciers après le journal de 20 heures. Je ne suis pas cynique, Matt, mais je ne me voile pas la face. Je sais à quel point les gens peuvent être moches.

– Ce n'est pas moi qui vous contredirai. Vous disiez que vous aviez pris une décision. Vous voulez m'en parler au téléphone ou attendre qu'on se voie ?

Sarah avait espéré cette question et déjà préparé sa réponse.

– Ça ne vous dérange pas de venir jusqu'ici ? J'adore cuisiner et ça ne m'arrive plus jamais. Il doit me rester de quoi faire un frichti à condition que vous ne soyez pas trop exigeant. Et puis comme ça, vous m'empêcherez de finir cette bouteille de chardonnay toute seule.

– Ça marche. J'arrive dans une demi-heure. Vous ne voulez vraiment pas me donner un aperçu ?

– Je peux faire mieux, je peux vous dire que j'ai décidé que jamais je ne renoncerai à me battre dans cette affaire, quoi qu'il arrive.

– Vous savez, Matt, il me restait quelques doutes en vous quittant cet après-midi, mais quand j'ai vu mon vélo dans cet état, ça m'a ôté mes derniers scrupules.

Ils étaient assis sur le canapé, à boire du déca en se partageant un quatre-quarts sous cellophane que Sarah avait déniché au fond de son frigo. Le dîner, crêpes aux champignons et légumes rissolés, s'était relativement bien passé. Mais Sarah n'arrivait pas à se détendre, tourmentée par l'épisode du vélo et par la pensée que Matt était le premier homme à pénétrer chez elle depuis deux ans.

– Quelles que soient vos raisons, elles sont bonnes, dit l'avocat d'une voix posée.

– Je suis terrifiée par ce qui peut arriver à l'audience, Matt. Mais transiger alors qu'il n'y a pas de preuves ne changera rien pour ceux qui ont peinturluré mon vélo. Et je n'ai pas l'intention de les supporter toute ma vie, ces gens-là. Si je suis innocente, je tiens à ce qu'ils le sachent. Faites-moi confiance, je ne me dégonflerai pas, même si Grayson arrive à ses fins et que je me retrouve en taule. Je crois en mon étoile et je pense qu'elle me réserve une surprise. Vous voilà fixé.

– Je savais que vous en arriveriez là. En fait, après vous avoir quittée, j'ai appelé Ettinger, votre ex. Je peux vous dire une chose, c'est que Mallon est sérieusement remonté contre vous. Il va frapper très fort.

– Avec vous, j'ai confiance, dit Sarah.

– Oui, mais je compte sur vous pour m'aider sur un dernier point.

– Dites.

Il gigota en se raclant la gorge puis se tourna soudain et lui prit les deux mains.

– Sarah, laissons en suspens toute effusion en attendant le jugement, voulez-vous ? Je... Seigneur, je ne sais plus ce que je dis. Il faut que vous arrêtiez de me regarder comme ça.

Sarah referma ses doigts sur les siens. C'était ce qu'elle voulait entendre.

– J'aimerais vous aider, dit-elle, mais je ne contrôle pas ma façon de regarder ou de ne pas regarder autrui. Vous ne regardez pas les gens quand ils vous parlent ?

Ce disant, elle s'humecta les lèvres et Matt retira sa main pour desserrer son col.

– Arrêtez, je vais fondre. Sarah, sérieusement, je travaille quatre-vingt-dix heures par semaine, je suis seul comme un chien de la SPA, et la vérité, c'est que je commence à penser à vous à peu près toute la journée. Professionnellement, c'est ce qui peut m'arriver de pire. C'est assez mal vu dans la profession, je ne sais pas si vous saisissez. Il y a une loi qui sanctionne ces écarts, même si elle n'a pas encore été votée dans le Massachusetts.

– Je comprends.

– Vous m'aiderez ? Je n'ai pas tellement de volonté pour ce genre de chose.

– J'y songerai, Matt, mais je suis une grande fille, je me prends en charge et je n'ai pas l'intention de vous dénoncer au conseil de l'ordre. Par ailleurs, quoi de plus enviable pour un justiciable que d'être défendu par un avocat qui pense à vous toute la journée ?

– Sarah, c'est sérieux, ce que je dis. Il y a beaucoup de choix à faire dans un cas comme le vôtre. Beaucoup de décisions à prendre. Vous en avez pris une ce matin, qui vous appartient. Mais pour d'autres, vous aurez besoin d'un défenseur objectif, sans complaisance. Il vaut mieux que j'arrête si je ne peux pas rester neutre avec vous.

– Vous pouvez l'être sans être indifférent, Matt, mais je vous comprends. Ne vous en faites pas, je ne vous gênerai pas dans votre travail. Et je ne doute pas que vous trouviez un autre avocat pour vous aider si nécessaire. D'ailleurs, mon cas est si hallucinant qu'il dépasse ma personne.

Il lui prit les mains et la fixa sévèrement. Puis, sans que change le dessin de sa bouche, ses yeux lui sourirent et Sarah sentit sa gorge s'assécher. Ils se rapprochèrent et Matt remonta sa main le long de son bras. Leurs têtes penchaient insensiblement, Sarah approcha les lèvres... et le téléphone sonna.

Un instant de magie vola en éclats. Retirant ses mains, Matt lui sourit stupidement.

– J'ai un répondeur, dit-elle en se retenant d'aller piétiner le téléphone.

– Allez-y, Sarah, répondez, allez.

La voix était familière quoiqu'elle ne l'eût pas entendue depuis six semaines.

– C'est Truscott, Sarah, bonsoir. Ne raccrochez pas, s'il vous plaît.

– Merde, lâcha-t-elle en couvrant l'appareil d'une main. C'est Andrew Truscott, le chirurgien dont je vous ai parlé... (Elle reprit le combiné.) Oui, Andrew, qu'est-ce que vous voulez ?

– C'est sympa de votre part de ne pas m'avoir dénoncé à Paris. Très sympa. Et j'ai aussi apprécié votre silence sur... sur l'autre incident.

– C'est pour me dire ça que vous appelez ?

– Paris vient de m'offrir un excellent poste avec un labo personnel dans le nouveau centre qu'ils vont construire à la place du bâtiment Chilton. Il est en train de mettre sur pied un programme du tonnerre. Apparemment, ses méthodes ont réussi à sortir l'hôpital du gouffre.

– Ce ne sera pas grâce à vous, en tout cas.

– Justement, je vous remercie de ne rien lui avoir dit sur moi.

– Et vous m'appelez pour ça ?

– Non, non, Sarah, attendez. Je ne sais pas combien de temps ce type va rester, mais il se passe ici quelque chose qui vous concerne. Je peux vous aider.

– Je ne comprends pas.

– Je suis dans un restaurant de Chinatown, le Szechuan Terrace, où j'ai dîné avec un copain australien qui est rentré à son hôtel. Je suis resté boire un dernier verre et j'ai entendu quelqu'un qui parlait de vous à la table d'à côté. Il disait que vous étiez passée au tribunal aujourd'hui et que ça avait été un jeu d'enfant de trafiquer je ne sais quelle plante chez votre herboriste. Il disait qu'il était ravi de vous planter, vous et Kwong.

– Et où est-il en ce moment ? dit Sarah en sentant son cœur s'emballer.

– Il est là, de l'autre côté de la pièce où je vous parle. J'ai filé vingt dollars à la caissière pour qu'elle me donne son nom. Tommy Sze-to, épela Andrew. Ça vous dit quelque chose ?

– Non. Jamais entendu ce nom-là.

– Eh bien, il est ici, avec deux types que la caissière n'a pas l'air de porter dans son cœur. Elle prétend qu'elle ne sait pas où ils habitent et... merde, Sarah, je crois qu'ils s'apprêtent à partir. Je vais essayer de les suivre. Retrouvons-nous dans trois quarts d'heure. Szechuan Terrace. Hudson Street. Je vous en prie, faites-moi confiance. A tout à l'heure.

Sarah resta figée le téléphone en main pendant dix secondes avant de raccrocher. Près de deux mois sans un mot de Truscott et subitement, ce coup de fil bizarre. Du canapé où il était toujours assis, Matt la regardait d'un drôle d'air.

Truscott était l'être le moins fiable qui soit et pourtant, quelque chose lui disait qu'il ne mentait pas. D'ailleurs il suffisait d'aller voir.

– Il dit qu'il est dans un resto de Chinatown et que l'homme qui a escamoté les herbes chez Kwong est à la table à côté, en train de se vanter de son exploit. Il veut qu'on le retrouve là-bas dans trois quarts d'heure. Vous venez ?

– Évidemment. Vous le croyez ?

– Peu importe, Matt, je veux qu'il se passe quelque chose et qu'on en finisse, que tout ça soit derrière nous.

– Moi aussi, dit-il en la serrant dans ses bras.

25

– Pour faire leur beurre dans une atmosphère pareille, ma parole, ils doivent vraiment servir des plats fabuleux, dit Matt.

Le maître mot pour décrire le Szechuan Terrace était *plastique.* Tout était en plastique, les lanternes qui pendaient du plafond, les paysages en bas relief ornant les murs, et jusqu'aux rideaux rouges séparant les alcôves des consommateurs.

Sarah et Matt étaient venus à pied. Il faisait nettement plus frais et on voyait des éclairs lacérer l'horizon.

Il était près de 21 heures et le Szechuan Terrace était encore aux trois quarts plein. La plupart des clients avaient le type asiatique.

– Vous croyez qu'on peut juger de la qualité d'un restaurant chinois au nombre de clients chinois ?

– Évidemment. C'est ce que tout le monde pense, en tout cas. Pas vous ?

– Je le croyais avant mon séjour en Extrême-Orient. Je me suis aperçue qu'il y avait à peu près autant d'Asiatiques amateurs de mauvaise cuisine chinoise que d'Américains amateurs de mauvaise cuisine occidentale. Vous verrez que bientôt, ils mangeront des œufs reconstitués à Pékin.

Matt s'installa au bar, tandis que Sarah allait faire un tour jusqu'au fond de la salle.

– Pas d'Andrew, dit-elle en revenant.

– Drôle d'oiseau, votre Truscott. Je ne le connais pas encore, mais d'après le portrait que vous m'en faites, son revirement est plutôt étrange.

– Pas tant que ça. Il sait que j'aurais pu lui causer toutes sortes d'ennuis à l'hôpital et que je ne l'ai pas fait. Récemment, je lui ai sauvé la mise en lui signalant un résultat d'analyse qui lui avait échappé. Sans moi, son patient risquait de claquer sur le billard. Nous n'avons pas trente-six mille choix, Matt. La clef de toute cette histoire est peut-être entre les mains de ce Tommy Sze-to.

A 10 h 10, Sarah alla voir le patron. Il consulta brièvement les serveurs avant de déclarer qu'aucun client correspondant à la description d'Andrew n'était venu dîner. Mais beaucoup de monde avait défilé dans la soirée, ajouta-t-il. Sarah crut le voir tiquer quand elle nomma Tommy Sze-to, mais il affirma n'avoir jamais entendu parler de lui.

– Personne ne semble connaître Andrew ici, chuchota Sarah à Matt. Mais ce type a l'air de savoir qui est Sze-to, quoi qu'il en dise.

– Mais Andrew, alors ? Où est-il, bon sang ?

– Je ne sais pas. Mais j'ai un pressentiment désagréable. Attendons encore dix minutes.

– J'ai une meilleure idée.

Il alla consulter l'annuaire dans la cabine téléphonique. De là où celle-ci était placée, remarqua Sarah, Andrew pouvait en effet avoir vu Sze-to quitter n'importe quelle table. Intuitivement, elle croyait Truscott sur parole. Où peut-il être ? se demanda-t-elle.

– S-Z-E, trait d'union T-O, ça s'épelle bien comme ça, le nom de votre bonhomme ? dit Matt en revenant au bar.

– D'après Andrew, oui.

– Eh bien, il y a quelques Sze-to dans le Bottin, mais pas de Tommy.

– Ça ne m'étonne pas.

– Par contre, je connais un certain Benny Hsing à Chinatown qui lui est dans l'annuaire.

– Et alors ?

– Benny tenait le local du fan-club des Sox avant de se faire lourder. Il se mêlait toujours des affaires de tout le monde et avait le chic pour colporter des ragots. Si ce Sze-to n'est pas le produit de l'imagination de votre Truscott, Benny doit le connaître.

– Où habite-t-il ?

– Regal Street. A quelques rues d'ici.

– Il voudra bien vous parler ?

– Je pense que oui. En fait, il m'aimait bien. D'une part, ma vie était tellement insignifiante qu'il ne s'est jamais soucié de cancaner sur mon compte. Personne n'aurait cru qu'il pût m'arriver quoi que ce soit de remarquable. D'autre part, quand Steve Matz l'a viré après l'avoir accusé de lui avoir piqué sa gourmette en or, j'ai fait remarquer que sans témoin oculaire et sans l'objet du délit, on ne pouvait rien prouver légalement.

– Pourquoi s'est-il fait virer, alors ?

– Eh bien, je n'étais qu'en deuxième année de droit à l'époque, et pas des plus futés. Par ailleurs, Matz était le leader de l'équipe, meilleur lanceur, auteur des meilleures performances de la saison et, à ce titre, il pouvait se permettre de virer à peu près n'importe qui.

– Est-ce qu'on commence par appeler ce Benny ?

– Benny n'a jamais été du genre à se mouiller pour qui que ce soit. Je crois qu'il aura moins de raisons de se défiler si on se pointe carrément chez lui.

Ils quittèrent le restaurant à 10 heures. Auparavant, Sarah avait appelé au domicile d'Andrew. Elle avait rencontré Claire, la femme d'Andrew, à plusieurs reprises et la considérait comme une femme charmante, bien que terriblement timide. Elle tranchait en tous points avec son mari.

– Je... heu... Je pensais que vous étiez au courant, dit Claire. Comme vous êtes amis, Andrew et vous...

– Au courant de quoi ?

– Nous sommes séparés. Andrew est parti il y a six semaines, environ. Il habite dans un appartement près de l'hôpital. J'ai son numéro, si vous voulez.

– Je suis navrée d'apprendre ça, Claire.

– Merci de votre sympathie, mais on se débrouille. N'importe comment, depuis quelques années, c'était comme s'il avait épousé l'hôpital. Il a fini par m'apprendre qu'il avait une liaison. Il ne m'a pas dit de qui il s'agissait et je dois vous avouer que je pensais que c'était vous.

– Absolument pas, Claire. En fait, Andrew et moi ne nous sommes pas parlé depuis des semaines.

Sarah nota le nouveau numéro d'Andrew, qu'elle composa avant de rejoindre Matt. Ça ne répondait pas.

Regal Street était située non loin de ce qui restait des quartiers chauds autrefois prospères de Boston. Ils s'y rendirent en traversant un dédale de ruelles malfamées sous une pluie fine, tandis que l'orage grondait au loin. L'immeuble de Benny Hsing était un bâtiment en brique rébarbatif dont le hall d'entrée empestait l'urine. Il y avait à côté de la porte vitrée une longue colonne de boutons d'interphone paraissant excéder le nombre de logements. Sous l'un d'eux, on lisait le nom de Benny. Celui-ci apparut en haut de l'escalier après deux coups de sonnette, les scruta dans la pénombre, puis se précipita.

– Black Cat ! s'exclama-t-il. Ça alors ! Si je m'attendais...

Il avait un débit haché et rapide, contrastant du tout au tout avec l'accent traînant de l'avocat.

– Salut, Benny. Comment va ? Je te présente Sarah Baldwin. Tu as une minute ?

– Mais comment donc ! Pour Black Cat ? Tout le temps que tu veux. Entrez donc.

C'était un homme bedonnant au crâne dégarni, avec des dents gâtées s'ouvrant sur un sourire faux-jeton. Son pantalon et son T-shirt étaient tachés et il sentait le tabac, la sueur et la bière. Sarah se dit qu'il pouvait avoir changé au fil des années depuis qu'il travaillait pour les Red Sox mais tel que Benny Hsing apparaissait, elle n'avait pas besoin de forcer son imagination pour se le représenter en train de barboter une gourmette dans un vestiaire.

– Ma femme dort, dit Benny en montrant du doigt la porte de la chambre à coucher. Il leur fit signe de s'asseoir sur un divan garni d'une couverture marron de l'armée. Qu'est-ce que je vous sers ? Une bière ? Un Coca ? Bon Dieu, Cat, quelle coïncidence ! je viens juste de regarder les Sox jouer contre Detroit et je pensais à... enfin, au bon vieux temps, quoi. Cet homme-là était un sacré bon lanceur, madame. Un lanceur du tonnerre.

– C'est ce qu'on m'a dit, fit Sarah.

– Et drôlement malin, aussi, c'est moi qui vous le dis, madame. On n'en trouve plus comme lui, aujourd'hui. T'es avocat, maintenant, hein, Cat ?

– Oui. Benny, on a besoin de ton aide, dit Matt.

– De mon aide ?

– Nous sommes à la recherche de quelqu'un. Un nommé Sze-to.

Benny se retourna brusquement et tendit un doigt noueux en direction de Sarah.

– La doctoresse ! C'est vous. Vous êtes le médecin de Kwong Tian-Wen. Seigneur ! excusez-moi de vous dire ça, madame, mais vous êtes beaucoup mieux en vrai que sur les photos qu'on voit dans les journaux.

– Merci, marmonna Sarah, quelque peu gênée.

– Kwong se plaint d'avoir été victime d'un coup monté, expliqua Matt. Il jure que quelqu'un a volontairement interverti certaines plantes dans sa boutique et remonté son opium du sous-sol pour le mettre en évidence sur une étagère. As-tu entendu parler de cette histoire ?

– Black Cat Daniels chez moi, assis sur mon canapé... je n'en reviens pas ! J'ai une dette envers toi, Cat. T'as été le seul à me défendre contre cet enfoiré de Matz. Le seul. Les temps sont durs depuis qu'il m'a jeté, tu sais. Bougrement durs.

Ce disant, il montra son petit appartement d'un geste dépité. Matt réagit en sortant deux billets de vingt dollars de son portefeuille et en les posant sur la table.

– C'est important, Benny, dit-il.

Benny regarda l'argent avec dédain.

– Je ne sais pas grand-chose, dit-il. Presque rien, en fait.

– Benny, c'est tout l'argent liquide que j'ai sur moi. Je t'assure. Ah ! mais attends !

Il remit la main à son portefeuille et sortit deux tickets qu'il lui tendit comme s'ils n'avaient pas de prix.

– Tiens, regarde, voilà deux places assises pour le match des Sox contre les Orioles la semaine prochaine. Deuxième rang de la tribune ouest. Il n'y a pas mieux placé. Dis-nous ce que tu sais sur Tommy Sze-to et les quarante dollars plus les tickets sont à toi.

Sarah voulut protester, refusant que Ricky soit pénalisé à cause d'elle, mais Matt l'arrêta d'un regard. Benny contemplait avidement les tickets.

– Tu sais depuis combien de temps j'ai pas assisté à un match ?

– Tu seras aux premières loges, Benny. Dis-moi juste ce que tu sais de ce Sze-to et où on peut le trouver.

– Ce ne sont que des rumeurs, ce que je sais, Cat. Que des rumeurs. Sze-to est dangereux. Très dangereux. S'il apprend que je l'ai balancé, il me crèvera sans hésiter. C'est un tong, tu vois ce que je veux dire ?

– Un chef de gang, c'est ça ?

– Un caïd, Cat. Tous les gangs du coin le respectent et le craignent. Rien ne se fait sans son accord.

– Continue.

– La rumeur, mais ce n'est qu'une rumeur, rappelle-toi, la rumeur dit que Sze-to a touché un gros paquet pour planter Kwong. Mais vraiment le gros, gros paquet.

– Je le savais, murmura Matt entre ses dents.

– Il a touché de l'argent de qui ? demanda Sarah, soudain apeurée.

Benny Hsing haussa les épaules et secoua la tête.

– Où est-ce qu'on peut le trouver ? demanda Matt.

– Il se balade beaucoup. Tantôt ici, tantôt là. Il est souvent à New York. Là où les bateaux accostent, tu sais. Sinon, il est soit avec une fille quelconque, soit en train de jouer au poker chez Maurice Fang.

Benny coula un œil plein de convoitise vers l'argent et les deux tickets, mais Matt resta de marbre.

– Où est-ce qu'il crèche, ce Maurice Fang ?

– Je t'en prie, Cat. Si Sze-to découvre que je t'ai affranchi, je suis mort.

– Il ne saura rien. Où est-ce ?

Benny hésita, puis gribouilla une adresse au dos d'une enveloppe.

– Deuxième étage. Porte verte. Ils jouent au poker tous les soirs jusqu'à 5 heures du matin et recommencent à partir de 10 heures. Maurice n'est pas méchant, mais il est pote avec Sze-to et lui, c'est un serpent venimeux. Méfiez-vous.

– Ne t'inquiète pas. Comment est-ce qu'on reconnaîtra Sze-to ?

Benny traça une ligne imaginaire depuis le bas de son œil droit jusqu'au coin opposé de sa bouche.

– Il a une grande balafre, dit-il. Un coup de couteau, je crois.

Matt poussa l'argent et les tickets vers Benny qui s'en empara. Puis le Chinois alla dans la chambre et revint avec une balle de base-ball.

– Tiens, Cat, dit-il. T'as toujours été chouette avec moi. Encore ce soir. C'est la balle décisive qui t'a fait gagner contre Toronto. Tu te souviens ? On a voulu me l'acheter une demi-douzaine de fois, mais j'ai toujours dit non, c'est la balle de Black Cat et un de ces jours, je la lui rendrai en main propre.

– C'est très gentil, Benny, merci.

Matt soupesa la balle deux ou trois fois avant de la mettre dans la poche de sa veste.

– Surtout fais très attention à Sze-to, dit Benny. Et ne mêle pas mon nom à cette histoire. Bonne chance, madame.

Sarah le remercia puis elle redescendit l'escalier mal éclairé devant Matt et ils traversèrent à nouveau le couloir nauséabond. Dehors, la pluie tombait plus drue, fouettée par le vent de mer.

– Allons nous poser dans ce bistro pour décider de la conduite à tenir, suggéra Matt.

Sarah montra les alentours de la main en se pinçant le nez.

– Tout, plutôt que de rester dans cette puanteur. C'est drôlement sympa de sa part, à ce Benny, vous ne trouvez pas ?

– Quoi ?

– De vous avoir donné cette balle.

– Ouais, fit Matt. C'est très sympa, sauf que cette balle du match contre Toronto, je l'ai déjà chez moi au fond d'un placard.

Une pluie tenace s'était installée, succédant à l'orage qui semblait calmé. Après avoir avalé un café et une part de tarte aux pommes, Sarah et Matt sortirent du bistro et, courant de porte cochère en porte cochère, se mirent en quête d'un distributeur d'argent. Ils avaient envisagé et rejeté toutes les options s'offrant à eux pour n'en retenir finalement qu'une seule : trouver Sze-to et l'amener d'une façon ou d'une autre à révéler qui l'avait payé et pourquoi. Pour ce faire, tous les moyens seraient bons, supplication, subornation, menace et même pression physique si nécessaire.

Les derniers doutes de Sarah s'étaient envolés ; quelqu'un avait bel et bien soudoyé Tommy Sze-to pour trafiquer les plantes dans l'échoppe de Kwong Tian-Wen, quelqu'un qui avait intérêt à ruiner la carrière du vieil homme ou la sienne, probablement les deux. Quant aux chances d'obliger un gangster comme Sze-to à rester à Boston assez longtemps pour qu'il soit interrogé par l'autorité judiciaire, elles étaient minces et supposaient que ladite autorité veuille bien se pencher sur le cas Baldwin, ce qui n'était pas le cas. Il n'y avait pas d'alternative. Il fallait affronter Sze-to avant que celui-ci apprenne qu'ils étaient à ses trousses et disparaisse. C'était aussi simple que cela.

Le distributeur automatique de la Bank of Boston refusa de cracher plus de deux cent cinquante dollars, non par mauvaise volonté, concéda Matt, mais parce que son découvert n'était sans doute pas extensible à l'infini. Pataugeant dans les flaques d'eau, ils parcoururent en sautillant les quelques rues qui les séparaient du tripot clandestin indiqué par Benny. Sans évoquer le sujet, ils continuaient tous les deux à s'interroger avec angoisse sur le sort d'Andrew Truscott.

Leur plan, pour autant qu'on pût parler d'un plan, consistait à aborder Sze-to comme s'ils étaient en relation d'affaires avec lui, peut-être en lui faisant croire qu'une importante somme d'argent lui était due.

– Et s'il ne gobe pas l'hameçon ? hasarda Sarah.

– Alors, on se rabattra sur le plan B, quel qu'il soit. Il est probable qu'en fin de compte, ce sera le plus costaud de nous deux qui aura gain de cause.

– Ou le mieux armé...

Le bâtiment délabré de trois étages était rencogné au fond d'une petite rue, non loin de la boutique de Kwong. La porte de l'immeuble s'ouvrait sur un hall d'entrée où traînaient des monceaux de prospectus publicitaires, guère mieux éclairé que celui de Regal Street. La porte peinte en vert olive laqué se trouvait en haut de la première volée de marches. Sarah et Matt entendirent à l'intérieur une musique d'instruments à cordes accompagnant une voix de femme nasillarde.

– Souvenez-vous d'avoir l'air de quelqu'un qui sait ce qu'il veut, souffla Matt avant de frapper au battant.

La porte s'entrebâilla de quelques centimètres, juste assez pour révéler un quart de visage renfrogné et un unique œil chassieux. La voix de la chanteuse chinoise, plus forte à présent, s'avéra provenir d'un enregistrement.

– Qu'est-ce que vous voulez ?

La voix était rauque et impatiente.

– Je m'appelle Matt Daniels, fit Matt en exhibant une carte de visite qu'il rempocha aussitôt. Je suis avocat. Cabinet Hannigan, Daniels & Chung. Si vous êtes Maurice Fang, il faut que je vous parle.

– A quel sujet ?

– Il s'agit d'argent dû à un de vos clients. Beaucoup d'argent, monsieur Fang... Je vous en prie, je suis au courant du jeu qui se pratique chez vous et ça m'est totalement indifférent. Mais je n'ai pas l'habitude de traiter mes affaires sur le palier. Alors, est-ce qu'on peut entrer, maintenant, s'il vous plaît ? Il est très tard et j'aimerais en avoir fini ce soir.

Sarah signifia discrètement de la tête son admiration pour le numéro de bluff de Matt. Après quelques secondes d'hésitation, Fang ôta la chaînette qui retenait la porte et l'ouvrit en grand. Son appartement était nettement mieux meublé que celui de Benny Hsing, mais il était aussi beaucoup plus enfumé.

– Vous demandez qui ? s'enquit Fang.

Maigre, la soixantaine, il portait une chemise de soirée noire et une cravate blanche unie. Matt manœuvra immédiatement de façon à se placer entre Fang et l'entrée de la pièce.

– Comme je vous l'ai dit, je suis avocat, et voici Mlle Sharp, mon associée. Il s'agit d'une affaire de succession. Nous recherchons un individu du nom de Sze-to, prénom Tommy. Je suis habilité à payer jusqu'à cinquante dollars toute information me permettant de localiser cette personne afin de traiter directement avec elle. Nous l'avons cherchée toute la journée et finalement, quelqu'un nous a suggéré d'essayer ici.

– Qui ?

– Monsieur Fang, je suis avocat, je vous le répète, et dans leur propre intérêt, je respecte la confidentialité de mes informateurs, y compris vous-même.

– Montrez les cinquante dollars, dit Fang.

Il prit les billets et se dirigea vers la salle de jeu en ordonnant à Matt et Sarah de l'attendre dans le séjour. Au bout d'une minute, il revint et lui rendit l'argent.

– Personne ici ne connaît votre Sze-to... Hé ! non, attendez !

Matt l'avait bousculé et s'était précipité jusqu'au seuil de la pièce.

– Je veux vérifier moi-même, dit-il. Ça a assez duré.

Sarah bondit derrière lui et vit tout de suite qu'un des joueurs de poker était Tommy Sze-to. Il était plutôt fluet, le visage terreux avec des traits simiesques, une fine moustache et une longue cicatrice très voyante, exactement là où Benny l'avait décrite.

Fang attrapa Matt au collet et essaya de le tirer en arrière, mais celui-ci le repoussa sans peine.

– Je ne sais pas si l'un d'entre vous est M. Tommy Sze-to, dit-il, mentant effrontément, mais je dois l'entretenir d'une certaine somme d'argent qui lui revient. Une somme très importante.

Autour de la table, les hommes se contentèrent de le fixer des yeux, impassibles, sans faire un mouvement.

– Vous voyez ? triompha Fang. Vous voyez ? Maintenant, fichez le camp d'ici !

Matt et Sarah échangèrent un regard. Tous deux savaient qu'il n'y aurait pas de deuxième chance. A l'évidence, Sze-to ne marchait pas dans la combine de Matt.

– Rabattons-nous sur le plan B, il n'y a plus que ça, chuchota Matt par-dessus son épaule.

Il prépara visuellement son coup pendant quelques instants, puis contourna la table de jeu et vint serrer énergiquement la main d'un Sze-to interdit.

– Ravi de vous connaître, monsieur Sze-to, dit-il d'une voix exagérément joviale. Ravi de vous connaître.

Avant que le Chinois n'ait pu réagir, Matt l'obligea à se lever d'une vigoureuse traction, lui tordit le poignet droit dans le dos et referma son bras gauche sur son cou malingre.

– Hé ! arrêtez, merde ! gargouilla Sze-to.

– Écoute-moi, Tommy, fit Matt, l'entraînant dans le vestibule. Je ne te ferai pas de mal, mais il faut qu'on discute. (Il resserra son étreinte.) Tu comprends ?

Sze-to opina. Sans relâcher son bras, Matt lui tourna la tête en direction de Sarah.

– Tu sais qui c'est ? lui demanda-t-il. Tu le sais, oui ou non ?

Sze-to se débattit faiblement, puis renonça. Il avait près de quinze centimètres et vingt kilos de moins que l'avocat.

– Lâchez-moi, dit-il d'une voix étranglée.

– Est-ce que tu sais qui est madame ?

– Oui.

– Et pourquoi nous sommes ici ?

– Oui, oui, lâchez-moi.

Matt desserra sa prise. D'une secousse étonnamment vive, le Chinois libéra son bras, frappa Matt au visage d'un revers de main, et lui envoya son pied à toute volée dans l'aine. Matt poussa un grognement de douleur et recula en chancelant contre le mur. Sze-to s'avança, voulant profiter de son avantage, mais Matt se redressait déjà. Après un court instant d'hésitation, le gangster cria quelque chose à Fang en chinois, fonça au bout du couloir vers la fenêtre et, plongeant à travers, sauta sur la plate-forme de l'issue de secours dans un fracas de verre brisé. Les yeux vitreux, la bouche en sang, Matt se jeta à sa poursuite, escorté par Sarah. Ils virent Sze-to disparaître de la plate-forme puis, de la cour en contrebas, l'entendirent pousser un cri de douleur.

– Il s'est fait mal, dit Matt en scrutant les ténèbres fouettées de pluie à travers ce qui restait de la vitre. On peut l'avoir.

Et sans attendre la réponse de Sarah, il enjamba la fenêtre et prit pied sur la plate-forme glissante. En quelques secondes, Sarah l'avait rejoint.

– Va te faire foutre, enfoiré ! cria Fang derrière eux.

N'ayant apparemment pas réussi à libérer et positionner l'échelle de secours, Sze-to avait sauté directement dans le vide. Ils le virent s'éloigner en traînant la patte vers un étroit passage.

– Magnons-nous, vite ! fit Matt en s'agenouillant pour placer l'échelle métallique.

– Ça va, vous n'avez rien ? demanda Sarah tandis qu'il dégringolait tant bien que mal jusque dans la courette boueuse et mal pavée.

– On verra plus tard, venez.

Sarah se laissa glisser au bas de l'échelle au risque de se rompre le cou et courut après Matt en trébuchant dans les trous d'eau. Elle le rattrapa au coin du passage obscur encombré de détritus et de cartons surchargés d'ordures. Ils scrutèrent les ténèbres à travers la pluie battante mais ne virent personne.

– Vous avez compris ce que Sze-to a crié à Fang ? demanda Matt en s'engageant prudemment dans le passage.

– Je ne suis pas sûre. Appelle Guo-Ming, quelque chose comme ça.

Ils s'avancèrent avec d'infinies précautions. Sze-to pouvait se cacher n'importe où, embusqué peut-être, prêt à leur sauter dessus. Soudain, un éclair illumina le passage. Un violent coup de tonnerre retentit, suivi d'un nouvel éclair.

– Là ! s'écria Matt en tendant le doigt.

Le fuyard, qui se faufilait le long du mur comme une ombre, était presque arrivé au bout du passage. Dès qu'il entendit la voix de Matt, il prit ses jambes à son cou. Ils le pourchassèrent à travers une rue déserte, puis le long des rails de tramway aboutissant au vaste dépôt du réseau sud. Devant eux, Sze-to clopinait vers une file de tramways vides. Il se glissa derrière l'un d'eux en courbant la tête. Ahanant dans l'air moite et suivi de Sarah, nettement plus en forme, Matt se risqua entre deux véhicules. Soudain, ils se figèrent. Sze-to était peut-être à cinquante mètres. Mais il ne fuyait plus et s'était retourné pour leur faire face. Trois autres hommes, dont deux Asiatiques, étaient à côté de lui. L'un d'eux tenait un revolver. Le troisième était Andrew Truscott.

– Seigneur ! murmura Matt.

– Matt, c'est Andrew, murmura-t-elle en essayant de percer l'obscurité.

– Je l'aurais parié, fit-il avec amertume.

– Andrew, qu'est-ce que vous faites ? cria-t-elle. Qu'est-ce qui se passe ?

– Venez par ici ! beugla Sze-to par-dessus le crépitement de la pluie sur les tôles. Avancez doucement. (Il montra du pouce son acolyte.) Guo-Ming est un excellent tireur. Ne l'obligez pas à le prouver.

– Andrew, qu'est-ce qui se passe ? répéta Sarah d'une voix suppliante.

– Mais Sarah, vous ne voyez donc pas ? chuchota Matt, désespéré. Passez derrière moi et planquez-vous derrière le tram. Vite !

Elle obéit sans comprendre.

– Un pas de plus et vous êtes morts tous les deux, avertit Sze-to. Comme votre ami, là.

Les deux hommes qui encadraient Andrew s'écartèrent et le corps sans vie du chirurgien s'affaissa sur les rails.

– Guo-Ming, descends-moi ces deux imbéciles, ordonna Sze-to d'une voix égale.

– Attention, Sarah, sauvez-vous, vite ! cria Matt tandis que Sze-to se plaçait derrière ses deux comparses.

La main de l'ancien lanceur des Sox était déjà dans la poche de sa veste, les doigts crispés autour de la balle de base-ball. D'un mouvement continu et fluide, il sortit la balle et arma son bras en avançant une jambe. Guo-Ming, pour lors distant d'une trentaine de mètres, perdit une précieuse seconde à essayer de comprendre ce qui se passait. La balle fila d'un trait et le frappa en plein milieu du cou, juste au-dessus du sternum. L'homme tressauta en arrière comme sous le coup d'une ruade et s'abattit sur le dos en gémissant, lâchant son revolver dont le coup partit en l'air.

Sarah s'enfuyait déjà, courant à toutes jambes entre les rangées de tramways, et Matt la suivit sans demander son reste. Ils retraversèrent la rue et comme ils s'engouffraient dans un autre passage, Matt se retourna et vit Sze-to foncer sur eux, l'arme au poing, flanqué de l'autre Chinois valide. Un coup de feu claqua et la balle fracassa une brique à quelques centimètres de la tête de Sarah. Matt lui prit la main et l'entraîna à couvert. Ensemble, ils détalèrent dans la nuit.

26

– Vous les voyez ? demanda Sarah.

Ils étaient dans une rue sombre et déserte, blottis derrière une voiture en stationnement. La pluie tombait de plus belle, lancinante, implacable. Matt jeta un œil à travers la vitre du véhicule.

– Ils sont sur l'autre trottoir, souffla-t-il. Ce type avec Sze-to, je n'ai pas l'impression qu'il ait envie de pousser très loin. Et Sze-to non plus ; il a du mal à se déplacer à cause de sa patte folle. On devrait pouvoir les semer.

– Vous savez où on est ?

– Pas exactement. Mais le centre-ville est par là.

Sarah se releva prudemment jusqu'à ce qu'elle aperçoive les deux hommes. Ils ne semblaient pas pressés.

– Ils sont dingues ! Ils ont tué Andrew. J'ai la trouille, Matt. Je ne peux pas m'empêcher de trembler.

– Peut-être, mais vous allez devoir prendre les choses en main, parce que moi, c'est encore pire. Écoutez, voici ce que nous pouvons faire. Sze-to peut à peine bouger. Vous voyez ce passage là-bas ? On fonce dedans et on essaye de rejoindre Stuart Street ou du moins un endroit où il y ait du passage, d'accord ?

– Matt, regardez !

Sortis de l'ombre comme par enchantement, deux autres hommes avaient rejoint Sze-to et fouillaient la rue du regard. L'un d'eux était armé d'un revolver, l'autre parlait dans une espèce de talkie-walkie ou de téléphone portable. Tous deux paraissaient calmes et athlétiques.

– Seigneur, ce n'est pas vrai, c'est une armée...

– C'est tout un gang. Souvenez-vous de ce que Benny nous a dit.

– Il faut se tirer de là.

– O mon Dieu, Matt, regardez là-bas. Je crois qu'il en vient d'autres.

Effectivement, trois nouveaux Chinois débouchaient de l'extrémité de la rue.

– Ce passage est notre seule issue, maintenant. Il faut y aller coûte que coûte. Restez baissée le temps qu'on atteigne le coin du bâtiment, puis courez à fond de train. Prête ?

– Oui.

– Sarah, je... je tiens vraiment beaucoup à vous. Allons-y.

Pliés en deux, la tête rentrée dans les épaules, ils sortirent petit à petit de leur planque en mettant les mains sur le pavé pour ne pas perdre l'équilibre.

– Go ! dit Matt.

Ils s'élancèrent au triple galop vers l'entrée du passage. Derrière eux, un des gangsters cria. L'instant d'après, deux coups de feu claquaient.

– Baissez-vous ! Vite, foncez ! cria Matt.

Le passage était étroit et rempli de débris divers. Matt renversa une poubelle derrière lui, puis une deuxième.

– Attention ! coupons à droite, cria Sarah en tendant le doigt.

Deux autres hommes avaient surgi au bout du passage. Chinatown, qui n'occupait pourtant qu'une douzaine de rues, semblait s'étendre à l'infini. Réagissant au cri de Sarah, Matt se jeta dans un passage encore plus étroit, glissa, se rattrapa et se remit à courir.

– Ma parole, ils prolifèrent comme des lapins, dit-il en haletant. J'ai peur qu'on n'arrive jamais à sortir d'ici. Il vaudrait mieux chercher une planque.

Sarah, de loin la plus rapide, arriva à une intersection et aperçut un cinéma désaffecté à quelques mètres sur sa droite. L'entrée était condamnée par des planches clouées derrière lesquelles on voyait encore les affiches déchirées de films chinois et même d'*African Queen*, avec Humphrey Bogart et Katharine Hepburn.

– Regardez, Matt. Vous pourriez nous faire rentrer là-dedans ?

Il donna un coup d'épaule, recula et, d'un violent coup de pied, fit céder deux planches. Ils se glissèrent à l'intérieur en prenant soin de refermer la porte derrière eux. Le foyer était faiblement éclairé grâce à deux fenêtres du bâtiment voisin d'où provenaient des lumières.

L'endroit était nu et vide, à part une vieille moquette usée jusqu'à la trame. Une odeur de pop-corn flottait encore dans l'air malgré les années d'abandon. Main dans la main, ils pénétrèrent dans la salle elle-même. Comme dans le hall, quelques fenêtres haut placées jadis masquées prodiguaient un semblant de lumière qui leur permit de distinguer une scène derrière l'endroit où devait être tendu l'écran. Tous les sièges avaient été ôtés, sauf deux ou trois en piteux état.

– Ça doit dater des temps héroïques du muet, dit Matt. Il faut qu'on trouve un recoin pour se cacher ou une autre issue, sinon, on est cuits.

Sarah monta sur la scène, puis appela Matt à voix basse.

– Regardez là-haut.

A l'entrée des coulisses se dressait une échelle métallique conduisant à une passerelle suspendue au plafond. Celle-ci, à peine visible dans la pénombre, courait à environ huit mètres de hauteur. Sarah attrapa une des couvertures matelassées qui traînaient là, sans doute oubliées lors du déménagement, et commença à grimper.

– Ça va, c'est solide. Venez, Matt.

Quelques instants plus tard, ils entendirent la porte du cinéma s'ouvrir à nouveau sous une grêle de coups tandis que s'élevait un brouhaha de voix criardes. Matt leva les yeux, sans voir Sarah, jeta deux autres couvertures sur son épaule et monta hâtivement l'échelle à son tour. La passerelle, qui faisait près d'un mètre de large et tenait grâce à des montants d'acier fixés au plafond, semblait des plus robustes. Matt étendit une des couvertures à côté de celle de Sarah et plia l'autre pour en faire un oreiller de fortune. Les couvertures étaient humides et puaient le moisi, mais la peur les empêchait de sentir l'inconfort et d'ailleurs, ils étaient déjà trempés de sueur. Matt s'allongea à côté d'elle et releva les genoux. Au même instant, plusieurs hommes faisaient irruption dans la salle.

– Vous voyez quelque chose ? chuchota-t-elle, collant ses lèvres à son oreille.

Matt secoua la tête, puis s'étendit de tout son long, priant pour qu'on ne les voie pas d'en bas. Les Chinois, il semblait qu'il y en eût deux, discutaient calmement dans leur langue. Ils firent le tour de la salle et sortirent au bout de quelques minutes. La porte d'entrée s'ouvrit et se referma. Avaient-ils abandonné la traque ?

Sarah commença à parler, mais Matt, un doigt sur la bouche, lui fit signe de se taire et l'attira plus près de lui. Cinq minutes s'écoulèrent puis, dans la pénombre en contrebas, ils entendirent quelqu'un s'éclaircir la gorge et toussoter.

– Je le savais, souffla-t-il.

Peu après, la porte du foyer claqua de nouveau. Différentes voix interrogèrent le guetteur et soudain, l'atmosphère poussiéreuse fut balayée par plusieurs pinceaux de vive lumière.

– Merde ! articula silencieusement Matt.

Sarah se serra encore plus fort contre lui. Elle essayait désespérément de comprendre le chinois parlé par les gangsters mais ne saisissait que quelques mots épars et une phrase de temps à autre. Tommy Sze-to était de toute évidence terrifié et furieux. Si Sarah et Matt réussissaient à s'échapper et parlaient, il y avait quelqu'un (elle ne reconnut aucun nom) qui n'apprécierait pas du tout. Une forte récompense attendait celui ou ceux qui les pinceraient.

Paralysés, respirant à peine, ils virent le faisceau des lampes torches explorer le plafond, la passerelle et peut-être même le dessous des couvertures sur lesquelles ils reposaient. Matt réalisa quelle idée de génie Sarah avait eue en les prenant. Il essaya d'imaginer à quoi ressemblait leur nid vu d'en dessous. A rien du tout, sans doute, se dit-il. S'ils s'en tiraient, il faudrait qu'il trouve quelque chose de vraiment spécial pour la remercier.

En bas, les lumières et les voix se rapprochèrent de la scène. Une tache de lumière parcourut la passerelle, puis une autre. Les lumières allaient et venaient, fouillant tous les recoins. Sarah sentit qu'elle commençait à trembler et Matt, qui s'en aperçut, tourna légèrement la tête et appliqua ses lèvres sur son front. La passerelle vibra tandis qu'un des hommes empoignait les montants de l'échelle, puis oscilla franchement comme il montait les premiers échelons. Matt appuya ses lèvres un peu plus fort. L'homme progressait, de barreau en barreau. Ils voyaient le rayon de sa lampe courir sur la masse compacte qu'ils formaient. Un nouveau pas... puis brusquement, la passerelle accusa un dernier soubresaut alors que le Chinois, lâchant l'échelle, sautait à terre.

– Rien, dit-il.

Les lampes torches se mirent à sonder d'autres parties du cinéma. Pelotonnés sur leur refuge aérien, trempés et harassés, Matt et Sarah luttaient contre le besoin de bouger. Ils commençaient à avoir des crampes dans les membres, et des picotements électriques les démangeaient aux mains et aux pieds. Ils s'accrochaient l'un à l'autre, incapables de se mouvoir ou de parler, unis et en même temps plus distants que jamais.

Les recherches des gangsters se poursuivirent pendant au moins une demi-heure, en l'absence de Sze-to qui avait abandonné depuis un moment déjà. A deux reprises, Matt et Sarah entendirent la porte extérieure s'ouvrir et se refermer. Puis le silence s'établit dans la salle.

Sarah voulut changer de position, mais Matt l'en empêcha.

– Ils sont toujours là, dit-il d'un souffle à peine audible. Ne bougez pas.

En bas, quelque part dans l'obscurité, un homme trépignait sur place en se raclant la gorge. Sarah déplaça lentement son bras libre jusqu'à ce que ses doigts touchent le cou de Matt. Ils restèrent ainsi couchés l'un contre l'autre pendant deux heures, les yeux fermés, respirant en cadence. Tous les quarts d'heure environ, le veilleur campé sous la passerelle faisait entendre quelque bruit impatienté. Enfin, au bout d'une éternité, il alluma son radio-téléphone et entama un dialogue en chinois.

– Il veut s'en aller, chuchota Sarah d'une voix déjà réjouie.

Ils l'entendirent s'étirer, bâiller en grognant, puis se retirer en traînant les pieds vers l'entrée de la salle. La porte du foyer s'ouvrit et se referma à nouveau. Puis régna un silence complet.

– Qu'est-ce que vous en dites ? demanda Matt.

– Ils ne nous ont pas trouvés, voilà ce que j'en dis.

– A mon avis, il est parti.

– Matt, je n'arrête pas de penser à Andrew. Je vous en prie, restons encore un peu ici.

L'avocat tourna la tête, et leurs lèvres se rencontrèrent.

– Si vous insistez, dit-il.

A 5 h 30 du matin, les premières lueurs de l'aube commencèrent à dissiper les ténèbres dans le cinéma. Recroquevillés sur la passerelle rouillée, Sarah et Matt avaient bougé juste assez pour préserver leurs membres de l'engourdissement. Ils étaient toujours enlacés et n'avaient pas dit un mot. Il leur semblait qu'ils avaient réussi à dormir par intermittence, mais ils n'en étaient pas sûrs. Matt prit le visage de Sarah entre ses mains et l'embrassa tendrement sur les yeux.

– Tu as fait preuve d'un courage incroyable, dit-il, renonçant à un vouvoiement qui n'était plus de mise. J'ai vraiment été stupide de vouloir jouer les gros bras avec cet enfant de pute.

– Ils sont partis, cette fois ?

Matt se redressa lentement et scruta la pénombre à travers le plancher ajouré de la passerelle.

– Pour le foyer, je ne peux jurer de rien, en tout cas, la salle est déserte. Mais je crois qu'il vaut mieux attendre 9 ou 10 heures avant de ressortir. Plus il y aura de gens dans la rue, plus nous aurons de chances de rentrer sains et saufs. Quoique franchement, à la place de Sze-to, j'aurais déjà filé le plus loin possible d'ici.

– Pauvre Andrew. Il essayait véritablement de m'aider.

– Il en a peut-être fait assez pour mériter sa place au paradis. Vu la façon dont il a fini, on peut dire qu'il a agi noblement. Je regrette seulement qu'il n'ait pas eu le temps d'apprendre qui a loué les services de Sze-to. Tu as une idée là-dessus ?

– Pas la moindre, non. J'ignore absolument qui ça peut être et pourquoi. Mais on a au moins appris une chose importante...

– C'est que quelqu'un est prêt à tout pour que tu apparaisses comme responsable de ces cas de CID.

– Exactement. Et même si ce n'est pas a contrario une preuve absolue de notre innocence, à Tian-Wen et à moi, il y a quelqu'un qui sait que nous n'y sommes pour rien et qui s'acharne à prouver le contraire. Dès qu'on sera sortis d'ici, il faudra absolument trouver qui c'est. Mais j'irai d'abord voir Claire Truscott pour lui parler.

– Tu ne m'as pas dit qu'Andrew l'avait quittée ?

– Si, mais il reste le père de leur enfant. Je compte aider Claire par tous les moyens dans l'avenir.

Matt regarda sa montre.

– Encore deux heures à tenir, dit-il. Mettons deux heures et demie. On a tout intérêt à rester ici en faisant le moins de bruit possible.

– D'accord.

Elle lui sourit et l'embrassa. Il glissa sa main sous son chemisier et lui caressa le dos.

– Tu sais, dit-il, ce n'est pas exactement comme ça que j'avais fantasmé de passer ma première nuit avec toi.

– Et moi, je me suis dit que toute cette nuit n'était qu'un coup monté par toi pour flatter mes goûts pour l'aventure et l'exotisme.

– Tu me promets de ne pas me dénoncer à l'ordre des avocats ?

– Si tu promets de ne pas me laisser tomber en tant que cliente.

Elle l'embrassa encore, d'un baiser plus appuyé, cette fois. Puis sa main descendit le long de son ventre, déboucla sa ceinture et entreprit une exploration plus intime, suivie de douces cajoleries.

– Tu as été rudement macho, hier soir, Cat, lui dit-elle à l'oreille. Il t'a fait mal, ce sale type ?

– Je ne sais pas, je ne me souviens plus, dit-il en la dévorant des yeux. Un peu, je crois. Bon Dieu, c'est sacrément bon, ce que tu me fais, tu sais. Vraiment super.

– Ça ne fait que commencer, dit-elle. N'oublie pas que je suis médecin. Quand je l'estimerai cliniquement approprié, j'appliquerai un pansement labial sur les parties sensibles. Tu verras, ce sera encore meilleur.

27

9 OCTOBRE

– Bistouri... éponge, s'il vous plaît... Envoyez l'endoscope, merci. Comment ça va, Kristen ? Vous sentez quelque chose ? Parfait, c'est parfait... Vous souhaitez toujours suivre l'intervention sur l'écran ?... Entendu, on y va...

La jeune femme allongée sur la table d'opération, mère de trois enfants, avait réclamé avec insistance d'être anesthésiée localement et non endormie. Bien que l'anesthésie générale fût la règle, Sarah avait accepté. Elle avait réalisé sa première ligature des trompes par laparoscopie à la fin de sa première année d'internat. Cette opération s'était déroulée sans la moindre anicroche, de même que les vingt ou vingt-cinq autres qu'elle avait effectuées par la suite, dont trois sous anesthésie locale, complétée par une puissante sédation. Sarah était un chirurgien bougrement habile, cliniquement et techniquement une des meilleures, sinon la meilleure de sa promotion. Alors, pourquoi sa vie à l'hôpital était-elle devenue un enfer ?

– OK, Kristen. Ce que vous voyez sur l'écran, ce sont vos organes génitaux internes. Il y a une petite mais très puissante source de lumière à l'extrémité de mon endoscope. Un capteur la concentre et la transmet aux fibres optiques qui la déplacent dans toutes les directions voulues, au besoin en lui faisant passer des coudes. Les fibres optiques renvoient l'image à l'oculaire qui à son tour la retransmet sur l'écran du moniteur. Actuellement, cette chose rose qu'on distingue au milieu de l'écran est votre ovaire gauche. Fabuleux, n'est-ce pas ?

Quelle révolution, ces fibres optiques ! songeait Sarah. Et elle eut une pensée pour le scientifique auteur de cette magnifique découverte qui avait présidé à une mutation majeure dans les communications planétaires et repoussé les frontières de la chirurgie comme jamais depuis la mise au point des narcotiques modernes. Cet inventeur avait-il été récompensé ? Ce génie était-il riche ? Vivait-il en paix ? Ou bien les controverses, la maladie, les machinations avaient-elles eu raison de lui ?

Sarah avait inséré un instrument bipolaire de cautérisation dans une petite incision pratiquée juste au-dessus du pubis de Kristen. Guidée par l'endoscope, elle dirigea les pointes du cautère autour de l'étroite trompe de Fallope. Puis elle parcourut toute la longueur de la trompe, depuis l'utérus jusqu'à l'entonnoir muni de franges, ou pavillon, débouchant dans l'ovaire.

– Bon, Kristen, votre trompe gauche est totalement exposée, maintenant. Je vais la saisir avec la petite pince au bout de mon cautère et l'obturer en la brûlant. Si vous voulez toujours observer l'opération, vous allez voir les cellules de gras du tissu grésiller. Ensuite, pour être sûre qu'il n'y ait pas de surprise désagréable dans l'avenir, je vais refaire la même opération à un autre endroit, un peu plus près de votre utérus. La cautérisation endormira les terminaisons nerveuses, si bien que vous ne sentirez pratiquement rien dans cette zone quand ce sera fini.

Sarah leva les yeux vers les infirmières qui l'assistaient. Autrefois, celles-ci adoraient travailler avec elle. Pendant les interventions, elles bavardaient et plaisantaient souvent ensemble. A présent, que ce fût ou non intentionnel, Sarah les sentait distantes.

Elle et Matt avaient déclaré le meurtre d'Andrew à la police. Un inspecteur avait enquêté, sans trouver ni cadavre, ni la moindre preuve de geste criminel. Il n'avait pu localiser Tommy Sze-to, ni obtenir d'un témoin qu'il corrobore tout ou partie de leur déposition. La procédure de mise en accusation de Sarah pour faute professionnelle suivait son cours et, alimentée par le récit jugé fantaisiste de ses tribulations à Chinatown, bénéficiait encore d'une large couverture médiatique. De nombreuses rumeurs circulaient sur elle à l'hôpital. L'une d'elles prétendait qu'Andrew s'était séparé de sa femme pour vivre avec elle, avant de repartir en Australie quand elle lui avait préféré un autre homme. Selon d'autres bruits, Sarah avait tué Andrew au cours d'une dispute amoureuse, puis inventé cette fable de gangsters chinois au cas où son cadavre serait retrouvé. C'était terriblement frustrant de savoir que sans preuve concrète d'aucune sorte, elle était impuissante à convaincre quiconque doutait de la vérité.

Les articles de presse concernant Sarah et le CHU de Boston allaient du matraquage quotidien à l'entrefilet épisodique, selon les journaux. Une lettre outrée du président de l'Association des Habitants de Chinatown avait paru dans le *Globe*, se plaignant amèrement de ses allégations sur les gangs asiatiques et la violence, qualifiées de calomnieuses pour la communauté qu'il représentait. Dans différentes publications et médias audiovisuels, on s'interrogeait sur ses intentions, sa moralité et même sa santé mentale. Et le pire de tout était que la situation n'avait pas changé d'un iota.

Désespérant de disculper Sarah et inquiet pour sa propre réputation soudain chancelante, Matt avait engagé un détective privé. Au bout de trois semaines et après avoir empoché deux mille dollars, l'homme n'apporta aucune information, sinon que Sze-to n'était plus à Boston et avait peut-être quitté le pays. A l'en croire, personne à Chinatown n'avait entendu parler du Dr Andrew Truscott.

– Voilà, Kristen, c'est fini. Il n'y a plus qu'à mettre quelques bandages et dans quarante-huit heures, vous serez sur pied. Merci à tous.

Une des infirmières marmonna vaguement une réponse, mais personne ne la félicita pour un travail pourtant exceptionnellement bien fait. Sarah ôta ses gants et se hâta de rejoindre le vestiaire, assaillie par un terrible sentiment d'abandon et prête à fondre en larmes. Elle était toujours motivée, résolue à poursuivre son travail, et depuis la mort d'Andrew, plus que jamais décidée à ne pas se laisser flouer. Mais il était douteux qu'elle retrouve un jour la sérénité qu'elle avait connue jadis au CHU de Boston. Le fait, comme la plupart des médecins, d'être mise sur un piédestal faisait évidemment d'elle une cible facile. Elle n'aurait jamais cru que la réputation d'un praticien puisse être aussi fragile. Qu'après plus de deux ans de dévouement, d'un travail régulier, irréprochable, effectué sans ménager ni son temps ni sa santé, une disponibilité, une serviabilité de chaque instant, il ait suffi de sous-entendus et de racontars pour détruire sa réputation avait quelque chose de parfaitement démoralisant.

Elle changea de blouse, enfila le traditionnel manteau bleu marine du corps médical et passa prendre son courrier dans sa case. Parmi les prospectus, les bulletins professionnels et le courrier tapé que lui retournait son secrétariat, il y avait un mot de Rosa Suarez, daté du matin même, lui demandant de se mettre en rapport avec elle. Il y avait aussi une lettre du président du conseil d'administration de l'hôpital, dans une enveloppe traitée par ordinateur, impossible à distinguer de celles annonçant habituellement un pot avec les actionnaires et le personnel ou lui réclamant un compte rendu de ses activités au titre de la formation permanente. Le contenu, cependant, n'avait rien à voir. Signée par quelque secrétaire et non par le président lui-même, la missive l'informait en termes polis qu'en raison de la confusion et de l'incertitude régnant autour de son cas et de son avenir professionnel, la sous-commission chargée de la promotion du personnel soignant demandait au Dr Randall Snyder de proposer quelqu'un d'autre au poste de chef de service de gynéco-obstétrique pour l'an prochain.

– Ah ! les salauds, lâcha Sarah à mi-voix en enfournant la lettre dans sa poche.

– Qui ça ? fit une voix dans son dos.

Elle se retourna et découvrit Eli Blankenship, le sourire aux lèvres, son crâne chauve luisant sous les spots fluorescents. La colère de Sarah retomba aussitôt. Depuis le début de son chemin de croix, le médecin-chef était un des seuls à lui avoir prodigué un soutien sans faille. Il n'avait jamais douté de la véracité de leur histoire concernant Truscott et Sze-to, assurant que le premier amateur de mystère venu aurait décelé instantanément qu'ils disaient vrai tous les deux. Leur récit, disait-il, était à la fois trop spontané et trop détaillé pour être autre chose que la pure et simple vérité.

– Bonjour, docteur Blankenship, dit l'employé du courrier en lui tendant un impressionnant paquet de lettres, magazines et imprimés divers.

– Bonjour, Tate. Et madame, ça va toujours ?

– Oui, oui, en pleine forme, merci.

Blankenship sourit et entraîna Sarah vers la fenêtre.

– Qu'est-ce qui se passe ? demanda-t-il.

Elle sortit la lettre et la lui tendit. En quelques secondes, il l'eut parcourue.

– C'est ridicule ! s'exclama-t-il. Rob McCormick et les autres potiches du conseil passent tellement de temps à se regarder le nombril qu'ils oublient que la valeur des hommes se mesure à leurs actes. A part siéger deux ou trois fois par an, ils ne savent rien faire et ne font strictement rien. Mais est-ce que nous n'avons pas un meeting prévu avec votre avocat prochainement ?

– Si, demain soir.

– Eh bien, je vous promets que d'ici là, j'aurai parlé à ce McCormick. Je ne peux pas vous garantir un revirement complet de sa part, mais je sais être très convaincant quand je veux. Je vous promets également un exposé consistant sur la coagulopathie. Je suis devenu expert en la matière et à mon avis, il n'y a pas que votre supplément prénatal d'impliqué là-dedans. Je vous jure que nous allons trouver ce que c'est.

Il lut la colère et la frustration dans ses yeux et reprit :

– Sarah, il faut que vous gardiez la tête haute malgré l'épreuve que vous subissez. Il y a plus de gens que vous ne pensez qui vous soutiennent dans cet hôpital, à commencer par Snyder. Je serais surpris qu'il soit pour quelque chose dans cette lettre.

– Allons donc ! Comment voulez-vous qu'il n'y soit pour rien ? Il y a trois mois, il voulait s'associer avec moi. Aujourd'hui, il n'y a pas plus froid et distant. L'impression que j'ai, c'est que la plupart des gens ici, y compris Snyder, seraient bien contents de me voir démissionner.

– Mais ce n'est pas votre intention, n'est-ce pas ?

– Non, il n'en est pas question. Je n'ai rien fait de mal, ni à ces femmes ni à Andrew, malgré ce que tout le monde a l'air de penser.

Blankenship lui mit le bras sur l'épaule.

– Nous allons éclaircir cette histoire, lui dit-il avec un accent de profonde conviction. Nous irons au fond des choses et nous trouverons pourquoi ces femmes ont été frappées et qui est responsable de la mort de Truscott. Je sens que nous approchons de la vérité, je le sens dans mes tripes, là, ajouta-t-il en tapant sur ses abdominaux, lesquelles, entre nous soit dit, ne sont pas précisément la partie la plus sensible de mon individu. Il est vrai qu'il y a ici des gens qui pensent du mal de vous, et nous n'y pouvons rien. Mais nous pouvons les empêcher de vous nuire et vous pouvez compter sur moi pour le faire.

– Merci, dit Sarah. Merci pour tout.

– Bon, conclut Blankenship. Je vous retrouve demain soir avec, espérons-le, de bonnes nouvelles de ce maudit conseil d'administration. Qu'est-ce que vous faites, maintenant ?

– Je vais appeler Rosa Suarez. Il semble qu'elle ait quelque chose à me dire.

– Eh bien, vous nous direz de quoi il s'agit demain soir. Ou plutôt, essayez de persuader notre épidémiologiste si cachottière de venir elle-même nous faire part de ses trouvailles.

– Entendu. Je ne vous promets rien, mais je ferai le maximum. Elle se sentait requinquée comme elle ne l'avait pas été depuis des semaines.

– Mais Rosa, qu'est-ce que vous entendez par : « J'ai été dessaisie » ?

Assise sur un rocking-chair en bois d'érable au pied du lit de Rosa Suarez, Sarah fixait la Cubaine d'un regard incrédule.

– Comme je vous l'ai dit l'autre jour, mon patron et moi avons des rapports plutôt tendus.

– A cause de cette étude que vous aviez faite à San Francisco ?

– Voilà.

– Mais puisqu'on avait trafiqué vos résultats...

– Ça, il refuse d'y croire. Enfin, de toute façon, il a prétendu que mon enquête ne progressait pas et comme on n'a pas trouvé d'autre cas de CID, il m'a renvoyée à mes chères études, comme il dit, c'est-à-dire en bibliothèque jusqu'à ma retraite dans quatre mois. Pour l'instant, personne ne me remplace sur ce dossier.

– C'est affreux, fit Sarah, soudain oppressée par une bouffée de panique.

Elle avait cru véritablement en ce petit bout de femme intelligente et pugnace, espéré de tout son cœur qu'elle finirait par élucider ce mystère planant au-dessus de sa carrière comme un oiseau de proie.

– Après ce que vous m'aviez dit, je m'attendais que vous m'annonciez une découverte essentielle, reprit-elle. Et maintenant, voilà que vous arrêtez. Je ne...

Rosa l'interrompit en levant la main, puis elle s'assit au bord du lit et regarda Sarah droit dans les yeux.

– J'ai effectivement découvert quelque chose de très important, Sarah. Et rassurez-vous, je ne laisse pas tomber.

– Mais...

– Il me restait environ six semaines d'arrêt maladie inutilisées. Par conséquent, à partir d'aujourd'hui, je suis au repos pour cause d'hernie discale. Un de mes amis orthopédistes qui avait une dette envers moi s'est fait un plaisir de me fournir les certificats nécessaires.

Sarah qui, depuis quelques minutes, suivait un parcours de montagnes russes émotionnelles, sentit son optimisme remonter en chandelle.

– Merci, dit-elle d'une voix étranglée. Merci de ne pas m'abandonner. Mais il y a quelque chose que je ne comprends pas. Comment votre patron peut-il arrêter l'enquête s'il y a un nouvel élément décisif au dossier ?

– Parce qu'il ne le sait pas. Et il n'en saura rien tant que ça ne sera pas scellé, rescellé, copié et mis en lieu sûr. Même si cette fois, l'armée n'y est pour rien, j'ai la nette impression qu'il y a des gens et des intérêts très puissants en jeu.

– Expliquez-moi ça.

– Il y a deux aspects dans le problème auquel vous êtes confrontée. D'une part, on ne trouve aucun cas de CID qui ne soit pas lié à vous, d'autre part, les trois malades atteintes de CID n'ont aucun facteur de risque en commun à part votre supplément phyto.

– Oui, je sais.

– Eh bien, après avoir beaucoup tourné en rond, j'ai déniché un autre facteur déterminant commun à ces trois malheureuses.

– A savoir ? fit Sarah d'une voix impatiente.

– A savoir leur poids.

Il ne fallut pas plus d'un quart d'heure à Rosa pour raconter la démarche laborieuse qui l'avait conduite à la découverte du journal intime de Constanza Hidalgo puis de l'incroyable perte de poids de la jeune femme grâce à une certaine poudre prescrite par un médecin « étranger » du CHU seulement désigné par l'abréviation *Dr S.*

– Forte de cette découverte, expliqua-t-elle, j'ai essayé de reconstituer plus précisément le passé d'Alethea Worthington et de Lisa Summer. Ça m'a pris beaucoup plus de temps que je n'aurais voulu parce que la famille d'Alethea est à peu près inexistante et que Lisa et son père ont séjourné à l'étranger presque tout le temps ces derniers mois. Mais ce que j'ai appris est vertigineux. Alethea avait un terrible problème de surcharge pondérale. Près de cent dix kilos, m'a dit une de ses voisines. Voici quelques photocopies que j'ai faites dans son album-souvenir. Alethea est ici. Comme vous le voyez, elle était énorme.

– Est-ce que nous savons si elle a pris la même poudre amaigrissante que Connie Hidalgo ?

– Pas avec certitude. Mais il y a un fait avéré, c'est que sa perte de poids a eu lieu il y a environ quatre ans et demi, à peu près en même temps que celle de Connie. Et dans son dossier médical, les pages correspondant à cette période ont également disparu.

– Et vous n'en avez parlé à personne ?

Rosa confirma d'un hochement de tête.

– Ce n'est même pas évident pour moi de partager cette information avec vous après ce qui s'est passé à San Francisco. Mais je sais ce que vous avez enduré et bien que je ne sois pas très douée, indubitablement, pour choisir mes confidents, je vous fais une totale confiance.

– Merci... ô Seigneur, merci de tout cœur.

Blankenship avait raison. La vérité était proche.

– Ce n'est pas tout, dit Rosa comme si elle lisait dans ses pensées.

– Lisa ?

– Exactement. Je ne lui ai pas parlé directement mais je suis allée plusieurs fois dans le logement qu'elle occupait à Boston. Vous savez qu'elle vivait en communauté. Ses anciens compagnons étaient très méfiants avec moi à cause des poursuites dont vous faites l'objet, mais finalement, ils se sont radoucis. Tenez, voici quelques photos d'elle qu'ils ont bien voulu me confier. Les premières datent de l'époque où elle s'est installée dans l'immeuble collectif. Les dernières sont récentes.

– Bon sang ! elle a dû maigrir d'au moins trente kilos.

– Trente-cinq, pour être précise. Je n'ai rencontré qu'une seule personne qui était là quand elle a fait sa cure, mais elle est formelle : c'est bien d'une poudre qu'il s'agissait. Même époque et très certainement même produit. Il ne s'agit pas d'une coïncidence, Sarah, je vous le garantis.

– Et son dossier médical, vous l'avez vérifié ?

– Oui. Je n'ai pas trouvé trace de page manquante, mais ça ne veut rien dire. Cette année-là, son dossier ne comporte aucune donnée.

– Rosa, c'est capital, ce que vous avez découvert. Est-ce qu'on a des éléments pour identifier ce Dr S ?

– Quelques-uns. Dans son journal, Constanza Hidalgo parle d'un homme de type vaguement arabe. Ajoutez la fourchette chronologique et l'initiale S, vous avez déjà pas mal d'indices. Comme elle n'avait pas l'air très sûre d'elle, je ne savais pas trop comment interpréter la phrase de Connie présentant l'homme comme étranger. Mais j'ai passé au crible la liste du personnel et en admettant que nos critères soient exacts, il y a trois candidats possibles. Le premier travaille toujours au CHU. Les deux autres n'y exercent plus depuis des années.

Elle ouvrit son carnet et le passa à Sarah.

– Dr Gilberto Santiago... Pr Sun Soon... M. Pramod Singh (Méd. Ayurv.). Jamais entendu parler. Même pas de Santiago.

– Ce titre en abrégé, après le nom du dernier, ça signifie quoi au juste ?

– Médecin ayurvédique, sans doute. Il s'agit d'une méthode thérapeutique originaire de l'Inde qui...

Sa voix s'alanguit et le reste de l'explication lui resta dans la gorge.

– Qui quoi ? Qu'est-ce qui vous prend, Sarah ? Vous êtes pâle comme un linge.

Sarah releva lentement les yeux sur elle.

– Je viens de réaliser quelque chose, Rosa. Il faut que je passe un coup de fil.

– Prenez ce téléphone, dit-elle en montrant l'appareil fixé au mur. Tenez, voici ma carte. Ne vous en faites pas, même si vous appelez loin, je mettrai ça sur mes notes de frais, on n'y verra que du feu.

En l'absence d'Annalee Ettinger, Sarah dut laisser un message au standard de Xanadu. Elle donna le nom de Rosa de préférence au sien et insista plusieurs fois sur l'urgence de la situation.

– A vous de me donner quelques explications, maintenant, dit Rosa quand elle eut raccroché.

Sarah lui livra le peu qu'elle savait sur Pramod Singh et sur la préparation ayurvédique phyto-amaigrissante Xanadu. Elle fit de Peter un rapide portrait qui se voulait objectif, mais Rosa perçut tout de suite qu'elle était tendue en parlant de lui.

– A vous entendre, je dirais que c'est le type même du mégalomane, observa Rosa.

– C'est vrai qu'il est orgueilleux, je l'ai toujours su. Mais je le considère aussi comme un visionnaire.

– C'est bien ce que je dis : complexe de supériorité et volonté de puissance. Je connais ça.

Le téléphone sonna et Sarah décrocha impulsivement.

– Pourrais-je avoir le Dr Suarez, s'il vous plaît ?

Sarah reconnut le beau timbre d'alto d'Annalee.

– Bonjour, Annalee, c'est Sarah. Comment vas-tu ?

– Tiens, salut ! Quelle bonne surprise ! Je vais très bien et le bébé aussi, merci. Il est fin prêt pour le grand plongeon.

– C'est pour quand ?

– Six, sept semaines. Mais tu sais, en ce qui me concerne, il pourrait aussi bien naître demain. Peter a fait venir du Mali deux sages-femmes qui ne me quittent pas d'une semelle. Comme je n'ai pas le moindre problème, elles passent leur temps à cuisiner, à faire le ménage et à se rentrer dedans en sortant de ma chambre.

– C'est génial. Je suis très, très heureuse pour toi.

– Oui. Et Peter a craqué, cette fois. Il est aux petits soins avec moi. Mais toi, dis-moi ? Qu'est-ce qu'il y a de si urgent ? Et pourquoi te fais-tu appeler Rosa Suarez ?

– C'est une femme qui existe vraiment et qui est ici, en face de moi. Elle, heu... fait une étude sur l'obésité pour le ministère de la Santé. Je lui ai parlé du programme de Peter et du Dr Singh.

– Ah ! ces deux-là, tu n'imagines pas ce qu'ils encaissent comme fric avec ça. Peter a fait construire un nouveau local rien que pour expédier son produit. Il a embauché au moins vingt personnes pour l'emballer et préparer les livraisons. A croire que la moitié de l'Amérique est obèse et regarde sa pub à la télé. Ils sont des centaines de milliers à voir leur graisse fondre comme neige au soleil, dixit Peter.

– Annalee, saurais-tu par hasard comment je pourrais joindre le Dr Singh ?

– Alors là, aucune idée. Il passe ici toutes les deux ou trois semaines avec un nouveau lot des capsules de vitamines qui sont jointes au produit livré. Je ne le vois pratiquement jamais. Mais je peux essayer de me renseigner auprès de Peter sans dire que c'est pour toi. Il est furieux que ton avocat l'ait assigné à comparaître.

– Dommage, murmura Sarah. Écoute, Annalee, ne te tracasse pas avec ça mais sache que ça m'aiderait énormément si je pouvais parler au Dr Singh.

– Je vais voir ce que je peux faire. C'est tout ce qu'il te fallait ?

– Pourrais-tu m'envoyer un échantillon de cette poudre ?

– Tu veux dire que tu ne peux pas débourser quarante-cinq dollars quatre-vingt-quinze cents payables par chèque ou carte bancaire et attendre trois à six semaines qu'on te le livre à domicile ? Bon, d'accord, je peux encore faire ça pour toi.

Sarah lui donna l'adresse de Rosa, la remercia et insista encore pour qu'elle évite tout conflit avec son père. Puis, ayant raccroché, elle resta immobile, regardant les belles couleurs de l'automne par la fenêtre.

– Rosa, vous croyez réellement que cette poudre amaigrissante est liée aux trois cas de CID ? demanda-t-elle.

– Si les faits que nous avons exhumés sont exacts, c'est certainement une explication aussi vraisemblable que votre supplément prénatal.

– Ça n'a aucun sens.

– C'est parce que nous n'avons pas tous les faits. J'aimerais bien voir ce film commercial dont vous m'avez parlé.

– Entendu, je m'en occupe. Mon avocat a des relations à la télé. Je vais voir si je peux obtenir la copie d'une émission pour la réunion de demain soir. Vous comptiez venir, au fait ?

– Non, pas jusqu'à ce matin. Mais maintenant que je suis officiellement dessaisie de l'enquête, je crois que je vais venir. Surtout si vous faites une projection de cette pub. En plus, avec ce que vous m'avez dit et ce que je viens d'entendre au téléphone, j'ai l'impression que les enjeux ont pris une importance vitale.

– Comment ça ?

– Votre amie Annalee a suivi un traitement avec cette poudre amaigrissante, n'est-ce pas ?

– Oui.

– Et elle doit accoucher d'ici quelques semaines, non ?

– Mon Dieu, je n'y pensais même pas.

– Pas étonnant, avec tout ce que vous avez dû digérer depuis une heure. Enfin, il nous reste encore un peu de temps. Pas beaucoup, mais il en reste. Je vous retrouve demain soir au cabinet de votre avocat.

Restée seule dans sa chambre, Rosa s'assit en tailleur sur son lit et s'efforça d'intégrer les nouvelles informations à ce qu'elle savait déjà. Sarah n'avait pas tort. Imputer ces trois cas de CID à l'absorption momentanée et remontant à plusieurs années de plantes médicinales en poudre n'avait aucun sens. Quoique... Ça n'avait pas non plus de rapport évident avec les pages arrachées dans les dossiers médicaux. Surchargeant son carnet de renvois et de flèches, Rosa s'appliqua à ordonner les différents faits jusqu'à ce qu'elle sente que sa concentration commençait à faiblir. Épuisée, elle s'affala sur le dos, la tête sur l'oreiller. Rien ne se tenait vraiment, absolument rien. C'était pire qu'essayer d'assembler les pièces d'un puzzle en gélatine. Elle était terriblement tentée de refermer son calepin et de se laisser sombrer dans le sommeil. Au lieu de quoi elle appela Ken Mulholland à son labo d'Atlanta.

– Bonsoir, Rosa. Et ce dos ?

Le seul fait d'entendre le son de sa voix lui arracha un sourire. De tous ses collègues du centre, seul Ken savait où elle était et comment elle utilisait son faux congé maladie.

– De pire en pire, Dieu merci. Vous avez du nouveau pour moi ?

– Oui et non. Je ne sais pas ce qui se passe entre vous et votre directeur de recherche, mais on a reçu une note de service nous informant que votre enquête était officiellement close. Personne ne doit travailler dessus dans tout le service. Mon chef est venu me voir personnellement pour me lire la note. Il sait que je vous ai aidée. Il m'a... comment dire ? serré la vis, disons.

– Vous voulez dire interdit de recherche. Décidément, mon patron veut être sûr et certain que je n'aboutisse nulle part. Je suis désolée, Ken. Écoutez, ne prenez aucun risque, mais j'ai vraiment besoin de votre aide.

– Comptez sur moi, Rosa. J'ai aussi des congés maladie à prendre. Au besoin, j'attraperai une pneumonie et je viendrai travailler avec vous là-haut. Vous m'avez bien dit que vous aviez accès à du matériel de labo ?

– Pas comme le vôtre, mais oui, c'est vrai. J'ai même la disposition d'un labo entier, avec le technicien. Alors, qu'est-ce que vous avez trouvé ?

– Nous en savons assez pour affirmer que votre malade avait un virus dans le sang au moment du prélèvement. Il y a des traces d'ADN suspectes. Mais on ne peut pas l'identifier faute de cultures suffisantes. Ça ne sert à rien d'insister, on n'y arrivera pas. Nous avons balancé le dernier échantillon hier. Il était totalement dénaturé, inutilisable. Si vous voulez que nous allions plus loin, il nous faut davantage de sérum.

– Bon, on va tâcher de vous trouver ça.

– Et il va me falloir aussi le nom et le numéro de téléphone de votre laborantin. Il se peut que je lui demande de faire les cultures chez vous.

– Tout ce que vous voulez, si je peux vous le donner, vous l'aurez.

– C'est rudement important, hein ?

– Je suis assise sur un volcan, Ken, je vous jure. Et l'éruption est pour bientôt, très bientôt.

28

10 OCTOBRE

– Bonjour, mesdames et messieurs, c'est Johnny Norman qui vous parle aujourd'hui sur Télé-City. Je m'adresse à vous, cher public du studio, et à vous, millions de téléspectateurs, et je vous demande : êtes-vous prêts à changer radicalement et à montrer le meilleur de vous-mêmes ?

– Oui !

– Êtes-vous prêts à vous élancer sur la voie royale de la minceur et de l'élégance ?

– Oui !

– Êtes-vous prêts à retrouver santé et joie de vivre ?

– Oui !

– Un peu plus fort, s'il vous plaît, je ne vous entends pas très bien.

– OUI !

– Très bien, alors vous avez bien fait de venir ici. Je cède maintenant la place à celui qui sera votre guide pendant cette cure, à l'homme qui a commenté pour nous tant de matchs de coupe du monde mais qu'une malheureuse coupe de crème glacée attirait plus que tout au monde. Je suis heureux d'accueillir sur ce plateau le célébrissime et méconnaissable journaliste sportif, vedette des rencontres en direct, j'ai nommé Tom Griswold !

Grand, la mâchoire carrée et le corps souple comme un roseau, Tom Griswold bondit sur scène et applaudit devant le micro, comme il avait coutume de le faire après chaque but marqué lors des grandes compétitions de foot présentées par ses soins.

Entassés dans la salle d'attente du cabinet de Matt, quelques spectateurs triés sur le volet suivaient sa prestation avec une attention extrême doublée de fascination morbide. Griswold dégoisa son histoire tandis que sa vie professionnelle, sa réputation et son tour de taille étaient illustrés par de saisissantes images.

– J'avais une longue et brillante carrière à la radio, de l'argent à ne plus savoir qu'en faire, une famille qui m'adorait et, à près de cent quarante kilos, une espérance de vie évaluée par mes médecins à quelques mois... Au début, ils me recommandèrent calmement de perdre du poids. Puis ils devinrent plus menaçants et finirent par me dire que ce n'était même plus la peine que j'achète des bananes vertes, vu que je n'aurais pas le temps de les voir mûrir !...

Ici, le miraculé fut interrompu par une explosion de rires.

– Eh bien, aujourd'hui, regardez-moi, reprit-il.

Ce disant, il virevolta avec grâce, acclamé par un public en délire.

– Ahurissant, murmura Glenn Paris d'un ton admiratif non dénué d'agacement.

– C'est l'Amérique, fit Blankenship. Un pays où l'on n'est jamais ni trop riche ni trop mince...

– Et maintenant, poursuivit Griswold, avant de vous présenter l'homme qui a gratifié l'Amérique de cette formidable invention, je vais demander à Johnny de nous donner le total des totaux à la date d'aujourd'hui.

Un gigantesque tableau entouré d'innombrables ampoules multicolores envahit l'écran et les chiffres s'inscrivirent dessus au fur et à mesure que l'animateur annonçait les résultats.

– CINQ CENT SOIXANTE ET ONZE MILLE SIX CENT DIX-NEUF ! Tel est aujourd'hui même à cette heure précise le nombre de gens aux États-Unis et de par le monde qui nous ont rejoints sur la voie royale de la santé et de l'équilibre, grâce à la... ?

– PAPAX ! hurla l'assistance.

– A quarante-neuf dollars quatre-vingt-quinze cents pièce, ajouta Arnold Hayden. Incroyable ! Et ça fait combien de temps qu'ils ont mis ce truc-là en vente ?

– Environ six mois, répondit Matt.

– Mais n'oubliez pas, Arnold, que ce produit est réellement efficace, dit Colin Smith. Les cas montrés en exemple sont véridiques. Ne me dites pas que vous ne seriez pas disposé à payer cinquante dollars pour vous débarrasser de ces bourrelets que je vous vois, surtout si vous n'aviez aucun besoin de suivre un régime draconien.

– Merci, Johnny, dit Griswold. Et maintenant, je voudrais vous présenter l'homme qui m'a redonné des années à vivre, sans parler de mes performances au tennis, ni de ma vie amoureuse, comme ma femme Sherry se fera un plaisir de vous le confirmer (quelques roucoulements émoustillés parcoururent le studio). Mais auparavant, je vous propose d'écouter un autre témoignage, en musique, cette fois. C'était déjà une star de Broadway malgré ses cent quatre kilos, mais elle fondait en larmes chaque fois qu'elle se regardait dans la glace. Aujourd'hui, c'est toujours une star mais regardez-moi cette taille de guêpe ! Elle va, mesdames et messieurs, vous interpréter un des titres de son dernier show, voici Betty Wilson !

Une ovation salua l'entrée sur scène de la chanteuse, moulée dans une robe-fourreau bleue à paillettes.

Matt mit son magnétoscope en avance rapide pendant la chanson, tandis que les autres laissaient échapper des murmures ébahis et perplexes. Puis le journaliste vedette, après avoir décliné sa biographie tambour battant, fit monter Peter Ettinger sur scène, et le public se leva pour l'applaudir à tout rompre. Dès qu'elle le vit, Sarah sentit tous les muscles de son visage se crisper sous l'effet de la rage. Mais au bout d'une minute, elle dut s'avouer qu'il en imposait encore plus à l'écran que dans la vie réelle.

Tout en arpentant la scène à grandes enjambées, Peter raconta, documents à l'appui, comment il avait rencontré Pramod Singh et découvert la remarquable poudre ayurvédique de ce praticien traditionnel originaire de New Delhi. Puis vint une série de témoignages de diverses personnes souffrant d'obésité qui avaient toutes suivi d'autres régimes avant d'adopter la PAPAX. Leur émouvant hommage était entrecoupé de séquences d'initiation progressive aux principes de la médecine ayurvédique, retraçant son évolution pendant plus de trois mille ans, depuis l'aube de l'humanité jusqu'à son incroyable essor dans les années 80 et 90, en passant par des périodes successives de délaissement et de renaissance.

Enfin, Pramod Singh lui-même délivra un message enregistré avec une carte de l'Inde en toile de fond. Le succès de la préparation phyto-amaigrissante, expliquait-il de sa voix chantante, n'était dû qu'en partie, une partie certes essentielle, au secret des plantes qui la composaient.

– Consommez notre produit convenablement, mangez avec modération, évitez les cinq aliments prohibés, et vous perdrez votre embonpoint, quelle que soit votre activité. Méditez cinq minutes par jour, suivez les préceptes d'Ayurveda énoncés dans votre manuel, et vous découvrirez bien d'autres joies en plus du fait de maigrir. Vous connaîtrez la liberté de l'esprit. Je regrette de ne pas pouvoir être avec vous aujourd'hui, mais je dois rester ici pour m'occuper de la récolte des douze composants naturels de votre préparation. Je me réjouis de vous retrouver dans quelques semaines. Et maintenant, docteur Ettinger, je vous rends l'antenne.

– Docteur en quoi ? demanda Matt après avoir éjecté la cassette.

– Peter Ettinger est titulaire de plusieurs diplômes délivrés par différents instituts, répondit Sarah. Mais en toute franchise, j'ignore si aucun d'entre eux est reconnu par les facultés de médecine.

– Vous n'avez pas l'air de le porter dans votre cœur, constata Colin Smith.

– Si vous voulez mon avis, intervint Paris, c'est un trou du cul bouffi de vanité.

Sarah sourit intérieurement en pensant que Peter n'eût pas manqué de définir le directeur du CHU exactement dans les mêmes termes.

– Bon, reprenons, dit Matt. Pour ma part, je vous confirme que le récit de cette nuit cauchemardesque à Chinatown est rigoureusement exact et que rumeur ou pas, cadavre ou pas, Andrew Truscott est bien mort. Les recherches de la police n'ont rien donné, pas plus que celles d'un excellent détective que j'ai recruté. Nous n'avons pas renoncé à faire la preuve de notre bonne foi, simplement je ne vois pas à quoi ça nous avancerait au point où nous en sommes. Quelqu'un a des suggestions ? Non ? Alors, voici ce que je propose.

« Jusqu'à présent dans cette affaire, Jeremy Mallon a marqué tous les points et nous sommes restés largement sur la défensive. J'espère vivement que les rôles seront inversés ou du moins rééquilibrés demain avec la déposition de Peter Ettinger. Tout à l'heure, avant la projection, Mme Suarez a brièvement évoqué le genre de question délicate avec lequel nous essaierons de le coincer. J'espère qu'elle voudra bien nous en dire davantage d'ici un moment. Mais j'aimerais d'abord entendre MM. Snyder et Blankenship. Qui veut commencer ? L'un ou l'autre, ça m'est égal. »

L'espace d'un instant, le regard de l'avocat croisa celui de sa cliente. Matt était plein d'assurance et tenait sa réunion bien en main. Quel progrès depuis le jour où il était apparu, trempé comme une soupe, dans la salle de conférences de l'hôpital ! Sarah soupira. Il lui tardait de se retrouver dans l'intimité avec lui et même de s'afficher sans complexe comme son amante, d'avoir derrière elle, loin derrière elle, Willis Grayson, sa colère et ses avocats.

– OK, Eli, je commence, annonça Snyder en se raclant la gorge. Je n'en ai pas pour longtemps. J'ai fait envoyer par l'Association Nationale des Gynécologues/Obstétriciens un questionnaire à tous les chefs de service d'obstétrique du pays sur les cas de CID inexpliqués en cours de grossesse ou d'accouchement. Il ne s'en est pas trouvé un seul jusqu'à maintenant pour lequel il n'y eût pas une prédisposition quelconque, décollement placentaire, infection, toxémie, anémie ou mort fœtale intra utero. Pas un seul. Je dois dire, Sarah, comme c'est moi qui ai dépouillé les réponses et passé les coups de fil subséquents, que l'absence totale de malade souffrant de CID n'ayant pas suivi votre traitement prénatal demeure troublant, et même compromettant, si je puis ainsi m'exprimer.

– Merci, Randall, fit Matt, impassible. Vous pouvez dire tout ce que vous voulez, quelqu'un s'est donné un mal de chien et a fait un tort considérable à plusieurs personnes pour que le traitement de Sarah apparaisse comme responsable de ces trois cas. Ce seul fait, plus que n'importe quel autre, m'incite à croire que c'est faux. Docteur Blankenship ?

Le médecin-chef tapota pensivement son stylo contre sa paume avant de ramasser l'épaisse liasse de notes qu'il avait posée par terre.

– Vous vous souvenez, commença-t-il, que j'étais chargé de devenir incollable en matière de coagulopathie intravasculaire disséminée. Or, il s'est avéré que c'était beaucoup moins évident qu'il n'y paraissait de prime abord. J'ai découvert que dans le cercle assez fermé des hématologues, tout le monde sait quand et comment la coagulopathie survient, mais personne ne sait pourquoi. Au moment critique, la pathologie est appelée coagulopathie de consommation, parce qu'il y a une consommation excessive de tous les facteurs coagulants de l'organisme dans les multiples caillots qui se forment un peu partout. La forme la plus grave de CID est presque toujours fatale. Sarah n'en a que plus de mérite d'avoir sauvé la plaignante, car les gens atteints d'une coagulopathie aussi sévère qu'elle ne survivent pas.

« Est-ce que je témoignerais dans les mêmes termes sous serment ? me demandera M. Daniels. Et comment, Matt ! Sans la moindre hésitation. Honnêtement, je ferais n'importe quoi pour vous aider. Je suis très perturbé par cette affaire et par la solidarité pour le moins défaillante manifestée à l'égard de Sarah par le personnel de notre établissement. Il y a quelques mois, lors de notre première réunion, nous lui avions promis de faire front contre l'adversaire. Nous avions aussi pris l'engagement de considérer Sarah comme innocente jusqu'à preuve, je dis bien preuve, du contraire. Randall, et vous

Glenn, j'ai parlé à McCormick de cette lettre annonçant à Sarah que sa promotion pour l'an prochain était remise en question. Il dit qu'il ne demande qu'à annuler cette décision si vous êtes d'accord tous les deux.

– Eli, dit Paris, ce n'est ni le lieu ni le moment pour...

– Glenn, s'il vous plaît. Je n'ai pas envie de déclarer la guerre à quiconque, ni de mettre Sarah dans l'embarras. Mais si nous voulons présenter un front uni, il faut que McCormick fasse marche arrière, d'accord ?

La contrariété de Paris était visible. Il n'aimait pas qu'on lui dise ce qu'il devait faire, quel que soit le fond de la question. Il mit quelque temps à retrouver son sang-froid puis finalement, inclina la tête avec un sourire forcé.

– Vous avez raison, Eli. Je ne sais pas pourquoi Rob a pris cette initiative, mais j'y mettrai bon ordre dès demain.

– Parfait. Randall ?

– Pas de problème, fit l'obstétricien sans enthousiasme.

– Bien, alors je poursuis, dit Blankenship. Il y a une dernière hypothèse que je me dois de mentionner parmi les causes possibles de CID, c'est l'empoisonnement. L'injection d'un agent coagulant naturel, la thrombine, peut déclencher une thrombose généralisée de type CID, de même que certains venins de serpent. Il existe au moins cinq espèces différentes de crotalinés dont le venin contient une toxine pouvant provoquer une coagulopathie mortelle.

– De crotalinés ? demanda l'avocat.

– Pardon, Matt. De serpents à sonnette.

– Mais je ne pense pas que le poison que vous décrivez soit actif par voie orale, dit Sarah. Et Lisa était chez elle quand sa coagulopathie a commencé. Je n'imagine pas qu'elle ait pu subir une injection quelconque.

– Ni qu'elle ait pu se faire mordre par un trigonocéphale, ajouta finement Arnold Hayden.

Personne ne rit.

– Je vous répète que je n'ai inclus l'empoisonnement qu'à titre d'hypothèse et pour être exhaustif, précisa Blankenship. Il existe peut-être une toxine que nous ne connaissons pas, capable d'entraîner une hémorragie par voie orale. Peut-être que quelqu'un dispose d'une telle substance et s'en sert pour se venger de l'hôpital ou du service d'obstétrique, qui sait ?

– Manquerait plus que ça, grommela Paris. Un maniaque !

– Des questions pour Eli ? demanda Matt. Non, alors je me tourne vers vous, Rosa. Vous avez déjà eu la gentillesse de nous donner quelques éléments de réflexion. Quelles sont vos conclusions, à ce stade ?

Après son entretien avec Sarah, l'épidémiologiste restait fort perplexe. Rien n'était décidé entre elle et les protagonistes de l'affaire, sinon qu'elle assisterait au meeting et donnerait éventuellement ses impressions, ni plus ni moins. Or, elle était partagée entre le désir de faire part de ses résultats aux premiers intéressés et la crainte d'en dire trop tant que ses informations n'étaient pas vérifiées, revérifiées et à l'abri des indiscrétions.

– Je voudrais d'abord revenir sur un point déjà évoqué par le Dr Snyder, commença Rosa. Le lien entre les trois cas de CID et le traitement prénatal de Sarah, qu'il ait eu des conséquences cliniques ou pas, est un fait avéré. Je dois dire cependant que ni mes recherches ni mon travail en laboratoire n'ont démontré une relation du point de vue toxicologique entre les symptômes de CID et l'ingestion de ces plantes. Une allergie à l'un des composants du mélange ou bien la contamination par une toxine me paraîtraient plus vraisemblables, mais j'ai aussi de sérieux doutes quant à ces deux hypothèses. Il est certain, je crois que cela a déjà été dit, que la découverte d'une parturiente atteinte de CID et n'ayant jamais pris de supplément prénatal innocenterait complètement le Dr Baldwin.

– Et cette poudre amaigrissante, qu'est-ce que vous en faites ? demanda Paris.

– J'espérais que vous pourriez nous en dire plus là-dessus, monsieur Paris. Que savez-vous de ce Pramod Singh ?

– Pas grand-chose, en vérité. Il y a six ans, lorsque je suis arrivé au CHU, j'ai décidé d'inclure différentes formes de ce qu'on appelle la médecine douce dans notre pratique hospitalière. Mon but était de redonner une identité à l'établissement, de trouver quelque chose qui attire la clientèle.

« Pramod Singh était un médecin ayurvédique connu et respecté. Il avait entendu parler de mon projet, il est venu me voir et nous nous sommes mis d'accord sur un salaire. Il a tenu une consultation externe pendant près de deux ans. Et puis il a démissionné. Comme ça, du jour au lendemain. Sans avertissement, sans même une lettre d'explication, juste un mot de deux lignes. Je ne l'ai plus jamais revu jusqu'à ce que nous visionnions cette maudite émission commerciale à la télé.

« A l'origine, j'avais espéré que Singh ferait partie d'un nouveau service de médecine douce beaucoup plus important créé au CHU. Mais dans l'attente de notre subvention de la fondation McGrath, je ne pouvais rien lui garantir parce que nous étions trop fragiles financièrement. A ce propos, je compte sur vous tous pour assister au dynamitage du pavillon Chilton à la fin du mois. Ce sera le coup d'envoi du plus grand chantier de construction dans l'histoire du CHU de Boston. Il y aura une réception juste avant l'explosion. Et j'espère aussi que vous achèterez un billet de la tombola organisée pour désigner celui ou celle qui appuiera sur le bouton. C'est une occasion à ne pas manquer.

– Savez-vous, les uns ou les autres, si le Dr Singh se servait de cette poudre amaigrissante quand il exerçait au CHU ? questionna Rosa, ignorant délibérément les fanfaronnades du directeur.

– Vous croyez vraiment que ce produit a un rapport avec les cas de CID ? demanda Snyder.

– Docteur Snyder, souvenez-vous que je traite de probabilités. Quand on trouve une corrélation répétée entre plusieurs faits, il y a des chances que cela signifie quelque chose. Or, la fréquentation du Dr Singh il y a quatre ou cinq ans et la consommation de son produit font partie des nombreux points communs à nos trois malades. Par ailleurs, M. Paris vient de nous expliquer qu'il avait lancé un nouveau service où les médications telles que le régime de M. Singh et le traitement de Sarah étaient à la disposition des patients. Il se pourrait donc qu'en fin de compte, le choix de votre hôpital par ces trois femmes soit leur principal point commun.

– C'est le bouquet ! s'exclama Paris. Dites-moi, Rosa, vous n'avez pas l'intention de raconter tout ça à la presse, au moins ?

La question fit sourire la Cubaine.

– Écoutez, le Dr Baldwin a déjà eu toutes les peines du monde à obtenir mon consentement pour que je vienne vous parler. C'était pire que de m'arracher une dent. Franchement, si j'ai fait une trouvaille, ce qui reste à prouver, je ne vais pas le crier sur tous les toits.

– Bien, fit Matt. Si tout le monde est d'accord, je propose que nous en restions là pour aujourd'hui. Je dois finir de préparer notre prochaine offensive. Arnold, la déposition d'Ettinger aura lieu à 11 heures, au cabinet de Mallon. Vous êtes le bienvenu.

– J'essaierai, fit l'avocat-conseil.

– Faites-leur – en voir de toutes les couleurs, ne les ménagez pas, Daniels, dit Paris.

Les participants sortirent les uns après les autres. Seuls restèrent Matt, Sarah et Rosa.

– Eh bien, ça s'est très bien passé, cette réunion, commenta Sarah.

– Vous trouvez ? répliqua Matt, n'osant la tutoyer devant Rosa. Moi pas. (Il se mit à faire les cent pas devant sa fenêtre en serrant les poings.) Les archives de l'hôpital caviardées, un gang chinois payé pour vous faire porter le chapeau en compromettant un vieillard innocent, une espèce de mauvais génie bègue qui vous suit la nuit... Il y a quelqu'un, quelque part, qui tire les ficelles et je commence à en avoir plein le dos de jouer les marionnettes.

– Je peux peut-être encore vous aider, dit Rosa timidement.

– Pardon ? fit Matt en se figeant sur place.

– Il y a quelque chose dont je ne vous ai pas encore parlé. J'ai décidé de vous en faire part à titre strictement confidentiel. Personne d'autre ne devra le savoir, du moins pour l'instant.

Matt et Sarah échangèrent un regard.

– Vous avez notre parole, dit-il.

– OK. Lisa Grayson avait une sorte de virus dans le sang au moment de sa crise. Mon laboratoire a détecté des traces d'ADN suspectes. Ils ne savent pas exactement de quoi il s'agit mais ils sont sûrs que ce n'est pas normal. Mon collègue du labo aurait besoin d'un nouveau prélèvement de sérum de Lisa.

– Malgré le fait qu'elle n'ait aucun symptôme de CID aujourd'hui ? demanda Sarah.

– Il se débrouillera avec ce qu'on pourra lui procurer. Si les cultures ne donnent rien, il essaiera de faire une identification en recherchant les anticorps. Il est extrêmement compétent. C'est un des meilleurs microbiologistes que je connaisse. Malheureusement, j'ai peur qu'on ne puisse pas approcher Lisa sans passer par son avocat.

– Dans ce cas, il vaudrait peut-être mieux lui en parler avant de commencer à disséquer Ettinger, fit remarquer Matt.

– C'est très important, précisa Rosa. A mon avis, ni la PAPAX ni la préparation de Sarah ne sont responsables en elles-mêmes de ce qui s'est passé. Peut-être qu'elles ont joué un rôle, mais personnellement, je pencherais plutôt pour un phénomène infectieux. Ça me paraît plus crédible. J'ai le terrible pressentiment que si nous n'élucidons pas cette question rapidement, d'autres femmes vont mourir.

A quatre-vingts kilomètres de là, Annalee Ettinger était couchée sur sa couette, blottie dans les bras de son fiancé, Taylor.

– Tay, dit-elle, ça recommence. Je les sens ici, là, regarde. Je te jure que j'ai des contractions.

29

11 OCTOBRE

Il n'y eut ni présentations ni poignées de main. Dès que les combattants furent assis autour de l'immense table de conférences de Jeremy Mallon, dès que la sténographe eut apprêté sa machine, la bataille commença, sans plus de préambule. En l'absence d'un juge ou d'un médiateur, Sarah envisagea tout de suite le pire.

– Veuillez décliner votre identité complète, dit Matt après avoir dicté le lieu, la date, l'heure, la liste des personnes présentes et la finalité de l'audience.

– Peter David Ettinger.

– Profession ?

– Anthropologue et médecin-guérisseur.

– Votre formation ?

– Je suis titulaire d'une licence de Reed College et d'une maîtrise de l'université du Michigan, toutes les deux en anthropologie et toutes les deux avec mention très bien.

– Dans la publicité télévisée pour votre produit amaigrissant, vous êtes souvent présenté comme docteur. Avez-vous un diplôme de ce niveau ?

– Je suis docteur honoris causa en botanique médicinale de Holbrook College et j'ai plusieurs autres doctorats à titre honoraire.

– Mais êtes-vous docteur en médecine ?

– Certainement pas.

– Et quelle est votre profession actuelle ?

– Je dirige la coopérative sanitaire de médecine douce Xanadu.

– Et en quoi consistent exactement les activités de la Coopérative Xanadu ?

– Nous fabriquons et distribuons la préparation ayurvédique phyto-amaigrissante Xanadu.

La clef d'une déposition de témoin réussie, avait expliqué Matt à Sarah, était la même que pour un interrogatoire au tribunal : ne jamais poser de question dont on ne connaisse déjà la réponse. Malheureusement, s'était-il empressé d'ajouter, les seules questions intéressantes qu'il comptait poser à Peter Ettinger étaient celles dont il ne connaissait pas la réponse.

Sarah gardait les yeux fixés sur ses mains croisées, agglutinées eût-il fallu dire, tellement ses doigts étaient serrés. Elle espérait que Peter ne s'en rendait pas compte. La première fois qu'elle était revenue à Boston après leur rupture, elle avait caressé l'idée de reprendre avec lui des relations platoniques ou strictement professionnelles. A présent, elle ne pouvait littéralement plus le voir. Sarah avait refait sa vie sans lui, sans exercer la moindre représaille ; ni condamnation publique, ni lettre haineuse, ni déballage dans la presse, ni bien sûr demande de réparation quelconque. Et pourtant, Peter était là, devant elle, partie prenante dans un procès qui risquait de l'envoyer au purgatoire professionnel, sinon en prison.

– Vous avez prononcé le mot *guérisseur*, monsieur Ettinger... ou bien, pardonnez-moi, préférez-vous qu'on vous appelle monsieur ou docteur ?

– Peu importe. Monsieur, ça me va.

– Monsieur Daniels, fit Mallon, n'essayez pas de faire enrager le témoin, je vous prie. Ni par votre intonation, ni par vos questions déplacées. Si vous dépassiez les bornes, cette déposition pourrait s'achever beaucoup plus vite que vous ne pensez.

– Pas de menace, s'il vous plaît, monsieur Mallon. C'est vous qui avez ouvert les hostilités il y a quelques mois dans l'échoppe d'un pauvre vieillard sans défense, à vous d'en assumer aujourd'hui les conséquences avec votre armée d'experts.

Sarah eut l'impression qu'il forçait à dessein son accent du Mississippi. A l'autre bout de la pièce, la sténographe chuchota impassiblement quelque chose dans son micro tout en tapant l'échange sur sa machine. Arnold Hayden, assis à la droite de Matt, fit à ce dernier un signe de tête indiquant qu'il approuvait la réplique. En face de Hayden, l'associé de Mallon murmura quelque chose à l'oreille de son patron. Sarah jeta un regard furtif à Peter, mais son visage était impénétrable. L'incompréhension, l'incommunicabilité la plus totale régnait sous le faux-semblant des questions-réponses. Toute cette mise en scène l'eût sans doute fascinée en temps ordinaire, si son gagne-pain n'avait été en jeu.

Le ton avait été donné d'emblée, une heure avant le début de la déposition, par une querelle avortée. Mallon refusa catégoriquement qu'on fasse un prélèvement de sang à sa cliente Lisa Grayson, et que Matt, Sarah, Rosa Suarez ou quiconque la rencontre sans son accord. Matt faillit mettre tout de suite en cause la PAPAX, mais garda son sang-froid et s'arrêta à temps. Dans l'esprit de Sarah toutefois, il était clair qu'avant la fin de la confrontation, la mine d'or pharmaceutique de Peter subirait une attaque en règle.

Arnold Hayden avait été à leurs côtés depuis le commencement de la journée. Sarah fut agréablement surprise en découvrant qu'il était loin de n'avoir qu'un légalisme étroit pour toute carte de visite. En plus de son flegme, qui l'aidait à se maîtriser, l'homme avait une perspicacité et un sens des affaires visiblement appréciés par Matt.

La présence de Hayden pouvait aussi se révéler très utile au cas où la partialité de Matt deviendrait trop voyante. En fait, c'est parce qu'il se savait incapable d'abandonner la femme et ne souhaitait pas non plus renoncer à la cliente qu'il avait insisté pour que son confrère vienne. Du reste, il soupçonnait l'avocat du CHU de se douter de quelque chose même s'il ne lui en avait pas parlé.

– Bon, monsieur Ettinger, revenons à notre propos, dit Matt. Voudriez-vous nous dire ce qu'est exactement pour vous un guérisseur ?

Pendant plus d'une heure et demie, Matt posa, reformula et reposa encore des questions, davantage destinées à combler des vides et à harceler l'adversaire qu'à obtenir de véritables informations. La stratégie sur laquelle il s'était mis d'accord avec Sarah et Hayden consistait à faire admettre à Peter que la méthode thérapeutique de Sarah en matière de plantes médicinales n'était guère différente de la sienne. Ce point acquis, Peter se transformerait en témoin à décharge et non plus à charge. Après quoi, Matt comptait examiner les rapports entre Ettinger, la PAPAX et Pramod Singh.

– Arrivé là, avait-il annoncé en exhibant son amulette égyptienne, je me contenterai d'improviser. C'est vrai, quoi, comment voulez-vous qu'il fasse le poids contre deux mille ans de magie noire ?

Ils observèrent une pause au bout de quatre-vingt-dix minutes, au cours de laquelle Mallon fit servir du café par une de ses secrétaires.

– Dis donc, chuchota Sarah à l'oreille de Matt, tu ferais peut-être bien d'échanger ta tasse avec celle de Mallon. On ne sait jamais ce qu'il a pu y mettre.

– Alors là, aucun danger, fit Matt en riant. Il est à peu près aussi intimidé par moi qu'un lion affamé par un lapin de garenne. Il n'a pas la moindre envie de me supprimer, je l'amuse énormément. Mais dès qu'on reprendra, je vais me mettre à asticoter sérieusement son témoin. Mon efficacité se mesurera au nombre d'interruptions de Mallon et à leur virulence. Qu'en pensez-vous, Arnold ?

– Je suis d'accord. Il est temps d'essayer de le coincer avec ce Dr Singh. Jusqu'à présent, vous avez rondement mené l'audition, je vous félicite.

– Trop aimable. Je n'ai pratiquement rien fait d'offensif.

– Si, vous l'avez travaillé au corps, répondit Arnold. Ça n'a l'air de rien, mais il se lasse sans vraiment se méfier de vous. L'attaque frontale n'en sera que plus efficace.

La séance reprit sur ces entrefaites et Hayden l'encouragea d'une tape confraternelle sur l'épaule.

– OK, monsieur Ettinger, j'aimerais maintenant que nous nous penchions sur la fameuse poudre ayurvédique que vous produisez.

– Pourquoi ? fit Mallon.

– C'est vous qui avez fait citer ce témoin, dit Matt. J'essaye simplement d'estimer ses compétences en tant que phytothérapeute.

– Peter, à mon avis, ces questions n'ont rien à voir avec la procédure. Il n'y a pas de raison que vous y répondiez si vous ne le souhaitez pas.

– Eh bien, moi, je vois au moins deux raisons, monsieur Ettinger, contra Matt avec assurance. Premièrement, si vous refusez de répondre, vous avez ma parole que j'irai voir un juge pas plus tard qu'aujourd'hui pour vous y contraindre avec une convocation d'office, et deuxièmement (il fixa alternativement Sarah et Mallon avant de reporter son regard sur Peter), deuxièmement, j'ai de bonnes raisons de croire... que dis-je, j'ai la preuve que Lisa Grayson, si elle a pris le mélange prénatal du Dr Baldwin avant son accouchement dramatique, a aussi pris de votre poudre amaigrissante.

– Mais...

– J'ai bien dit la preuve.

– Arrêtez ! coupa Mallon. Peter, ne dites rien. Monsieur Daniels, ne comptez pas sur moi pour tomber dans le panneau. Toutefois, comme j'ignorais le fait que vous alléguez, je voudrais m'entretenir en privé avec le témoin avant que nous poursuivions.

– Prenez votre temps, dit Matt.

Tournant le dos à Mallon, Arnold Hayden regarda Matt et mima un direct à la mâchoire avec son poing. Le moment était parfaitement choisi et Matt avait assené son coup de main de maître.

Sarah observa son ex tandis qu'il dépliait son mètre quatre-vingt-quinze. Peter lui retourna son regard, le visage frémissant de colère. Pendant un moment, elle crut qu'il allait lui faire un geste obscène, mais il s'éloigna dans la pièce voisine pour rejoindre Mallon.

– OK, dit ce dernier quand ils revinrent. Non seulement je suis d'accord pour que M. Ettinger réponde à ces questions, mais je l'y encourage vivement.

Il parlait d'un ton suffisant, affichant un air content de lui, trop content de lui.

Sarah se creusa inutilement la tête pour deviner pourquoi.

– Monsieur Ettinger, comment avez-vous connu Pramod Singh ? poursuivit Matt.

– Nous avions fait une série de séminaires ensemble du temps où il tenait une consultation au CHU de Boston. Il m'a alors parlé de certains préceptes très anciens de la médecine ayurvédique et de plantes qu'il utilisait sur ses patients souffrant d'obésité avec d'excellents résultats.

– Lisa Summer faisait-elle partie de ces patients ?

– Je ne sais pas.

– Et Constanza Hidalgo ?

– Je ne...

– Stop, Peter ! coupa Mallon. Monsieur Daniels, veuillez vous en tenir à l'objet du litige et à la seule patiente concernée.

– Monsieur Ettinger, Pramod Singh voulait-il commercialiser son produit à l'intention du grand public ?

– Oui.

– Avec vous comme porte-parole, ou... disons figure de proue ?

– Entre autres choses, oui.

– Et donc, en tant qu'entrepreneurs ayurvédiques, vous avez conclu un marché tous les deux ?

– Objection ! interrompit Mallon. La question est posée de façon insidieuse. Ne répondez pas, Peter.

– Monsieur Ettinger, qu'est-ce qu'il y a exactement dans cette poudre que vous fabriquez ?

– Différentes plantes sous forme d'écorces, de feuilles ou de racines. Douze, pour être précis. Le Dr Singh se les procure en Inde ou dans d'autres pays d'Extrême-Orient et me les expédie ici. Nous avons une unité de production où les substances naturelles sont mélangées avec une poudre protéinée pour former un produit nutritif de substitution qui inhibe l'appétit.

– Mais la composition n'est pas contrôlée scientifiquement, si ?

Ettinger jeta un œil sur Mallon puis se retourna vers Matt avec un sourire triomphal.

– Eh bien, en fait, contrairement à la préparation du Dr Baldwin, notre produit a été dûment vérifié par la direction du médicament du ministère de la Santé qui nous a délivré une autorisation officielle de mise sur le marché. J'avais moi-même demandé cette procédure avant d'associer le nom de Xanadu à notre produit et depuis, nous nous soumettons volontiers aux contrôles réguliers de cette administration particulièrement tatillonne.

Nouveau direct à la mâchoire, mais cette fois, de la partie adverse. Matt se mit à farfouiller fébrilement dans ses notes. Sarah le vit lutter pour garder son sang-froid tandis qu'il préparait la question suivante.

– Cette unité de production se trouve sur le même site que la coopérative Xanadu, n'est-ce pas ?

– Oui.

– Et les expéditions sont également préparées là-bas ?

– Dans un autre local, mais oui, tout ça est centralisé à Xanadu.

– Monsieur Ettinger, combien d'argent encaissez-vous tous les deux avec cette poudre, au juste ?

– Objection ! s'écria Mallon. Pas un mot, Peter. Monsieur Daniels, la forme et le contenu de votre question sont dignes d'un toquard, si je puis me permettre cette métaphore hippique. Vous n'êtes pas le mauvais cheval, mais vous êtes un amateur. Jusqu'à présent, je m'étais montré très indulgent puisque à part une histoire de molaire arrachée ou je ne sais quoi, vous n'aviez jamais plaidé dans une affaire de faute professionnelle médicale. Mais ce genre de question est proprement inadmissible.

Matt rougit jusqu'aux oreilles et Sarah lui tapota gentiment le genou sous la table.

– T'affole pas, lui susurra-t-elle discrètement.

Il réussit à se dominer au prix d'un long soupir.

– Monsieur Ettinger, veuillez nous expliquer en quelques mots ce qui se passe dans votre centre de production.

– Ma foi, c'est très simple, dit Peter comme s'il parlait à un gamin. Les plantes arrivent à l'état brut, elles sont soigneusement inspectées, lavées et stérilisées à la chaleur ou aux rayons ultraviolets, ensuite elles sont pilées, pulvérisées et dosées suivant les proportions de l'ancienne formule ayurvédique que nous utilisons, puis incorporées à la base protéinée, après quoi le mélange est à nouveau stérilisé, et enfin conditionné.

– Et vous l'expédiez comme ça ?

– Tel que nous le livrons, le produit fini comprend une provision de poudre amaigrissante pour quatre mois, un manuel sur les principes diététiques d'Ayurvéda, et des vitamines.

– Des vitamines ? fit Matt.

Le mot lui avait aussitôt fait dresser l'oreille.

– Oui.

– Phytothérapiques, comme celles du Dr Baldwin ?

Peter arbora à nouveau un sourire supérieur.

– Pas vraiment, dit-il en ricanant. Le traitement du Dr Baldwin est... enfin, c'est son traitement. Nos vitamines sont standard, ce sont des multivitamines agréées par le ministère et fabriquées par les laboratoires Huron.

L'espoir de Matt s'envola.

– Des pilules ?

– Non, des gélules. A prendre une fois par jour, avec chaque dose de PAPAX.

Jeremy Mallon fit semblant de bâiller.

– Monsieur Daniels, s'il vous plaît, votre tentative de déstabilisation est un fiasco complet, vous le savez très bien. M. Ettinger a été excessivement patient avec vous. Beaucoup plus que je ne l'aurais été à sa place.

– Monsieur Ettinger, s'obstina Matt, votre collaborateur, M. Singh, est votre associé dans la gestion de l'entreprise, n'est-ce pas ?

– Absolument.

– Et peut-on savoir où réside actuellement ce monsieur ?

– Assez ! aboya Mallon.

– Il n'y a pas de mal, dit Peter. En ce moment, Pramod passe presque tout son temps dans son pays. Il voyage beaucoup. Je reste en contact avec lui par l'intermédiaire d'un bureau de l'American Express à New Delhi. Si vous voulez l'adresse, ma secrétaire se fera un plaisir de vous l'envoyer.

– Bon, cette fois, ça suffit, dit Mallon. Posez d'autres types de questions ou bien nous arrêtons.

– Tranquillisez-vous, j'ai fini. Mais j'ai quelque chose à vous dire, ainsi qu'à M. Ettinger, à titre strictement privé.

– Ce sera tout, Evelyn. Merci.

Mallon s'entretint à voix basse avec son associé pendant que la sténographe pliait bagage.

– OK, allez-y, dit-il quand elle fut partie.

– Bien que nous n'en ayons pas parlé et que je n'aie aucunement l'intention de les impliquer dans ce procès, nous savons tous avec certitude que deux autres femmes en plus de Lisa Grayson ont été victimes de CID.

– Et après ?

– Je vous ai dit tout à l'heure que nous avions la preuve que Lisa Grayson avait été traitée par le Dr Singh il y a plusieurs années avec ce qui ne s'appelait pas encore la PAPAX mais qui était le même produit, du moins j'ai tout lieu de le croire. Eh bien, nous avons la preuve que les deux autres malades ont suivi elles aussi une cure d'amaigrissement avec lui.

– Quoi ! s'exclama Ettinger.

Anticipant la révélation de Matt, Sarah avait les yeux pointés sur lui à cet instant. Sa surprise semblait authentique. Toutefois, se rappela-t-elle, il lui était déjà arrivé de mal interpréter ses réactions.

– Du calme, Peter, dit Mallon. Ça fait trois heures que ce type joue au poker en pure perte. C'est un dernier coup de bluff.

– Ce n'est pas du bluff, s'indigna Sarah.

– Je veux voir votre prétendue preuve, exigea Mallon.

– Et nous, nous voulons un prélèvement sanguin de Lisa Grayson, riposta Sarah, furieuse.

– Bon, allez, terminé, fit Mallon.

Il jeta ses papiers dans sa serviette, força Peter à se lever et l'entraîna vers la porte.

– Ce n'est pas un jeu de cartes, observa Matt. Il y va de la vie de plusieurs personnes. Vous vous en fichez ?

– Va te faire foutre, répliqua Mallon.

– Peter, supplia Sarah, c'est très important. Souviens-toi qu'Annalee a aussi pris de ta poudre.

– Mais elle n'a pas pris de tes maudites plantes à toi. Ne t'en mêle pas et tout se passera très bien pour elle.

On eût dit qu'il lui crachait du vitriol au visage.

– Peter ? dit-elle calmement.

– Quoi ?

– Je n'ai pas d'ordre à recevoir de toi.

30

17 OCTOBRE

L'automne jetait ses mille couleurs flamboyantes sur les beaux quartiers de Long Island. Vêtue d'une tenue de jogging bleu fluo, Lisa Grayson émergea à petites foulées d'une voûte de feuillage et arriva sur le gravier de l'allée qui la ramenait à Stony Hill. Elle transpirait, mais pas trop, compte tenu du fait qu'elle venait de parcourir pour la première fois la moitié exactement du parcours du marathon. Fantastique ! se dit-elle. Car ces vingt et un kilomètres avaient été franchis en courant par une femme qui considérait il y a peu comme la limite de ses forces d'aller chez l'épicier au bout de la rue.

Le marathon de Boston était pour la mi-avril et elle espérait bien être prête à temps. Son orthopédiste connaissait les organisateurs de l'épreuve. Si Lisa arrivait à couvrir ces quarante et quelques bornes en moins de quatre heures et demie il ferait en sorte qu'une dérogation exceptionnelle lui soit accordée et qu'elle puisse participer avec un dossard officiel.

Des gouttes de sueur ruisselaient dans ses yeux. Lisa ralentit un peu et plongea la main droite dans la poche de sa veste.

– Serre-le, ma fille, vas-y, serre-le, ce poing, murmura-t-elle.

Bien que la main myo-électrique fût absolument prodigieuse, elle n'avait pas et ne pouvait pas avoir de sensibilité tactile. Lisa devait se fier à d'autres perceptions pour s'assurer que la prothèse lui obéissait. D'abord, elle sentait une tension, maintenant familière, autour de l'épaule. Des électrodes avaient été implantées à cet endroit, dans ce qui restait des muscles fléchisseurs de son avant-bras. Ensuite, elle sentait la fermeté de son poing fermé contre son flanc à l'intérieur de sa poche.

– Allez, allez, souffla-t-elle en cadence au membre artificiel, fais ton boulot.

Elle sortit la main de sa poche et sentit sans même la regarder que ses doigts plus vrais que nature se refermaient sur son mouchoir roulé en boule.

– Bien, la mimine, dit-elle en s'épongeant le front sans casser son rythme, super !...

Depuis deux mois qu'elle vivait avec son nouveau bras, elle avait fait des progrès étonnants. L'orthopédiste et le chirurgien-prothésiste lui avaient promis qu'avec le temps, elle pourrait ramasser une cendre de cigarette sans l'effriter. Elle serait aussi capable d'agripper un objet et de défier quiconque, même un malabar, de le lui arracher. La femme bionique du futur, se disait-elle, c'est moi ! Il y avait des limites, bien sûr. Elle avait choisi la peau la moins voyante, modèle *cosmétique*, de préférence aux pinces métalliques, plus fonctionnelles et plus faciles à entretenir. Mais d'une façon générale, les performances de sa main étaient bien supérieures à ce qu'elle avait imaginé après son amputation. Et le fait d'apprendre à s'en servir l'avait considérablement aidée à retrouver le moral.

Son bébé lui manquait toujours terriblement et elle rêvait souvent à ce qu'aurait été la vie avec lui. A quelque chose malheur est bon, se disait-elle quand cette pensée l'obsédait. Papa est devenu adorable. C'est un autre homme.

En effet, la métamorphose de Willis Grayson était saisissante. Il se montrait plus compréhensif, beaucoup moins autoritaire, prêt à tout sacrifier, même son travail semblait-il, pour lui consacrer un peu de temps. Elle ne l'aurait jamais cru capable de changer mais la réalité s'imposait : en sa présence, le tyran, le magnat de Silicon Valley devenait un ange.

Elle arriva devant le lourd portail de la résidence familiale, placé sous vidéo-surveillance. Il était fermé, mais l'étroit passage à sa droite ne l'était pas. Il restait quatre cents mètres. Les muscles de ses jambes la faisaient de plus en plus souffrir, mais elle savait qu'elle irait jusqu'au bout.

– Mademoiselle Grayson ! cria une voix dans son dos.

Lisa se retourna en continuant à trottiner. Un jeune homme à casquette et uniforme gris venait de surgir de derrière un arbre. Il tenait une enveloppe Federal Express sous son bras.

– Rejoignez-moi à la maison, dit-elle, hors d'haleine, surprise de ne pas voir la camionnette de la messagerie. J'ai presque fini mon parcours.

– Je ne peux pas, dit-il d'une voix pressée. Je suis payé pour vous remettre ça en personne. Ça fait trois jours que j'essaye en vain de vous rencontrer. Les vigiles de votre père vont me taper dessus s'ils m'attrapent encore et ils peuvent repasser ici d'une minute à l'autre. Vite, dépêchons !

Lisa, déconcertée, regarda sa montre puis, ne sachant que faire, s'immobilisa.

– OK, qu'est-ce que c'est ? dit-elle en restant toujours à quinze bons mètres de l'homme.

– Je ne sais pas. Je suis chargé de vous transmettre cette enveloppe, un point c'est tout. Prenez-la, je vous en prie, j'entends une voiture.

– Posez-la par terre, ordonna-t-elle, et allez-vous-en.

Le jeune homme hésita, puis plaça le pli sur la pelouse au bord de l'allée.

– Faites attention qu'ils ne vous la prennent pas, dit-il, et il déguerpit au pas de course.

Dans le silence matinal du parc, Lisa entendait effectivement un bruit de moteur se rapprocher, en provenance de la maison. Elle s'empara de l'enveloppe et alla se fourrer dans le premier buisson susceptible de la dissimuler aux regards des vigiles, qu'elle vit bientôt passer au ralenti dans leur voiture. Le temps qu'ils s'éloignent, elle avait repris sa respiration et, après un dernier instant de flottement, déchira l'enveloppe de la messagerie express. Une autre enveloppe se trouvait à l'intérieur, blanche, neutre, portant son nom calligraphié d'une méticuleuse écriture féminine. La lettre qu'elle renfermait était tapée à la machine.

Chère Lisa,

L'homme qui vous a remis cette lettre n'est pas un porteur de Federal Express. C'est moi qui l'ai engagé en espérant qu'il trouverait le moyen de vous la remettre. Mon nom est Rosa Suarez. Vous vous souvenez peut-être de moi, je suis l'épidémiologiste responsable de l'enquête sur les trois cas de CID survenus au centre hospitalier de Boston. J'ai un besoin urgent de votre aide, mais je n'ai pas réussi à vous joindre, ni par téléphone ni par courrier. J'ai laissé plusieurs messages sur votre répondeur, puis la ligne a été coupée et apparemment, votre nouveau numéro est sur la liste rouge. Je vous ai adressé deux lettres recommandées desquelles j'ai eu les accusés de réception, mais je ne suis pas sûre du tout que vous les ayez reçues. Je crains que ni votre père ni votre avocat ne soient disposés à entendre ce que j'ai à vous dire et qu'il me faut à tout prix vous demander...

– Monsieur Daniels ?

– Oui ?

– Phelps, à l'appareil. Roger Phelps. Je suis content de vous entendre.

Moi pas, pensa Matt. Le directeur des services juridiques de la MGPH lui avait peut-être fait une fleur en le désignant pour défendre Sarah, mais il y avait quelque chose de déplaisant chez ce bonhomme, dans sa façon de parler, ou bien dans son regard.

– Oui, monsieur Phelps, en quoi puis-je vous être utile ?

Le bureau de Matt était encombré de recueils de jurisprudence, de codes de procédure et de photocopies de dossiers hospitaliers. Plusieurs autres dépositions l'attendaient dans les quinze jours à venir, celles de deux autres experts cités par Mallon, et celle de Lisa Grayson elle-même. Du côté de la plaignante, il fallait s'attendre que Mallon convoque Sarah et Kwong Tian-Wen. Il n'y avait eu aucun geste de sa part depuis l'épilogue houleux du témoignage Ettinger. Pas un mot, rien. Matt avait vaguement espéré que son adversaire proposerait une trêve, le temps de vérifier ses nouvelles allégations concernant la PAPAX. Malheureusement, ce rebondissement ne semblait nullement intimider Mallon.

– Monsieur Daniels, tout d'abord, je voudrais vous remercier de m'avoir tenu au courant du déroulement de l'affaire Baldwin. Ça m'a été très utile pour apprécier la situation et prendre la décision qui s'imposait.

– La décision ?

– Oui, monsieur Daniels. Après avoir pesé le pour et le contre, nous avons décidé de conclure un arrangement à l'amiable avec la partie adverse.

– Hein ?

– Vous avez fait un excellent travail et je puis vous assurer qu'à l'avenir, nous ne manquerons pas de refaire appel à vos...

– Monsieur Phelps, excusez-moi, mais je ne comprends pas.

– Vous ne comprenez pas quoi, monsieur Daniels ? Nous avons pris en compte les frais de procédure et l'importance des dommages et intérêts si par malheur nous perdions. Nous avons donc opté pour une transaction dont le montant a été offert à Mallon qui l'a accepté. Bien entendu, cela n'implique aucune reconnaissance de culpabilité de la part du Dr Baldwin.

Matt fixa son récepteur en écarquillant les yeux.

– Monsieur Phelps, dit-il en se faisant violence pour ne pas crier, Sarah Baldwin n'a commis aucune faute professionnelle. De nouveaux éléments sont apparus. Des éléments décisifs. Nous allons gagner ce procès.

– Ah ! oui, l'histoire des gangsters chinois. Navré, monsieur Daniels, mais nous en avons tenu compte et du point de vue du magistrat, j'ai peur que ce pauvre M. Kwong...

– Combien avez-vous lâché pour cet arrangement amiable, comme vous dites ?

– Monsieur Daniels, il est inutile de vous mettre en colère...

– Combien ?

– Deux cent mille.

– Et Willis Grayson a accepté ?

– Apparemment.

– Monsieur Phelps, une somme pareille, Grayson la met dans sa tirelire pour les étrennes de son jardinier. Son but, c'est de faire incarcérer Sarah Baldwin. Il veut sa peau. Pourquoi diable voudriez-vous qu'il négocie un cessez-le-feu s'il est sûr d'être dans son droit ?

– Monsieur Daniels, s'il vous plaît, je ne vous ai pas appelé pour entamer une controverse. La décision a déjà été prise.

– Et les deux autres femmes ? Comment vont réagir leurs familles en apprenant ça ?

– Nous y réfléchirons le moment venu. Maintenant, si vous n'avez plus de question...

– Et si le Dr Baldwin refuse de laisser tomber ?

– Dans ce cas, elle supportera seule les frais de justice et les dommages et intérêts éventuels. Je ne vois vraiment pas pourquoi elle prendrait un risque pareil.

– Parce qu'elle est innocente, pardi !

– Monsieur Daniels, je suis au courant de votre relation avec Sarah Baldwin. Si vous l'encouragez à poursuivre ce procès pour des questions d'intérêt ou de sentiment, je considérerai ça comme un manquement sérieux à l'éthique de la profession.

– Que connaissez-vous à l'éthique de la profession ?

– Je suis avocat moi-même et inscrit au barreau, cher monsieur. Alors j'espère que je me suis bien fait comprendre. En ce qui la concerne, la MGPH considère ce dossier comme définitivement classé.

En vingt-trois ans de carrière au service du gouvernement, Rosa avait rencontré des chefs de cabinet ministériel, plusieurs gouverneurs et deux vice-présidents. Elle avait affronté son directeur qui voulait la crucifier pendant le scandale du REI et s'était retrouvée couchée en joue par la sous-commission du Congrès chargée de désosser son enquête lors de la même affaire. Mais elle n'avait jamais autant serré les fesses ni pesé ses mots que ce soir-là, en présence de Willis Grayson.

L'hélicoptère du richissime homme d'affaires l'avait cueillie sur le toit du pavillon de chirurgie, avant de faire quelques évolutions au-dessus des gratte-ciel illuminés de Boston dans le seul but de lui en mettre plein la vue. Puis l'appareil avait filé droit au sud, cap sur Long Island. Il était beaucoup plus spacieux et beaucoup moins bruyant qu'elle n'imaginait. Une vitre coulissante séparait le pilote et le copilote de la cabine arrière, très confortable et pratiquement insonorisée, où elle était assise en face du milliardaire. Ce dernier restait obstinément froid et distant et lui lançait de temps à autre un regard noir montrant clairement que cet aller-retour Boston-New York pour faire une prise de sang à sa fille ne lui plaisait guère.

Il l'avait saluée d'un vague bonjour, tandis que Tim l'aidait à s'installer dans l'habitacle, avant de lui faire signe de boucler sa ceinture. Mais ce ne fut qu'à la verticale de Providence qu'il consentit à lui adresser la parole.

– Je ne comprends pas, dit-il après quelques échanges anodins, pourquoi vous avez insisté pour faire ce prélèvement sanguin vous-même, alors que j'ai plusieurs infirmières à ma disposition qui auraient pu s'en charger.

– L'expérience m'a appris à ne faire confiance qu'à moi-même dans certaines phases critiques de mon travail.

Grayson esquissa un sourire.

– Ce sens des responsabilités vous honore et vous place largement au-dessus de la plupart de mes cadres. Vous ne semblez pas très à l'aise. Vous n'avez pas peur de voler en hélico ?

– Non.

– Auriez-vous peur de moi ?

– Vous êtes extrêmement riche, très puissant, et il faut bien le dire, assez peu rassurant.

– Je n'ai pas l'habitude qu'on me dise ce qu'il faut que je fasse, madame Suarez. Or, à cause de votre lettre et de ce faux livreur de Federal Express, ma fille me donne des ordres comme un général quatre étoiles. Je n'ai pas le choix : si je ne fais pas ce qu'elle demande, je risque de la perdre à nouveau.

– Mais monsieur Grayson, c'est vous qui vous êtes mis dans cette situation en signant les récépissés du courrier personnel de Lisa et en changeant de numéro de téléphone pour m'empêcher de la contacter. Moi non plus, je n'ai pas eu le choix.

– Bon, eh bien, maintenant, je vous ai donné le nouveau numéro et vous avez ma parole que je coopérerai avec vous de mon mieux.

– Je suis sûre que Lisa appréciera.

– Espérons-le. Vous avez des enfants, madame Suarez ?

– Trois filles.

– Si quelqu'un estropiait l'une de vos filles, vous le puniriez si vous le pouviez, non ?

– Je ferais mon possible pour que la justice réprime le coupable proportionnellement à son acte, si c'est ce que vous voulez dire.

– J'ai parfois recours à des méthodes plus directes. Mon avocat m'a appelé aujourd'hui pour me conseiller d'accepter une offre faite par la compagnie d'assurances de mettre un terme aux poursuites moyennant compensation financière. Au vu des révélations concernant le régime suivi par ma fille, il estime que les magistrats risquent de ne pas être convaincus de la culpabilité du Dr Baldwin. Personnellement, toutefois, je reste persuadé qu'elle est bel et bien responsable de l'invalidité de Lisa et de la mort de mon petit-fils.

– Vous êtes certainement libre d'avoir cette opinion, monsieur.

– Là-dessus, remarquez, ma fille n'est pas aussi affirmative que moi.

– Ma foi, je trouve qu'elle n'a aucune raison de l'être, pas plus que vous, compte tenu de ce que nous savons aujourd'hui.

– Madame Suarez, qu'est-ce que vous savez, exactement? demanda Grayson en détachant chaque mot.

Ce fut au tour de Rosa de sourire. Son regard se perdit sur les lumières de la côte défilant six cents mètres plus bas.

– Monsieur Grayson, je vous l'ai dit, j'ai appris à mes dépens qu'il est imprudent de discuter des résultats d'une enquête en cours avec qui que ce soit si ce n'est pas absolument indispensable.

– Ah! oui, votre débâcle à San Francisco...

Rosa lui lança un regard indigné.

– Vous êtes, monsieur, le type même de personne dont je me méfie comme de la peste. Je n'aime pas être contrôlée à mon insu. Le seul fait que vous l'ayez fait pourrait déjà avoir compromis mon travail.

– Je vous assure que mes hommes font preuve d'une discrétion à toute épreuve dans ce genre d'investigation. Ils ont l'habitude.

– Je n'en doute pas. Eh bien, puisqu'ils sont si doués, vous devez me connaître suffisamment pour savoir qu'il ne sert à rien de poursuivre cette discussion.

– Ce que je sais, c'est que votre directeur ne serait pas content du tout s'il apprenait que vous vous êtes miraculeusement remise de votre hernie discale sans prendre soin de l'en informer.

Rosa le fusilla du regard, les joues écarlates.

– Je vois, monsieur, que votre réputation n'est pas usurpée. Maintenant, si vous voulez absolument écrabouiller une femme de 60 ans sous le poids de votre immense empire, allez-y, ne vous gênez pas. Il y a peu d'épreuves, je vous assure, qu'on ne m'ait déjà fait endurer. Mais souvenez-vous quand même que je peux vous causer quelques petits ennuis.

Willis Grayson la considéra en silence pendant quelque temps. Puis, soudain, il partit d'un grand éclat de rire, lui tapota le bras et dit :

– Quand vous aurez achevé votre enquête, madame Suarez, vous pourriez peut-être envisager de venir travailler pour moi.

31

25 OCTOBRE

Il était 8 h 15 du matin. Au volant d'une Ford Escort empruntée, Sarah déboîta pour se placer sur la file d'accès au tunnel de sortie de l'agglomération bostonienne. Les véhicules roulaient pare-chocs contre pare-chocs, et elle dut à nouveau s'arrêter au bout de vingt mètres.

– Ovejos ! s'exclama Rosa en montrant la tête renfrognée des automobilistes piaffant à la queue leu leu. Des vrais moutons...

– Et encore, on va vers l'extérieur ! Qu'est-ce que ça serait si c'était l'heure de rentrée des banlieusards !...

Les deux femmes étaient en route pour l'aéroport de Boston afin d'accueillir Ken Mulholland. Le microbiologiste du centre épidémiologique d'Atlanta avait travaillé sur le sérum de Lisa Grayson et finalement débusqué quelque chose. Mais la pression de son chef de service visant à l'empêcher d'aider Rosa s'était encore accentuée. Tout ce qui concernait le dossier de Boston devait être impérativement transmis au patron de la Cubaine.

– Il y a trop de gens en cause, avait expliqué celle-ci. Mon directeur de recherche mourra persuadé que c'est moi qui ai ruiné sa carrière. Je pense qu'il préférerait sincèrement que cette affaire ne soit jamais résolue. L'idée que je puisse découvrir la clef de l'énigme le terrorise. Quant à Ken, il se contrefiche d'être rappelé à l'ordre par ses supérieurs, mais je ne veux pas qu'il ait d'ennuis car il a une femme et deux enfants à charge. C'est pourquoi je l'ai supplié de nous laisser faire la majeure partie du travail ici. Il a eu sa part de responsabilité dans le scandale du REI. Certains des rapports biologiques falsifiés venaient de son département. Depuis, il a aussi peu confiance que moi dans la politique du centre. Il a donc pris un jour de congé sans solde pour venir nous voir et s'est arrangé avec une amie qui dispose d'un terminal d'ordinateur quelque part à Atlanta. Ils vont se raccorder par modem à la banque de données du labo de Ken. Comme ça, il travaillera à distance et incognito sur le matériel du centre.

– Et tout ce qu'il demande, c'est une pièce vide avec un compatible IBM ?

– Et un modem.

– Dans ce cas, nous sommes fin prêts, dit Sarah. Glenn Paris a mis à notre disposition un bureau et un PC avec un logiciel de traitement de données.

– Il n'a pas posé de questions ?

– Non, aucune. Dites-moi, Rosa, vous croyez qu'on va déboucher sur quelque chose de sérieux ?

– J'ai toujours pensé qu'une infection était à l'origine de ces cas de CID, même si ce n'est pas la seule et unique explication. Alors, oui, ça ne m'étonnerait pas qu'on fasse un grand pas en avant aujourd'hui.

La semaine passée avait été riche en événements. Outre le déplacement éclair de Rosa pour aller prélever du sérum sur Lisa Grayson à Long Island, Sarah avait envoyé la veille une lettre à Roger Phelps l'informant de son refus d'accepter une conciliation moyennant finance avec Mallon et ses acolytes. Elle était révulsée qu'on propose d'étouffer l'affaire pour deux cent mille dollars. Ce qu'elle voulait, c'est être proclamée haut et fort innocente, totalement innocente, par la justice du pays.

Sarah s'engagea sur la bretelle de raccordement conduisant à l'aéroport. Le ciel se dégageait et avec une température prévue aux alentours de 15°, la journée promettait d'être superbe. Sarah avait quelques patientes à voir et des recherches à faire en bibliothèque, mais aucune opération chirurgicale en perspective. Elle comptait donc passer le plus de temps possible avec Rosa et son collègue.

– On a juste cinq minutes d'avance, dit-elle en s'arrêtant devant le terminal de la compagnie Delta. Je vous attends dans la voiture. Ça m'étonnerait qu'il ait des bagages dans la soute.

– Moi aussi. Il a déjà réservé sa place de retour sur le vol de 16 heures pour Atlanta.

Rosa fila dans le hall de l'aérogare et en revint quelques instants plus tard, bras dessus, bras dessous avec un rude gaillard aux joues rouges respirant la santé, d'une taille très au-dessus de la moyenne et qui, à côté d'elle, avait l'air d'un Goliath. Il avait une pipe d'écume plantée au coin de la bouche et ressemblait plus à quelque bourgmestre bavarois qu'à un scientifique. Mais le temps qu'ils repassent l'échangeur de l'autoroute, Sarah avait compris pourquoi Rosa parlait des qualités professionnelles et du dévouement de Mulholland avec un respect confinant à l'adoration.

– Notre petit copain viral n'est présent dans le sang de votre demoiselle que sous une forme infinitésimale, expliqua-t-il avec une pointe d'accent du Middle West. Mais il est là, bien vivant et apparemment très actif. Pour l'instant, si vous êtes d'accord, et en attendant d'avoir un résultat plus scientifique, nous l'appellerons George. Notez qu'on aurait aussi bien pu l'appeler Georgette... Il s'est d'abord signalé à nous de façon indirecte, par un anticorps antiviral qui n'était comparable à aucun de ceux que nous connaissions. Nous avons maintenant une réelle image du petit monstre au microscope électronique. Il est ravissant. Un bourreau des cœurs, si j'ose dire. Pas impossible du tout qu'il appartienne au groupe des adénovirus. Aujourd'hui, nous allons compléter l'analyse chimique de son ADN. Au point où nous en sommes, il correspond exactement à la séquence d'ADN du précédent échantillon que vous m'aviez envoyé. C'est encore loin, votre hôpital, docteur Baldwin ?

– Dix minutes, à peine. Mais, heu... vous me feriez plaisir, étant donné tout ce que vous avez fait pour moi, en m'appelant simplement Sarah.

– Entendu. Alors Sarah, et vous aussi, Rosa, je propose de mettre ces dix minutes à profit pour faire un petit bilan de ce que j'ai fait et des difficultés qui nous attendent aujourd'hui. Je me félicite d'être venu approfondir cette recherche ici. Ça me sera beaucoup plus facile de travailler sans être constamment obligé de regarder par-dessus mon épaule. J'ai débranché l'écran sur le terminal du labo d'Atlanta et le modem est planqué derrière une pile de documents. Mon chef, ou le vôtre, Rosa, pourrait se trouver à côté sans se douter un instant qu'il y a un flot de données qui s'écoule de la bécane.

– Merci de vous être donné tant de mal pour moi, dit Sarah.

– Mieux vaut être prudent. Cette femme, dit-il en montrant Rosa du pouce, est tout simplement géniale. Il n'y a que moi qui le sache au centre et je trouve que ça a assez duré. Bon, reprenons. Il n'y a pas de doute que Lisa Grayson souffre d'une infection virale méconnue particulièrement sournoise.

– Ah bon ? Ce n'est pas un virus ordinaire ? s'étonna Sarah.

– J'en serais surpris, fit Mulholland en secouant la tête. Nous allons finir de décortiquer l'ADN de George dès que nous serons à pied d'œuvre sur le PC. Mais je peux déjà vous dire que l'ami George ne figure dans aucune des nomenclatures que j'ai compulsées. Il se pourrait que ce soit quelque chose de naturel qui n'ait jamais été répertorié, mais j'en doute. Je penche davantage pour quelque chose de fabriqué par l'homme. Avec un peu de chance, nous serons fixés vers l'heure du déjeuner.

– Et ensuite ? demanda Sarah.

– Eh bien, en supposant qu'après l'analyse complète de son ADN, George nous apparaisse toujours comme un produit de l'homme et non de la nature, je pense qu'il sera temps de faire appel au système Chakrabarty.

– Qu'est-ce que c'est que ça ?

Le virologiste se tourna respectueusement vers Rosa.

– Au départ, dit-il, il s'agissait de ces bactéries si voraces, vous savez, qu'elles sont capables de digérer les marées noires. Mais attendez, Rosa vous en dira plus le moment venu car c'est grâce à elle que ça fonctionne. Avant d'en arriver là, il nous faut connaître bien en détail la structure biochimique de George.

En arrivant au CHU, Sarah s'arrêta devant la guérite du vigile qui lorgna dans la voiture d'un œil méfiant.

– On vient juste déposer une ou deux bricoles, Joe, improvisa-t-elle avec un grand sourire. On repart dans même pas une demi-heure.

Il n'était pas trop dur de trouver une place de parking dans l'enceinte du campus, mais séduire le gardien demandait de l'astuce et de l'assurance. Ce matin-là, Sarah était en veine de l'une et l'autre. Elle gara la Ford juste derrière le bâtiment Thayer.

– Bienvenue au centre hospitalier universitaire de Boston, docteur Mulholland, dit-elle.

A l'autre bout du campus, des ouvriers étaient en train de barricader le pourtour de l'antique pavillon Chilton.

– Ce n'est pas ça qu'ils vont faire exploser ? s'enquit Rosa en montrant la bâtisse du doigt.

– Plutôt imploser, d'après ce que je sais, rectifia Sarah. C'est pour samedi prochain. Le service de relations publiques de l'hosto prétend que l'entreprise de démolition est la meilleure au monde. Ils disent qu'il n'y aura pas une seule brique qui sortira du périmètre de protection.

– Quel spectacle ça va être ! fit Mulholland.

– Ce qui se passe ici est presque toujours spectaculaire, grâce à notre directeur, Glenn Paris, celui qui nous procure l'ordinateur aujourd'hui. Il aime ce genre d'atmosphère. Cette fois, il a carrément fait monter une tribune pour les spectateurs et saisi l'occasion pour récolter de l'argent en organisant une tombola dont le gagnant appuiera sur le bouton. J'ai moi-même acheté cinq billets.

– Ça promet, dit Rosa. Je tâcherai de venir si je suis encore ici.

Vers midi, ils étaient en passe de réussir l'identification du désoxyvirus ou virus ADN, que Mulholland avait baptisé George. A part une pause de cinq minutes pour s'étirer et faire un tour aux toilettes, le virologiste n'avait pas quitté la console de l'ordinateur. Assise à sa droite et non moins absorbée par l'assemblage progressif du puzzle, Rosa déterminait certaines probabilités avec une calculette et prenait des notes sur son calepin. Sarah, pour sa part, se sentait un peu comme la cinquième roue du carrosse. Elle entrait et sortait de la pièce, examinait une patiente à l'occasion, ou essayait de se documenter pour un article qu'elle préparait. A chacun de ses passages dans le petit bureau, elle apportait café, Coca ou sandwichs, invariablement refusés par Rosa mais avalés d'un trait ou d'une bouchée par Mulholland qui ne baissait même pas les yeux de l'écran pour voir ce qu'il mangeait.

Il avait au moins vingt ans de moins que Rosa, mais l'un et l'autre, visiblement, adoraient travailler ensemble. A eux deux, se disait Sarah, ils totalisent bien trois cents points de quotient intellectuel, peut-être plus. Elle avait des bouffées de rage et d'indignation à la pensée que des technocrates sans scrupule aient eu l'audace et le cynisme de falsifier les résultats de l'enquête sur le REI.

– OK, dit Ken, le regard toujours vissé sur l'écran. Voilà la séquence suivante. A-T, A-T, C-G, A-T.

A-T, soit adénine et thymine; C-G, soit cytosine et guanine : les composés basiques azotés, groupés deux par deux, formant les acides nucléiques du noyau cellulaire. La structure de l'ADN, sa fonction, le processus dit de réplication de ses différentes séquences étaient connus de Sarah grâce à ses cours de fac. Mais les deux microbiologistes travaillant devant elle, ainsi que l'amie de Ken qui les assistait depuis Atlanta, évoluaient dans la stratosphère du sujet. L'amie en question, prénommée Molly, s'était servie d'enzymes spécifiques pour segmenter l'ADN. Ces segments avaient été identifiés et l'ordinateur en déterminait maintenant les séquences afin de recréer la structure complexe, tridimensionnelle et hélicoïdale du virus. Mulholland et Rosa s'interrompaient à chaque nouvelle arrivée de données pour compléter le modèle qu'ils reconstruisaient sur l'écran et le comparer avec ceux déjà répertoriés dans leur nomenclature.

Sarah vit Mulholland engloutir un sandwich au poulet tandis qu'il détaillait la dernière séquence de phosphates et de désoxyribose à l'intention de Rosa.

```
C'est tout, Ken. Votre bestiole est complète.
J'ai fini... et je meurs de faim.
Bonne chance.
Molly
```

Le message apparu sur l'écran fut suivi d'un petit dessin animé de Gary Larson dans lequel deux scientifiques clownesques scrutant l'œilleton de leur microscope étaient eux-mêmes observés à la loupe par quelque géant d'une autre planète. Rosa se mit au clavier et après avoir intégré le dernier élément structurel, interrogea la liste des virus catalogués pour voir si George en faisait partie. Au bout de quelques minutes, elle secoua la tête.

– Inconnu au bataillon, dit-elle.

Mulholland se frotta les yeux et pivota vers Sarah sur sa chaise.

– C'est une forme d'adénovirus, mais on lui a ajouté quelque chose.

– Recombiné par génie génétique, précisa Rosa. No es natural. Maintenant, la question qui se pose, c'est : qui a fait ça ? Et surtout, est-ce que ça a un lien avec nos cas de CID ?

– Heu... vous pensiez faire appel à je ne sais quoi, tout à l'heure, le système Chakra...

– Chakrabarty, compléta Ken. Rosa, voulez-vous expliquer ?

– Non, non, je vous en prie, allez-y.

– Vous êtes trop modeste. OK, Sarah. Il s'agit d'une affaire exemplaire qui a fait école et sert de point de repère pour toutes les questions relatives aux brevets de génie génétique. Ananda Chakrabarty était un microbiologiste qui travaillait pour General Electric. Au début des années 70, il a modifié la structure génétique d'une bactérie naturelle : Pseudomonas aeruginosa. Le résultat de cette manipulation s'est trouvé être un nouveau germe capable de digérer nombre d'hydrocarbures présents dans le pétrole brut en cassant la chaîne moléculaire, et finalement de transformer une marée noire en eau de mer quasi limpide. Cette découverte valait potentiellement des centaines de millions de dollars, mais l'Institut américain de la propriété industrielle a refusé de l'homologuer. En 1980, la Cour suprême des États-Unis a annulé cette décision, arguant en gros du fait qu'il n'y avait pas de différence fondamentale entre améliorer un piège à souris et améliorer une bactérie mutante.

– Très bien, mais en quoi est-ce que ça peut nous aider, dans le cas d'espèce ?

– Ma foi, ça peut nous aider ou ne pas nous aider... on verra. C'est ici que Rosa est intervenue. Les sociétés de génie génétique poussant comme des champignons après la pluie, l'hypothèse de la propagation d'une grave maladie due à un micro-organisme inédit s'est considérablement renforcée. De là à fantasmer sur la guerre bactériologique, il n'y a qu'un pas que d'aucuns se sont empressés de franchir. Alors Rosa a conclu un accord avec l'Institut de la propriété industrielle pour qu'ils partagent leurs données avec nous. Chaque fois qu'une création biologique fait l'objet d'un brevet, nous en recevons une copie.

– Aux termes de la loi, enchaîna Rosa, toute nouvelle entité vivante doit être suffisamment détaillée pour qu'un expert en la matière soit capable de l'identifier et de la reproduire. Aujourd'hui, la majorité des sociétés de génie génétique coopèrent directement avec nous en nous soumettant la fiche signalétique complète de leurs nouveaux, et même de leurs futurs microbes, si bien qu'on les stocke aussitôt en mémoire.

– Fantastique ! dit Sarah. Alors maintenant, vous pouvez puiser dans votre banque de données à Atlanta pour voir si notre virus correspond à un modèle déposé. Vous en avez beaucoup dans vos fichiers ?

– Si je vous disais combien, dit Ken, vous n'en reviendriez pas.

– Vous voulez faire une pause avant d'attaquer ? demanda Sarah. Il faut compter une heure pour retourner à l'aéroport.

– Non, tant pis, je déjeunerai dans l'avion. Ou bien est-ce que j'ai déjà déjeuné ? Peu importe. Ça ne devrait quand même pas durer trop longtemps, cette recherche, grâce à tout l'argent que l'Oncle Sam s'est laissé convaincre de mettre dans notre mégaprocesseur central. A vous l'honneur, Rosa.

– Merci. Ce que nous allons faire, Sarah, c'est commencer par le plus grand dénominateur commun, en l'occurrence le groupe de virus auquel appartient notre loustic.

Ce disant, elle tapa :

`Adénovirus`

et valida la demande.

– Ensuite, nous continuerons du plus gros au plus fin. Si on obtient une réponse négative à un moment ou à un autre, le jeu est fini. En vérité, l'ordinateur pourrait probablement faire la recherche tout seul, mais j'aime bien l'aventure.

– Elle aime bien l'aventure, répéta Mulholland avec un clin d'œil.

Morceau par morceau, Rosa entra la séquence nucléotidique de George et demanda à l'ordinateur d'Atlanta de chercher les correspondances. Sarah fut stupéfaite de voir combien il existait de virus résultant de recombinaisons factorielles. Et le génie génétique n'en est qu'à la préhistoire ! se disait-elle.

Mais bientôt, au fur et à mesure que Rosa débitait les signes particuliers du virus, les candidats se raréfièrent.

– OK, dit-elle en pianotant fiévreusement sur le clavier, cette dernière donnée devrait nous permettre d'isoler le bonhomme.

`Pas de rubrique correspondante`

répondit la machine au bout de deux secondes.

– Saleté ! grogna Rosa.

A peine avait-elle lâché le mot, qu'un autre message s'inscrivit sur l'écran.

```
Erreur digitale possible - vérifiez introduction
des données ou répétez la demande
```

– Il faudra retrouver ce programmeur et lui décerner une prime de qualité, commenta Ken.

– Je n'ai jamais été fichue de taper correctement ! pesta Rosa en consultant ses notes avant de relancer la séquence. La prochaine fois, je laisserai l'ordinateur se débrouiller tout seul.

Quelques instants plus tard, de nouvelles informations défilèrent sur l'écran.

```
Possibilité de convergence : 100 %
Numéro d'accès ACX9934452 ; pour continuer
taper numéro d'accès et code personnel de sécurité
```

– Youpi ! s'écria Rosa en se hâtant d'obéir au processeur.

Moins de deux secondes plus tard, George avait un nom... et une adresse.

```
VCS - BIO-Vir Corporation, 4256 New Park, Cambridge,
MA 02141; (617) 445-1500
U.S. Patent n°5 665 297; RDV332 210 (1984)
Adénovirus combiné avec thrombine - gènes producteurs
de thromboplastine;
application potentielle : cicatrisation rapide, hémostase.
Pas d'autre information disponible.
```

Rosa se tourna vers Sarah. L'expression de l'épidémiologiste était à la fois triomphante et sinistre.

– La thrombine... dit-elle pensivement. Si je ne m'abuse, c'est le deuxième facteur dans les réactions en cascade de la coagulation sanguine.

– Et la thromboplastine est aussi un facteur de coagulation, ajouta Sarah, le cœur battant. On y est, Rosa ! C'est ça, j'en suis sûre et certaine.

La Cubaine était déjà en train de composer le numéro de téléphone de la BIO-Vir corporation.

– Eh bien, voilà, annonça-t-elle en raccrochant trois minutes plus tard. C'est passé comme une lettre à la poste. J'ai un rendez-vous demain à 10 heures avec le P-DG de la BIO-Vir.

– Dommage, dit Sarah. J'aimerais bien venir avec vous, malheureusement je suis de garde.

– Eh bien, moi, par chance, je n'ai aucune obligation, dit Mulholland. Ma femme et mes gosses pourront bien se passer de moi vingt-quatre heures de plus. Je ne raterais pas ça pour un empire. Rosa, votre propriétaire n'aurait pas une autre chambre à louer, par hasard ?

– Non, répondit-elle en clignant de l'œil. Mais j'ai un lit à deux places.

32

Professionnellement, Black Cat Daniels marchait sur des œufs et il le savait. Sarah était déterminée à aller jusqu'au jugement, quitte à payer de sa poche les frais exponentiels du procès, et malgré la relation amoureuse qui s'intensifiait chaque jour entre eux, Matt n'était pas moins décidé à la défendre envers et contre tout.

Au fond de lui-même en vérité, il regrettait qu'elle n'ait pas saisi l'occasion de tourner la page. Accepter la conciliation de la MGPH, laisser Phelps cracher les deux cent mille dollars aurait indiscutablement libéré son amour et facilité sa carrière d'avocat. Cette épée de Damoclès suspendue au-dessus de leurs têtes gâchait tout.

La boule transparente en imitation de cristal posée sur son bureau était destinée à lire dans l'avenir et lui servait en même temps de presse-papiers. Harry la lui avait offerte pour la fête des pères. Matt ne pouvait s'empêcher de croire à ses vertus prophétiques bien que ce ne fût qu'un jouet en plastique moulé fabriqué et vendu à des millions d'exemplaires.

– Est-ce qu'on va gagner, oui ou non ? demanda-t-il à mi-voix en soupesant l'objet.

S'ils avaient su le nombre de décisions capitales qu'il avait prises dans sa vie grâce à cette sphère, les membres du conseil de l'ordre l'auraient rayé depuis belle lurette.

Redemande plus tard répondit-il mentalement à la place de la boule.

Comme prévu, Roger Phelps était furieux. A cause de l'obstination de Sarah, les dirigeants de la MGPH se demandaient si la somme qu'il avait proposée à Mallon était réaliste. Cette incertitude pouvait subsister dans leur esprit tant que durerait la procédure, des mois, des années, peut-être. Si Sarah était finalement condamnée à payer d'énormes dommages et intérêts, Phelps serait le héros du jour car cela prouverait rétrospectivement qu'il avait vu juste. Mais si elle gagnait, la mutuelle économisait deux cent mille dollars. Dans ce cas, Phelps passerait pour un niais et se ferait sans doute virer avec pertes et fracas.

De son côté, Matt n'était pas mieux loti. Pour commencer, il était tenu de facturer ses honoraires à Sarah pour sauver les apparences au cas où ses intentions et sa moralité seraient mises en doute. Qu'il perde, et on l'accuserait de s'être entêté à défendre Sarah par cupidité.

Qu'il gagne au contraire, et sa notoriété bénéficierait d'une publicité subite sans que sa situation financière s'en trouve améliorée.

Quel que soit le verdict, de surcroît, ce serait son dernier cas de faute professionnelle pour la MGPH, de loin la plus grande compagnie d'assurances médicales du Massachusetts. Un filon essentiel et une des plus belles opportunités de sa carrière étaient gâchés par ce compromis négocié en douce.

Il attrapa sa balle et son gant de base-ball et se mit à faire les cent pas dans son bureau, les sourcils en bataille. Il n'avait pratiquement plus un sou en caisse. Toutes ses journées étant consacrées à Sarah, il ne pouvait pas compter sur d'autres clients pour le renflouer. Cette année, la venue d'Harry pour Noël semblait incertaine. Il serra les dents en repensant à Phelps. Pourquoi cet idiot ne l'avait-il pas laissé se débrouiller tout seul ? Les appointements que lui aurait reversés la mutuelle sur les honoraires de Sarah n'auraient jamais, au grand jamais, approché deux cent mille dollars. Et petit à petit, les arguments massue de Mallon commençaient à s'émietter. Pourquoi diable l'autre avait-il transigé ?

Il y avait quelque chose de louche dans toute cette affaire, il le sentait, sans arriver à mettre le doigt dessus. Comment Phelps pouvait-il s'illusionner au point de croire que les familles Worthington et Hidalgo n'auraient pas cherché elles aussi à profiter d'une transaction ? Elles se seraient précipitées sur l'occasion, ça crevait les yeux. Et ce n'était pas deux cent mille dollars qu'aurait coûté ce compromis douteux, mais six cent mille !

Oui, décidément, ça clochait quelque part...

Matt continua à aller et venir pendant cinq minutes entre sa fenêtre et son bureau, balançant sa balle d'une main dans l'autre d'un geste saccadé. Ce qui le tarabustait demeurait imprécis, comme une hantise sans objet, un vague souvenir dans sa tête. Il songea de nouveau à la déposition Ettinger. Il avait passé la journée, la semaine entière à vrai dire, à lire et relire le procès-verbal, au point de le connaître pratiquement par cœur. Il se demandait lesquels, des propos de Phelps ou de Peter, l'obsédaient le plus.

A présent, les chocs répétés de la balle dans le creux de sa main gantée commençaient à lui faire très mal, malgré l'épaisseur du cuir. Le rituel auquel il obéissait toujours face à un grave problème menaçait de lui casser le métacarpe. Mais Black Cat Daniels n'était pas du genre à abandonner un rituel, celui-ci pas plus qu'un autre. Il suffisait qu'il continue au même rythme, juste un peu moins fort. Qu'est-ce qui pouvait bien le tourmenter comme ça ? Une réponse évasive d'Ettinger ? Une allusion ambiguë ? Il y avait quelque chose, bon Dieu, il en était sûr...

Soudain, une voix grésilla sur la ligne intérieure de l'interphone.

– Monsieur Daniels, annonça Ruth, je m'en vais. Vous vous souvenez que je vous ai dit que je partais plus tôt aujourd'hui ?

– Non, Ruth, je ne m'en souvenais pas, mais je suis certain que vous me l'aviez dit. Passez une excellente soirée.

Encore un autre problème, cette brave femme, se dit-il. La secrétaire travaillait avec lui depuis ses débuts et ils avaient toujours été fidèles et loyaux l'un envers l'autre. Mais elle n'avait jamais réussi à refréner sa manie compulsive de jacasser avec tous les visiteurs à propos de tout et de rien. Les indiscrétions en résultant, à la fin, devenaient exaspérantes. En plus, au train où allaient les choses, il devrait peut-être choisir entre son salaire et un billet d'avion pour Harry. Phelps, encore lui, cet enfoiré...

– Comment ça, excellente soirée, monsieur ? Je vous ai dit que j'allais chez le dentiste. Ça n'a rien de...

– Nom de Dieu, ça y est !

– Pardon ?

– Rien, Ruth. Excusez-moi, je vous laisse. A demain.

Le dentiste, bon sang de bonsoir ! pensa Matt après avoir raccroché. C'est ça qui me chiffonnait depuis huit jours sans que je m'en rende compte.

Il jeta sa balle et son gant dans un coin et rouvrit avidement le procès-verbal. C'était une réponse de Mallon, et non d'Ettinger qui le turlupinait. Le document faisait plus de cent pages. Il lui fallut près de vingt minutes pour retrouver le passage.

... Jusqu'à présent, je m'étais montré très indulgent puisque à part une histoire de molaire arrachée ou je ne sais quoi, vous n'aviez jamais plaidé dans une affaire de faute professionnelle médicale...

Matt prit un marqueur jaune sur son bureau et souligna la repartie assassine de Mallon. Comment son adversaire pouvait-il savoir qu'il n'avait défendu qu'un seul médecin jusqu'alors ? Il n'y avait qu'une et une seule réponse plausible à cette question.

Il empoigna son téléphone et appela le service juridique de la MGPH.

– Bonjour, ici Matthews Daniels. M. Phelps, s'il vous plaît. Ah, c'est vous ? Écoutez, Roger, j'ai parlé à Sarah Baldwin et je crois qu'elle est disposée à revenir sur sa décision concernant votre offre de règlement amiable. Voulez-vous qu'on se voie pour en discuter ? Je vous propose demain 8 heures à mon bureau. Ça vous va ? Parfait, Roger. J'ai hâte de clarifier cette affaire une fois pour toutes.

« Et surtout de savoir pourquoi tu m'as désigné sur ce coup fourré », ajouta-t-il en reposant le combiné.

Black Cat Daniels soupesa à nouveau son presse-papiers pour apprenti devin.

– Est-ce que c'est moi le dindon de la farce pour avoir refusé de voir ce qui se tramait dans mon dos ?

– Oui, répondit la boule.

Assise au bureau des infirmières du service d'obstétrique, Sarah gribouilla pour la énième fois le sigle VCS113 sur son bloc-notes et songea : un adénovirus recombiné dans les veines de Lisa au moment de sa crise, qu'on retrouve dans son sang trois mois et demi plus tard. Un virus artificiel fabriqué il y a des années à Cambridge... Elle avait ses visites à faire, plusieurs lettres à rédiger, mais l'extraordinaire découverte de cet agent pathogène l'empêchait de se concentrer. La plupart des infirmières restaient distantes avec elle depuis des mois, physiquement et affectivement. Sarah s'en rendait compte, mais cet après-midi là, elle en souffrait moins que d'habitude. Les pièces du puzzle commençaient à s'emboîter et elle voyait enfin le bout du tunnel. Le VCS113 avait été créé pour accélérer la coagulation. Comment l'infection par un tel organisme pouvait-elle être étrangère à la coagulopathie de Lisa ?

– Docteur Baldwin ?

Joanne Delbanco, l'infirmière qui lui adressait la parole, avait à peu près le même âge que Sarah. Elles s'étaient liées d'amitié autrefois, allant même jusqu'à dîner ensemble un soir. A présent, autre effet indirect du VCS113, leurs rapports se limitaient au strict minimum nécessaire à la bonne marche du service.

– Ah, c'est vous, Joanne ! fit Sarah avec un entrain exagéré.

– Docteur Baldwin, il y a une patiente qui vient d'arriver et qui vous réclame d'urgence. Elle a l'air complètement affolée. Je l'ai mise dans la salle de travail. Elle refuse de me parler de son problème.

– Merci, j'arrive, répondit aussitôt Sarah, mais l'autre avait déjà tourné les talons.

La salle en question était à l'autre bout du service. Sarah s'engagea dans le couloir au trot en se demandant de qui il pouvait bien s'agir. La liste de femmes qu'elle consulta mentalement n'incluait pas Annalee Ettinger.

– O mon Dieu, quel soulagement de te trouver là ! s'écria celle-ci, les larmes aux yeux.

La jeune Noire était allongée sur la table de soins, les genoux relevés. Elle portait un peignoir sur lequel elle avait passé un manteau à la hâte. Sarah s'assit à côté d'elle et appliqua d'instinct sa main sur son ventre arrondi. Elle sentit tout de suite le durcissement d'une contraction utérine.

– Tiens-moi la main jusqu'à ce que ça passe. N'aie pas peur, Annalee. Tout ira bien.

Une minute s'écoula avant que la rigidité de la matrice commence à décroître. Dans l'intervalle, Sarah essaya d'apprécier la durée de la gestation par rapport à leur discussion suivant la conférence de presse du 5 juillet. Trente-trois à trente-quatre semaines, estima-t-elle.

– Combien de temps, environ, entre chaque contraction ?

– Huit à neuf minutes. En fait, ça fait plusieurs semaines que ça dure, avec des hauts et des bas. Mais depuis douze heures, ça n'arrête plus.

– Tu as perdu les eaux ?

– Non.

– Tu as de la fièvre, des frissons ?

– Non.

– Des saignements quelque part ?

– Non.

– Et Taylor, où est-il ?

– Tu me croiras ou pas, mais il est en Afrique de l'Est. Son groupe est encore en tournée pour deux semaines. Je ne sais pas au juste où ils se trouvent aujourd'hui. Il voulait tout annuler et rester à la maison parce que j'avais ces contractions intermittentes. C'est moi qui l'ai poussé à partir quand même. Quelle idiote j'ai été !

– Pas forcément. Ne te blâme pas, Annalee. A mon avis, tu as bien fait. Et Peter ?

– Il... il ne sait pas où je suis. Il a refusé de m'emmener à l'hôpital. J'ai fini par appeler une amie, je suis passée par la fenêtre de ma chambre et elle m'a cueillie en voiture ici. Peter est dingue, Sarah, je t'assure. (Elle se mit à sangloter.) Les deux sages-femmes qu'il a fait venir du Mali sont là en permanence. Elles m'ont fait boire une espèce de tisane qui est censée interrompre la phase de travail. Il a suffi que je mentionne ton nom une seule fois pour qu'il pique sa crise. Il m'a prévenue que si j'allais te voir pour une raison ou pour une autre, ce n'était plus la peine que je revienne à la maison.

Sarah serra dans ses bras la malheureuse qui, pour lors, hoquetait en pleurant.

– Annalee, ne pense plus à Peter, ni à rien. Consacre-toi à ton bébé. Il n'y a aucun doute que tu es en pleine phase de travail, et tu as six à sept semaines d'avance. Si tu accouches maintenant, il faut s'en occuper sérieusement, mais ça n'a rien de dramatique. En fait, l'idéal serait que tu gardes encore ton bébé une quinzaine de jours.

– Qu'est-ce qu'on peut faire alors ? Tu peux arrêter mes contractions ? Je... je n'ai pas d'assurance maladie. C'est Peter qui a payé tous les... Sarah ! je crois qu'en voilà une autre...

– OK, calme-toi, Annalee, susurra Sarah en lui caressant le front. Prenons les questions et les contractions une par une.

Elle leva les yeux vers la pendule murale. Six minutes et demie s'étaient écoulées depuis la précédente contraction. Réagissant peut-être aux paroles réconfortantes de Sarah, Annalee ferma les yeux et respira tranquillement pendant toute la durée du spasme.

– Ne t'inquiète pas pour l'assurance, reprit Sarah. On va t'hospitaliser ici et je vais demander à un de nos obstétriciens de te prendre en charge. Je pense que ce sera mon chef de service, le Dr Snyder.

– Qu'est-ce qu'il va me faire ?

– Ma foi, je présume qu'il va te placer sous perfusion et te donner un produit qui suspendra tes contractions tout en prolongeant ta grossesse. Mais ça dépend. On a plein de moyens à notre disposition, non seulement pour savoir où toi tu en es, mais surtout pour connaître le développement des poumons de l'enfant. Quand une femme est en phase de travail prématurée, c'est un indice fondamental pour juger de l'opportunité de l'accouchement.

– Vous arrivez à examiner les poumons du bébé avant qu'il naisse ?

– Tout à fait. On peut même les mesurer avec précision.

Annalee se blottit dans les bras de Sarah et lui passa les bras autour du cou.

– Je savais que j'avais raison de venir te voir. Je le savais.

Sarah téléphona au standard et demanda qu'on fasse appeler Randall. Puis elle réclama quelqu'un aux admissions pour enregistrer l'entrée de la jeune femme. Enfin, elle décrocha le fœtoscope suspendu à la porte et ausculta l'abdomen saillant d'Annalee.

– Le bébé se porte à merveille, annonça-t-elle au bout d'une minute. C'est parfait.

– Tant mieux. Ça ne m'étonne pas, je le sens qui bouge sans arrêt. Sarah, écoute. Je t'en supplie, n'appelle pas Peter.

– Mais voyons, ma belle, qu'est-ce que tu crois ? Je travaille pour toi. Tes désirs sont des ordres. Par contre, tu voudras peut-être qu'on se débrouille pour lui faire savoir que tu vas bien. Je sais qu'il t'aime profondément. C'est moi qu'il ne peut pas encaisser.

– Alors là, c'est son problème. Tu sais, pendant que tu téléphonais, je te regardais en pensant à toutes les choses incroyables que tu sais faire. Et en même temps, je me rappelais comment tu étais le premier jour où tu es venue vivre chez nous.

– Et alors ?

– Eh bien... Disons que tu as sacrément évolué depuis, ma vieille. C'est moi qui te le dis.

Sarah étreignit à nouveau la jeune Noire. A part son ventre proéminent et ses seins gonflés, elle n'avait pas un bourrelet, pas un gramme de graisse en trop.

– Toi aussi, Annalee, tu as beaucoup évolué, dit-elle en s'efforçant de masquer son inquiétude. Au fait, cette poudre amaigrissante de Peter, tu l'as prise quand et pendant combien de temps ?

– Il y a quatre ans, environ, et pendant trois mois. Le Dr Singh avait déjà testé le produit quelque part sur un bon nombre de gens. Mais avant que Peter accepte de s'associer avec lui, il l'a lui-même essayé sur une douzaine d'obèses qu'il connaissait, moi comprise. En tout, on a dû perdre facilement une demi-tonne. Pourquoi ? Il y a un problème ?

– Non, non, c'était juste par curiosité. Ne t'inquiète pas, Annalee, il n'y a aucun problème.

– J'espère. Parce qu'au dernier pointage que j'ai vu, depuis qu'ils l'ont lancée, il y a près de six cent mille personnes qui en ont pris, de cette poudre.

– Je sais, répondit Sarah en revoyant un avant-bras sectionné sur un plateau de chirurgie en inox.

33

26 OCTOBRE

Matt arriva à son cabinet à 7 h 15, avec l'espèce de trac mêlé d'exaltation qu'il éprouvait avant un grand match, du temps où il était joueur de base-ball professionnel. A l'aube, il avait couru quatre kilomètres dans son quartier désert, pour ne pas enfreindre la discipline qu'il s'était imposée après sa déconfiture face à Sarah dans les rues de Chinatown. Il avait aussi pris le temps de lire plusieurs articles du *Globe*, la page des sports du *Herald*, et de faire un quart d'heure de base-ball sur console Nintendo, ce jeu d'un réalisme impressionnant auquel il était déterminé à battre Harry au moins une fois dans sa vie. Le rendez-vous qui l'attendait était crucial.

De leur côté, en rencontrant le patron de la BIO-Vir, Rosa et Mulholland allaient peut-être suivre une fausse piste, mais c'était peu probable, vu la finalité du virus créé quelque dix ans plus tôt par ce labo de génie génétique.

D'ici une heure ou deux, avec un peu de chance, une bonne partie du mystère serait tirée au clair.

Matt avait revu son dossier, préparé ses arguments et répété mentalement le scénario. Sauf erreur, Phelps avait deux faiblesses : sa morgue et sa cupidité. Il fallait les utiliser en le poussant à la faute sans qu'il se méfie. A défaut, il resterait toujours le plan B, la fameuse technique d'assaut frontal qui avait si bien réussi avec Tommy Sze-to... Rien que d'y penser, Matt avait encore mal à l'entrejambe.

Il venait d'empocher sa balle et de mettre son gant en évidence sur le bureau lorsque Phelps pénétra dans le vestibule.

– Daniels ?

– Entrez, Roger, je suis là.

Le chef du contentieux, qui portait un costume trois-pièces, frappa quand même doucettement avant d'entrer. Matt le savait intelligent et calculateur, en dépit de son air faraud. Il lui offrit un café avant de l'inviter à s'asseoir.

– Alors, attaqua Phelps, Mme la doctoresse s'est ravisée, à ce qu'il paraît ?

– Le Dr Baldwin n'est pas très chaude à l'idée de passer devant le tribunal.

– Vous pouvez l'appeler Sarah. J'ai ouï-dire que vous entreteniez des rapports, disons... privilégiés, tous les deux.

– Franchement, Roger, que voulez-vous que je réponde à une sortie pareille ?

– Rien du tout. Elle est très séduisante... un petit côté garçonne, évidemment. Mais je serais le dernier à vous critiquer si vous aviez une liaison avec elle.

Il fait tout de suite semblant de jouer franc-jeu en affirmant son autorité, pensa Matt. Pas sot, l'animal. Pas sot du tout.

– Pour ne rien vous cacher, Roger, l'idée m'a effectivement traversé l'esprit. Mais croyez-moi, il ne se passera rien entre nous avant le dénouement de cette affaire.

– Ça vous regarde. Serait-ce pour ça que vous acceptez de négocier ?

– Peut-être. Je vous l'ai dit : honnêtement, je pense que nous pouvons gagner.

– Oui, eh bien, moi, j'en suis beaucoup moins sûr, figurez-vous. Une future maman jolie comme un cœur qui perd son bébé et se retrouve manchote a une fâcheuse tendance à apitoyer les juges. Et quand les juges tranchent en faveur des plaignants, dans ce genre d'affaire, les dommages et intérêts atteignent des sommes astronomiques.

– Je comprends.

– Tant mieux. Bon, alors, où voulez-vous en venir ?

– Je suis prêt à accepter un compromis honorable de la part de ma cliente, sans aucune reconnaissance de culpabilité. Mais je me fais un peu de souci pour ma réputation. La polémique Grayson/Baldwin a envahi les journaux. Mettons que j'aille jusqu'au jugement et que je gagne : me voilà assuré d'avoir du boulot pendant des années, sinon pour la MGPH, du moins pour d'autres assureurs et surtout d'autres plaignants. Dieu sait qu'il y a plus d'argent à ramasser en attaquant les médecins qu'en les défendant.

– Et alors ?

– Alors, j'aimerais bien une garantie de votre part. Quelque chose comme une caution, ou une provision, voyez ?

– Monsieur Daniels, vous savez très bien que nous ne faisons pas ce genre de chose.

– Il y a un début à tout. Croyez-moi, je suis capable de m'écraser à volonté contre une somme raisonnable.

Matt s'aperçut que mine de rien, son coup avait porté. Phelps pâlit quelques secondes, puis retrouva aussitôt son aplomb.

– N'en dites pas plus, vous perdez votre temps.

Matt se recula dans son fauteuil et affecta un air misérable.

– Roger, je vous en prie, j'ai besoin de votre aide. Ça me gêne horriblement de vous dire ça, mais je suis très très juste au niveau finances.

– Je croyais que vous étiez une grande vedette de base-ball ?

– Pas si grande que ça, détrompez-vous. Il y a quelques années, je me suis laissé convaincre de placer beaucoup d'argent dans une spéculation immobilière qui ne pouvait pas rater soi-disant. Malheureusement, le truc a capoté et j'ai tout perdu. Aujourd'hui, j'arrive juste à me maintenir à flot, et encore. J'ai vraiment besoin que vous m'aidiez.

Matt vit l'autre le percer d'un regard méfiant. Ça ne va pas être du gâteau, se dit-il.

– Voyez-vous, reprit Matt, je me suis posé et reposé la même question depuis des mois : pourquoi Roger Phelps m'a-t-il désigné au départ dans cette affaire, surtout contre Mallon, un homme qui s'est fait une spécialité d'attàquer les médecins ? Pourquoi ? Finalement, comme la réponse ne venait pas et que la question persistait, j'ai entrepris quelques recherches. Saviez-vous que Jeremy Mallon, comparé à ses confrères dans la même spécialité, est un des seuls à Boston à pousser systématiquement jusqu'au verdict ? C'est comme s'il ignorait l'existence du mot transaction.

– Mais là, il est disposé à transiger...

– Et vous savez ce que j'ai appris d'autre ? enchaîna Matt instantanément, espérant que l'autre ne verrait pas qu'il improvisait. J'ai appris qu'aucun des adversaires de Mallon n'avait plus d'expérience que moi en matière de faute professionnelle. Aucun. Tous comme des souris lâchées devant un lion. Vous comprenez maintenant pourquoi je vous parlais tout à l'heure de m'écraser à volonté ? Roger, je ne suis pas gourmand. Je ne réclame pas ma part de dommages et intérêts, ce que je veux, c'est une garantie. Quelque chose qui assure mon avenir chez vous.

– Daniels, je n'apprécie pas trop ce genre de sous-entendu. En plus, vous dites n'importe quoi. Je vous le répète : dans ce cas précis, Mallon est prêt à négocier.

– Parce qu'il sait qu'il va perdre, évidemment! rétorqua Matt avec flegme. Et vous aussi, vous le savez. Ne vous méprenez pas, Roger, je ne cherche pas à vous accabler. J'ai seulement besoin de travailler pour vous. Pour moi, c'est vital.

Phelps le scruta quelques instants, soupesant les paramètres.

– C'est non, lâcha-t-il finalement.

Enfoiré! pensa Matt. Il se rapprochait de minute en minute du plan B. Il se leva, enfila son gant et se mit à palper la vieille balle dans sa poche de veste.

– Les preuves sont là, Roger. Le plus débile des chroniqueurs judiciaires vous le dirait : Mallon est cuit. (Soudain, il sortit la balle.) Il vous reverse combien sur les dommages et intérêts ? 15 pour cent ?

– Vous délirez, Matt.

– 20, 25 ? Mallon savait que j'avais défendu un dentiste, Roger. C'est ma seule référence. J'en ai parlé à une ou deux personnes à l'hosto, mais elles ne peuvent pas blairer Mallon. Impossible qu'elles le lui aient répété. Mallon avait besoin d'un nouveau gogo pour gagner ce procès. Voilà pourquoi vous m'avez désigné.

Ce disant, il tourna le dos au chef du contentieux. Il bluffait à mort mais ça n'avait plus aucune importance.

– Vous n'avez pas la moindre preuve de ce que vous avan...

Black Cat pivota brusquement et lança à toute force, comme sur la pelouse de Fenway Park. La balle partit d'un trait, rasa l'oreille gauche de Phelps et pulvérisa le sous-verre d'une vue aérienne des Appalaches suspendue au mur. Elle revenait déjà vers le lanceur quand l'autre se jeta à plat ventre sur la moquette.

– Seigneur! bêla-t-il. Il est vraiment fou!

– Totalement. Et très précis, aussi. Heureusement pour vous.

Matt se baissa pour cueillir son projectile et le relança aussitôt en direction de la chaise que Phelps venait de quitter. Le dossier en toile capitonné explosa sous l'impact.

– Dites-le, maintenant, Roger. Combien vous donne-t-il?

Phelps voulut se relever mais Matt, d'une main ferme, le repoussa à terre. Il ramassa à nouveau la balle et se plaça dans l'angle opposé de la pièce, tandis que l'autre essayait de ramper sous le bureau.

– Je manque rarement mes tirs, Roger. Encore 87 pour cent de réussite la dernière année que j'étais pro. Mais je vous jure que je vais continuer jusqu'à ce que je rate ou que mon mobilier soit en miettes. Vous avez essayé de me pigeonner comme les autres. Manque de pot, avec moi, ça n'a pas marché. Alors, je veux ma part de bénef. Je veux rentrer dans cette superbe arnaque montée par vous et Mallon.

– Des clous ! fit le chef du contentieux.

– OK, dit Matt en retirant son gant. Je pense que ce coup-ci, je vais tirer de la main gauche. J'étais ambidextre, jadis, mais j'ai dû perdre un peu la forme. Il faut toujours s'entraîner. En plus, ce presse-papiers à côté de votre tête est franchement moche et ne me sert plus à rien.

– Vous êtes cinglé !

– On y va... Le match se joue dans un mouchoir, mesdames et messieurs, les deux équipes sont à égalité. Black Cat Daniels pénètre sur le terrain et se prépare. Il prend son élan, il va tirer, attention !...

– Arrêtez, non !

– Ne bougez pas, Roger, ordonna Matt en bloquant son bras à hauteur d'épaule. J'écoute.

– OK, vous avez raison. Il y a un accord entre Mallon et moi. Il me prévient quand il a une bonne affaire en vue, et moi, je désigne un... heu...

– Allez-y, dites-le franchement. Un loser.

– ... Un avocat inexpérimenté, pour plaider contre lui.

– Et puis vous refusez tout compromis et vous faites le maximum pour que les juges allouent des sommes colossales aux plaignants. Mais c'est que vous êtes des artistes dans le genre, tous les deux. Des virtuoses ! Est-ce que Mallon a déjà perdu dans un de ces procès ?

– Jamais.

– Jamais, jusqu'à maintenant. Vous touchez combien ?

– Ça ne vous regarde pas.

– La tension est à son comble, fit Matt en prenant encore sa voix de commentateur. Le public est tenu en haleine. Black Cat arme son bras...

– Un tiers des 40 pour cent de Mallon, dit Phelps d'une voix étranglée.

Matt laissa retomber sa main.

– Pas vilain.

Là-dessus, le chef du contentieux se mit à genoux, ôta soigneusement les débris de verre de son complet, et se leva, les jambes flageolantes.

– Bon, écoutez, dit-il. Vous voulez votre part, vous l'aurez. Donnez-moi juste quelques jours pour mettre les détails au point.

Matt reposa son gant sur le bureau.

– J'ai votre parole, là-dessus ?

– Oui, oui, parole d'honneur. Vous êtes complètement dingue, vous savez.

– Je veux vous revoir avant la fin de la semaine, Roger.

– D'accord, d'accord, mais arrêtez de vous énerver comme ça.

– J'y songerai.

– Franchement, vous devriez vous calmer, répéta Phelps en reculant vers la porte.

– Roger, que diriez-vous de me donner déjà une petite portion de ce règlement ? Vous offrez deux cent mille. Il est vraisemblable que Mallon défendra les intérêts des autres familles et obtiendra la même somme. J'aimerais avoir la moitié du tiers des 40 pour cent de Mallon. Ça nous fait... voyons voir... quarante mille. Pas si mal, pour un toquard, hein ?

– OK, d'accord. Dès que les trois cas seront réglés. Maintenant, laissez-moi sortir d'ici.

– Allez, fit simplement Matt.

– Ah bon ? Comme ça ?

– Oui, oui. Allez-y. Si vous me donnez votre parole, j'ai confiance.

Il attendit que l'autre ait ouvert la porte du cabinet, puis ajouta :

– Bien entendu, je serai obligé de vous retenir deux dollars quatre-vingt-dix-huit cents pour les frais d'enregistrement.

Sur quoi, affichant un large sourire, Black Cat écarta les pans de sa veste, exhibant un minicassette scotché sur sa ceinture, à côté d'une patte de lapin et d'un petit ruban bleu.

Le Dr Dimitri Athanoulos reçut Rosa et Ken avec la plus grande civilité. Son bureau était au quatrième étage d'un bâtiment en verre et en brique style high tech, typique du début des années 80. Il avait, estima Rosa, dans les 60 ans. Sa courtoisie n'avait d'égale que son élégance et ses cheveux ondulés étaient de la même nuance, exactement, que sa blouse blanche.

– Alors vous venez tous les deux du centre épidémiologique d'Atlanta ?

– Oui, confirma Rosa. Je suis épidémiologiste chargée de mission, et Ken Mulholland est microbiologiste.

– Virologiste, si je ne m'abuse ?

– Il paraît.

– UER de Duke, n'est-ce pas ?

– C'était il y a douze ans, dit Mulholland en cachant mal son étonnement.

– Si j'ai bonne mémoire, vous aviez publié un travail remarqué sur l'infection par le virus macrophage du tabac.

– Vous me flattez.

– C'est qu'au départ, je suis biochimiste, spécialiste de l'ADN, précisa-t-il. Mais les virus m'ont toujours intéressé, notamment les bactériophages. Après l'Université, avant de prendre la direction de ce labo, j'ai passé trois ans à étudier de près les mécanismes de la phagocytose. J'étais même sur le point de faire breveter le résultat de mes recherches.

En voyant la complicité naître immédiatement entre eux, Rosa sentit que le directeur de la BIO-Vir, courtois ou pas, avait tendance à prendre davantage les hommes au sérieux que les femmes. La décision de Ken de passer vingt-quatre heures complémentaires à Boston risquait de ralentir à nouveau son enquête. Elle resta patiemment assise pendant dix minutes de parlote et de charabia micro-viro-chimico-biologique, avant de se trémousser sur sa chaise en se raclant la gorge. Athanoulos comprit tout de suite.

– Trêve de bavardages, dit-il. En quoi la BIO-Vir peut-elle vous être utile ?

– Voilà quatre mois que je suis à Boston, dit Rosa, et j'enquête sur trois cas inhabituels dans le service d'obstétrique du CHU.

– La jeune interne qui a prescrit une sorte de tisane toxique à ses patientes, c'est ça ?

Rosa soupira.

– La potencia de la prensa, marmonna-t-elle, le pouvoir de la presse. Docteur Athanoulos, en dépit de ce que vous avez lu, ainsi que des millions d'autres gens, il semble que ces plantes médicinales n'aient joué aucun rôle dans le drame. Il est vrai qu'on ne peut jamais rien exclure... Ken, voulez-vous expliquer où vous en êtes ?

– Volontiers, mais je dois vous dire, Dimitri, que Rosa est beaucoup trop modeste. Elle a fait un travail de défrichage très approfondi sur ces trois malades. J'ajoute qu'elle est imbattable sur le terrain, comparée aux autres enquêteurs du centre, et ce depuis de nombreuses années.

– Continuez.

– Elle m'a fait parvenir du sérum prélevé sur une des femmes atteintes de CID – il s'agit d'un problème hémorragique – la seule des trois qui ait survécu. Nous avons effectué une culture virale et identifié un anticorps révélateur d'une infection latente. Enfin hier, nous avons décortiqué les séquences d'ADN de ce maudit microbe. Sa structure moléculaire correspond à celle d'un virus créé par votre laboratoire.

Les sourcils d'Athanoulos, qu'il avait épais et blancs comme sa chevelure, se haussèrent légèrement. Mulholland lui tendit les feuillets d'imprimante analysant le VCS113, et il les passa au crible.

– Venez, dit-il en se levant subitement. Nous allons faire un tour au pithécodrome.

– Au quoi ? firent Ken et Rosa dans un bel ensemble.

– C'est l'endroit où s'ébattent nos chimpanzés. Du grec pithékos : singe. Je ne sais strictement rien de votre VCS113. Le brevet date d'avant mon arrivée ici. Et nous n'élaborons pas un tel virus en ce moment, j'en suis certain, si tant est que nous l'ayons jamais fait.

Depuis que j'ai pris les rênes, nous fabriquons essentiellement des virus producteurs de gamma-globulines, et d'autres produisant certaines hormones. Ça n'a rien à voir. Cletus Collins s'occupe des primates depuis l'ouverture de la BIO-Vir en 80. Si quelqu'un est au courant de l'existence de ce virus, c'est lui.

Ils prirent l'ascenseur et descendirent au sous-sol. Avant même que les portes s'ouvrent, Rosa sentit l'odeur des bêtes. A la sortie de l'ascenseur, ils empruntèrent un couloir dont les murs étaient en verre très épais, apparemment, car on n'entendait rien, malgré la présence de l'autre côté de cages superposées sur trois niveaux, presque toutes occupées par des singes. Un vieil homme aux épaules voûtées était en train de passer la serpillière devant les cages. Athanoulos frappa quelques petits coups sur la paroi.

– Où est Clete ? demanda-t-il.

Le vieux déchiffra péniblement la question sur ses lèvres, puis il sourit et montra du doigt l'extrémité du corridor en articulant le mot qui avait tant intrigué Ken et Rosa dans la bouche d'Athanoulos. Ce dernier alla ouvrir la porte indiquée et tous trois pénétrèrent dans une cage vitrée qui faisait peut-être quinze mètres carrés pour trois mètres cinquante de haut. Elle donnait sur une immense salle à deux étages remplie de jouets, de cordes, de branches d'arbres et autres agrès. Cletus Collins était là, un chimpanzé adulte sur le dos, un autre plus petit cramponné à ses jambes. Rosa nota qu'il aurait pu passer pour un de ses pensionnaires, tellement ses traits et son attitude étaient simiesques. Ken Mulholland se fit la même réflexion.

– Surprenant, murmura-t-il.

– Oui, n'est-ce pas ? acquiesça Athanoulos.

– Je m'étonne que vous le laissiez cohabiter avec les bêtes.

– A cause des virus qu'elles pourraient héberger, vous voulez dire ? Vous savez, depuis le temps qu'il est ici, tous les virus qu'elles ont, il les a aussi.

Mulholland ébaucha un sourire.

– Clete, appela Dimitri en parlant dans le micro d'un interphone, on peut vous voir un moment ?

Le responsable animalier abandonna ses singes et vint les rejoindre. Son patron lui présenta les visiteurs d'Atlanta. Collins se rembrunit aussitôt.

– Ces bêtes sont très bien soignées, dit-il avec un accent du Middle West beaucoup plus prononcé que celui de Ken. Je leur fais faire de l'exercice tous les jours. Sans blague, elles sont dorlotées comme mes propres gosses.

– Monsieur Collins, dit Rosa, nous ne sommes pas des militants de la cause animale. Nous enquêtons sur des recherches entreprises ici il y a plusieurs années concernant un virus nommé VCS113. Il était lié à la...

– Coagulation, je sais.

– Il y a des archives sur ce travail ? s'enquit Dimitri.

– Qui sait ? En principe, oui. Il y en a sur les primates, en tout cas. Ça doit se trouver dans les vieux placards métalliques du cagibi derrière la chaufferie.

– Tiens ! J'ignorais l'existence de ce cagibi.

– Des projets oubliés, abandonnés, ça n'intéresse plus personne.

– Eh bien, moi, ça m'intéresse. Voudriez-vous nous montrer cet endroit, Clete ?

– Bien sûr. Je vous demande juste une minute pour remettre mes zigotos en cage. Ils auraient vite fait de vous écharper. Il n'y a que moi et Stan, le vieux qui fait l'entretien, qui ne risquons rien. Vous n'avez qu'à m'attendre dans le couloir.

A travers la cloison transparente, le trio de scientifiques observa l'étrange bonhomme raccompagner ses deux chimpanzés. Avant de lâcher le cou de son maître, l'un d'eux l'embrassa sur la joue... Rosa l'aurait juré, du moins.

– Je l'aimais bien, Fezler, dit Collins en les escortant vers le cagibi. Mais les expériences qu'il faisait sur mes bêtes, ça, je ne supportais pas. Vous n'êtes pas des écolos, hein, c'est sûr ? Je vous garantis que je les bichonne comme... parce que quand ils... enfin, quand j'en perds un, ça me fait vraiment mal au cœur.

– Tranquillisez-vous, dit Rosa. Qui est Fezler ?

Collins chercha la clef du cagibi sur un trousseau pendu à sa ceinture qui en comportait bien une centaine. A la deuxième tentative, la porte pivota en grinçant sur ses gonds.

– Warren Fezler. Le VCS113 était un de ses projets. Il en avait facilement une quinzaine. De projets, je veux dire... Jamais été foutu d'en réussir un seul. Trop couillon qu'il n'ait pas travaillé sur un moyen d'exécuter les singes. Ça aurait marché du tonnerre !...

Sur quoi il partit d'un rire gras qui se transforma bientôt en une toux incoercible. Rosa recula instinctivement en se demandant combien de maladies professionnelles il avait contractées depuis tant d'années. Il ouvrit la lumière, révélant un réduit en béton contenant en tout et pour tout une demi-douzaine d'armoires de classement.

– Fezler n'avait pas le génie de l'archivage, dit-il, mais c'était un bourreau de travail. Week-ends, levé à 4 heures, des journées entières sans décoller de son labo. Un forçat, le vieux Warren.

– Heu... je ne suis que le directeur, ici, grogna Athanoulos. Pourquoi connaîtrais-je l'existence de ces dossiers ? Ou celle d'un ex-employé tueur de singes nommé Fezler ?

– Qu'est-ce qui leur est arrivé, à ces animaux ? demanda Rosa tandis que Collins introduisait une de ses clefs dans la serrure du premier placard.

– Ils tombaient malades, les pauvres, et ils mouraient. Fezler les anesthésiait, les charcutait avec un scalpel et leur pompait du sang. Ensuite, il mesurait leur vitesse et leur degré de cicatrisation. (Collins fouilla vainement dans un classeur et passa au suivant.) Vous n'êtes pas de la SPA, hein ? Sûr et certain ?

– Je vous jure que non, déclara Rosa.

– Bon. En fait, je ne sais pas trop comment vous expliquer ce qui se passait avec les singes. Ils dépérissaient, quoi. Mais ce n'était pas voulu, ça, je le sais. (Il changea encore de classeur.) Fezler avait de l'affection pour les singes, et eux aussi l'aimaient. En leur présence, il mettait toujours la tenue protectrice, mais avec ou sans, ils ne l'ont jamais mordu, jamais. Mâles, femelles, petits, tous jouaient avec lui comme avec moi. Ils adoraient lui sauter sur le ventre. Et j'aime autant vous dire qu'il était gras du bide. Ça leur faisait peut-être comme ces trucs qu'ils mettent dans les foires, aux singes... ces espèces de trampolines gonflables, vous savez ?

Et il s'esclaffa encore.

– Mais quel est le problème ? demanda Athanoulos, irrité de voir qu'il ne trouvait pas trace du virus.

– Le dossier n'est pas là. D'après ce qui est marqué là-dessus, il devrait y être pourtant. C'est moi qui ai étiqueté les classeurs.

– Il pourrait se trouver ailleurs ?

– M'étonnerait. Ou alors, c'est que je perds la boule. Je vérifierai. Ça prendra du temps, mais je le ferai.

– Oui, s'il vous plaît, approuva le directeur. De mon côté, je vais m'enquérir de ce Fezler auprès des anciens du labo.

– Clete, est-ce que vous savez quand et pourquoi Warren Fezler a quitté la BIO-Vir ? demanda Rosa.

– Il y a cinq ans, six, peut-être. Je ne sais plus trop. Mais... attendez. Je me demande s'il n'est pas tombé malade.

– Qu'est-ce qui vous fait penser ça ?

– Je ne suis pas sûr. (Il se frotta le menton comme n'eût pas manqué de faire l'un de ses pensionnaires.) De ventripotent qu'il était, il est devenu maigre comme tout, c'est pour ça. Les singes ne lui sautaient plus dessus, et pour cause : il n'avait plus que la peau sur les os.

Rosa regarda Mulholland. La veille au soir, elle s'était permis de lui montrer le journal de Constanza Hidalgo et de lui raconter la perte de poids phénoménale des trois femmes.

– Je tâcherai de me renseigner sur le mystérieux amaigrissement de ce chercheur et sur son travail, dit Athanoulos lorsque Collins eut refermé le cagibi.

– Merci d'avance, dit Rosa, distraitement.

Elle fronçait les sourcils sous ses grosses lunettes. En arrivant devant l'ascenseur, soudain, elle se retourna et rappela Collins qui repartait vers ses cages.

– Dites-moi, Clete, vous n'aviez rien remarqué d'autre, chez Warren Fezler ? Un comportement, quelque chose d'inhabituel ?

– Comment ça, inhabi... Ah, mais si, sa façon de parler, bien sûr. Il ne pouvait sortir trois mots sans... Zut ! comment dit-on, déjà ?... Enfin, vous voyez.

– Oui, dit-elle gravement. Je vois. Il bégayait, n'est-ce pas ?

– Voilà, c'est ça. Il bégayait comme une mitraillette.

34

27 OCTOBRE

Une des tâches de Sarah, en tant que futur chef du service de gynéco-obstétrique, consistait à donner des cours pratiques aux carabins.

– OK, dit-elle, vous êtes ici dans une des deux salles d'accouchement de l'hôpital. Pour les femmes qui le désirent et qui ne présentent pas de risque de complication, nous avons aussi une salle dite de travail, dans laquelle il y a un peu moins de matériel. Je vous la montrerai tout à l'heure.

Les trois étudiants en chirurgie se dandinaient nerveusement en contemplant le moniteur fœto-maternel, l'appareillage anesthésique miroitant sous le scialytique et la table à étriers. Au terme de leurs dix semaines de stage, chacun aurait pratiqué un, et peut-être plusieurs accouchements du début à la fin, sans assistance. Le CHU de Boston, à cause du roulement des équipes, offrait plus de responsabilités et d'opportunités cliniques que la plupart des autres établissements, ce pourquoi il était très demandé.

– Avez-vous des questions, avant que nous poursuivions ?

– Vous faites des naissances à domicile ? voulut savoir un des étudiants.

– Nous sommes deux internes à en faire, avec le concours d'un autre membre du personnel soignant en cas de problème.

Il était inutile d'ajouter que son patron lui avait demandé de ne plus offrir ce service tant que son affaire ne serait pas résolue.

– J'ai entendu parler de vous, déclara un autre étudiant. Je m'intéresse aux thérapies alternatives. Vous enseignez l'acupuncture ?

– Je n'ai pas beaucoup de temps à consacrer à la pédagogie, hélas.

Mais venez me voir aux consultations de sophrologie, je vous montrerai quelques trucs. Rien d'autre ?

– Si, dit le troisième à mi-voix. Le monsieur, dans le couloir, là-bas, il ne fait pas de la pub à la télé pour un produit amaigrissant ?

Sarah virevolta comme une toupie. Peter venait de quitter la chambre où avait été transportée Annalee et fonçait vers elle, le menton haut. Il serrait les poings et son visage était congestionné de rage. Les carabins s'effacèrent, tandis que Sarah se forçait à tenir bon.

– Pourquoi tu ne m'as pas appelé ? aboya-t-il. Pourquoi est-ce qu'il a fallu que je cherche à travers toute la ville avant de trouver ma fille ?

– Si tu veux me parler, je préférerais que nous allions dans le bureau, répondit Sarah.

– Je n'ai rien à te dire. Je veux ma fille. J'exige qu'elle sorte sur-le-champ de cet... de ce mouroir. Qu'est-ce que vous lui faites ingurgiter, d'ailleurs ?

– Peter, je t'en prie. Allons nous asseoir quelque part et discutons de ça en adultes.

Ettinger dévisagea les étudiants, identifiables au badge épinglé à leur blouse.

– Pourquoi ? dit-il. Tu as peur que ces jeunes consciences innocentes soient faussées en apprenant comment tu traites les patientes ? Dis-leur donc ce qui se passe. Explique-leur ce que tu injectes dans le corps de ma fille. Allez, vas-y, dis-le ! je t'écouterai sagement.

Sarah se mordit la lèvre en réfléchissant au moyen de se dépêtrer de cette situation. Elle ne faisait pas le poids face à Peter, à son charisme et à sa fureur. Il avait rodé ses arguments et son mépris pour la médecine occidentale au cours d'innombrables débats et conférences. A présent, il la tenait à sa merci.

A quelques mètres de là, deux infirmières s'arrêtèrent pour écouter. Elles se gardèrent d'intervenir, reconnaissant peut-être Ettinger, ou bien sentant le désavantage de Sarah. Celle-ci prit une grande bouffée d'oxygène et se tourna vers les trois jeunes gens.

– OK. Annalee, la fille de monsieur, est une femme de 23 ans, gravi 0, para 0, débita-t-elle d'une voix neutre. C'est donc sa première grossesse. Aménorrhée inconnue, autrement dit, on ne sait pas exactement de quand date la fin de ses règles. L'échographie révèle un fœtus de trente-quatre semaines, de sexe féminin, pesant approximativement deux kilos quatre cents. Annalee a été admise à l'hôpital avant-hier, en phase de travail prématurée, avec contractions espacées de sept à quinze minutes. La poche des eaux est intacte, le col utérin fermé et elle est atoxique, c'est-à-dire exempte d'infection. Une amniocentèse pratiquée il y a vingt-quatre heures a montré un seuil de viabilité satisfaisant, ce qui signifie que les poumons du bébé pourraient supporter une délivrance immédiate. Mais plus longtemps nous pourrons garder l'enfant in utero, plus nous lui donnerons de chances de naître dans de bonnes conditions.

Sarah se tourna alors légèrement vers Peter, assez soulagée qu'il l'ait laissée parler jusque-là.

– Le Dr Snyder, son médecin personnel, est le chef de ce service, enchaîna-t-elle. Il s'efforce d'interrompre son travail avec des antispasmodiques et une perfusion de bêtamimétiques : la terbutaline. Il semble qu'elle réagisse au traitement, bien qu'elle continue à avoir des contractions utérines régulières. Maintenant, monsieur Ettinger, vous nous excuserez, mais nous avons une visite à faire aux consultations externes. Le Dr Snyder se trouve à l'hôpital. Il se fera un plaisir de répondre à vos questions.

– J'ai appelé une ambulance, dit Peter. Ma fille et moi avons discuté de la situation. Elle souhaite sortir immédiatement de cet hôpital. J'ai pris des dispositions pour qu'elle soit examinée au White Memorial avant de rentrer chez moi.

Sarah fut abasourdie.

– C'est impossible. Elle n'a pas pu accepter ça.

– Va lui demander, si ça te chante. J't'en ficherai des bêtamimétiques ! (Il toisa les trois étudiants avec mépris.) Ni votre *Manuel pratique du médecin traitant,* ni votre terbutaline, ni vos examens en labo ne fournissent les réponses aux vraies questions. Ces réponses sont à trouver dans l'esprit du patient lui-même et nulle part ailleurs. Si vous gardez l'esprit ouvert, vous finirez par comprendre ce que je vous dis là au fur et à mesure que vous progresserez dans votre carrière. Et un jour qu'un de vos supérieurs, conseillé par un obscur visiteur médical, vous dira d'administrer tel médicament à tel malade, vous vous tournerez vers lui et lui demanderez simplement : pourquoi ?

– Monsieur Ettinger, je ne doute pas que ces futurs praticiens aient écouté avec profit votre point de vue sur la profession. Cela dit, je vais de ce pas m'entretenir seule à seule avec Annalee. Si vous vous y opposez, j'appelle les agents de sécurité.

– Mais vas-y, qu'est-ce que tu attends ? Ça m'étonnerait que tu arrives à la faire changer d'avis. Et quand tu reviendras, j'exige que tu me signes un bon de sortie pour elle.

Les étudiants échangèrent des regards embarrassés. Sarah elle-même était surprise par l'assurance de Peter. Elle se demanda ce qu'il avait dit à sa fille adoptive, ce qu'il avait dû lui promettre pour qu'elle consente à partir du CHU.

A ce moment, la voix larmoyante d'Annalee résonna depuis sa chambre dans le corridor.

– O Seigneur ! Au secours ! Quelqu'un, s'il vous plaît, j'ai mal !...

Les deux infirmières, Sarah et son ex se précipitèrent, suivis de près par les étudiants.

Sarah fut la première à franchir le seuil. Annalee était couchée sur le côté et donnait des coups de pied dans le vide en poussant des gémissements pitoyables. Le cathéter de son intraveineuse s'était détaché et le sang coulait à flot du point d'injection, s'épanouissant sur le drap en une large tache cramoisie.

– Mes mains ! s'écria-t-elle. Elles me font atrocement mal... toutes les deux.

– Appelez le Dr Snyder, ordonna Sarah.

Elle enfila une paire de gants, attrapa une serviette et l'appuya sur le point d'injection. Ce faisant, elle eut le plus grand mal à maintenir Annalee calée sur le flanc, afin que l'utérus, lourd de liquide amniotique, ne comprime pas l'artère principale et les veines de l'abdomen.

– Susie, s'il vous plaît, allez préparer une autre perfu, dit Sarah en s'efforçant de rester calme. Lactate Ringer, canule gros calibre.

– Qu'est-ce qui se passe ? demanda Peter. Qu'est-ce qu'elle a aux mains ?

– Mes mains, mes mains !... se plaignait sans cesse Annalee.

Sarah remarqua que le lit unguéal, la chair sous les ongles, était brunâtre. Ses doigts avaient conservé de la mobilité, mais elle les rétractait involontairement. Sarah écouta les pulsations des artères radiales et les sentit, bien qu'affaiblies, à chaque poignet.

– Le Dr Snyder vient d'appeler, annonça une infirmière, hors d'haleine. Il arrive. Les techniciens du labo aussi. Tenez, cinquante de Demerol et autant de Vistaril. Il a dit de lui donner en intramusculaire si elle saignait abondamment, sinon trente-cinq de Demerol en intraveineuse. Ils sont en train d'amener le moniteur fœtal.

Cependant, un filet écarlate commençait à ruisseler d'une des narines d'Annalee.

– Allons-y, mettons cette perfu tout de suite, dit Sarah d'un ton résolu. Et prenez-lui sa température. Je la sens bouillante de fièvre.

– J'aimerais être au courant de ce qui se passe ici, protesta Peter.

Sarah le fusilla du regard.

– Elle est souffrante, ça se voit, non ? Tu étais avec elle il y a dix minutes. Tu n'as pas vu que ça n'allait pas ?

– Je... elle, heu... elle se plaignait de maux de tête et de lourdeurs dans les bras.

– C'est tout ? Peter, s'il te plaît, va dans le hall et laisse-nous travailler.

– J'exige la présence de son médecin traitant.

– Susie, voudriez-vous appeler la sécurité et leur dire...

– Bon, bon, je m'en vais. Mais je reste à la porte. J'écouterai tout ce qui se passe.

– Je... je m'excuse d'avoir l'air si douillette, sanglota Annalee, mais ça fait très mal, je vous jure. Très, très mal.

La tension continua à monter dans les minutes qui suivirent. Le moniteur arriva, puis une autre infirmière, puis la surveillante, puis le phlébotomiste. Une des infirmières annonça à voix haute que la température rectale était de 39° 4. Les geignements d'Annalee étaient crispants comme cent mille griffes acérées sur autant d'ardoises. L'anxiété était à son comble, non seulement à cause de l'état alarmant de la mère et du bébé, mais parce que chacun avait en mémoire le souvenir des autres cas identiques.

Sarah, pas plus que les infirmières, n'arrivait à empêcher Annalee de se contorsionner en tout sens, mais avec du sang-froid, un bon esprit d'équipe et un peu d'adresse, elles réussirent à placer une nouvelle perfusion. Avant d'envoyer la solution de Lactate, Sarah se servit de la canule pour ponctionner une pleine seringue de sang destiné au laboratoire. L'injection de Demerol, un sédatif, venait d'être pratiquée, quand Randall Snyder fit irruption dans la chambre.

– Oh ! non, c'est pas vrai ! souffla-t-il, discrètement, mais pas assez pour qu'on ne l'entende pas.

– Je l'ai vue il y a trois quarts d'heure et elle allait bien, dit Sarah. Son père est ici. Il doit être dans le hall en ce moment.

– Je sais. Je l'ai vu.

– Ils étaient ensemble il y a un quart d'heure. Elle se plaignait de maux de tête et de douleurs aux extrémités. Puis, soudain, elle s'est mise à crier. Les technos du labo sont en route. J'ai commandé quatre unités avec épreuve de compatibilité.

– Mettons, huit, tant qu'à faire. Bon Dieu ! elle est brûlante de fièvre.

Il y avait dans sa voix une panique manifeste qui n'était pas dans ses habitudes.

– 39° 4, confirma Sarah. On vient de la prendre.

– J'ai appelé Blankenship. Il devrait arriver d'une minute à l'autre.

– Bien. Annalee, écoute. Tu tiens le bon bout. On t'a donné un calmant. D'ici très peu de temps, tu vas te sentir mieux.

Là-dessus, Sarah lui épongea le front et essuya les filets de sang du pourtour de sa bouche. Le saignement reprit aussitôt.

– Excusez-moi, j'ai l'air d'une poule mouillée, mais j'ai horriblement mal aux mains. Et maintenant, ça commence à me piquer aux pieds aussi. Qu'est-ce qui m'arrive ?

– On ne sait pas encore. Et arrête de t'excuser. Tu es très courageuse et je sais de quoi je parle. Le médecin-chef va venir nous aider.

– Sarah, dites-moi, est-ce qu'elle a pris de votre supplément prénatal ? demanda Snyder.

Sarah secoua la tête.

– Par contre, elle a pris il y a quatre ans ce que j'ai noté dans son dossier aux admissions.

Annalee commençait à mieux respirer. Elle se mit sur le dos. Ses pupilles rétractées montraient que le Demerol commençait à agir.

– J'ai le même problème que les autres femmes, hein ? Celles qui sont mortes ?

– Nous l'ignorons, répondit Snyder. Tout le monde fait le maximum pour essayer de comprendre de quoi vous souffrez, Annalee. Et nous suivons aussi le bébé de près. S'il y a le moindre signe de souffrance fœtale, nous sommes prêts à le mettre au monde par césarienne. (Il jeta un œil au moniteur.) Quelqu'un pourrait rappeler le Dr Blankenship ?

Ce dernier arriva quelques secondes plus tard.

– Qu'est-ce que fait Ettinger dans le couloir ? demanda-t-il.

– Annalee est sa fille, expliqua Sarah. Annalee, voici le Dr Blankenship, médecin-chef de l'hôpital.

– Nous nous sommes déjà rencontrés, dit Eli. Je l'ai vue il n'y a pas longtemps, en fait. Annalee fait partie d'un programme que nous avons mis en place pour faire une prise de sang quotidienne à toutes les femmes admises en obstétrique. Est-ce que Barnes est votre nom d'épouse ?

Annalee nia de la tête.

– Nous avons inventé ce nom parce que son père réprouve l'institution hospitalière, dit Sarah. La nôtre en particulier. Annalee ne voulait pas qu'il puisse la retrouver. Malheureusement, c'est ce qui est arrivé quand même.

– Et j'entends tout ce qui se passe ici, fit Peter derrière la porte.

– Eh bien, restez où vous êtes et tâchez de ne pas nous gêner, répliqua Eli en commençant à examiner Annalee.

– Peter, je t'en prie, supplia celle-ci, fais ce qu'ils te disent. Le médicament commence à agir. J'ai moins mal aux mains.

– Je vous remercie de lui avoir dit ça, dit Blankenship. Je vous promets que j'irai lui parler dès que j'aurai fini mon diagnostic.

Le sang se mit alors à couler de ses deux narines à la fois.

– Nom de nom ! chuchota Snyder. Eh bien, Eli ?

– Tylenol, rectal. Perfu, gros débit. Dites au labo d'accélérer, martela Blankenship. Vérifiez la tension et le pouls toutes les minutes. Essayez d'avoir deux unités au plus vite, et dix de thrombocytes, pas moins. Et voyez qui est de garde en hémato.

Il fit signe à une des infirmières de remplacer Sarah à côté du lit et l'attira dans un coin avec Snyder. A deux mètres de là, les trois carabins ouvraient des yeux ronds, aplatis contre le mur. Sarah s'était abstenue de les impliquer, comme de les faire sortir.

– Elle n'est pas en phase de travail aussi avancée que les autres, constata Blankenship. Mais elle évolue beaucoup plus vite.

– Je n'ai pas souvenir que les autres aient eu de la fièvre, remarqua Sarah.

– Non, en effet.

– Oui, mais même, ça ressemble diablement à une coagulopathie.

– Nous sommes d'accord.

– En tout cas, Sarah, dit Snyder, si les résultats du labo le confirment, nous avons là le cas dont parlait Rosa Suarez, celui qui peut vous mettre définitivement hors de cause.

Sarah fut à deux doigts de critiquer son supérieur pour l'inopportunité de sa remarque. Elle prit sur elle en se rappelant qu'Annalee n'était pas son amie à lui et que les accusations portées contre elle avaient gravement perturbé son service.

– Je mentirais si je vous disais que je n'y ai pas songé, dit-elle. Mais c'est surtout Annalee qui m'inquiète. Je pense qu'il faut l'accoucher par césarienne sans tarder. Rappelez-vous comment Lisa s'est vite rétablie après sa délivrance.

– Randall, votre avis ? questionna Eli.

– A ce stade, j'ai peur qu'elle ne soit trop fragile. Maintenant que le moniteur est en place, j'estime qu'il y a moins d'urgence. Avec un polichinelle en avance de six semaines et demie et des contractions qui diminuent, je considère qu'il faut s'occuper en priorité de ses problèmes sanguins.

– Je partage votre opinion, déclara Blankenship.

Sarah savait que dans une évaluation clinique avec deux mandarins, son avis ne comptait que dans la mesure où il concordait avec le leur. En l'occurrence, c'était loin d'être le cas. La césarienne, pour une raison inconnue, avait sauvé Lisa Summer, à défaut de sauver son bébé. Elle s'excusa et revint au chevet de la malade. L'injection de Demerol l'avait considérablement soulagée, mais elle était trempée de sueur et l'épanchement sanguin de ses narines et du premier point d'injection s'aggravait. Sous ses ongles de main et de pied, la chair était au moins aussi sombre que ceux de Lisa. Pourtant, Sarah n'arrivait pas à se défaire de l'impression que les deux cas étaient fondamentalement différents. D'abord, il y avait la fièvre. Ni Lisa ni Alethea Worthington n'avaient été fiévreuses, bien que ce symptôme ne fût pas incompatible, loin de là, avec une crise de CID. Ensuite, il y avait la vitesse alarmante avec laquelle le mal évoluait chez Annalee. Enfin, il y avait les pulsations très faibles au niveau des points d'acupuncture du poignet. Ce tableau clinique, Sarah essaya vainement de l'attribuer aux modifications dues à l'hémorragie. Son instinct lui disait qu'il s'agissait d'autre chose, un empoisonnement peut-être, quelque chose affectant toute la circulation, l'organisme entier de la patiente.

Elle revint auprès de ses deux chefs.

– Vous avez un traitement à proposer ? demanda Snyder.

– Je ne sais pas. Je peux toujours essayer ce que j'avais fait à Lisa. Mais je ne garantis rien.

Snyder regarda le moniteur fœtal.

– Eli, l'anesthésiste et le pédiatre sont prêts. Mais je tiens à éliminer toutes les possibilités avant d'en venir à une césarienne.

Un employé du labo entra comme une bombe et tendit une sortie d'imprimante à Eli.

– Ces analyses du temps de coagulation ressemblent fort à celles de Lisa Summer, dit celui-ci. Voilà qui rend le diagnostic de CID pratiquement certain. Il faut la mettre sous héparine. Sarah, si vous voulez, je vous laisse dix minutes, un quart d'heure si elle n'empire pas.

– Je ne promets rien, répéta-t-elle, mais je vais faire l'impossible. Que quelqu'un aille expliquer la situation à son père.

Elle sortit précipitamment, en proie à mille pensées contradictoires, passa près de Peter sans le voir et se rua à travers le hall. Pendant des mois, elle avait espéré que Rosa se trompait en affirmant qu'on ne voyait que la partie émergée de l'iceberg. Pendant des mois, elle avait refusé de croire qu'elle connaîtrait encore les affres d'accoucher une femme vidée de son sang d'un enfant mort-né. A présent, la vie d'Annalee Ettinger et de sa fille étaient en jeu. Du moins Sarah était-elle sûre, grâce à l'étude approfondie des trois cas précédents, de se poser les bonnes questions : pourquoi la fièvre ? pourquoi le pouls imperceptible ? pourquoi l'évolution accélérée ?

Elle emprunta le tunnel d'accès au pavillon Thayer, évita l'ascenseur et monta quatre à quatre les cinq étages jusqu'à son armoire.

– Deux tours à droite... s'arrêter sur le trois... à gauche jusqu'au quarante...

Comme à son habitude, Sarah épelait la combinaison de son cadenas en le manipulant. Elle dépassa le quarante, jura, et recommença. Au bloc, même dans les conditions les plus périlleuses, ses mains, ses plus fidèles alliées, restaient souples et agiles. A présent, à cause d'Annalee, elles étaient raides comme du caramel trop cuit. Elle s'apprêtait à refaire la combinaison pour la troisième fois quand elle remarqua les éraflures sur la porte métallique, juste à côté du cadenas. Elle tira sur celui-ci d'un coup sec et la porte s'ouvrit, comme par enchantement. Ses oreilles vibrèrent, son cœur s'emballa. Son coffret d'acupuncture en acajou avait disparu, ainsi que le stimulateur électrique dont elle se servait parfois avec ses aiguilles. A leur place se trouvait une enveloppe de Federal Express libellée à son nom à l'adresse du CHU. Sur l'enveloppe était posé un petit sachet de papier marron.

Les mains tremblantes, Sarah sortit du sachet une ampoule pharmaceutique et un reçu. L'ampoule était vide, mais le reçu ne laissait aucune ambiguïté sur ce qu'elle avait contenu. Il répondait aussi aux questions lancinantes sur l'état d'Annalee.

VENIN DE CROTALINÉS

(Serpent à sonnette et autres espèces voisines)

A USAGE EXPÉRIMENTAL

ATTENTION ! PRODUIT HAUTEMENT TOXIQUE

MANIPULER AVEC PRÉCAUTION ET SE MUNIR DE SÉRUM ANTIVENIMEUX

Le reçu, correspondant à une commande adressée à un laboratoire de Houston, était également à son nom. Sarah mit l'ampoule dans sa poche et ouvrit avec soin l'enveloppe Federal Express. Elle se doutait déjà de ce qu'il y avait dedans : *Sérum anticrotaline polyvalent* : vingt ampoules au total.

Sarah, ébranlée au plus profond d'elle-même, resta pétrifiée devant son armoire ouverte, dans le couloir mal éclairé du pavillon Thayer. Sa poche droite renfermait l'explication de l'état dramatique, quasi léthal d'Annalee. Et de la main droite, elle tenait le remède. A l'évidence, personne ne la croirait si elle déclarait avoir trouvé l'ampoule vide de poison et son antidote emballé dans son armoire, placés là par celui ou celle qui avait inoculé le venin à Annalee.

Si son compte rendu de la mort d'Andrew avait entamé sa crédibilité dans le centre hospitalier, un tel récit achèverait de la ruiner. Il paraissait tellement plus sensé de croire que Sarah avait injecté le venin pour créer un cas de CID chez une parturiente sans relation avec son supplément phyto. Qu'Annalee fût censée être son amie ne blufferait personne, surtout lorsque Peter aurait raconté sa version de leur histoire. Pourquoi alors, se demanderait-on, Sarah avait-elle fourni le contrepoison ? Peut-être, diraient ou penseraient certains, voulait-elle provoquer une situation grave mais non fatale, qui avait ensuite échappé à son contrôle. C'est alors seulement, voyant qu'Annalee risquait d'y rester, qu'elle avait sorti le sérum, et l'explication abracadabrante de sa présence dans son armoire. Ou peut-être, prétendraient d'autres, ne s'était-elle pas souciée au départ du danger encouru par la jeune Noire. Mais la vue de sa détresse poignante l'avait touchée au cœur et fait réagir in extremis.

Sans doute les mauvaises langues s'affronteraient-elles aux moins mauvaises sur des questions de nuance. Mais manifestement, il n'existerait qu'une et une seule explication logique à ce miracle : la découverte simultanée par Sarah des causes du mal d'Annalee et de son remède. Sarah elle-même avait forcément administré la toxine au départ. Quiconque croirait le contraire serait taxé de parti pris ou d'idiotie.

Pendant quelques instants, elle fut caressée par l'idée de balancer purement et simplement l'ampoule vide et le sérum. Elle pourrait toujours dire que son armoire avait été forcée et ses aiguilles d'acupuncture volées. Personne ne saurait le fin mot de l'histoire, sauf l'inconnu qui l'avait piégée. Avec de la chance et un traitement de choc, Annalee et son enfant, ou du moins l'un des deux, pouvaient s'en sortir. Et comme l'avait noté Randall, elle serait enfin innocentée par ce cas de CID non lié à son traitement prénatal. Sarah avait à peine conscience d'avoir eu cette pensée qu'elle dévalait déjà l'escalier, serrant l'enveloppe sous son bras comme un rugbyman courant à l'essai.

Dans la chambre d'Annalee, la scène n'avait guère changé, sauf qu'Helen Stoddard, l'hématologiste, s'entretenait avec Eli et Randall. Sarah poussa un soupir douloureux dès qu'elle la vit. Depuis leur affrontement au chevet de Lisa Grayson, elles s'étaient croisées dans les couloirs, côtoyées dans des réunions, sans échanger une seule parole.

Eh bien, ma vieille, se dit Sarah en approchant du trio, toi qui me prenais pour un charlatan, tu vas me croire folle à lier. Et folle criminelle, avec ça !

– Il faut que je vous parle à tous, murmura Sarah en montrant de la tête le seul coin inoccupé de la pièce. C'est très important.

– Ah ! non, ça ne va pas recommencer, se plaignit Helen Stoddard. Eli, je croyais que vous m'aviez promis...

– Helen, vous vous taisez ou vous sortez, coupa sèchement Eli. Cette fille est dans un état très grave. Notre devoir est de tout faire pour la sauver.

– Qu'est-ce qui se passe ? fit Snyder. Est-ce qu'on lui donne de l'héparine ou pas ?

– Oui, répondit Helen d'un ton péremptoire.

– Je pense que vous feriez mieux d'écouter d'abord ce que j'ai à vous dire, rétorqua Sarah.

Elle décrivit brièvement ce qu'elle avait trouvé dans son armoire et montra aux trois médecins le contenu de l'enveloppe Federal Express.

– Le fait qu'Annalee ait de la fièvre m'inquiétait, ainsi que la vitesse d'évolution de ses symptômes et son pouls affaibli. L'empoisonnement à la crotaline expliquerait parfaitement le tableau clinique.

– Vous êtes archifolle ! s'écria Helen Stoddard, comme de juste. Quelqu'un qui a mis ça dans votre armoire !... Non, mais, comment pouvez-vous croire une seule seconde que nous allons gober une...

– Bon Dieu, Helen, allez-vous écouter, oui ou non ? interrompit encore Eli.

La doctoresse lui lança un regard outré et sortit comme une tornade, sans même regarder Sarah. Quelques secondes plus tard, Ettinger la relayait.

– Mais qu'est-ce que vous fabriquez là-dedans ? dit-il. Pourquoi est-ce que l'hématologue a déguerpi comme ça ?

Eli s'avança vers lui, mais Sarah s'interposa, une main levée.

– Attendez, je vous en prie. Je sais ce que représente Annalee pour Peter et à quel point il s'inquiète à son sujet.

Elle alla dire quelques mots à l'oreille de la jeune femme avant de revenir vers le groupe.

– Annalee dit que ça ne la gêne pas que son père reste dans la chambre.

– D'accord, grogna Blankenship. Mais je vous préviens, Ettinger, à la première intervention, je vous mets dehors.

– Peter, expliqua Sarah, Annalee a été empoisonnée. Quelqu'un a injecté du venin de serpent à sonnette dans sa perfu, soit dans la sonde, soit dans la poche. Je ne m'y connais pas assez en herpétologie pour en savoir plus, mais je suis absolument certaine de ce que j'avance. Il faut lui donner du sérum antivenimeux le plus vite possible. C'est capital.

– De la démence pure et simple, lâcha Peter.

– Comment pouvons-nous être sûrs que ces ampoules contiennent le sérum approprié ? demanda Snyder.

– Bon, d'abord, elles sont scellées. Ensuite, s'il y avait autre chose que du sérum dedans, je ne vois pas pourquoi quelqu'un les aurait placées dans mon armoire.

– Si quelqu'un l'a fait, observa Peter, narquois.

– Savez-vous si cet antivenin peut avoir des effets secondaires ? demanda Sarah à Eli, négligeant Ettinger.

– Une réaction allergique au sérum de cheval avec lequel il est fait, dit Blankenship. C'est tout ce qui me vient à l'esprit.

– Ça va. Une allergie, ça se soigne.

– Montrez-moi déjà la notice jointe aux ampoules.

Randall Snyder regarda encore le moniteur fœtal.

– Eli, les pulsations du bébé ont un peu baissé. Il faut se décider.

– Empoisonnement à la crotaline ! s'exclama Peter. Tu délires, Sarah.

– Suffit, Ettinger ! glapit Eli en lui jetant un œil noir sous son gros sourcil. La décision a été prise. Soit vous allez vous mettre de l'autre côté du lit et vous n'en bougez plus, soit vous dégagez.

Peter hésita, puis obtempéra d'assez bonne grâce. Après avoir rapidement consulté la notice, Eli pompa le contenu de dix ampoules dans une grosse seringue. Sarah exposa la situation à Annalee. Un silence de mort s'installa dans la chambre tandis que le médecin-chef introduisait l'aiguille dans le flexible du cathéter et, d'une lente pression sur le piston, déchargeait le fluide opaque dans les veines de la jeune femme.

La réaction au sérum fut spectaculaire.

En moins de cinq minutes, les douleurs intenses dont souffrait Annalee commencèrent à décroître. Vingt-six minutes plus tard, hémostase complète au nez et aux points de perfusion. En début d'après-midi, enfin, la fièvre était retombée et tous les temps de coagulation et autres tests sanguins redevenus normaux.

Six heures après l'injection du contrepoison, Glenn Paris convoquait en session extraordinaire le conseil d'administration et le personnel soignant de l'hôpital. Après avoir écouté les comptes rendus de Randall Snyder, Eli Blankenship, Helen Stoddard, et des infirmières du service, les participants votèrent à l'unanimité la mise en disponibilité immédiate sans suspension de traitement de Sarah Baldwin, jusqu'à ce que les détails de son implication dans le cas Annalee Ettinger soient élucidés.

Le corps resta trois jours à l'Institut médico-légal avant d'être formellement identifié. Le mot corps, à vrai dire, convenait moins que celui de squelette. Une semaine auparavant, l'équipage d'un chalutier qui pêchait à soixante-quinze miles au large des côtes du Massachusetts l'avait hissé à bord, avec plusieurs centaines de kilos de morue.

Il ne restait pas le moindre fragment de tissu organique ou de vêtement sur le cadavre, sauf un peu de cartilage sur la cage thoracique et dans quelques articulations. Néanmoins, le médecin légiste put aisément établir que la mort remontait à moins de six mois. Il ne lui fut pas difficile non plus de prouver qu'elle résultait d'un homicide. Deux des vertèbres cervicales étaient fracturées et disloquées. La consistance des débris osseux suggérait un coup assené avec un instrument contondant. Les liens et le lest encore attachés aux extrémités achevèrent de dissiper les derniers doutes.

Le médecin légiste examina les radios dentaires transmises par la police de Boston. Son confrère stomato venait de les comparer aux clichés du crâne déjà en leur possession. Il dicta ses conclusions dans le micro d'un magnéto portable, puis rappela l'inspecteur qui lui avait envoyé les radios.

– Je crois que vous pouvez contacter la famille et lui dire que le corps du défunt a été retrouvé. J'ai bien peur, hélas, que votre Dr Truscott n'ait pratiqué son ultime opération.

35

En début d'après-midi, Mme Annie Frumanian frappa à la porte de sa locataire.

– C'est ce charmant M. Mulholland qui vous appelle d'Atlanta, annonça-t-elle de sa voix flûtée.

Mulholland, qui était reparti en avion pour la Géorgie peu après leur visite à la BIO-Vir, avait passé une nuit à Boston, dans la même pension de famille que Rosa. C'était un insomniaque quasi légendaire et il avait conquis l'estime définitive de la propriétaire, chose précieuse, en l'écoutant patiemment raconter l'histoire de sa vie jusque bien après minuit. Par la suite, il affirma à Rosa qu'aucun somnifère ne lui avait jamais fait autant d'effet.

– Ken, vous avez du nouveau ? demanda-t-elle dès qu'elle fut certaine que Mme Frumanian avait raccroché de son côté.

– Une adresse datant d'il y a trois ans, c'est ce qu'on a pu trouver de mieux jusqu'à maintenant, avoua le virologiste. Si vous dénichez M. Fezler, il faudra peut-être lui dire que nous avons involontairement averti le fisc qu'il n'avait pas rempli de déclaration depuis quatre ans.

Fezler, le créateur du virus VCS113, était presque à coup sûr le petit homme affligé d'un fort bégaiement qui avait tenté de contacter Sarah. Interrogés par le directeur, les anciens de la BIO-Vir avaient affirmé qu'il était resté au moins cinq ans parmi eux. Personne, cependant, ne savait quoi que ce soit de sa vie privée. A partir de ces éléments, Rosa et Ken s'étaient fait de Fezler l'idée d'un personnage extrêmement solitaire, très brillant, souffrant d'obésité, ayant dans les 45-50 ans. Durant son séjour à la BIO-Vir, il avait perdu énormément de poids. Il avait perdu aussi énormément de singes. Et au grand dam de Cletus Collins, la trace de ces primates, comme celle de Fezler dans les archives du personnel, avait disparu.

Ce fut Mulholland qui eut l'idée de se servir de FASTFIND pour le localiser. Le réseau informatisé FASTFIND avait été créé en 1981 par une commission nommée secrètement par le président des États-Unis. Son but était tout simplement de rechercher des individus pour le compte du gouvernement. L'élaboration et la mise en place de ce réseau coûta plus de douze millions de dollars, mais cet investissement fut amorti en un an grâce aux fraudes fiscales ainsi dépistées. Les données de la direction des impôts, du FBI, de l'armée, de la police, de la Sécurité sociale, des services de l'immigration, celles des organismes de crédit, des agences pour l'emploi, de l'administration délivrant le permis de conduire, et d'une douzaine de fichiers nationaux convergeaient grâce à ce système vers un utilisateur unique. Le service de Rosa avait eu plusieurs fois recours à cet outil incomparable pour localiser des gens exposés à des risques d'infection ou d'intoxication.

– L'adresse que j'ai trouvée pour Fezler correspond à un endroit nommé Brookline, dit Mulholland.

– Je crois que je vois où c'est.

– Allée des Hêtres, n° 31, appartement 2-F.

Rosa nota l'adresse et la repéra ensuite sur un plan.

– J'ai trouvé, annonça-t-elle. Encore une course en taxi qui s'annonce. Je ne sais pas ce qui me fait le plus peur, les chauffeurs ou le prix de la course. Il serait peut-être temps de songer à louer une auto.

– Ou à en emprunter une. N'oubliez pas que vous êtes en arrêt maladie. Pas de frais de déplacement pour Oncle Sam. Rosa, écoutez, j'ai encore une chose intéressante à vous dire. Pendant que j'étais à Boston, un de mes gars ici refaisait discrètement quelques tests avec le sérum de Lisa. Figurez-vous que son niveau d'interféron est légèrement au-dessus de la normale.

– D'interféron ?

Rosa mit un certain temps à comprendre de quoi il s'agissait. L'interféron, se rappela-t-elle, est une protéine antivirale produite naturellement par l'organisme. Bien connue et abondamment étudiée, elle reste mal comprise. A haute dose, elle a une action anticancéreuse certaine. En petite quantité, telle qu'on la trouve dans le corps humain, elle joue presque certainement un rôle inhibiteur dans les infections virales chroniques comme l'herpès ou la varicelle.

– Ken, dit Rosa, dites-moi franchement le fond de votre pensée là-dessus.

– Bon, alors, telles que je vois les choses aujourd'hui, Lisa est infectée de façon asymptomatique inapparente par le virus VCS113. Le microbe est tenu en respect par ses interférons ou ses anticorps, probablement par les deux. C'est une sorte de statu quo biologique, si vous préférez. Je présume que nous avons tous des dizaines de virus à l'état latent dans le corps. Peut-être même certains sont-ils cancérigènes. Bref, nous avons là une infection par le VCS113 en train de couver, mais stabilisée. Là-dessus, ce fragile équilibre est rompu par un stress particulier...

– Comme les contractions utérines.

– C'est ça, et paf ! voilà le virus qui prend le dessus.

– Et qui se met à faire tout ce que lui dit de faire son ADN. En l'occurrence, à déclencher indûment le processus de coagulation.

– Tout à fait. Puis le stress disparaît et l'organisme reconstruit un barrage d'anticorps et d'interférons, jusqu'à ce que l'équilibre soit rétabli.

– Mais est-ce qu'il arrive qu'il soit éliminé ? Le virus, je veux dire ?

– Peut-être. Peut-être même plus souvent qu'on ne croit. Mais le modèle le plus simple et qu'on connaît le mieux, celui de l'herpès, laisse penser qu'il y a beaucoup de matchs nuls. Demandez à tous ceux qui ont sans arrêt des éruptions de boutons de fièvre, ils vous le diront mieux que moi. Le domaine des infections virales chroniques est encore trop méconnu pour qu'on sache précisément comment ça se passe.

– Je vois. Dites, Ken, ça commence à se mettre en place, hein ?

– Si vous le dites. Mais il reste des tonnes de questions.

– Oui, mais maintenant, nous savons qui détient les réponses.

– 013-32-0885.

– 013-32-0885, répéta Rosa en notant le numéro.

– Matthew Daniels, dit Matt. J'ai rendez-vous avec M. Mallon.

Pendant que la réceptionniste décrochait son téléphone, il regarda la bibliothèque vitrée derrière elle, et au-delà, les bassins du port de Boston. Plusieurs années auparavant, il avait envoyé son CV au cabinet Wasserman & Mallon et réussi à rencontrer un associé adjoint, lequel lui avait demandé de signer sa balle de base-ball et posé en tout et pour tout deux questions sans rapport avec le sport pendant les vingt minutes de l'entretien. L'homme, dont Matt ne pouvait se rappeler le nom, ne s'était même pas donné le mal de suggérer que sa candidature serait prise en considération.

Pour lors, Matt n'eut pas besoin d'expliquer à Mallon les raisons de sa visite. Roger Phelps s'était chargé de préparer le terrain. Matt avait choisi le cabinet de Mallon comme champ de bataille en un geste d'ironie magnanime envers l'associé de jadis, peut-être, mais surtout parce que son propre bureau n'était pas encore débarrassé des débris de verre et de mobilier éparpillés sur la moquette.

– M. Mallon va vous recevoir dès à présent, annonça la réceptionniste avec un fort accent britannique.

– Dès à présent, vraiment ? marmonna Matt à part lui en se demandant si l'accent était exigé dans le profil du poste.

Le Jeremy Mallon qui l'accueillit était quelque peu défraîchi. Il avait les traits tirés, les yeux injectés de sang et des poches bleuâtres autour. Son bureau empestait le gargarisme et Matt le soupçonna d'avoir passé une bonne partie de la nuit précédente à cuver son bourbon.

– Vous avez pensé à prendre votre magnéto, aujourd'hui ? demanda finement Mallon après avoir refermé sa porte.

– Pour quoi faire ? J'ai déjà la cassette qu'il me faut.
– Vous avez menacé Phelps avec cette cassette. Vous lui avez jeté une balle de base-ball à la tête.
– Jeremy, à un ou deux mètres de distance, si j'avais voulu l'atteindre, Roger serait encore en réanimation.
– Comment puis-je savoir si votre flicage a marché ? Qui sait ce qu'il y a réellement sur cette cassette ?
Matt arbora une mine contrite.
– Toujours sur la brèche, hein ? On ne se refait pas, à ce que je vois. Bon, alors, pour commencer, Jeremy, que j'aie cet enregistrement ou pas, ça ne change rien. Une fois qu'on aura mis un enquêteur sur la bonne piste, pas besoin qu'il soit fort en thème pour comprendre ce qui s'est passé. Deuxièmement, je ne suis pas venu ici pour vous faire chanter. Je suis venu pour que les poursuites contre ma cliente soient définitivement abandonnées.
– Entendu. Vous pouvez considérer que c'est fait, s'empressa de répondre Mallon.
– Vous parlez au nom des Grayson ?
– Faites comme si c'était le cas.
– Je veux aussi savoir exactement ce qui a changé pour que vous ayez poussé Phelps à négocier.
– Je peux peut-être vous affranchir là-dessus, Matt, mais auparavant, j'aimerais qu'on se comprenne bien, vous et moi.
– Mmm... dites toujours.
– Il y a un poste à pourvoir dans ce cabinet. Si vous le voulez, il est à vous. Adjoint pendant deux ans, ensuite associé à part entière. Deux cent cinquante par an pour commencer.
– Deux cent cinquante mille ?
– Évidemment. (Il sortit un document d'un tiroir.) J'ai fait préparer le contrat, tenez. Le salaire figure au verso. Je l'ai déjà signé. Vous signez en bas à droite et votre nom est sur la porte.
Matt parcourut les deux pages de ce qui aurait pu s'intituler *Rente perpétuelle* ou *Contrat de sécurité à vie*. Il songea à Harry et à tout ce qu'aurait signifié un tel revenu pour eux deux.
– Eh bien ? Ne jouez pas au bluffeur, Matt, vous n'avez pas le look.
Matt plia le document et le glissa dans sa poche intérieure.
– Il faut que j'examine ça de près, dit-il. Maintenant, je voudrais savoir pourquoi vous avez offert cette transaction dans l'affaire Baldwin.
– Parce que vous étiez en passe de gagner, tiens !
– A d'autres !...
Sur quoi Black Cat Daniels ramassa sa serviette et se leva.
– Attendez, minute, ne vous vexez pas.

Matt resta où il était, sans se rasseoir.

– D'accord, d'accord, dit Mallon. Je vous accorde que l'affaire était encore indécise. Mais vous arriviez très fort derrière. Très, très fort. D'autre part, je me suis aperçu que j'avais commis une erreur en préparant le dossier.

– Savoir ?

– Allez-vous vous rasseoir, oui ou non ? Merci. Savoir que je n'aurais jamais dû me compromettre avec ce fou d'Ettinger. Ça a été une faute colossale de ma part de faire appel à lui. On le voyait tellement souvent à la télé que j'ai cru que c'était un expert en médecine douce.

– C'est le cas.

– Non, Matt. C'est un menteur invétéré, voilà ce que c'est. Ce n'est qu'après notre arrivée dans la boutique de ce Chinois qu'il a reconnu avoir été l'amant de votre cliente pendant trois ans. Il a prétendu ignorer l'importance que ça avait. L'importance que ça avait !... Je veux dire, merde ! faut pas déconner ! Mon impression est qu'il cherchait à se venger d'elle par tous les moyens, alors il s'est débrouillé pour qu'on le mette dans le coup. Que son ancienne relation avec Sarah Baldwin le rende à peu près aussi utile à notre cause qu'une paire de baskets en fonte ne lui a pas traversé l'esprit. Par ailleurs, il s'est bien gardé de me dire que sa saloperie de poudre médicinale avait été inventée par un type qui se trouve être médecin consultant au centre hospitalier.

– Pramod Singh ?

– Lui-même. Oh, il est splendide, l'ami Ettinger ! Absolument splendide.

– Qu'est-ce que vous savez au sujet de cette poudre ?

– Attendez, je ne vous suis plus, là. Je ne sais rien du tout, moi, au sujet de cette poudre.

Matt se releva, une fois de plus.

– OK, OK, fit Mallon. Restez assis, bon sang ! Je donnerais cher, n'importe comment, pour savoir où Phelps a été vous dénicher.

– Il m'a sous-estimé.

– On dirait, oui. Bon, alors, la seule chose que je sache sur cette poudre, et c'est la stricte vérité, c'est qu'il se passe quelque chose de pas net du tout avec l'argent qu'envoient tous ces obèses mal dans leur peau.

– Continuez.

– Quand vous avez mentionné cette poudre amaigrissante le jour de la déposition d'Ettinger, ça m'a mis la puce à l'oreille. Je lui ai demandé ensuite de tout me raconter là-dessus. Naturellement, il a continué à me cacher plein de choses, mais je m'y attendais. Alors j'ai commencé à vérifier certains trucs. J'ai mis deux de mes meilleurs gars sur le coup. Si on se réfère aux graphiques qui tapissent le bureau d'Ettinger, et à la quantité de poudre qui sort tous les jours de ses ateliers, ce produit marche du tonnerre de Dieu. Ils en sont à dix mille commandes par semaine, et ça augmente encore. Quatre millions de dollars par mois.

– Et puis ?

– Pas moyen de retrouver le fric.

– Hein ?

– Ces pubs télévisées sont retransmises dans tout le pays, mais les adresses auxquelles il faut expédier les chèques, et les numéros de téléphone sont différents selon les régions. Il y en a huit ou dix : LA, Chicago, Miami, New York, etc. Les commandes, ne me demandez pas comment, parviennent quand même à Xanadu, la communauté d'Ettinger, vous savez, mais le pognon se disperse dans tous les coins.

– Expliquez-moi ça.

– J'espère que vous allez accepter cette association, Matt.

– C'est un espoir raisonnable. Parlez-moi plutôt de cet argent.

– Il rebondit plus vite qu'une boule de flipper. Il y a un bureau dans chaque zone, en tout cas dans les huit qu'on a repérées. L'argent est déposé sur un compte en banque local, puis viré sur un autre. En fin de parcours, il aboutit dans plusieurs banques d'Europe ou des Caraïbes, une douzaine en tout. C'est de là qu'il doit théoriquement revenir vers Ettinger. Sauf que d'après nos recherches, les montants qui lui reviennent sont infiniment moins élevés que ceux qui transitent de banque en banque. A croire qu'il n'est qu'un subalterne dans l'histoire. Nous-mêmes n'avons pas assez d'argent pour soudoyer les banques et leur faire dire comment Ettinger, Singh ou Dieu sait qui effectuent cette grande lessive et où va le reste de l'argent. Mais il y a une chose que nous savons maintenant et qui représente un potentiel énorme pour nous. J'ai bien dit énorme, Matt. C'est qu'en plus des honoraires d'Ettinger, Xanadu a bénéficié du soutien à grande échelle d'un nommé TJ McGrath. Peut-être un million de dollars à ce jour.

– Et alors ?

– Alors la Grande Charlatanerie, autrement dit le CHU de Boston, a été sauvé de la faillite par une énorme subvention d'une certaine fondation McGrath. Suivez mon regard. Jusqu'à la semaine dernière, le maudit Paris gardait secret le nom de cette fondation comme si c'était la combinaison de son coffre-fort personnel. Samedi prochain, il va faire sauter un vieux pavillon dans l'enceinte de l'hosto et inaugure par la même occasion le chantier de construction de nouvelles installations. Il offre ces réjouissances aux frais de la fondation McGrath. Vous croyez que c'est une coïncidence ?

– Apparemment pas.

– Un : Ettinger ramasse un pognon considérable avec cette

poudre et le CHU de Boston aussi. Deux : ladite poudre a été inventée et testée par un médecin du même hôpital. Alors, m'est avis qu'une fois qu'on aura pigé ce qui se trame réellement, on pourra mettre Paris et son équipe de babas au rancart pour un bon bout de temps. Est-ce que vous imaginez la prime qui nous attend si nous réussissons ce coup-là pour Everwell ? Je veux dire : cent patates, ça ne vous donne pas la frite ?

Matt grimaça.

– Pas de pot. Je viens de commencer un régime. C'est tout ce que vous savez concernant la PAPAX ?

– Pour l'instant, oui. Mes deux gars n'ont pas fini de se renseigner. Quand est-ce que je peux espérer récupérer ce contrat signé ?

– Avant la fin de la journée. Promis.

– Parfait. On se réjouit tous de vous accueillir à bord, Matt.

– Moi aussi, dit Matt en cherchant vainement le moyen d'éviter la poignée de main finale.

« Bonjour chez vous ! » lança-t-il à la réceptionniste en traversant la galerie d'art vers les ascenseurs.

Il sortit de l'immeuble et n'avait pas fait cent mètres dans la rue qu'il tombait sur un homme grisonnant poussant un caddie rempli de canettes cabossées, de bouteilles vides et autres déchets.

– Salut, dit Matt en lui tendant un billet de cinq dollars. Ça boume ?

– Pas à se plaindre, mon bon monsieur, répondit l'homme avec un sourire jusqu'aux oreilles.

Il portait un foulard à pois rouge serré autour de sa tignasse et un sac en plastique vert noué au cou. Une partie du sac en plastique était tressée assez habilement pour former une manière de cravate en scoubidou. En plus d'une paire de chaussures neuves, il avait le plus grand besoin de soins dentaires.

– Vous vous appelez comment ? demanda Matt.

– Siggins, répondit l'autre. Alfie Siggins.

– Eh bien, monsieur Siggins, j'ai une bonne nouvelle pour vous.

Il sortit le contrat de Mallon, barra son nom qu'il remplaça par celui du clochard et aida celui-ci à signer à sa place.

– Voyez cet immeuble, là-bas ? N° 100 ? Montez au vingt-neuvième étage, montrez ce document à la réceptionniste et dites-lui que vous êtes le nouvel associé de M. Mallon. Si les vigiles essayent de vous arrêter, montrez-leur juste ça. Au besoin, vendez-le-leur. Mais cher, attention !

– Qu'est-ce que j'ai à perdre, mon bon monsieur ?

– Rien, Alfie. Vous n'avez strictement rien à perdre. Tenez, prenez cette vieille patte de lapin. Elle a déjà servi. Ça porte bonheur.

Matt le suivit des yeux jusqu'à ce qu'il ait disparu par la porte de la tour Federal. Puis il marcha jusqu'au parking où était garée sa voiture. Dans moins d'une journée, la cassette d'aveux de Phelps serait entre les mains du président du conseil de l'ordre. Ensuite, il serait temps d'annoncer à Sarah que grâce au témoin expert de la plaignante, elle n'était plus défenderesse dans l'affaire Grayson contre Baldwin. Après quoi, si elle n'était pas de garde, ils iraient célébrer leur victoire en allant se promener main dans la main au vu et au su de tout le monde, pourquoi pas sur le campus de l'hôpital.

Sarah fut convoquée dans le bureau de Glenn Paris où il l'avisa qu'elle n'était plus jusqu'à nouvel ordre médecin interne au centre hospitalier universitaire de Boston. Cette décision ne l'étonna guère et elle la prit avec ce qui pouvait passer pour de la philosophie. En fait, elle était au-delà de toute sensation, vidée, lessivée, anéantie par un adversaire inconnu mais terriblement efficace. Des sympathisants qui lui restaient à l'hôpital, elle ne pouvait escompter qu'ils la défendent après ce coup de grâce. Elle n'avait plus qu'à rentrer chez elle. Plus tard, elle appellerait Matt pour le tenir au courant de ses ultimes déboires.

Avant d'aller vider son armoire, Sarah s'arrêta à l'étage de gynéco-obstétrique pour voir Annalee. Un gardien en uniforme posté à la porte de sa chambre refusa fermement de la laisser entrer. Elle se rendit alors au bureau des infirmières où elle écrivit un mot à Annalee, dans lequel elle réaffirmait son innocence et expliquait de son mieux ce qu'on leur avait fait à toutes les deux. Elle venait de se relire et cherchait une enveloppe quand une des infirmières lui en tendit une.

– C'est une dame en rose qui vient de déposer ça pour vous, dit-elle, faisant allusion à la blouse saumon du personnel volontaire.

Et elle tourna les talons avant que Sarah ait pu la remercier.

SI L'EMPOISONNEMENT A LA CROTALINE VOUS INTÉRESSE,
ALLEZ A LA CHAMBRE 512, PAVILLON THAYER. JE VOUS
APPELLERAI À 18 H 00 PRÉCISES. NE PARLEZ DE CECI A PERSONNE
AVANT D'AVOIR ENTENDU CE QUE J'AI A VOUS DIRE.
VOUS AVEZ ÉTÉ PIÉGÉE.

La note était correctement tapée et, bien sûr, anonyme.

Sarah la glissa dans sa poche avec le mot pour Annalee et regarda sa montre. 5 h 55. Elle se jeta dans l'escalier, traversa d'un trait le tunnel et ne s'arrêta, haletante, qu'au cinquième étage du pavillon Thayer. La chambre 512 était à l'autre bout d'un long couloir. Il était 6 heures piles lorsqu'elle arriva devant la porte. A l'intérieur, le téléphone sonnait. Sarah entra sans frapper et se précipita sur l'appareil posé sur la table de chevet. Comme elle décrochait, la porte se referma brusquement derrière elle. L'obscurité fut immédiate et totale. Elle n'eut même pas le temps de se retourner. Quelqu'un l'enveloppa dans une couverture et la jeta à plat ventre sur le lit. Elle cria, essaya de résister, mais la couverture et le poids de l'assaillant rendaient tout mouvement impossible.

– Non, arrêtez, non ! hurla-t-elle.

L'homme s'allongea sur elle de tout son poids, l'attrapa par les cheveux et lui planta le nez dans l'oreiller. Une seconde plus tard, elle sentait la douleur caractéristique d'une aiguille s'enfonçant dans sa nuque.

– Non ! supplia-t-elle. Non, je vous en prie, pas ça !

Sa voix se perdit dans l'épaisseur de l'oreiller. Bientôt une vague de torpeur nauséeuse l'envahit. Elle commença à trembler violemment des bras et des jambes. Sa respiration devint laborieuse. L'homme était toujours sur elle, bien qu'il n'eût plus besoin de la maintenir en place. Elle était totalement impuissante, dans une bataille perdue d'avance contre l'anéantissement, contre la mort.

– Non, s'il vous plaît, articula-t-elle, mais elle n'entendit même plus sa propre voix.

Ses pensées se dispersèrent, les ténèbres s'épaissirent. Pendant quelques secondes, elle entendit encore le sifflement de l'air que ses poumons essayaient à tout prix d'aspirer. Puis ce dernier bruit s'estompa et elle se laissa entraîner par le néant. Alors, au fond de ce gouffre, comme par miracle, toute terreur disparut.

36

Il était presque 6 heures lorsque Rosa arriva une nouvelle fois devant l'immeuble où avait résidé Warren Fezler quelque deux ans plus tôt. Elle avait déjà interrogé tous les occupants ayant bien voulu répondre à son coup de sonnette, avant de retourner à la BIO-Vir pour s'assurer que personne n'avait oublié quelque détail concernant le génial et adipeux inventeur. Jusqu'à présent, hélas, ses efforts étaient restés infructueux.

D'après les témoignages des rares voisins avec qui elle avait réussi à s'entretenir, Fezler avait été un locataire paisible, des plus discrets, jusqu'au soir où il n'était tout bonnement pas rentré chez lui. Son mobilier avait été entreposé dans un garde-meuble avant d'être vendu aux enchères. Consulté à son tour, l'agent immobilier jura ses grands dieux qu'aucun dossier de locataire n'était jeté dans les cinq ans suivant un déménagement. Par malchance, Warren Fezler faisait exception...

Rosa leva les yeux vers le haut de la façade. C'était bientôt l'heure du dîner. Peut-être des gens absents précédemment étaient-ils rentrés, maintenant. Peut-être l'un de ceux qu'elle avait questionnés se souvenait-il de quelque chose d'autre. L'obstination et la minutie de Rosa exigeaient qu'elle fasse une nouvelle tentative. Elle savait qu'elle remonterait sonner aux portes avant la fin de la journée. Au lieu de quoi elle se mit à faire les cent pas dans le crépuscule, cherchant une clef, un indice qui la fasse progresser.

Des détails, se répétait-elle en arpentant le trottoir. Pense à lui, pense à Fezler, imagine-le...

Elle venait de dépasser le petit marché couvert lorsqu'elle s'arrêta net. Des odeurs de pain chaud, de fruits et de poisson s'échappaient de l'entrée de la halle. La nourriture ! voilà ce qui la mettrait à coup sûr sur la piste de Fezler. A en croire ses anciens collègues, il faisait plus de cent quinze kilos avant sa métamorphose. Il y avait de fortes chances pour que la bouffe ait été l'épicentre de sa vie. Et dans ce cas, ces commerces de bouche à proximité de son domicile devaient être pour lui l'équivalent du bistro du coin pour un alcoolique.

Rosa décida d'aborder tous les employés les uns après les autres. La quatrième personne qu'elle interrogea, un garçon boucher sur le retour, fut la bonne.

– Si je le connais, Warren ? Bien sûr ! s'exclama-t-il. Un des clients les plus gentils qu'on ait jamais vus. Le cœur sur la main. Pas bavard, par exemple. Il avait un défaut de prononciation, vous savez, il n'arrivait pas à articuler. Mais il vous aurait donné sa chemise.

– Il est venu, récemment ?

– Ah, non, pas depuis un moment. Ça fait bien trois mois qu'on ne l'a pas vu. La dernière fois, ça devait être... attendez, au mois d'août dernier, je crois.

Quelques mois, songea Rosa. Fezler avait quitté son appartement près de deux ans plus tôt. Pourtant, il continuait à fréquenter ses magasins préférés.

– Vous ne savez pas par hasard pourquoi il a cessé de venir faire ses courses ici, ni où je pourrais le trouver ?

– Aucune idée. Mais une qui vous le dirait, c'est Mme Richardson. Elle est gentille comme tout. C'est une dame âgée, elle a la vue basse, la pauvre, et marche très, très doucement. Je crois qu'elle n'a personne avec elle. Warren avait l'habitude de lui porter ses provisions pour lui éviter de payer la course. Depuis qu'il n'est plus là, elle est obligée de se faire livrer. Pauvre vieille ! Trois dollars, ça compte dans un petit budget, vous savez. Venez, je vais vous montrer où elle habite.

– Merci infiniment, dit Rosa.

Un quart d'heure plus tard, Rosa se retrouvait en train de préparer le thé et de mettre un peu d'ordre dans la cuisine d'Elsie Richardson. La vieille fille, qui avait au bas mot 90 ans et peut-être davantage, vivait dans un deux pièces au rez-de-chaussée, en compagnie de trois chats qui ne paraissaient pas beaucoup plus jeunes qu'elle. Elle se déplaçait avec mille précautions sur des pieds et des chevilles enflés et y voyait encore juste assez pour ne pas se cogner aux meubles. Mais à l'entendre, bon an mal an, elle s'en sortait. Elle gardait le moral et avait une lucidité pimentée par un esprit étonnant.

– Mademoiselle, pas madame, avait-elle rectifié d'emblée. J'ai attendu toute ma vie un homme plus futé que moi pour l'épouser, mais il n'est jamais venu. Jusqu'à l'arrivée de M. Fezler, du moins.

Rosa apporta le thé.

– Ça me fait rudement plaisir de savoir que Warren va bien. Voilà des semaines que je ne le vois plus.

– Je ne sais pas s'il va bien ou pas, mademoiselle Richardson. J'essaye de me renseigner.

– Une goutte de citron et un sucre, ma belle. Le citron est sur l'étagère au-dessus du frigo. Lui, je sais où il est, contrairement à M. Fezler. Allez savoir !... Il ne parlait jamais de ce qu'il faisait. Un garçon délicieux. Vous savez comment on s'est connus ? Je me suis étalée en pleine rue, voilà. Juste en face du marché. Il m'a aidée à me relever et m'a raccompagnée jusqu'ici. Depuis ce jour-là, je n'ai plus mis les pieds chez les commerçants. Six dollars par semaine, qu'il m'a fait économiser. Sans parler de l'argent qu'il m'a donné. Je voulais refuser, mais il le laissait quand même sur la table.

– Un sacré bonhomme, en tout cas, dit Rosa en se remémorant les descriptions atroces des femmes mortes de CID. Mademoiselle Richardson, à votre avis, est-ce qu'il y a un endroit où il aurait pu se réfugier s'il avait été en difficulté ? Il avait des amis, des parents ?

– Pas que je sache... Attendez, si, il avait une sœur. Comment s'appelait-elle, déjà ? Marie, je crois. Non, Martha ! « Ma sœur Martha. » Il parlait souvent d'elle comme ça. Je suis désolée de ne pas m'en être souvenue avant.

– Mais non, il n'y a pas de quoi, protesta Rosa en glissant un biscuit sur la soucoupe de la vieille dame. Savez-vous si cette femme s'appelle aussi Fezler ?

– Non, ça j'ai peur de... (Ses yeux s'allumèrent.) Le calendrier !

– Quel calendrier ?

– M. Fezler m'a dit que ça venait de chez sa sœur. Il me l'a donné parce que les chiffres sont écrits en gros. Et c'est lui qui me l'a accroché aussi. A côté du lit, regardez, dit-elle en montrant sa chambre du pouce.

Le calendrier en question, suspendu au-dessus de la lampe de chevet, était illustré d'une photo de blonde platine à gros seins moulée dans un mini-short et tenant un jerrycan à la main. En haut, au centre, on lisait :

ATELIER DE RÉPARATION

MOTEURS TOUTES MARQUES, AUTO – BATEAU

MARTHA FEZLER, PROP.

SPÉCIALISTE PROPULSION NAVALE

Suivait l'adresse de l'établissement, en petits caractères. C'était à Gloucester, une ville que Rosa connaissait, à une cinquantaine de kilomètres au nord de Boston. Elle en prit note, ainsi que du téléphone, après quoi elle rangea la chambre de son mieux, embrassa Elsie Richardson, lui laissa vingt dollars et reprit le chemin de sa pension. Si Martha Fezler ne cachait pas son frère, Rosa savait où le trouver, du moins en avait-elle fortement l'intuition.

Elle marcha au bord d'une grande artère jusqu'à ce qu'elle aperçoive un taxi vide dans lequel elle s'engouffra. Malgré sa fatigue, elle exultait. Sa carrière d'épidémiologiste était sur le point de s'achever, mais Rosa ne rendrait pas les armes avant que le fantôme du REI n'ait rendu les siennes.

– Ruth, bonsoir, c'est Matt. Navré de vous déranger chez vous.

– Il n'y a pas de mal. Comment s'est passée votre entrevue avec M. Mallon ?

– Très bien. Ils jettent l'éponge.

– Formidable ! Toutes mes félicitations.

– Merci. Dites-moi, Ruth, je suis au centre hospitalier et je n'arrive pas à trouver Sarah. Avez-vous eu de ses nouvelles ?

– Oui. Elle a appelé juste avant que je m'en aille, il y a une heure, environ. J'ai mis le message sur votre bureau. Elle dit qu'elle ne sera pas de garde ce soir. Elle devait rester à l'hôpital jusque vers 6 heures et rentrer chez elle ensuite. Elle avait une voix préoccupée.

– Il semblerait qu'elle ait des raisons de l'être. Je vous remercie, Ruth. A demain. Et merci aussi de faire faire le ménage dans mon bureau.

– Entendu. Autre chose ?

– Non. Vous avez branché le répondeur ?

– Monsieur Daniels, je le fais toujours.

– Je sais, je sais. Bonne nuit, Ruth.

Matt raccrocha le combiné du Taxiphone et parcourut le hall du regard. Il était 6 h 30. Sarah était censée avoir quitté l'hôpital à 6 heures, d'après Ruth, mais son vélo neuf était toujours enchaîné dehors. Elle n'avait pas répondu aux appels sur son bipeur, ni à deux appels successifs par haut-parleur. Un autre appel chez elle n'avait abouti qu'au répondeur; quant à celui de Matt, elle n'avait laissé aucun message dessus.

L'avocat ne savait qu'une chose, c'est qu'à la suite d'un incident entre elle et une patiente, Sarah ne faisait plus partie du personnel de l'hôpital. Personne n'avait voulu lui en dire plus. Glenn Paris, à qui on le renvoya pour plus de détails, avait été retardé par une réunion programmée d'urgence. De plus en plus inquiet, Matt alla s'enquérir du directeur à son bureau même, au pavillon Thayer.

– Désolée, M. Paris est en ligne, lui dit sa secrétaire qui semblait paniquée.

– Tant pis. Interrompez-le. Dites-lui que c'est Matt Daniels et que c'est urgentissime.

– Mais...

– Vite, je vous en prie, sinon, je le fais moi-même.

Moins d'une minute plus tard, on l'introduisit dans le bureau de Paris.

– Enfin, vous n'allez pas me dire que vous croyez sincèrement qu'elle ait fait une chose pareille ! s'indigna Matt quand le directeur l'eut mis au courant. Mallon et les Grayson ont abandonné toute poursuite contre elle. C'est éloquent, non ?

– Écoutez. Tout ce que je sais, c'est que cet hôpital a eu plus de publicité négative en six mois qu'au cours des six dernières années. Et votre cliente est impliquée là-dedans du début à la fin. Nous avons été obligés d'interrompre ses activités jusqu'à ce que l'onde de choc s'aplanisse et que nous comprenions ce qui s'est passé.

– C'est très clair, ce qui s'est passé, Glenn. Quelqu'un lui a tendu un piège et elle est tombée dedans.

– J'espère pour elle que vous avez raison. J'ai de l'estime pour Sarah, Matt. Beaucoup d'estime. Mais en tant que chef d'établissement, je me dois de prendre des mesures dans l'intérêt des malades. Il y a pas mal de gens parmi les membres du personnel et à l'extérieur qui la considèrent comme une personne dangereuse et irresponsable.

– C'est eux qui sont irresponsables.

– Peut-être. Mais pour l'instant, je ne peux et ne veux rien faire d'autre, en ce qui la concerne.

– Bon, écoutez. Son bipeur ne répond pas. Est-ce que vous savez où elle se trouve actuellement ?

– Non.

– Vous avez commis une grave erreur.

– C'est possible. Je l'espère pour elle, comme je vous l'ai dit.

Mais l'avocat, déjà sur le seuil, n'écoutait plus. Il refit une tentative sur le répondeur de son cabinet et laissa un autre message chez elle. Puis il rappela la standardiste et la pria de renouveler ses appels, tant sur le bipeur que par haut-parleur.

– Dites-moi, quand vous n'arrivez pas à joindre un interne de garde, qu'est-ce que vous faites, d'habitude ?

– Ça n'arrive pas très souvent, monsieur.

– D'accord, mais quand ça arrive ?

– Les membres du personnel soignant ont un bipeur qui comporte une ligne d'écran et un petit émetteur-récepteur grâce auquel on peut communiquer avec eux. Si un interne de garde ne répond pas, en général, c'est que son récepteur est en panne et qu'il dort dans une des chambres de repos. Ils ne peuvent pas m'entendre sur les haut-parleurs des étages, il n'y en a pas là-bas. Nous nous servons des lignes téléphoniques internes.

– Où sont-elles, ces chambres ? Vous pourriez appeler là-bas ?

– Elles sont dans le pavillon Thayer. Quatrième et cinquième étages. Mais je ne peux pas appeler toutes les chambres. Il y en a vingt ou vingt-cinq.

– Bon. Pourriez-vous continuer à appeler le Dr Baldwin sur son bipeur toutes les deux ou trois minutes ? Merci. C'est excessivement important. Si jamais elle appelait, gardez-la en ligne, surtout. Vous avez mon nom. Je vous recontacterai sous peu. Merci d'avance... merci infiniment.

Elle est partie faire un tour ou bien elle dort dans une des chambres réservées aux internes de garde, se dit Matt dans l'ascenseur. Les deux sont très plausibles. Elle est bouleversée par ce qui s'est passé... Oui, c'est certainement ça. Un somme ou une longue balade. Moi, c'est ce que je ferais à sa place, en tout cas.

Il sortit au quatrième et alla de chambre en chambre, frappant à chaque porte ou tournant discrètement les poignées. La plupart étaient ouvertes et vides. A deux reprises, il se heurta à une porte close, mais une voix endormie répondit de l'intérieur. Une troisième chambre était encore occupée, bien que la porte ne fût pas fermée à clef. Dedans, un jeune interne ronflait, effondré tout habillé sur le lit, les bras en croix.

Faut vraiment le vouloir, pensa Matt en se retirant à pas feutrés. Il monta ensuite au cinquième et refit le même manège systématique. La sixième ou septième porte qu'il essaya lui résista et personne ne répondit à ses appels. Il toqua de nouveau, un peu plus fort, hésitant à y aller du pied. Il décida de vérifier les autres chambres de l'étage avant de revenir. Mais comme il s'éloignait, il entendit à l'intérieur le couinement caractéristique d'un bipeur, suivi de la voix de la standardiste.

– Docteur Baldwin, docteur Sarah Baldwin, veuillez rappeler le standard d'urgence. Docteur Baldwin, s'il vous plaît...

– Sarah ! hurla Matt en commençant à attaquer le bas de la porte à grands coups de pied.

Sa voix se perdit dans le corridor et la cage d'escalier.

Matt recula et, de toutes ses forces, assena un formidable coup de semelle en plein milieu du battant. Le bois se fendit. Au deuxième coup, un trou s'ouvrit, assez grand pour qu'il jette un œil à l'intérieur. Sarah était étendue, inerte, sur le lit. A côté d'elle, une perfusion montée sur une perche achevait de se vider dans son bras. Matt passa son bras dans le trou et libéra la serrure. Il ouvrit, se précipita. Sarah avait conservé un peu de chaleur, mais elle était exsangue et ne respirait pas.

Il trouva une valve sur la perfu et la ferma. Il hurla son nom, l'ausculta, au poignet, à la poitrine, en vain. Il lui pencha la tête en arrière, lui pinça le nez et tenta le bouche-à-bouche. Au troisième essai, il crut voir sa mâchoire inférieure s'abaisser. Il s'égosilla à force de lui crier son nom dans l'oreille. Enfin, il la gifla, en pleine figure, deux fois de suite. Sarah réagit par une faible aspiration qui produisit un feulement sinistre, mais réconfortant. Matt lui allongea deux nouvelles claques. Sa poitrine se souleva.

La gorge sèche, les yeux exorbités, hors de lui, Matt arracha le combiné et rappela le standard.

– J'ai trouvé le Dr Baldwin, parvint-il à dire. Elle est en arrêt cardiaque. Cinquième étage, pavillon Thayer. Envoyez des secours, vite !

37

28 OCTOBRE

C'était un cauchemar à l'intérieur d'un cauchemar. A un certain niveau de conscience, Sarah luttait pour se persuader, pour se rappeler qu'enfant, elle émergeait toujours tôt ou tard de ses mauvais rêves, et se retrouvait en sécurité dans son lit. Mais elle ne pouvait rien tirer de ses pensées, et absolument rien de son corps, rien qui soulage la douleur et la terreur incessantes. Le même scénario qui avait hanté ses nuits jadis se reproduisait fidèlement : deux mains la plaquaient sans merci sur le ventre, avant de lui attacher les mains dans le dos, puis les jambes. Elle hurlait, elle gesticulait à se mettre en sang poignets et chevilles, rien n'y faisait, les liens étaient comme des câbles de fer.

Ensuite, des doigts puissants lui introduisaient de force un tissu imprégné d'eau entre les dents. Elle le repoussait avec sa langue. Mais le bâillon s'enfonçait de plus en plus, obstruait le fond de sa gorge, l'étranglait, l'étouffait. Elle s'épuisait en efforts inutiles pour aspirer à travers ses narines resserrées. De guerre lasse, elle implorait la mort de venir la délivrer. Mais il lui restait toujours assez d'oxygène et elle continuait à vivre malgré elle, dans une interminable agonie.

– Sarah... chérie, écoute. C'est moi, Matt... Essaye de rester tranquille et de m'écouter. Voilà, c'est bien. Tu peux garder les yeux fermés, mais je t'en prie, écoute-moi... Sarah, tu es sous ventilation artificielle. Il y a un tube dans ton nez, et un autre dans ta bouche qui descend jusque dans tes poumons pour t'aider à respirer. Et on t'a attachée avec des sangles. Serre-moi la main si tu comprends ce que je dis... Bien. Très bien. Essaye de rester calme, ma chérie, je t'en supplie. Je vais aller dire à l'infirmière que tu es réveillée.

Sarah sentit la grosse main de Black Cat se refermer sur la sienne, puis la lâcher. Elle s'efforça de dissocier le cauchemar rêvé du vrai cauchemar. Peu à peu, des fragments désordonnés du passé lui revenaient en mémoire.

Au fur et à mesure qu'elle reprenait conscience, la terrible sensation d'inconfort due à l'intubation endotrachéale augmentait, ainsi que celle, non moins terrible, de manquer d'air, d'avoir une faim insatiable d'oxygène. Elle entendait l'appareil regimber et vrombir en s'opposant à ses propres efforts pour aspirer et expirer spontanément. Réglé sur le mode automatique, l'engin était censé respirer à sa place.

Doucement, calme-toi, se raisonna-t-elle. Ne résiste pas... Souviens-toi de ce que tu dis aux patientes en pareil cas... Voilà, doucement, laisse-toi aller... Profites-en pour méditer... Cherche ton cygne, trouve-le et envole-toi sur lui...

– Sarah, vous m'entendez ? Regardez-moi, ouvrez les yeux. C'est Alma. Alma Young... voilà, c'est très bien...

Sarah cilla, éblouie par les lumières. Bientôt, sa vision se clarifia. L'infirmière de l'USIC était penchée sur elle, le front soucieux.

– Ils étaient complets en réa, dit-elle. N'importe comment, on voulait toutes vous avoir ici, et le Dr Blankenship a donné son accord. J'ai appris ce qui s'était passé par une autre infirmière et je suis venue tout de suite. Vous comprenez ce que je dis ?... Bien. Je vais vous libérer les mains. Ne touchez pas au flexible. Compris ?... Parfait.

Sarah attendit patiemment qu'on retire les larges sangles qui l'entravaient. Elle avait toujours affreusement mal au crâne, mais elle était tout à fait consciente, maintenant, et reprenait rapidement le contrôle de toutes ses facultés. Quelqu'un avait tenté de la tuer...

Quelqu'un lui avait injecté dans le cou un produit fulgurant, incroyablement puissant. Les psychothérapeutes, les psychiatres de l'université, tous s'étaient trompés. Les rêves récurrents qui lui empoisonnaient l'existence autrefois n'étaient pas la répétition déformée de quelque terrible événement du passé occulté par son inconscient. Ces rêves étaient prophétiques, comme l'avait suggéré le vieux guérisseur thaï. Ce combat annoncé, elle le vivait maintenant, c'était la grande affaire, la grande bataille de sa vie. Et elle avait survécu, d'abord à Chinatown, et aujourd'hui dans son lit d'hôpital. Grâce, sans doute, à ces épouvantables cauchemars, elle continuait à résister à la force diabolique qui s'acharnait contre elle.

Sarah remua les doigts pour faire circuler le sang et montra de l'index le tube enfoncé dans sa gorge.

– Je sais, je sais, répondit Alma. Dès que nous aurons les résultats de votre gazométrie sanguine, j'appellerai l'anesthésiste et le Dr Blankenship pour voir si on peut vous le retirer. Vous vous sentez mieux ?... Bien. J'ai mis la ventilation sur le mode manuel pour que vous puissiez respirer librement. Vous êtes sûre que vous vous sentez bien ? Sarah, quoi que vous ressentiez, ça passera si vous vous laissez aller. Ne pensez plus à ce que vous avez voulu faire. Si vous voulez, nous en reparlerons plus tard. Pour l'instant, reposez-vous.

Un spécialiste de la respiration entra et fit un prélèvement sanguin dans l'artère radiale de Sarah. Au cours de l'interminable demi-heure qui suivit, Matt resta assis à côté d'elle et fit de son mieux pour la maintenir au calme, tout en l'informant des derniers événements survenus lors de sa résurrection.

– C'était de la morphine qu'il y avait dans cette perfu, dit-il. Les ampoules vides traînaient encore par terre. Blankenship dit qu'on t'a sauvée juste à temps. Je ne sais pas ce qu'ils t'ont fait aux urgences mais ça a rudement bien marché. Tu as repris conscience au début de la nuit, les infirmières t'ont donné un calmant pour qu'on puisse te ventiler avec l'appareil. On a retrouvé ta boîte d'aiguilles d'acupuncture sur la table de la chambre 512, de même qu'une ampoule pleine de venin et un mot gribouillé, sans signature, au verso d'une ordonnance, disant simplement *Pardon*. La porte était verrouillée de l'intérieur. A l'heure qu'il est, je dois être la seule personne dans tout l'hôpital à ne pas croire que tu aies tenté de te suicider... J'ai raison ?

Sarah lui serra la main et hocha la tête le plus vigoureusement qu'elle put.

– Je le savais, reprit-il en soupirant. Ça faisait bien... oh, trois, quatre mois qu'une de mes maîtresses n'avait pas essayé de mettre fin à ses jours... Serre-moi la main si tu trouves ça drôle... Mmm, je vois... Écoute, il s'en passe de belles autour de cette affaire de poudre ayurvédique. Pour commencer, sache que Mallon demande aux Grayson de retirer leur plainte. Ils abandonnent toutes les poursuites, ils ne transigent pas, ils laissent tomber. Je te donnerai les détails plus tard.

« Rosa t'a dit qu'elle avait trouvé qui a fabriqué ce virus ? C'est ce type qui bégaye. Tu te rappelles qu'elle ne voulait pas dire son nom, ni à toi ni à quiconque ? Eh bien, maintenant, elle croit qu'elle sait où le trouver. Elle a essayé de t'appeler chez toi et à l'hôpital pour te tenir au courant. Finalement, une des infirmières lui a dit ce qui s'était passé et où on t'avait transportée et elle est venue ici hier soir vers 11 heures. Elle est repassée à 2 heures du matin. Elle se fait beaucoup de souci pour toi, tu sais. Ça m'étonnerait qu'elle ait dormi plus que moi. Elle ne veut toujours pas dire où habite l'homme au virus, mais elle doit aller le voir en voiture aujourd'hui. Eli s'est arrangé pour qu'elle puisse emprunter un véhicule de l'hôpital pour la journée. Il n'a posé aucune question... Tiens, voilà Alma qui revient, et je crois que l'anesthésiste est avec elle. Courage, ma vieille. »

Les nouvelles du labo étaient excellentes, les niveaux de gaz dans le sang, oxygène, anhydride carbonique, et le coefficient d'acidité, assez satisfaisants pour qu'on supprime l'assistance respiratoire. La sensation d'arrachement consécutive à l'extraction du tube endotrachéal était parfaitement insupportable. Sarah ne l'aurait pas souhaitée à son pire ennemi. Elle hoqueta, cracha, toussa et fut secouée de spasmes. Par bonheur, Matt était là pour la redresser, lui tenir le bras, et même l'embrasser sur le front.

– Méfie-toi, tu vas te faire radier du barreau, dit-elle d'une voix étranglée quand sa toux fut calmée.

– Mais je te l'ai dit, ils renoncent à toutes les poursuites. Je n'ai plus besoin d'être ton avocat. On peut se montrer, va !... En fait, j'ai loué une camionnette avec une sono et je m'apprête à sillonner les rues de Boston ce soir pour informer la population que je t'aime.

– Moi aussi, Matt, je t'aime, de toute mon âme. Mais au fait, quelle heure est-il ?

– 6 heures et quelques.

– Seigneur, douze heures de ma vie disparues, envolées...

– Estime-toi heureuse, ça aurait pu être ta vie entière.

Sarah n'eut pas le loisir de répondre car quelqu'un qui venait d'entrer se gratta poliment la gorge. Un homme grisonnant portant un nœud papillon rouge était debout au pied du lit. Il tenait d'une main la feuille de lit de Sarah qu'il examinait à travers une paire de lunettes demi-lune. Bien qu'elle ne l'eût jamais rencontré, Sarah devina sa fonction avant même qu'il se présente.

– Je suis le Dr Goldschmidt, dit-il, psychiatre. Monsieur, si vous voulez bien nous excuser quelques instants.

– Monsieur est mon avocat, s'empressa de dire Sarah.

Goldschmidt mesura Matt du regard.

– Dans ce cas, peut-être feriez-vous mieux de rester. Vous êtes d'accord, docteur Baldwin ?

– Bien sûr, dit-elle d'une voix encore enrouée.

– Très bien. Je sais que vous avez subi une rude épreuve et qu'on vient de vous retirer des tubes de la gorge. Je vais donc essayer d'être aussi bref que possible. (Il mouilla ses lèvres fines d'un petit coup de langue.) Dites-moi, docteur Baldwin, aviez-vous déjà attenté à vos jours avant la nuit dernière ?

Les yeux de Sarah lancèrent des éclairs. Elle regarda Matt qui lui fit signe de garder son sang-froid.

– La réponse est non. Mais je n'ai pas tenté de me tuer hier soir, docteur Goldschmidt. Quelqu'un a essayé de me tuer et a maquillé son acte en tentative de suicide.

– Mmm, je vois, fit Goldschmidt en griffonnant hâtivement quelque chose sur la feuille de lit. Mais comment expliquez-vous que la porte ait été fermée de l'intérieur ?

– Quelqu'un avait une clef.

– C'est possible. Mais d'après ce qu'on m'a dit, même les femmes de ménage et le personnel technique n'ont pas accès aux clefs de ces chambres.

– Je n'ai pas essayé de me tuer.

– Docteur Baldwin, je cherche seulement à vous aider.

– Alors laissez-moi rentrer chez moi.

– Vous savez très bien que je ne peux pas faire ça.

– Pourquoi ? voulut savoir Matt.

– Le Dr Blankenship m'a demandé de venir vous voir parce que la politique de l'hôpital exige que toute tentative de suicide fasse l'objet d'une prise en charge psychiatrique. Or, il se trouve que c'est moi qui suis de garde en psychiatrie aujourd'hui. Je lis sur sa feuille de lit : surdose de narcotique, TS, ce qui signifie tentative de suicide. J'ai le pouvoir et l'obligation de la placer dans un service de médecine mentale sous surveillance jusqu'à ce que je sois convaincu qu'elle ne présente plus de danger, ni pour elle, ni pour les autres. Je suis sûr qu'en tant qu'avocat, vous êtes à même de mesurer l'importance d'un tel placement.

– En effet, dit Matt.

En même temps, il pensait à tout ce qu'il avait à faire comme démarches dans la journée pour tirer au clair les relations entre Peter Ettinger, la fondation McGrath et le CHU de Boston. Où Sarah pouvait-elle être plus en sécurité que dans un service de psychiatrie sous surveillance ?

– Sarah, dit-il, il me semble que tu devrais te conformer à ce que te dit le docteur. En tout cas pour le moment.

Si le psychiatre apprécia le soutien, cela ne se vit pas sur son visage qui paraissait tendu. Il allait reprendre la parole quand Eli Blankenship surgit à côté de lui.

– Merci, Mel, d'être venu si vite, dit-il. Comment ça va, Sarah ?

– Je me sens mieux de minute en minute. Dr Blankenship, veuillez dire au Dr Goldschmidt que je ne suis pas folle et que je n'ai pas essayé de me tuer.

– Personne n'a jamais dit que vous étiez folle.

– Écoutez, quelqu'un m'a injecté Dieu sait quel produit dans le cou, là, sous les cheveux, et a essayé de faire croire ensuite que j'avais tenté de me suicider.

Blankenship lui examina la nuque et le crâne avec une petite lampe.

– Je ne vois rien, dit-il en secouant la tête.

– C'était une aiguille très fine. Du vingt-neuf, ou même plus petit. Rasez-moi s'il le faut. Vous trouverez.

– Sarah, s'il vous plaît. Soyez patiente avec nous et laissez-nous faire notre travail. Alma me dit que vos poumons sont dégagés et vos signes vitaux stabilisés. D'ici une heure ou deux, quand nous serons sûrs que vous n'avez plus de risque de spasme au niveau du larynx, j'aimerais que vous soyez transférée dans le service du Dr Goldschmidt. Apparemment, ils ont besoin du lit que vous occupez ici, pour les opérés de ce matin.

– Mais où allez-vous me mettre ?

– Le seul endroit où l'on puisse vous garder, c'est au sixième étage du bâtiment Underwood.

– Matt, je t'en supplie, c'est une unité de détention pour les fous. Empêche-les de me faire ça.

– Mais Sarah, ça ne durera pas longtemps. En plus, avec ce qui t'est arrivé la nuit dernière, je serais inquiet de te savoir sans surveillance. J'ai des choses à faire et des gens à voir aujourd'hui pour essayer de débrouiller cette affaire de poudre. Va là-bas au moins pour la journée. On verra ensuite ce qu'on peut faire.

– Mais puisque je vous dis que j'ai une piqûre d'aiguille quelque part derrière la tête, là où cet homme m'a injecté quelque chose...

– Docteur Baldwin, s'il vous plaît, dit Goldschmidt. Je suis désolé si vous avez une aversion pour les psychiatres ou pour moi en particulier, mais je vous assure que je ne cherche qu'à vous aider. Cela dit, il est 6 h 30 du matin, j'ai passé pratiquement toute la nuit debout et j'ai une longue journée de visites et de consultations qui m'attend. Soyez gentille de ne pas nous compliquer encore la tâche.

– Écoutez, Sarah, compléta Blankenship. Au fond de moi-même, j'ai la conviction que vous êtes saine d'esprit et que vous dites la vérité. Mais pour le moment, je ne vois pas ce que nous pourrions faire d'autre. Par contre, laissez-vous mettre vingt-quatre heures en observation et je vous promets que je ferai tout ce qui est en mon pouvoir pour convaincre le Dr Goldschmidt et son équipe de vous laisser rentrer chez vous.

Sarah considéra les trois visages déterminés tournés vers elle dans l'attente de son consentement et accepta à contrecœur d'être transférée. Le psychiatre écrivit à nouveau quelques mots sur sa feuille et promit de venir la voir au pavillon Underwood dès qu'il aurait un moment de libre. En attendant, un autre interne de psychiatrie devait l'accueillir là-bas et lui prodiguer des soins le cas échéant.

– Ça va être dur d'attendre, dit Sarah en soupirant.

Les rubans de vinyle jaune tendus en travers de la porte de la chambre 512 n'étaient guère différents de ceux ayant servi devant l'échoppe de Kwong Tian-Wen. La porte elle-même, avec son grand trou en plein milieu, était close. Matt s'assura que personne ne l'observait, écarta les rubans et se glissa à l'intérieur. La perche de la perfu était toujours en place, mais la poche en plastique avait disparu, ainsi que le coffret d'aiguilles de Sarah. Apparemment, aucune recherche d'empreinte digitale n'avait été effectuée sur la poussière des meubles. Il n'y avait pas de placard, et nul endroit où se dissimuler, sauf sous le lit. Quelqu'un avait trouvé le moyen de sortir de la chambre et de refermer la porte à clef derrière lui.

Matt examina la serrure qui ne lui parut pas différente des autres au même étage. L'agresseur, quel qu'il soit, avait certes pu appeler un serrurier pour faire fabriquer une clef. Mais c'était prendre le risque de créer un témoin, ce qui semblait peu crédible. Matt s'avança jusqu'à l'unique fenêtre. Les vitres des deux battants étaient noires de saleté extérieure accumulée depuis des mois. Malgré la crasse, Matt aperçut le bâtiment voisin, distant de trente ou quarante mètres. Des trous de vis témoignaient de la présence dans un passé lointain d'un loquet, dont le remplacement, de toute évidence, ne figurait pas parmi les urgences du programme d'équipement de l'hôpital. Au cinquième étage, cependant, des mesures de sécurité ne paraissaient pas s'imposer. Matt se pencha et regarda en contrebas.

A moins d'un mètre sous le rebord de la fenêtre, courait une corniche ardoisée en piteux état, surmontant une espèce de porche au niveau du quatrième. La pente, très légère, était négligeable. Il ouvrit la fenêtre, l'enjamba et prit pied sur la saillie. S'interdisant de regarder dans le vide, il longea la façade à petits pas prudents et lorgna dans les chambres jusqu'à ce qu'il en trouve une vide. La fenêtre, comme celle de la 512, ne comportait pas de loquet. Quelques instants plus tard, il se retrouvait dans le couloir désert.

– Un mystère de moins, marmonna-t-il.

Cette découverte, combinée à ses protestations, aurait peut-être suffi à faire libérer Sarah. Mais Matt savait qu'il était de son intérêt qu'elle passe au moins vingt-quatre heures en lieu sûr. Il voulait avoir l'esprit libre pour la journée qui s'annonçait. La commercialisation de la PAPAX laissait encore de nombreuses questions sans réponse. Et il avait dressé une petite liste de ceux qui, à son avis, pouvaient combler les lacunes, à commencer par le directeur financier Colin Smith.

Il referma la porte, replaça les rubans de vinyle et redescendit sans plus tarder dans le hall.

38

– Sarah, tu es sûre que Paris t'avait parlé de la fondation McGrath ? demanda Matt.

– Sûre et certaine. Ça fait bien un an qu'il est au courant de la possibilité d'un financement par cette fondation. Il me l'a dit lui-même. Il disait qu'il comptait sur cet argent pour aider le CHU à sortir du trou. Et si j'ai bonne mémoire, Colin Smith aussi avait mentionné cette éventualité. En tout cas, si une telle somme nous est versée, en tant que directeur financier, il est forcément au courant. Peut-être qu'ils sont tous de mèche, lui, Glenn, et Peter. Peut-être que Smith prélève sa part en amont, avant que l'hôpital perçoive tout l'argent.

– On verra. Il est le premier sur la liste de ceux que je dois voir aujourd'hui.

– Matt, je t'en prie, écoute-moi. Je me sens bien et je peux me prendre en charge. Je ne veux pas qu'on m'envoie là-bas, chez les fous. En plus, je sens que Peter a trempé là-dedans jusqu'au cou. Alors, lui qui fait toujours la morale aux autres, j'aimerais bien le faire pincer.

Il était bientôt 9 h 30 du matin et Sarah venait d'être prévenue que des brancardiers, secondés par un agent de sécurité, s'apprêtaient à venir la chercher pour la transférer de l'USIC au service de psychiatrie du bâtiment Underwood.

– Je sais que tu n'es pas d'accord, ma chérie, mais admets quand même que tu as frôlé la mort. Il n'y a pas deux heures, tu étais sous ventilation assistée et encore maintenant, je ne t'ai jamais vu l'air aussi fatigué. Si tu ne vas pas dans ce service volontairement, Goldschmidt t'y obligera. Dans la mesure où il est persuadé que tu as voulu te suicider, il n'a pas vraiment le choix. Et n'oublie pas non plus que quelqu'un a essayé de te tuer.

– Faux ! Quelqu'un a monté une mise en scène pour faire croire que je m'étais tuée. Et c'est directement lié à cette histoire de venin administré à Annalee. C'est clair, non ? Il fallait que ça ait l'air d'une tentative de suicide parce que j'étais responsable de ces trois cas de CID, et coupable d'avoir voulu en créer un autre pour me disculper. Si on m'avait assassinée, quel que soit le moyen employé, tout le monde aurait tiré la conclusion inverse. Nous avons mis quelqu'un à bout de nerfs, Matt. C'est peut-être Peter, c'est peut-être Glenn, peut-être le Dr Singh, peut-être tous les trois ensemble. On n'en sait rien, mais on touche à la vérité. Le fait de m'avoir tendu ce piège est un acte désespéré. Ça montre un type aux abois. Il faut qu'on sache qui c'est avant qu'il tente un nouveau coup. Je peux t'aider, Matt, vraiment, je t'assure.

– Je sais. Mais ce que tu ferais, je peux le faire à ta place. L'idée de te savoir enfermée me répugne autant que toi, mais il faut l'accepter, au moins pour aujourd'hui. Même si on arrivait à t'éviter cet internement, ce qui est impossible, je serais mort d'inquiétude pour toi à chaque instant. Avant d'aller chercher tes affaires, j'ai parlé à Rosa et à Eli. Nous allons tout faire pour trouver qui tire les ficelles de cette histoire. On s'est réparti les tâches. La journée va être très chargée. Je t'en prie, tiens bon pendant ces quelques heures, je te jure qu'ensuite on fera l'impossible pour te délivrer.

L'entrevue entre l'avocat et Blankenship avait été des plus fructueuses. Matt lui avait décrit sa rencontre avec Mallon et rapporté la conviction de ce dernier que Peter Ettinger et Glenn Paris trempaient dans l'affaire de la PAPAX par l'entremise de la fondation McGrath.

Blankenship savait que le siège de la fondation était à New York et que les premiers contacts entre cette organisation philanthropique et la direction du CHU remontaient à quatre ou cinq ans. Il n'avait jamais vu la demande de subvention adressée à la fondation, pas plus que les documents relatifs à l'octroi de celle-ci. Mais il savait que des millions de dollars étaient en jeu. Blankenship devait se charger d'enquêter sur McGrath. Il promit aussi de mettre un véhicule à la disposition de Rosa.

L'épidémiologiste, très discrète comme à son habitude, ne laissait rien deviner de ses intentions, répétant à qui voulait l'entendre qu'elle n'était sûre de rien.

Matt, pour sa part, devait d'abord aller voir Colin Smith, puis Peter Ettinger, et enfin Glenn Paris. Le directeur financier, d'après Blankenship, risquait fort d'être le premier à craquer. Et dans ce cas, on pourrait le retourner contre les autres. Et bien entendu, ajouta Matt, si cette tactique échouait, il resterait toujours le bon vieux plan B, autrement dit l'attaque frontale imprévisible.

– Les brancardiers sont là, annonça l'infirmière de garde.

Matt ferma le rideau du lit et attendit que Sarah ait enfilé le jean et le sweater qu'il avait rapportés de son appartement.

– OK, dit-elle. Je suis prête.

Le vigile, sans doute gêné par son inutilité, resta à distance respectueuse tandis qu'on soulevait Sarah du lit pour la déposer dans une chaise roulante.

– Les visites sont de 18 à 20 heures, dit Matt. Je me suis renseigné.

– Deux heures ? C'est tout ?

Il lui prit les mains.

– Nous autres, vieux de la vieille, pouvons faire en deux heures ce que les jeunes Turcs ne font pas en une journée. Sois courageuse, d'accord ?

– Oh ! ne t'en fais pas, répondit-elle en se carrant au fond de la chaise, je serai sage. Du moment que ça ne s'éternise pas... En plus, la cuisine est fameuse, en psychiatrie. Ils sont aux petits oignons, les sinoques. (Elle tendit le doigt vers la sortie.) Au manoir, mon brave.

Le service de psychiatrie en milieu fermé du bâtiment Underwood était flambant neuf : peinture immaculée, mobilier ergonomique dernier cri. Chaque chambre comportait deux lits. La chambre contiguë au bureau des infirmières toutefois, faisait exception, avec son matelas nu posé à même le sol et ses quatre murs capitonnés constituant ce que les malades appelaient le bloc, et le personnel soignant, la cellule de contention.

A son arrivée, Sarah fut examinée au stéthoscope, à la lampe et à l'ophtalmoscope par un jeune interne qui semblait répugner à lui toucher le corps à mains nues, après quoi on la laissa seule durant plusieurs heures. L'autre lit de sa chambre était inoccupé. Elle resta d'abord étendue, s'évertuant vainement à lire une revue d'obstétrique. Elle se rabattit sans plus de succès sur un roman policier. Enfin, comme elle n'arrivait même pas à se concentrer sur *la Parfaite ménagère*, elle se hasarda hors de sa chambre et rejoignit les huit ou dix malades désœuvrés qui traînaient dans la salle commune.

– Séance de groupe dans un quart d'heure, cria du couloir une voix féminine pleine d'entrain. Participation obligatoire.

Sarah regardait distraitement par la fenêtre. Elle était du côté du bâtiment donnant sur le campus. Au loin, à une extrémité de la pelouse, des ouvriers étaient en train de construire une tribune provisoire d'une dizaine de gradins, avec une estrade pour un orateur. Des haut-parleurs étaient montés sur des poteaux, de part et d'autre de l'ensemble. Sarah s'interrogeait sur l'organisation d'un tel chantier quand elle s'aperçut que le pavillon Chilton, situé à l'opposé, était le théâtre d'une intense activité. Mais on est le 28, vendredi 28 ! se rappela-t-elle. Jour J moins un. Sarah avait toujours connu cette affreuse bâtisse condamnée, le gazon alentour, jamais entretenu, contrastant par sa teinte jaunâtre avec le reste des pelouses. Demain, se dit-elle, en quelques secondes, cette abomination cessera d'exister. Au sixième étage du pavillon Underwood, assurément, on serait aux premières loges pour assister au spectacle, seule compensation, sans doute, à la triste condition d'interné.

Une vieille paire de jumelles aux lentilles rayées reposait sur le bord de la fenêtre. Sarah les essaya et fut surprise par leur qualité. Le pavillon Chilton était ceinturé par une double rangée d'X de couleur bleue qui en interdisaient l'accès. De vastes bâches de toile avaient été mises bout à bout et tendues verticalement pour protéger le parking voisin. Un petit groupe d'hommes casqués discutaient en montrant du doigt la structure condamnée. La plupart des ouvriers, cependant, semblaient remballer leur matériel. Apparemment, la préparation du bâtiment et la mise en place des charges explosives étaient achevées. Sarah se demanda si des représentants de la fondation McGrath assisteraient à la cérémonie. Soudain, elle remarqua un camion blanc qui se détachait du côté désert du bâtiment. Il franchit lentement les barrages par une petite ouverture et s'éloigna sur une allée carrossable.

Il n'était pas difficile, dans les jumelles, de distinguer les grosses lettres rouges sur le flanc du camion : LABORATOIRES HURON, répétées en plus petit sur les portes arrière.

Ce nom éveillait quelque vague souvenir en elle... mais de qui, de quoi ?

– Bon, allons-y, tout le monde en salle commune, ordonna la voix de femme.

Et elle arpenta le couloir en frappant des mains, jusqu'à ce que la vingtaine de malades du service soit rassemblée dans la pièce où se trouvait Sarah.

Laboratoires Huron, ruminait celle-ci, quand est-ce que j'ai entendu ça ? Elle resta assise sur sa chaise au coin de la fenêtre, essayant de se faire oublier.

– Bon, dit la meneuse de groupe, nous avons deux nouveaux aujourd'hui, alors je propose que nous nous présentions tous à tour de rôle. Je suis Cecily, animatrice du pavillon Underwood.

– Marvin, dit un vieux Noir à l'air prostré à sa droite.

– Lynn.

– Moi, c'est Nancy. Et m'appelez jamais Nan.

– Pete...

Peter ! Sarah n'entendit pas les autres internés décliner leur nom et dut être poussée du coude quand arriva son tour. Elle venait de trouver pourquoi le nom de ces laboratoires lui paraissait familier.

... Nos vitamines sont standard, ce sont des multivitamines agréées par le ministère et fabriquées par les laboratoires Huron...

C'était une phrase de Peter lors de sa déposition. Sarah en était absolument certaine. Elle revoyait à présent son expression méprisante tandis qu'il décrivait ses produits. D'abord la fondation McGrath, maintenant les laboratoires Huron. Deux liens directs entre Peter Ettinger, la PAPAX et le CHU de Boston.

Coïncidence ?

Sarah fronça les sourcils en serrant les poings sur ses cuisses.

– Très bien, Sarah, dit Cecily. Vous ne voulez pas vous exprimer aujourd'hui, nous vous comprenons. Mais je dois aussi vous dire que chacun doit mettre du sien dans nos réunions de groupe. C'est la règle.

39

Midi approchait. Sur l'artère centrale sortant de la ville en direction du sud, la circulation était fluide. Connaissant toutefois la nature vindicative des conducteurs bostoniens, Matt roulait sagement sur la travée du milieu, désireux de n'offenser personne. Colin Smith, aux dires de sa secrétaire, allait être absent de l'hôpital pour le reste de la journée. Mordu de voile, le directeur financier passait tous les vendredis après-midi à bord de son bateau, de la mi-avril au début novembre. Mais une réunion l'ayant retenu plus tard que d'habitude, il venait juste de partir, vingt minutes plus tôt. Matt pouvait toujours essayer de l'appeler au club nautique de Boston, s'il y avait urgence.

Au lieu de téléphoner, Matt décida de se pointer à la marina sans se faire annoncer. Il connaissait le chemin, pour être allé plusieurs fois là-bas du temps des Red Sox. Et Colin Smith, en bon expert-comptable, était du genre à perdre une bonne partie de ses moyens s'il était cuisiné à l'improviste.

Au préalable, Matt était passé par le bureau d'Eli Blankenship. Le médecin-chef avait essayé de contacter la fondation McGrath à New York. Les renseignements téléphoniques n'avaient rien trouvé à ce nom, ce qui n'était pas étonnant. La fondation, sans nul doute, avait été créée des années auparavant dans le seul but de préparer le recyclage des gigantesques profits escomptés des ventes de la PAPAX. Ceux qui avaient conçu cette opération, quels qu'ils fussent, s'étaient montrés à la fois remarquablement prévoyants et subtils connaisseurs d'une Amérique mal dans sa peau mais partisane du moindre effort en toute chose. Bien lancé et soutenu par une bonne campagne de marketing, un produit amaigrissant sans régime était une mine d'or potentielle, que son efficacité soit prouvée ou pas. Or la poudre ayurvédique phyto-amaigrissante Xanadu bénéficiait non seulement d'une excellente campagne de marketing, mais aussi d'une réputation d'efficacité incontournable.

Matt voyait les choses ainsi : le mélange phyto avait été introduit et probablement mis au point au CHU de Boston par ce mystérieux praticien indien qu'était Pramod Singh. Quatre ans et demi plus tôt, celui-ci avait testé la poudre avec grand succès sur au moins trois personnes, Alethea Worthington, Constanza Hidalgo et Lisa Summer. Il y avait sans doute eu d'autres cobayes, mais par chance, aucun ne s'était retrouvé dans la situation clinique des trois femmes.

Par la suite, Singh s'était associé à Peter Ettinger, lequel avait fait appel à une agence de publicité bien implantée dans les milieux de la télévision. Le roi Midas lui-même n'aurait pas été plus efficace pour transformer en or leurs plantes médicinales et leurs protéines. Une partie des gains ainsi réalisés aboutissait à présent dans les caisses de l'hôpital, en remerciement, peut-être, de services rendus jadis. Une autre partie servait à rassasier les appétits de puissance de Peter Ettinger, tout en engraissant sa communauté de médecine alternative.

Mais le reste ?

D'après les hommes de Mallon, les sommes absorbées par Xanadu et par l'hôpital ne représentaient qu'un infime pourcentage de ce que générait la vente de la PAPAX. Même s'il ne connaissait pas tout le circuit, Colin Smith devait être au courant de quelque chose.

Le club nautique de Boston, point de rencontre des régatiers de la côte Est depuis des décennies, était une construction en bois sans architecture bien définie, bâtie sur pilotis. On n'y entrait qu'en montrant patte blanche. De multiples pontons rayonnaient tout autour. Pendant l'été, pas un seul des centaines d'anneaux disponibles ne restait inoccupé. Et même en cette arrière-saison, beaucoup d'embarcations étaient encore à l'eau. Le parking adjacent au club était clos par une palissade et son accès contrôlé par un gardien. Matt donna dix dollars à ce dernier contre la permission d'aller faire un coucou inopiné à son vieux copain Smith.

L'avocat se gara juste derrière le club et descendit à pied jusqu'aux quais flottants. Le bateau de Colin Smith, le *Red Ink*, était au bout du ponton n° 5. Un sloop de neuf mètres à coque rouge coralline, avait dit le gardien. Le plus joli voilier du club. Smith, apparemment seul, était en train de lover un cordage à l'arrière. Son visage se renfrogna lorsqu'il vit approcher l'avocat.

– Daniels, dit-il, s'essuyant les mains sur son jean et scrutant Matt avec défiance, qu'est-ce qui vous amène ?

– Des affaires, répondit simplement Matt.

– Avec moi ?

– Vous permettez qu'on s'asseye quelques minutes ?

– Oui, mais pas plus. (Il fit signe à Matt de monter dans le cockpit.) Ça fait des semaines qu'il n'a pas fait un temps pareil. Je suis déjà en retard et je voudrais décoller d'ici au plus vite.

– Vous naviguez seul ?

– Je peux barrer ce bateau les yeux fermés.

– Vous m'impressionnez. Dites-moi, Colin, est-ce que vous avez vu les journaux de ce matin ?

– A propos de la découverte du corps de Truscott ?

– De ce qu'il en reste, oui.

– Quel rapport avec moi ?

– Un rapport étroit, si ça se trouve. Sarah Baldwin et moi n'avons cessé de répéter à tout le monde que Truscott avait été assassiné. Personne ne nous a crus. Maintenant, ça risque de changer. Depuis le jour où Willis Grayson a déposé sa plainte contre Sarah, quelqu'un s'est escrimé à la faire apparaître comme responsable de ces cas de CID. Truscott a été tué alors qu'il essayait de prouver qu'elle avait été piégée. La nuit dernière, quelqu'un a essayé d'empoisonner Sarah en faisant croire que c'était une tentative de suicide. Pour être tout à fait franc, Colin, je pense que vous êtes impliqué.

– Vous êtes dingue.

– Je pense même que si ce n'est pas vous qui l'avez fait, vous savez qui l'a fait.

Smith se leva et commença à dénouer une aussière.

– Appelez une ambulance, dit-il.

– Colin, que se passe-t-il avec la fondation McGrath ? Pourquoi est-ce qu'elle fait virer de l'argent sur le compte de l'hôpital et sur celui de Peter Ettinger ? Qui a ordonné ces paiements ? Et qui est-ce qui s'enrichit vraiment dans cette histoire ?

Le financier acheva de libérer son amarre et passa à un autre taquet. Matt chercha la colère sur ses traits, mais ne trouva que la crainte et l'embarras, toutes expressions coïncidant mal avec la psychologie d'un meurtrier de sang-froid.

– Je m'en vais, maintenant, Daniels. Si vous avez des accusations à formuler, adressez-vous à la police ou à un procureur. Pas à moi.

Ah ! non, merde, pas le plan B encore ! se dit Matt en soupirant.

Il chopa Smith par le col de sa vareuse et le souleva d'une poigne énergique. La lueur d'effroi s'accentua dans les yeux du financier.

– Écoutez-moi bien, Colin, siffla Matt, les dents serrées. Cette saloperie de poudre grâce à laquelle tout le monde s'en met plein les poches tue des gens. Des gens meurent, vous m'entendez ? Des jeunes femmes, des bébés, Dieu sait qui encore. Il se peut que vous ne le sachiez pas, mais ceux avec qui vous êtes en relation le savent. Et ceux-là se contrefichent de la mort des autres du moment que l'argent continue de couler à flot. Est-ce que vous comprenez ce que je dis ?

Le visage de Smith était blanc comme la craie.

– Lâchez-moi, dit-il d'une voix étranglée.

Matt desserra les doigts et le relâcha sans se presser.

– En vous taisant, Colin, vous êtes plus pourri, plus dégueulasse à chaque seconde qui passe. Je ne crois pas que vous soyez directement responsable de la mort de ces gens. En venant ici je me demandais si ce n'était pas vous qui étiez le plus compromis, mais maintenant, je ne le crois pas. Je pense même qu'il est possible que vous soyez un type honnête.

– Je le suis. Maintenant, laissez-moi...

Matt lui tendit sa carte.

– C'est Paris, hein ? Le roi de la mise en scène, et ce fumier de Dr Singh.

– Ça suffit. Descendez de ce bateau.

– Vous ne saviez peut-être pas que des gens mouraient jusqu'à aujourd'hui, mais maintenant, vous le savez. Dorénavant, je vous tiendrai pour responsable de tout ce qui pourra arriver. Vous faites la sourde oreille... des femmes, des enfants meurent... ce sera votre faute. Vu ? Appelez-moi quand vous serez décidé à parler. Et bon vent.

Sur quoi Matt sauta sur le ponton et s'éloigna à grandes enjambées sans attendre la réponse. Il avait fait une vingtaine de mètres quand le moteur du *Red Ink* démarra en pétaradant. Matt ralentit légèrement, regardant droit devant lui mais toute sa concentration axée sur l'homme derrière lui.

Allez, vas-y, dit-il mentalement, certain qu'il avait ébranlé Colin, vas-y, rappelle-moi, allez !

– Daniels, attendez !

– Oui ? fit Matt.

Il tourna les talons et n'avait refait qu'un demi-pas vers le *Red Ink* quand celui-ci explosa. C'était une explosion implacable, enrobée d'une boule de feu, à laquelle aucun être vivant n'aurait pu survivre. Instinctivement, Matt se jeta à plat ventre sur les planches. Des débris rougeoyants ricochaient autour de lui, tombaient à l'eau en sifflant. Quelques secondes plus tard, la vedette amarrée à couple du voilier explosa à son tour, emportant avec elle l'extrémité du ponton.

Accident ? Bombe amorcée par l'allumage du moteur ? Explosion télécommandée ?

Matt se releva et brossa ses vêtements de la main. Il se pencha au bord de la plate-forme fumante, s'assura qu'il ne restait plus rien de Colin Smith, et s'élança en courant vers les locaux du club. Six ou sept personnes se précipitaient à sa rencontre en gesticulant. Derrière elles, à l'entrée du parking, une Jaguar XJS vert foncé fit une courte marche arrière et repartit en trombe en faisant crisser ses pneus sur le gravier. Matt n'eut pas le temps de distinguer qui était au volant.

– Je reviens tout de suite, cria-t-il aux hommes en les croisant, coudes au corps.

Il fonça vers le parking. Sa Subaru Legacy, achetée neuve un an plus tôt, était sacrément nerveuse. Mais la Jag avait pour elle la puissance, et surtout une confortable avance. Si elle arrivait sur la voie express avant que Matt la retrouve, il n'y aurait aucun moyen de savoir si elle était partie au nord ou au sud. Matt maudit son habitude de toujours fermer sa voiture à clef. Il perdit encore de précieuses secondes à mettre le contact, avant de s'arracher sur les chapeaux de roue, sous les yeux médusés du gardien. Pas de Jaguar en vue. Aussitôt commença un jeu hasardeux de devinettes. La première alternative n'était guère embarrassante : à gauche, sur la route goudronnée menant à la voie express.

Il franchit le premier virage en dérapage contrôlé et le suivant en mordant largement sur le bas-côté. Le moteur de la Subaru, d'habitude fort silencieux, rugissait tandis qu'il passait de première en cinquième puis revenait en première et ainsi de suite. Toujours pas de Jag. Nouvelle intersection, nouvelles possibilités. A droite, décida Matt. Continue vers la voie express. Sur sa gauche, au-dessus d'une rangée d'arbres, il vit un nuage de fumée noire qui s'étalait, portée par la brise, cette brise dont Colin Smith espérait gonfler ses voiles quelques minutes plus tôt.

– Seigneur ! souffla Matt, en réalisant l'horreur de ce qu'il venait de voir.

La voie express était juste devant et la course poursuite peut-être sur le point d'avorter au carrefour. C'est alors, à l'extrémité de son champ de vision à droite, qu'il aperçut la Jag. Elle était déjà sur la chaussée surélevée, filant plein nord vers la ville. Mais le temps que Matt ait doublé une demi-douzaine de voitures et se soit faufilé sur la travée de gauche, la XJS avait de nouveau disparu. Il laissa derrière lui deux sorties, puis une troisième. Il n'y avait rien à faire qu'à poursuivre dans la même direction en espérant que les deux véhicules étaient toujours sur la même route. Le trafic ralentit alors qu'il approchait de la sortie de Massachusetts Avenue et du tunnel de la gare, et la distance entre les voitures ne tarda pas à diminuer. Bouchon de la mi-journée classique, se dit-il, sentant toutes ses chances s'évanouir. L'avocat tapa du poing sur le volant. Tant pis, il faudrait faire des recherches, éliminer les uns après les autres tous les possesseurs de Jaguar XJS verte. Difficile, pensa-t-il, mais certainement pas impo...

Il venait de revoir la Jag. Elle était à une centaine de mètres devant, séparée de lui par des dizaines de véhicules pare-chocs contre pare-chocs et s'apprêtant – ce qui était plus grave – à décrocher pour rejoindre l'échangeur menant au péage de l'autoroute. Matt enfonça son klaxon et se mit à hurler *urgence, urgence !* à tous ceux qui le regardaient. Beaucoup ne faisaient aucune attention à lui. Mètre par mètre, il réussit à changer de file deux fois de suite, récoltant au passage une moisson d'insultes et de gestes obscènes, certains qu'il n'avait jamais vus. Laissant des traînées de gomme sur le bitume dans un crissement strident, il franchit l'interminable boucle de l'échangeur à la limite du tête-à-queue et il était déjà monté à plus de cent lorsqu'il arriva au péage. La Jaguar était hors de vue. Mais cette fois, Matt était moins inquiet. La sortie de Back Bay était à mille cinq cents mètres. Si l'autre l'empruntait, il n'y avait rien à faire. Dans le cas contraire en revanche, un nouveau péage, celui de Cambridge-Allston, les rapprocherait forcément. En fait, Matt dut attendre d'avoir dépassé Alston de plusieurs kilomètres et presque atteint l'embranchement de la route 128 vers Newton avant de revoir son gibier.

– Faut croire qu'on était destinés à se retrouver, marmonna-t-il, pas mécontent de lui.

Il se tassa sur son siège, leva le pied et arriva au guichet automatique à neuf ou dix voitures de la Jag. L'astuce, à présent, consistait à suivre le conducteur ou la conductrice jusqu'à sa destination sans être repéré. Depuis un an, Matt hésitait à installer le téléphone dans sa Subaru. Il prit la ferme, quoique tardive résolution, de le faire sans plus tergiverser. Un coup de fil au poste de police le plus proche aurait sans doute permis d'intercepter la Jag et de mettre la main sur la télécommande responsable de l'explosion. Au train où allaient les choses, Matt gardait une chance de récupérer l'engin, à condition que son propriétaire se sente en sécurité chez lui et ne soit pas pressé de s'en débarrasser.

La Jag sortit de l'autoroute à l'est de Worcester. Roulant tranquillement, à présent, elle s'enfonça dans la magnifique campagne vallonnée du centre du Massachusetts. Matt, qui gardait ses distances, n'avait toujours pas réussi à identifier celui ou celle qu'il poursuivait. A chaque kilomètre franchi, toutefois, cela devenait de plus en plus superflu. A une vingtaine de kilomètres, en effet, se trouvait Hillborough, autrement dit Xanadu, lieu de production de la poudre bien connue. Et à moins que Matt ne se soit planté sur toute la ligne, l'individu au volant du luxueux véhicule qui le précédait était une grande asperge d'un mètre quatre-vingt-quinze à cheveux argentés, avec un ego de la taille du Groenland.

XANADU

entrée à 1 500 m

Résidence communautaire basée sur les principes
de la spiritualité ayurvédique.

VIVEZ PLUS LONGTEMPS, VIVEZ PLUS LIBRE

Locations à partir de 450 $ par jour.

Le panneau, peint en caractères élégants sur fond de lever de soleil himalayen, comportait aussi un numéro de téléphone pour visiter les lieux et s'entretenir avec un responsable. Matt s'arrêta devant le panneau, tandis que le présumé Peter Ettinger s'engageait sur la route toute neuve desservant l'entrée. De l'autre côté de la route s'étendait ce qui devait être une partie seulement du domaine de Xanadu, protégée par une double rangée de clôtures électriques.

Xanadu... Matt savait que ce nom provenait d'un endroit mythique et lointain évoqué dans un poème qu'il avait été forcé d'étudier jadis, duquel deux vers lui restaient en mémoire :

Xanadu que fonda Kubilay Khan,
Noble palais aux plaisirs dédié...

Il revoyait les mots alignés d'une belle écriture sur le tableau noir par quelque professeur. Milton, Wordsworth ? Peut-être Coleridge. Pas moyen de se rappeler l'auteur. Et le reste du poème pas davantage. Mais on imaginait sans peine que Peter Ettinger n'ait pas hésité à s'identifier à l'empereur mongol.

Matt était descendu de voiture et se demandait ce qu'il allait faire quand il entendit un bruit de moteur. Il s'accroupit, faisant mine d'examiner son pneu avant droit. Un camion blanc le dépassa sans ralentir, poursuivant son chemin sur la route perpendiculaire à celle qu'avait prise Ettinger. Connaissant la déposition de ce dernier pratiquement par cœur, l'avocat faillit sursauter en lisant le nom figurant sur les flancs du véhicule. Les laboratoires Huron produisaient les capsules de vitamines incluses dans chaque emballage de PAPAX. En supposant que le camion fasse une livraison et que le panneau indique l'entrée principale, il devait y avoir une voie d'accès secondaire à Xanadu. Matt reprit le volant et suivit le camion.

Au bout d'un ou deux kilomètres, une nouvelle route récemment goudronnée bordée des mêmes clôtures électriques se présenta sur la droite. Restant toujours à distance, Matt continua de filer le camion blanc jusqu'à ce qu'il tourne encore à droite, sur une allée qui, apparemment, franchissait la clôture pour pénétrer quelque part dans la propriété. Un peu plus loin, il trouva un chemin abandonné de l'autre côté de la route, s'y engagea, laissa la Subaru dans un coin discret et revint dare-dare vers l'allée qu'avait suivie le camion. Le portail dans la clôture était à une trentaine de mètres. Il n'était pas fermé, ce qui n'avait rien de surprenant. Le livreur de chez Huron comptait à l'évidence repartir au plus vite par où il était venu. Matt jeta un rapide coup d'œil alentour, puis il franchit le portail et s'avança à l'intérieur de Xanadu.

L'allée serpentait à travers bois sur une centaine de mètres. Les arbres, les buissons étaient loin d'être dépouillés en raison d'un automne exceptionnellement doux. La végétation prenait fin sans transition là où commençait une vaste zone déboisée. Matt s'accroupit. Devant lui s'étendait un grand lac aux abords fraîchement aménagés, sans nul doute creusé par la main de l'homme. De somptueuses résidences neuves se succédaient le long du rivage, certaines encore en construction.

Le camion des laboratoires Huron était garé derrière un ensemble de bâtiments crépis en blanc qui s'élevaient à la lisière des bois sur la gauche. A deux cents mètres à droite, se trouvait un solide corps de ferme de deux étages, également blanc à l'extérieur, avec une aile en saillie d'un seul étage orientée vers l'endroit où se dissimulait Matt. La XJS était stationnée devant l'entrée principale de la ferme.

Un bourdonnement de machine s'échappait des premiers bâtiments. Matt supposa qu'il s'agissait des ateliers de fabrication de la PAPAX. Cependant, il n'y avait personne en vue, ni par là ni devant la ferme. Du couvert des arbres jusqu'à l'aile qui lui faisait face, il n'y avait pas plus d'une dizaine de mètres, et cinq autres, de là à la Jaguar. Il paraissait très possible d'atteindre la voiture sans être vu. Si elle était ouverte, il essaierait de trouver le dispositif de mise à feu. A défaut, il se risquerait à jeter un œil dans la ferme avant de revenir se planquer. Même s'il ne découvrait rien qui relie Ettinger à la mort de Colin Smith, restait la possibilité que le gardien du club nautique se souvienne de la Jag et peut-être d'Ettinger lui-même.

Courbé en deux, il atteignit l'arrière de la ferme en quelques bonds rapides et se plaqua contre le mur. Il avança jusqu'au coin du bâtiment et calculait son coup pour arriver jusqu'à la Jag, lorsqu'il entendit le mugissement de plusieurs sirènes venant de la route d'accès à l'entrée principale. Matt se rencogna dans l'ombre. Quelques secondes plus tard, deux voitures de police stoppaient de part et d'autre du véhicule d'Ettinger. Trois agents en sortirent aussitôt, dont un, revolver au poing, se précipita dans la maison, suivi d'un autre. Matt tendit l'oreille pour surprendre la conversation des deux policiers demeurés sur place. Ils étaient à portée de voix, malheureusement le premier était resté au volant et l'autre lui tournait le dos.

Finalement, la porte de la ferme s'ouvrit et livra passage aux deux flics, encadrant un Peter Ettinger menotté et très agité.

– J'y étais, je l'admets, mais je n'ai rien fait, bon Dieu ! protesta-t-il. Colin Smith m'a appelé pour me fixer rendez-vous à son club de voile. Enfin, il s'est présenté sous ce nom-là au téléphone.

– Attention, monsieur Ettinger, tout ce que vous dites pourra être retenu contre vous. Ceci est-il votre véhicule ?

– Oui, bien sûr.

– Et les clefs que voici sont bien celles que vous m'avez données ?

– Oui, oui, allez-y, fouillez, vous ne trouverez rien.

Stupéfait par ce dialogue dont il ne perdait pas une miette, Matt se tassa au pied de son mur. Comment la police a-t-elle pu être prévenue si vite ? se demanda-t-il. Il est vrai qu'Ettinger est une célébrité dans le pays et que sa Jag ne passe pas inaperçue. Ce doit être le gardien ou bien un membre du club qui l'a reconnu.

– Je l'ai ! cria triomphalement l'officier de police au bout d'une minute à peine de recherches dans la voiture. Sous le siège avant. (Il brandit un boîtier de commande électronique.) Monsieur Ettinger, est-ce que vous nous prenez vraiment pour des imbéciles ?

Ettinger, les épaules tombantes et comme frappé par la foudre, regarda alternativement le policier et la pièce à conviction tenue par celui-ci. Même à plusieurs mètres de distance, Matt discernait la consternation et la perplexité dans ses yeux.

– Je... je voudrais appeler mon avocat, bredouilla-t-il.

– Vous le ferez du poste, monsieur Ettinger.

Peter fut installé à l'arrière d'une des voitures de patrouille, puis les portières aux vitres teintées se refermèrent, claquant dans le silence de l'après-midi. Matt attendit que les deux véhicules aient disparu avant d'émerger de l'ombre pour gagner les ateliers. Il s'attendait à rencontrer des gardes, mais en l'absence d'Ettinger, il pouvait se permettre un peu de culot et songea à se faire passer pour un inspecteur. Oui, c'est ça, décida-t-il en se faufilant derrière le plus petit des bâtiments. Inspecteur sanitaire en mission pour le ministère, ça sera parfait.

Il y avait un petit vestibule à côté de l'endroit où était garé le camion des labos Huron. Matt vérifia que le chauffeur n'était pas dans les parages avant de risquer un œil par la fenêtre. La pièce était vide, à l'exception de deux congélateurs portant la même marque que le camion.

Après avoir inspecté une dernière fois les environs, Matt s'introduisit à l'intérieur. La porte fermée séparant le vestibule de l'atelier était vitrée dans sa partie supérieure. A travers, Matt aperçut une vingtaine de femmes occupant autant de postes de travail, en train de conditionner ce qui devait être des doses de PAPAX. Il recula et s'approcha d'un des congélateurs. VITAMINES – NE PAS DÉCONGELER AVANT EXPÉDITION, lut-il en caractères peints au pochoir sur le couvercle.

Il tourna prudemment la poignée latérale et souleva le lourd couvercle. Un plateau en polystyrène occupant tout l'espace supportait des plaquettes de gélules. Matt les regarda de près. Elles étaient semblables à celles que Sarah avait reçues d'Annalee Ettinger. Chacune comportait quatre-vingt-dix gélules, soit une provision pour trois mois. Il allait refermer le congélateur lorsqu'il s'avisa, sans raison particulière, de soulever le plateau.

Au-dessous gisait un cadavre d'homme, étendu sur le dos, les mains croisées sereinement sur la poitrine. Vêtu d'un complet gris perle et d'une cravate en soie rouge, il tenait juste dans la longueur du congélo, comme dans un cercueil taillé à ses mesures. Ses yeux ouverts regardaient fixement Matt qui ne put réprimer un frisson. Malgré la fine couche de givre recouvrant sa moustache et son visage basané, l'avocat le reconnut sans mal pour l'avoir vu à plusieurs reprises sur des cassettes vidéo.

Pramod Singh avait cessé d'être un facteur dans l'équation à plusieurs inconnues de la poudre ayurvédique.

Matt referma le couvercle, essuya en vitesse la poignée avec sa manche de veste et s'appuya des deux mains sur le mur, soudain pris de nausée. Il respira à fond, s'efforçant de chasser la vision du macchabée. Malgré tout, il gambergeait. Sarah à deux doigts d'être tuée. Colin Smith et Pramod Singh assassinés. Peter Ettinger peut-être meurtrier mais beaucoup plus sûrement coupable tout désigné grâce à une habile mise en scène. Quelqu'un essayait d'éliminer les témoins les uns après les autres, quelqu'un qui paniquait de plus en plus.

Du calme, se raisonna Matt. Sors d'ici et dépêche-toi d'aller retrouver Sarah.

Il sentit la présence derrière lui une fraction de seconde avant de voir sur le mur l'ombre d'un bras s'abattant sur sa tête. Il amorça un geste de défense, mais bien trop tard. Ses mâchoires claquèrent et une douleur paralysante irradia dans son crâne et sa nuque. La dernière chose qu'il vit fut le sol carrelé chavirant vers lui.

40

Rosa Suarez venait juste de passer le rond-point de Gloucester sur la route 128, lorsque la vieille Chevrolet du centre hospitalier commença à se comporter bizarrement. Rosa accéléra, pensant qu'elle avait peut-être accroché une branche. Mais le problème ne fit qu'empirer. Elle laissa échapper un juron en espagnol et stoppa sur le bas-côté. Elle était partie beaucoup plus tard qu'elle n'aurait voulu. Si Martha Fezler fermait un tant soit peu en avance pour une raison ou pour une autre, la journée et peut-être le week-end entier seraient perdus. Elle replia soigneusement la carte étalée sur le siège du passager puis, se maudissant d'avoir emprunté cette guimbarde et non loué un vrai véhicule, ouvrit la portière et descendit sur l'accotement baigné par le soleil torride de l'après-midi. Le problème, comme elle s'en aperçut tout de suite, était situé au niveau du pneu arrière droit, déchiré jusqu'à la jante et pendouillant par lambeaux.

Rosa n'avait jamais changé un pneu de sa vie. Elle ouvrit le coffre, repéra le cric et la roue de secours. Puis elle revint à l'avant et sortit le guide d'entretien de sous un monceau de factures entassées dans la boîte à gants. Si l'opération lui paraissait facile, décida-t-elle, elle s'y risquerait. Sinon, elle demanderait de l'aide en faisant signe à un automobiliste.

Elle retourna vers l'arrière, absorbée dans la lecture du manuel.

– Bonjour.

Rosa sursauta et le livret lui échappa des mains.

Le jeune homme se tenait debout à dix pas, bras croisés, montrant un gentil sourire. Il avait, estima-t-elle, entre 25 et 30 ans, un visage agréable avec des lunettes à fine monture métallique. Il portait une casquette de pêcheur et un coupe-vent bleu marine. Sa voiture était arrêtée trente mètres devant celle de Rosa, feux de détresse allumés.

– Désolé de vous avoir fait peur, s'excusa-t-il. Je venais juste voir si vous aviez besoin d'un coup de main.

Rosa prit une grande bouffée d'air et s'assura de la main que son cœur battait toujours avant de ramasser le manuel.

– O Seigneur ! dit-elle. C'est vrai, vous m'avez fait peur. Mais je vous remercie de vous être arrêté, c'est bien aimable. La vérité est que si j'essaie de changer cette roue, ce sera une première pour moi.

– Bon, ne vous inquiétez pas, je m'en occupe.

L'homme s'avança, sortit le cric, puis la roue de secours. Il boitait fortement de la jambe gauche, laquelle ne pliait pas du tout au niveau du genou. Rosa le plaignit en silence.

– Une blessure de foot au lycée, dit-il en plaçant le cric sous la caisse.

– Oh ! pardonnez-moi, je ne regardais pas ça en particulier.

– Du tout, c'est naturel. D'ailleurs, on me pose toujours la question tôt ou tard. J'ai plongé du mauvais côté, c'est tout. Si je n'avais pas été fauché par cet ailier, Dieu sait quelle vie j'aurais eue. Vous allez à Gloucester ?

– Ma foi oui. Vous êtes du coin ?

– Provisoirement. Je suis biologiste aux Pêcheries du cap Cod. On monte un projet de saumons d'élevage près d'ici.

– Comme c'est intéressant. Je suis scientifique aussi. Pour le gouvernement. Épidémiologiste au centre national d'Atlanta.

– C'est sympa, Atlanta. Quoiqu'il y fasse un peu trop chaud, à mon goût. Le truc, pour changer une roue, voyez, c'est de toujours desserrer les boulons avant de lever la caisse. C'est beaucoup plus facile ensuite. Vous allez où à Gloucester ?

– Chez Mme Fezler. C'est un atelier de réparation de moteurs de bateau.

– Connais pas.

Il ôta sa casquette et s'essuya le front avec le dos de la main. Ses cheveux étaient du même jaune que le soleil. Il avait, remarqua Rosa, tous les attributs d'une star de cinéma ou d'un mannequin. En même temps, il semblait cultivé et débrouillard. La Cubaine était sous le charme.

– C'est sur Breen Street, ajouta-t-elle.

– Je ne vois pas non plus, dit-il en mettant la nouvelle roue en place. Je devrais faire plus attention à la ville où je réside.

– Vous devez avoir d'autres choses plus importantes en tête. Écoutez, j'aimerais vous dédommager pour ce service. Je suis...

– Jamais de la vie. Par contre, je prendrais volontiers un café quelque part.

– Pardonnez-moi, je ne demanderais qu'à vous entendre parler de votre travail, mais il faut absolument que j'y aille. Je suis très en retard.

– Tant pis, pas de problème. Je m'appelle Darryl. Ravi d'avoir pu vous aider.

– Moi, c'est Rosa. Merci infiniment.

Le jeune homme lui fit un chaleureux sourire, puis ils échangèrent une poignée de main, et Darryl repartit vers sa voiture en traînant la patte. Rosa regarda sa montre. L'incident avait duré un quart d'heure en tout et pour tout.

– Dios hace las cosas, dit-elle à mi-voix en reprenant la route de Gloucester. Dieu pourvoit à tout.

Après avoir demandé son chemin à deux reprises et manqué deux intersections, Rosa finit par trouver Breen Street. C'était une impasse perdue dans un dédale de ruelles pavées quadrillant le quartier du front de mer, lequel ne devait pas avoir beaucoup changé depuis la guerre de l'Indépendance. L'atelier Fezler était une immense grange délabrée, flanquée de deux entrepôts, également en bois et non moins délabrés. L'ensemble avait quelque chose d'irrésistiblement tentant pour un incendiaire. Rosa dut reculer et s'éloigner de trois rues avant de trouver un espace suffisant pour se garer.

Les deux battants du porche, ainsi qu'une petite entrée annexe, étaient fermés. Rosa frappa, attendit, recommença, et se décida à entrer, en refermant la porte derrière elle. Elle eut aussitôt l'impression d'avoir fait un pas en arrière dans le temps.

L'intérieur de l'atelier Fezler était aussi avare en lumière qu'il était généreux en espace. D'innombrables outils, certains modernes, mais la plupart antiques, tapissaient les murs. Des cordes, des câbles, des tuyaux, des chaînes de palan pendaient un peu partout. Une odeur indéfinissable où se mélangeaient des relents d'essence, de graisse et d'huile de vidange poissait l'atmosphère. Sur un côté se dressait un grand bureau à cylindre encombré de factures, de magazines et de catalogues. Au-dessus était accroché le même calendrier que celui que Rosa avait vu chez Elsie Richardson. Des échos de musique classique, du Mozart, estima-t-elle, s'échappait des profondeurs de l'atelier.

– Hou hou ! appela Rosa.

Personne ne répondit. Il y avait, du côté des bassins du port, une pièce fermée en mezzanine à laquelle on accédait par une échelle de meunier. Rosa leva les yeux au moment où quelqu'un fermait la porte en haut des marches.

– Hou hou ! répéta-t-elle. Il y a quelqu'un ?

– Par ici, dans le fond, répondit une voix râpeuse.

Rosa se dirigea du côté d'où provenaient la voix et la musique. Les vastes portes au fond du hangar ouvraient directement sur un bassin. Des rails sortaient de l'eau et remontaient en pente douce jusqu'au niveau du sol de l'atelier. Un énorme moteur de bateau était suspendu à une soixantaine de centimètres au-dessus des rails par un appareillage complexe de cordes et de poulies tombant de neuf mètres de hauteur. Une femme était là, penchée contre l'engin sur lequel elle travaillait. Sans être ni grosse ni lourde d'aspect, quoiqu'elle dût peser près de cent kilos, elle donnait une impression de vigueur et de puissance peu communes. Les muscles de ses épaules saillaient autour des bretelles de sa salopette noire de graisse et ses bras semblaient sur le point de faire craquer les manches retroussées de son T-shirt. Sous la casquette de pompiste, ses cheveux étaient rassemblés en une courte queue de cheval.

– Bonjour.

Elle accorda un bref regard à Rosa, le temps de voir à qui elle avait affaire, avant de reporter son attention sur le moteur.

– Je cherche Mme Martha Fezler, dit Rosa.

– Vous l'avez trouvée.

Cela dit, elle dévissa une paire de boulons et les jeta dans un gobelet empli d'un liquide dégageant une odeur âcre.

– C'est le fameux dégraissage Fezler, expliqua-t-elle. Essence, acide borique et juste ce qu'il faut de salive. (Elle releva les yeux vers Rosa, sourit malicieusement et cligna de l'œil.) La chaîne est au pied de l'escalier. N'hésitez pas à aller baisser le volume si vous voulez que j'entende ce que vous avez à me dire.

Rosa suivit le conseil et lorsqu'elle revint, Martha Fezler avait empoigné une grosse corde crasseuse avec laquelle elle hissait le moteur au-dessus de sa tête.

– Ça pèse combien ? demanda Rosa.

– Sans l'inverseur ? Oh, deux cent cinquante, trois cents kilos.

– Impressionnant.

– Bof !... Avec le palan que j'ai là, je pourrais soulever le double sans effort.

Elle enroula la corde une seule fois autour d'un taquet puis fit une boucle pour la fixer. Rosa n'en croyait pas ses yeux.

– Un tour et une boucle, c'est tout ce que vous faites pour faire tenir cette énorme masse là-haut ? demanda-t-elle tandis que Martha, les bras levés, déboulonnait le carter.

– Ça tiendra, si personne n'y touche. Et comme je suis seule à travailler ici...

Son visage poupin était épanoui et dépourvu de rides. Et bien qu'elle eût des manières brusques et une voix comme du papier de verre, il y avait quelque chose d'attendrissant en elle. Rosa se présenta.

– J'ai besoin de votre aide, madame Fezler.

– Vous pouvez m'appeler Martha. Mais à moins que vous ayez un problème de voiture ou de bateau, je ne vois pas ce que...

– Il faut que je trouve votre frère Warren, Martha. C'est excessivement important.

Martha baissa les bras et s'essuya les mains avec un chiffon déjà saturé de graisse. Pendant un instant, Rosa crut qu'elle allait se défendre d'avoir un frère et lui demander de la laisser. Mais les traits de Martha montrèrent qu'elle prenait l'épidémiologiste au sérieux.

– Si nous allions nous asseoir ? dit-elle. Vous prendrez bien un café ?

Les deux femmes s'installèrent autour d'une petite table à plateau métallique, sur une plate-forme à côté des rails dominant le port assoupi. Rosa brossa un résumé concis de son enquête, depuis son arrivée au centre hospitalier jusqu'à ses recherches avec Mulholland pour retrouver la source du virus VCS113, sans oublier l'épisode du journal de Constanza Hidalgo.

– J'ai tout lieu de croire que ces malheureuses ont été infectées d'une façon ou d'une autre par le virus que votre frère a créé, conclut-elle. Il est très possible qu'un des composants de la poudre qu'elles ont prise toutes les trois ait été contaminé. Je n'en sais rien. J'espère que Warren pourra m'éclairer. A partir du moment où ces femmes ont été infectées, leurs défenses immunitaires ont combattu le virus, mais sans jamais l'éliminer. Il est resté en sommeil dans leur organisme jusqu'à ce que le stress de l'accouchement lui permette de reprendre l'offensive.

– Et combien de femmes en sont mortes ?

– A ma connaissance, deux. Plus leurs bébés. Une troisième femme, celle dont le sang nous a permis d'isoler le virus, a perdu son enfant et a failli mourir. J'ai peur qu'elle ne soit pas la dernière, Martha. C'est pourquoi j'ai absolument besoin de parler à votre frère.

Les yeux dans le vague, Martha semblait contempler l'eau du bassin, à peine ridée par une faible brise. Finalement, elle tendit un crayon et un petit carnet à Rosa.

– Marquez votre nom, d'où vous venez, le nom du virus et le nom de cette maladie.

Rosa s'exécuta. Martha arracha la page du carnet, la glissa dans sa poche et monta l'escalier de la mezzanine après avoir demandé à Rosa de l'attendre. Celle-ci se mit à griffonner distraitement sur le calepin en regardant deux goélands se disputer une carcasse de crabe. Cinq minutes s'écoulèrent. A un moment, Rosa crut entendre des éclats de voix. Les deux goélands s'étaient envolés au-dessus du port. Finalement, la porte de la mezzanine s'ouvrit et Warren Fezler apparut, suivi de sa sœur. Rosa le trouva encore plus petit que dans le souvenir qu'elle avait emporté de lui la nuit de son passage éclair sur le campus de l'hôpital. A côté de sa sœur, il avait l'air d'un nain. Il s'avança vers Rosa et lui sourit d'un air penaud.

– Dé-Désolé de vous av-voir donné tant de soucis, dit-il. J-J'étais affolé.

Il s'assit en face de Rosa. Martha apporta un autre pliant et se mit à côté d'eux.

– Warren dit que ça ne le gêne pas si je reste, dit-elle.

– Très bien, dit Rosa. Croyez-moi, Warren, il vaut mieux sortir de votre retraite et aller courageusement au-devant des choses.

– M-Même si je me fais tu-tuer ?

– Nous nous occuperons de ça le moment venu. Quand la direction de mon labo comprendra ce qui se passe, ils s'arrangeront pour assurer votre protection. Si je ne me trompe, des gens sont déjà décédés à cause de ce virus. En sortant de l'ombre, vous pouvez épargner d'autres vies.

– Honnêtement, j-j'ignorais que je f-faisais du mal à qui-quiconque. Il me disait que le problème venait du Dr B-Baldwin, p-pas du virus.

– Qui ça, il ?

Fezler frotta ses yeux fatigués et se tourna vers Martha qui l'encouragea d'un hochement de tête.

– Blankenship, lâcha-t-il brusquement. Eli Blankenship.

Rosa le dévisagea, incrédule. Le médecin-chef était la seule personne, outre Sarah et Matt, avec qui elle avait partagé ses informations. Elle sentit soudain un point douloureux au creux de son estomac.

– Expliquez-vous, dit-elle.

– P-Pardonnez-moi, je bé-bégaye beaucoup.

– Pas de quoi vous excuser, Warren. N'y pensez même pas. Parlez-moi du VCS113 et d'Eli Blankenship.

– Ça v-va mieux si je pa-parle lentement.

– Il n'y a aucun problème. Allez-y.

Warren Fezler respira profondément pour se détendre et de fait, son discours s'en trouva quelque peu libéré.

– Les initiales VCS signifient virus coagulo-stimulant. Je suis tombé sur ses propriétés amaigrissantes par hasard. Je crois que c'est dû à un gène qui, sur le chromosome, présentait un lien étroit avec un de ceux sur lequel je tra-travaillais. Ce gène interfère dans la d-digestion et dans le stockage cellulaire des matières grasses en inhibant une enzyme spécifique. En isolant mes gènes coagulants de leurs chromosomes, j'ai sans doute séparé les gènes qui assurent la régulation de celui qui bloque les matières grasses. Mes singes ont commencé à perdre du poids. Beaucoup sont morts. Lorsque j'ai réalisé ce qui leur arrivait, j'ai affiné mon inoculum et perfectionné le procédé, si bien qu'ensuite, ils se sont contentés de perdre leur surplus de graisse sans mourir. Fi-finalement, j'ai moi-même ingéré le virus. Ça a p-parfaitement marché. J'ai perdu cin-cinquante kilos en quelques mois sans difficulté et sans aucun effet secondaire.

– Mais Cletus Collins nous a dit que tous vos singes étaient morts.

– J-J'ai honte de le dire, mais c'est m-moi qui les ai tués pour p-protéger le secret. C'est B-Blankenship qui a voulu que je le fasse. On était copains de fac, on a fait notre troisième cycle ensemble. Il est docteur en médecine, moi, j'ai un doctorat en médecine et un autre en biologie. Je vous j-jure que je n'ai ja-jamais soupçonné un instant que ça pouvait faire du mal à quelqu'un. Je v-vous supplie de me croire.

– Elle te croit, Warren, dit Martha tristement. Continue.

– J'ai parlé à Eli du virus et de ses propriétés. Il m'a dit que ça pouvait me faire gagner énormément d'argent, mais qu'il y avait deux problèmes à résoudre.

Dans la tête de Rosa, les dernières pièces du puzzle venaient de s'emboîter.

– Le brevet, dit-elle.

– Exactement. C'est la BIO-Vir qui est propriétaire du virus.

– Et l'autre problème, j'imagine que c'était l'homologation du ministère.

– T-Tout à fait. V-Vous connaissez bien la question.

Rosa pensa à toutes les confidences qu'elle avait faites à Blankenship, en particulier ces derniers jours.

– Peut-être, mais ça me joue aussi des mauvais tours. Donc, si je comprends bien, c'est Blankenship qui a eu l'idée de concocter cette poudre ayurvédique pour éviter la procédure administrative avec la direction du médicament.

– Oui. Ils n'auraient jamais approuvé le produit, n'importe comment. C'est Eli qui a tout m-monté de A à Z. Il est inc-croyablement ingénieux. M-Mais c'est un démon. Il m-ment sans arrêt et il est di-dissimulateur au possible. Dans cette histoire, p-personne n'a ja-jamais su ce que l'autre faisait. Ni Singh, ni Ettinger, ni P-Paris. P-Pas même moi.

– Ils n'étaient pas au courant de l'existence du virus ?

– Non. Il n'y avait que moi et Eli qui le savions.

– Mais ce virus est pourtant présent dans la poudre.

– Pas dans la p-poudre. Dans les vi-vitamines. Une des gélules de vitamines, la neuvième, est différente des autres. Je les fabriquais moi-même dans un labo qu'Eli mettait à ma disposition. Au début, je le croyais quand il m-me disait que le Dr Ba-Baldwin était responsable de la mort de ces pauvres femmes. Et p-puis j'ai commencé à avoir des doutes et j'ai pa-paniqué en voyant la tournure que ça p-prenait. Surtout qu'il y avait de plus en plus de gens qui achetaient la p-poudre.

– Alors, Blankenship a essayé de vous tuer ?

– Pas Blankenship. Un t-tueur qu'il a recruté. Grand, b-blond, avec...

– Non !

C'était Martha qui hurlait, les yeux dilatés de terreur. Au même moment, une détonation étouffée claqua sur la droite de Rosa. Martha ahana et tressauta en arrière, comme frappée par un bélier. Warren et Rosa se précipitèrent. Elle suffoquait, les yeux vitreux.

– Mon Dieu ! s'écria Warren en touchant l'énorme trou sanglant dans sa salopette. On lui a tiré dessus !

– Excellente déduction, Warren.

Ils virevoltèrent. Rosa avait déjà reconnu la voix. Darryl était appuyé tranquillement contre un pilier, affichant le même sourire que lorsqu'il était apparu au bord de la route. Le revolver muni d'un silencieux qu'il avait en main était encore pointé sur le corps inerte de la mécanicienne.

– C'est lui, c'est l'homme de B-Blankenship, dit Fezler, agenouillé devant le cadavre de Martha. P-Pourquoi t'as f-flingué ma sœur, enf-foiré ? P-Pourquoi ?

– C'est le business, mon pote, dit l'autre en avançant d'un pas. Je suis sûr que Rosa comprend ça. Elle ne m'en veut pas d'avoir tiré dans son pneu. Elle sait que c'était juste du business, histoire de savoir où elle allait exactement. Je ne t'en veux pas d'avoir eu le genou bousillé par ce connard de flic la dernière fois qu'on s'est vus, même si à cause de ça, je vais rester estropié pour le restant de mes jours. C'est les risques du métier... C'est le business. Et maintenant, c'est ton tour.

– Fils de pute ! dit Fezler d'une voix geignarde.

– Lève-toi !

Le chercheur obéit, l'air hébété. Il semblait résigné à mourir.

Darryl leva son arme. Rosa vit que Fezler n'avait pas l'intention de bouger. D'une brusque détente, elle plongea vers lui et le poussa de toutes ses forces. Il trébucha, bascula de la plate-forme et tomba entre les rails et le mur. Le tueur tira par réflexe, rabotant un bon morceau du plancher, là où Fezler s'était tenu.

– Fichez le camp, Fezler, vite !

Darryl se tourna vers elle et la bouche tordue par un sourire vicieux, lui tira une balle en pleine poitrine. Rosa pirouetta, gesticulant comme un mannequin désarticulé et tomba lourdement par terre en perdant ses lunettes. Une violente douleur fulgura dans son dos, à partir d'un point juste au-dessus de son sein droit. Elle cria, sans arriver à émettre aucun son. La moindre respiration déchaînait un soleil d'épingles brûlantes dans sa poitrine, ses épaules et jusque dans sa mâchoire.

L'ignorant complètement à présent, Darryl s'était approché de l'endroit où était tombé Warren. Il tenait son arme baissée en fouillant des yeux la surface du bassin. Couchée sur le côté, haletant désespérément mais consciente, Rosa espérait que Fezler avait surmonté sa frayeur et réussi à s'enfuir.

– N-Ne tirez pas, je v-vous en prie.

– Debout ! glapit Darryl. Doucement. Viens par ici.

Rosa maudit silencieusement les deux hommes. Elle se traîna dans leur direction en dépit de ses douleurs paralysantes.

– Amène-toi, Warren, mets-toi là.

Rosa avança centimètre par centimètre, d'abord sur le ventre, puis sur les genoux et les mains. Un de ses poumons était en charpie, elle en était sûre. Elle avait un goût de sang dans la bouche et sentait sa blessure ruisseler sous ses vêtements. Un vertige la gagnait, sa vision se brouilla. Alors, comme elle se demandait si elle pourrait encore bouger, sa main heurta le gobelet de dissolvant de Martha. Darryl entendit le petit bruit et se retourna. Rassemblant ses dernières forces, Rosa lui jeta le décapant au visage. Il chancela en poussant un cri de fauve, se frotta furieusement les yeux d'une main et fit feu à l'instinct de l'autre.

Une balle lui perfora le bras mais elle la sentit à peine. Elle agrippa une corde et parvint à se lever à moitié en s'appuyant au mur.

– Warren, au secours ! cria-t-elle d'une voix éraillée.

Darryl, qui se tordait de douleur à côté des rails, tira de nouveau au jugé dans sa direction. Le projectile laboura le mur à un doigt de la tête de Rosa.

– Au secours !

Une autre balle ricocha à ras de son oreille. Le sang qui bouillonnait dans sa gorge commençait à l'asphyxier. Elle voulut tousser mais ne réussit qu'à hoqueter en crachant du sang. Elle sentit qu'elle allait perdre connaissance et s'affaissa au pied du mur tandis que toute la pièce tanguait autour d'elle. Soudain, un fracas épouvantable ébranla l'atelier, immédiatement suivi d'un cri terrifiant. Aussitôt après retomba un silence de mort.

Tassée au pied du mur, sa conscience ne tenant plus qu'à un fil, Rosa regarda ce qu'elle tenait en main. C'était la corde du palan, si négligemment assurée par Martha. A cinq mètres de là, le tueur à gages de Blankenship gisait face contre terre, l'énorme moteur de bateau en plein milieu du dos.

– Warren ? gémit Rosa. Venez vite.

Aucune réponse. Rosa lutta contre le voile noir qui tombait sur ses yeux, mais ceux-ci, irrésistiblement, se fermaient.

– Rosa ? fit Fezler d'une voix timide en lui touchant l'épaule. V-Vous m'entendez ?

Elle hocha la tête. Le sang dégoulinait de sa bouche.

– Tenez bon. Je vais appeler une ambulance.

– Attendez, souffla-t-elle.

– Hein ?

– Carnet... stylo... là.

Fezler, sidéré, s'empara du carnet, lui souleva délicatement la tête et la posa sur ses genoux. Rosa lui dicta à grand-peine un numéro de téléphone.

– Appelez... maintenant, réussit-elle à articuler. Expliquez... lui... que... Sarah... est au... CHU. Cet... homme... vous... aidera.

– Je v-vais appeler une ambulance, dit Warren. Rosa ? B-Bon sang, Rosa, non !

Les muscles du visage de la Cubaine se détendirent. Les coins de ses lèvres se relevèrent en un pâle sourire.

– Allez, dit-elle.

41

29 OCTOBRE

Au sixième étage du pavillon Underwood, chaque heure d'enfermement était plus pénible, plus traumatisante pour Sarah que la précédente. En dépit ou à cause de sa condition de médecin, le personnel soignant semblait mettre un point d'honneur à lui éviter tout traitement de faveur, et certains ne cachaient pas le plaisir qu'ils éprouvaient à exercer leur pouvoir sur un docteur en médecine. Toutes les demandes qu'elle formulait étaient systématiquement refusées en vertu d'une espèce de loi suprême se résumant à ce seul article : c'est pour tout le monde pareil. Ses principaux adversaires étaient les aides-soignants, jeunes bacheliers pour la plupart, inscrits en fac de psycho ou de socio, et qui paraissaient avoir pris ce boulot comme bouche-trou en attendant de savoir quoi faire de leur vie.

– Mon médecin n'est pas venu me voir de la journée. Il faut que je lui parle, c'est très important. Pourriez-vous l'appeler ?

– Désolé. Nous n'appelons jamais les médecins, à moins qu'il ne s'agisse d'une urgence ou d'un problème de traitement. Il passera en fin de journée ou demain matin, comme les autres médecins.

– Excusez-moi de vous déranger, mais je voudrais consulter l'annuaire professionnel des infirmières, s'il vous plaît. Il me faudrait les coordonnées des laboratoires pharmaceutiques Huron.

– Navré, aucun document du personnel n'est prêté aux patients.

– Alors, pourriez-vous regarder à Huron pour moi ?

– Peut-être plus tard, après le collectif, si j'ai le temps.

Finalement, l'unique cabine téléphonique s'étant libérée, par extraordinaire, Sarah réussit à joindre une amie à la pharmacie de l'hôpital. Il n'y avait, lui apprit celle-ci, aucune société du nom de Huron, ni dans l'État, ni dans le pays, ni même à l'étranger. Cette information eut pour conséquence d'ouvrir un nouveau front entre Sarah et les aides-soignantes.

– J'étais certaine que mon avocat passerait me voir entre 6 et 8, malheureusement, les visites sont finies et il n'est pas encore là. Est-ce que je pourrais le voir quelques instants s'il vient plus tard ? C'est très important.

– Je regrette, c'est impossible.

– Si jamais il appelait au bureau des infirmières, pourriez-vous me le passer dans ma chambre ?

– Les malades ne peuvent recevoir d'appels de l'extérieur que sur la ligne de la cabine.

– Mais elle a été occupée toute la soirée et ensuite, la ligne a été coupée à 10 heures. Personne ne m'avait prévenue de ça. Pourrais-je utiliser le téléphone des infirmières pour essayer de l'appeler ?

– Mais Sarah, tout sera exactement pareil demain matin, que vous le croyiez ou non. Pourquoi ne prenez-vous pas le médicament du Dr Goldschmidt et n'allez-vous pas vous étendre pour lire ou vous reposer un peu ?

Après avoir appris la coupure de la ligne à 22 heures, Sarah renonça par la force des choses à avoir des nouvelles de Matt jusqu'au lendemain matin. Mais à chaque heure qui s'écoulait, son inquiétude pour lui grandissait. Pourquoi n'a-t-il pas au moins appelé ? ne cessait-elle de se demander. Elle ne trouvait la paix qu'en se persuadant qu'il avait raté les heures de visite pour une raison ou pour une autre et s'était ensuite heurté à la ligne constamment occupée de la cabine. Peut-être aussi était-il venu ici tard dans la soirée et avait-il été éconduit par une infirmière particulièrement zélée.

Les heures succédaient aux heures, d'une lenteur, d'une monotonie désespérante. Il était maintenant 2 h 30 du matin. Sarah était assise sur une vieille chaise en cuir près de la fenêtre de la salle commune. Elle se félicitait que personne n'eût allégué un quelconque règlement pour l'en empêcher. C'était du reste un des rares avantages du service de psychiatrie : l'excentricité y passait relativement inaperçue.

Sa gorge se ressentait toujours du passage du tube endotrachéal et elle avait une vilaine toux, en plus de sa fatigue et de sa faiblesse. Elle était pourtant décidée à rester éveillée toute la nuit s'il le fallait. Si jamais le camion des laboratoires Huron revenait au pavillon Chilton, elle tenait à le savoir. Dans moins de sept heures, le bâtiment imploserait. De deux choses l'une, ou les secrets qu'il renfermait étaient soustraits à temps, ou bien ils restaient ensevelis sous les décombres. Il était très possible que les gens de chez Huron eussent achevé leurs activités dans le pavillon condamné, mais il restait un espoir, une petite lueur d'espoir qu'il n'en fût rien. Et dans ce cas, une observation soigneuse du chauffeur du camion pouvait faire beaucoup progresser les choses.

– Salut, ça va ?

Plongée dans ses réflexions, Sarah sursauta.

– Ah ! bonjour.

L'homme, un aide-soignant prénommé Wes, formait avec une infirmière titulaire l'équipe de nuit pour tout l'étage. Agé d'une quarantaine d'années, il était plus vieux que la plupart de ses homologues de service de jour, et Sarah présumait que sa présence avait trait davantage à des raisons de sécurité qu'à une quelconque action thérapeutique. Il avait une carrure de gymnaste ou d'haltérophile et sur le deltoïde droit, un tatouage représentant un poignard et une tête de mort dont il semblait très fier. Sarah le sentait très imbu de lui-même. Par ailleurs, elle doutait qu'il eût un niveau d'études dépassant de beaucoup la classe de 2e. Depuis qu'il avait pris son service à 11 heures, c'était la troisième fois qu'il venait la voir.

– Vous regardez quelque chose d'intéressant ?

– Pas vraiment. Ce bâtiment en face va sauter demain.

– Je sais. Je compte rester pour voir ça. Ici, on sera les mieux placés. Vous aviez déjà travaillé là-bas ?

Il n'avait pas fait mystère, au cours d'une conversation antérieure, du fait qu'il s'était amplement renseigné à son sujet, tant auprès de l'équipe de jour qu'en lisant son dossier, ce qui avait le don de la mettre en rage.

– Quoi ? Oh ! non. Il a toujours été fermé depuis que je travaille ici. Non, je le regardais juste par curiosité.

Sarah gardait les yeux tournés vers le campus en pensant à Matt. Le bon sens lui disait qu'il allait bien. Mais un pressentiment totalement illogique lui soufflait le contraire.

– Et vous avez un petit ami ? demanda Wes en la reluquant sans vergogne.

Oh ! non, pensa-t-elle, l'aide soignant qui me drague, maintenant, manquait plus que ça !...

– Oui, oui, j'ai un fiancé, s'empressa-t-elle de répondre.

En même temps, elle se dit qu'il aurait fallu rendre obligatoire pour tout futur médecin un stage en tant que patient dans les principaux services d'un hôpital.

– Hé ! si ça ne vous fait rien, moi, ça ne me fait rien non plus, ajouta Wes en remontant sa manche de T-shirt pour exhiber son tatouage. Il y a beaucoup de règles ici. Je peux vous aider à en contourner quelques-unes, si vous voulez.

Sur le moment, Sarah crut qu'il allait se mettre à la tripoter. Cette seule idée la dégoûtait au-delà du possible. Mais Dieu sait ce qui pouvait arriver si elle le rabrouait trop brutalement. Le bloc, comme l'appelaient les internés, était principalement occupé par ceux qui, d'une façon ou d'une autre, s'étaient révoltés contre l'autorité du personnel.

– Heu... écoutez, Wes... J'apprécie vraiment que vous veniez me parler comme ça. Mais, heu... chaque chose en son temps, voyez ce que je veux dire ?

Le visage de l'homme s'éclaira.

– Bien sûr, bien sûr, je vois très bien. Vous voulez quelque chose tout de suite ? une boisson ? une petite douceur ? Quelque chose de blanc et poudreux, peut-être ? Il n'y a personne dans votre chambre et personne non plus dans celle d'à côté.

Le dégoût de Sarah ne fit que s'accroître. Elle se promit de revenir dans le service en tant que médecin quand ce cauchemar aurait pris fin et, au nom de toutes les femmes internées avant elle, de mettre un terme aux agissements sordides de ce type.

Pour l'heure, elle repoussa ses avances le plus gentiment qu'elle put et l'assura qu'il pouvait repasser la voir plus tard du moment qu'elle ne dormait pas. Puis elle recommença à surveiller le campus. Plus le temps passait, plus elle était résolue à s'échapper du service de psychiatrie et à pénétrer dans le pavillon Underwood avant l'explosion.

Soudain, elle réalisa combien cette idée était chimérique et sourit de sa naïveté. Pour le coup, elle méritait bien d'être chez les fous.

Il était 3 h 30 et Sarah commençait à perdre son combat contre le sommeil. Entre deux observations aux jumelles, elle dodelinait de la tête. Mais elle refusait de s'avouer vaincue et se forçait à rester éveillée. Rosa, Matt et Eli avaient passé leur journée à débrouiller différents écheveaux du mystérieux VCS113. De son côté, elle avait consacré la sienne à diverses activités collectives et passé une bonne partie de la nuit à se défendre contre un aide soignant plus aliéné que la plupart des patients. Son impuissance devenait franchement intolérable. Il fallait à tout prix qu'elle trouve une échappatoire, une porte de sortie, quelque chose qui la...

Sarah écarquilla les yeux en secouant la tête et s'essuya la figure avec une serviette humide, sa seule alliée durant cette longue nuit de veille. Il y avait du mouvement le long du pavillon Chilton. Elle éteignit le plafonnier, prit les jumelles et se cala solidement les coudes sur le rebord de la fenêtre. Il n'y avait aucun éclairage aux abords immédiats du bâtiment, mais la lune, bien qu'elle fût sur le point de se coucher, était presque pleine. Et à trente mètres de là, les lampadaires du campus étaient assez nombreux pour dissiper les ténèbres. Sarah attendit que ses yeux s'accoutument à la pénombre, mais elle était déjà certaine de ce qu'elle avait vu.

Le camion des laboratoires Huron était de retour.

Black Cat Daniels savait qu'il allait mourir. Et par moments, au cours des longues heures de supplice que lui avait infligées Blankenship, il avait appelé la mort de ses vœux. Quelque temps après avoir été assommé, il s'était retrouvé allongé sur le ventre, pieds et poings liés au fond d'un véhicule qui ne pouvait être que le camion des labos Huron. Sa tête était comme une marmite sous pression et il souffrait de vertiges et d'une nausée tenace.

Le camion était stationné dans quelque endroit obscur, peut-être un garage. On entendait des bruits de rue, des voitures qui passaient, mais aucune voix. Matt était dans une position atrocement inconfortable. Le moindre de ses mouvements lui cisaillait les poignets à cause de ses liens en fil de fer.

Blankenship vint lui rendre sa première visite longtemps après qu'il eut repris connaissance. Matt ne fut qu'à peine surpris en découvrant qui était son geôlier.

– J'aurais dû m'en douter, dit-il.

– Oui, en effet.

– Vous avez tué Colin Smith.

– J'ai été obligé.

– Et Pramod Singh.

– Obligé.

– Et vous avez tout mis sur le dos d'Ettinger.

– Oui, mais ça, c'était volontaire. Bon, maintenant que j'ai répondu à vos questions, si vous répondiez aux miennes ? J'ai besoin de savoir s'il reste des... disons des fuites à colmater. Y a-t-il des gens dont je doive me méfier ? A qui d'autre avez-vous parlé ? Jeremy Mallon ? Paris ? Qu'est-ce qu'ils vous ont dit ?

Matt fit de son mieux pour esquiver, mais Blankenship n'eut qu'à lui toucher les poignets pour qu'il se mette à hurler.

– Je ne sais rien de plus, cria-t-il. Absolument rien.

Blankenship lui souleva la tête en l'attrapant par les cheveux.

– J'espère que c'est vrai, dit-il. Nous verrons.

Il desserra brusquement les doigts, et la tête de Matt heurta violemment le plancher métallique. Lorsque le médecin-chef revint le voir, il apportait une ampoule injectable. Il lui tordit le bras pour faire la piqûre et Matt faillit s'évanouir. Quelques minutes plus tard, toutes ses souffrances disparurent. Pendant un laps de temps indéfini, des minutes ou bien des jours, il n'entendit plus que la voix de Blankenship et la sienne prononçant des mots et des phrases sans suite qui flottaient comme des plumes dans son cerveau. Enfin, le silence retomba et avec lui les ténèbres, qui l'enveloppèrent complètement.

Lorsqu'il revint à lui, il était assis sur le sol d'une pièce humide plongée dans le noir le plus total, les jambes tendues et les chevilles ligotées. Il avait les mains attachées dans le dos à une canalisation. L'atmosphère poussiéreuse exhalait une odeur de moisissure et de béton. Il sentait que son visage était tuméfié. Une de ses dents était cassée. Sa seule pensée positive était qu'il vivait encore. Mais il savait qu'il n'en avait plus pour longtemps. Quelques instants plus tard, il apprit combien de temps exactement.

– Votre attention, s'il vous plaît, dit une voix dans un haut-parleur. Ce bâtiment va être démoli à l'explosif dans trois heures. Veuillez évacuer les locaux et respecter le périmètre de sécurité délimité par les balises bleues. Je répète, ce bâtiment va être démoli...

– Au secours ! appela Matt. A moi !

Sa voix se répercuta faiblement alentour. Il n'avait aucune chance d'être entendu. Il maudit Blankenship en pensée et se maudit lui-même pour son imprévoyance. Puis son menton retomba sur sa poitrine et il attendit.

42

A 6 h 30 du matin, lorsqu'une sonnerie électrique annonça le réveil, Sarah avait pris sa douche, s'était changée et, de retour dans la salle commune, elle sirotait un café à sa place habituelle. Si tout se passait conformément à son plan, un plan encore susceptible d'évoluer toutefois, elle serait à l'intérieur du pavillon Chilton d'ici une heure. L'explosion était toujours programmée pour 9 heures, mais les enjeux, désormais, avaient pris une importance considérable. Car un corps était dissimulé quelque part dans le bâtiment, sans doute au sous-sol.

Le camion des laboratoires Huron était resté garé à côté du bâtiment pendant une demi-heure. Le conducteur, un homme grand et fort, pour autant que Sarah pût en juger, avait sorti le corps par l'arrière du camion, l'avait hissé sur son épaule et emporté à l'intérieur en empruntant un escalier conduisant aux sous-sols. Dans les jumelles, Sarah avait eu l'inoubliable et fugitive vision du bras de la victime ballottant dans le dos du chauffeur. Trente minutes plus tard, celui-ci était revenu les mains vides et reparti au volant du camion.

Peu de temps après, Sarah alla trouver Wes. Séduire l'aide soignant n'était guère difficile. Mais le séduire sans qu'il la touche l'était moins. Elle minauda comme elle ne l'avait pas fait depuis des lustres, et flatta sa virilité de toutes les façons possibles et imaginables. Elle lui fit des promesses voilées et le dragueur vit ses fantasmes exploser comme les pétards de la fête de l'Indépendance. Elle lécha le bord de son gobelet de café comme s'il contenait un champagne grand cru. Elle fit si bien qu'à l'aube, elle avait tout appris de l'organisation des repas dans le service. Les patients se répartissaient en deux groupes, A et B, le premier réservé aux plus instables. Ces derniers descendaient manger à la cafétéria, solidement encadrés, à raison d'un surveillant pour deux malades. Mais l'équipe du soir n'avait même pas jugé Sarah assez assagie pour faire partie du groupe A. Un plateau devait lui être apporté dans sa chambre pour le petit déjeuner. Quant au repas du midi, l'équipe de jour aviserait le moment venu. Néanmoins, quelques flatteries, des promesses et beaucoup de sourires enjôleurs eurent raison de ce régime spécial. Wes se laissa convaincre de déplacer un patient dans le groupe B et d'ajouter son nom à la liste du groupe A. En conséquence, Sarah devait descendre à la cafétéria entre 6 h 45 et 7 h 15.

Deux ou trois allusions d'une subtilité discutable à certains secrets anatomiques censément connus du seul corps médical lui avaient de surcroît ouvert les portes du bureau des infirmières pour qu'elle puisse téléphoner, mais cette licence faillit lui être retirée quand elle refusa de passer ses coups de fil sur les genoux de l'aide-soignant. Lorsque Wes vint la prévenir que les infirmières avaient fini de préparer les chariots de médicaments et qu'elle devait libérer le bureau, Sarah avait eu le temps de passer deux appels. Le premier, chez Matt, manqua la faire défaillir, car elle tomba une nouvelle fois sur son répondeur. Le second était destiné à la standardiste de l'hôpital à qui elle comptait dicter un message préparé d'avance à l'intention d'Eli Blankenship. Mais après avoir patienté une minute, Sarah eut la surprise d'entendre la voix du médecin-chef en personne. Il avait, expliqua-t-il, passé la nuit au CHU, couché sur un lit de camp dans son bureau.

– Ça va, Sarah ? demanda-t-il. Comment diable avez-vous fait pour téléphoner à une heure pareille ?

– Je vous dirai ça quand je vous verrai, docteur Blankenship. Non, ça ne va pas. Il faut que je sorte de ce service, et vite.

– Sarah, le Dr Goldschmidt est la seule personne qui puisse vous signer un bon de sortie. Je suis désolé, mais c'est la...

– S'il vous plaît, Eli. J'ai très peu de temps pour vous parler. Vous m'avez dit hier qu'au fond de vous-même vous me croyiez. Et c'était avant qu'on découvre que j'avais dit la vérité concernant Andrew. Maintenant, il faut me croire. Il se passe quelque chose de terrible dans cet hôpital. Cela concerne une société, les laboratoires Huron, qui fournit les vitamines pour la poudre amaigrissante de Peter. Je peux le prouver.

– Comment ?

– Je vais prendre mon petit déjeuner à la cafétéria entre sept heures moins le quart et 7 heures et quart. Pouvez-vous y être ?

– Oui, mais...

– Quand vous serez là-bas, ne me quittez pas de l'œil, vous saurez quoi faire.

– Vous avez parlé de preuves, Sarah...

– Pouvez-vous nous faire entrer dans le pavillon Chilton ?

– Je... oui. Oui, je peux.

– La preuve est dedans. Il faut que je raccroche, Eli. Faites-moi confiance, je vous en prie. Et soyez là-bas pour moi.

– Comptez sur moi, dit Blankenship.

Un des aides soignants fit l'appel de la liste A. Sarah s'approcha en traînant les pieds de l'endroit où se rassemblaient les malades, près de la porte de sortie du service, à commande électronique. Les membres de l'équipe d'encadrement eurent entre eux une brève discussion (Sarah sentait qu'elle était concernée), après quoi la porte s'ouvrit et la procession des six malades s'ébranla, serrée de près par les trois surveillants. Wes leva le pouce et cligna de l'œil à l'intention de Sarah.

Il n'y avait pas foule à la cafétéria, essentiellement fréquentée à cette heure matinale par des internes et des infirmières finissant leur nuit de garde. Sarah sentit tous les regards converger vers elle tandis qu'elle faisait la queue avec ses compagnons de détention. Après six mois d'épreuve, cependant, elle n'en était plus à une humiliation près.

Matez-moi bien, mes mignons, pensa-t-elle. D'ici peu, il va y avoir du spectacle.

Elle choisit des plats au hasard, sachant qu'elle ne les mangerait pas, tout en guettant l'arrivée de Blankenship. Les aides-soignants répartirent les patients autour des deux tables disponibles. Sarah se plaça de façon à avoir une vue panoramique de la salle. C'est alors qu'elle remarqua une des infirmières du service d'obstétrique, Joanne Delbanco, qui prenait un café à la table voisine.

– Joanne, appela-t-elle à mi-voix.

– Ah ! tiens, bonjour, Sarah.

L'infirmière détourna aussitôt les yeux, mais Sarah eut le temps de surprendre son expression dégoûtée. Elle savait que les gardiens l'avaient à l'œil. A la première incartade, surtout s'ils estimaient qu'elle importunait un membre du personnel, elle risquait de remonter illico dans le service. Il fallait pourtant qu'elle essaye.

– Joanne, dites-moi juste comment va Annalee. Elle souffre toujours ?

L'infirmière hésita pendant de longues, d'interminables secondes, avant de se reculer en tournant légèrement la tête.

– Puisque vous tenez tant à le savoir, dit-elle froidement par-dessus son épaule, elle est en phase de travail avancé. Elle accouchera probablement ce matin ou en début d'après-midi.

Sarah fut horrifiée.

– Et la terbutaline ? demanda-t-elle.

En même temps, elle vit ses deux gardiens se consulter du regard à son sujet. Elle agissait maintenant à la limite de leur tolérance et Blankenship n'était toujours pas là.

– Le Dr Snyder a interrompu son traitement, répondit Joanne. Il estime que le stress que vous... qu'elle a subi assez de stress comme ça. Le bébé est suffisamment développé. Sa viabilité est...

– Joanne, coupa Sarah d'une voix affolée, il faut que vous disiez au Dr Snyder de lui faire une césarienne avant qu'il soit trop tard.

– Il faut que je fasse quoi ?

– Sarah ! cria un des surveillants. Ça suffit, maintenant.

– Joanne, je vous en prie, c'est...

– Sarah, je vous préviens, si vous ne cessez pas immédiatement, nous remontons dans le service. Tout le groupe sera puni par votre faute.

Sarah l'entendit à peine. La silhouette massive de Blankenship venait de s'encadrer dans la porte.

Ouf ! il était temps, se dit-elle. Ce que lui avait appris Joanne changeait tout. Plus question de pénétrer dans le pavillon Chilton. L'important, maintenant, était d'expliquer la situation à Blankenship et de retourner avec lui au service de maternité. En usant de son influence, ainsi que de celle de Rosa Suarez, peut-être parviendrait-on à convaincre Snyder de faire une césarienne à Annalee avant la catastrophe.

S'ils arrivaient au surplus à différer la démolition du pavillon, à la bonne heure. Mais Annalee et son bébé constituaient la priorité, même si quelque chose ou quelqu'un risquait de disparaître sous les décombres.

OK, se dit Sarah. Allons-y pour le grand cirque.

– Je ne me sens pas bien, gémit-elle.

– Qu'est-ce que vous avez ?

– Je... je ne sais pas. J'ai... j'ai comme un vertige et je n'arrête pas de voir danser des points lumineux...

– Ça vous est déjà arrivé ? Sarah, je vous demande si ça vous est déjà arrivé.

Sarah se mit à trembler et à frapper convulsivement ses mains sur ses cuisses. Puis elle secoua la tête de haut en bas en battant des cils et en roulant des yeux.

– Sarah ! cria une voix.

Au même moment, poussant un long râle d'agonisant, elle tomba violemment en arrière, évitant de justesse de se fracasser la tête contre le linoléum.

– C'est une crise d'épilepsie ! s'écria un aide-soignant. Reculez, reculez tous ! Ne la touchez pas, laissez-la comme ça !

Crétin, pensa Sarah. Il faut me mettre sur le côté.

– Poussez-vous ! cria Blankenship d'une voix de stentor. Il faut la mettre sur le côté, vite ! Elle risque de s'asphyxier avec sa langue.

Il vint lui soutenir la tête de sa grosse main, la roula sur le côté et inséra son portefeuille entre ses dents. Sarah mordit, et à grand renfort de spasmes et de contorsions, poursuivit son numéro d'épileptique pendant une demi-minute. Puis elle s'affaissa, mimant l'inconscience, sachant qu'une syncope suivait d'ordinaire la crise nerveuse.

– Je suis son médecin traitant, déclara Blankenship avec autorité. Elle est sujette à ce genre de crise. Ne vous inquiétez pas, elle va se remettre. Mais je crois qu'il vaudrait mieux la transporter aux urgences. Quelqu'un pourrait-il demander qu'on nous apporte un lit roulant ?

Un des aides-soignants s'éclipsa en vitesse.

– Qu'est-ce qu'on doit faire d'elle ? demanda un autre.

– Rien. Expliquez juste au Dr Goldschmidt ce qui s'est passé. Dites-lui que pour l'instant, le Dr Baldwin est à nouveau hospitalisée en médecine générale. Je suis le Dr Blankenship.

– Oui, docteur. Je sais.

Sarah sentit que les curieux commençaient à se disperser. Blankenship se pencha sur elle et lui souffla quelques mots d'encouragement à l'oreille en la prévenant de garder encore les yeux fermés un moment. Elle poussa une faible plainte. Trois minutes plus tard, un brancardier arriva et ils la hissèrent sur la civière.

– OK, allons-y, dit Blankenship.

Sarah laissa sa tête brimbaler de droite et de gauche pendant qu'on la transportait hors de la cafétéria. Elle sentit qu'on la poussait le long du couloir, puis dans un ascenseur. Bien que la cafétéria fût au rez-de-chaussée, la cabine descendit. Elle essaya de se repérer tandis que la civière empruntait un long corridor.

– Bon, vous pouvez vous asseoir et rouvrir les yeux, chère amie, dit Eli. Et bravo pour votre interprétation du haut mal. Vous mériteriez un oscar.

Sarah se redressa, cligna des yeux et regarda alentour. Elle était seule avec le médecin-chef dans le tunnel du deuxième sous-sol. Devant eux, se dressait une grille de sécurité bâchée sur un côté. Un grand panneau était accroché dessus, sur lequel on lisait le jour et l'heure de l'explosion, ainsi que des consignes de sécurité. Un téléphone était fixé au mur à droite, avec un imprimé scotché en dessous, où figurait le numéro de la société de démolition et le numéro de poste du service de sécurité de l'hôpital.

– Où est le brancardier ? demanda-t-elle.

– Mike nous a laissés à la sortie du monte-charge, dit Blankenship en déverrouillant la grille. Je l'ai pistonné pour qu'il obtienne ce poste il y a plusieurs années, et je m'occupe de sa famille. Quand l'occasion se présente, il est ravi de me rendre un service.

– Eli, ce que je vous ai dit est vrai. Il y a un lien direct entre Peter Ettinger, la poudre amaigrissante et les cas de CID. C'est un virus qui provoque la maladie. Rosa Suarez est allée voir le chercheur qui l'a créé hier.

– Je sais. C'est moi qui lui ai procuré un véhicule.

– Bon, eh bien, maintenant, Annalee est sur le point d'accoucher. On ne lui donne plus de terbutaline, Eli. Peter a testé cette poudre sur elle il y a plusieurs années et si on ne lui fait pas une césarienne, elle va avoir une hémorragie, comme les autres femmes. J'en suis certaine. Il faut que nous allions d'urgence en maternité pour parler de ça à Snyder.

– Du calme, du calme. Souvenez-vous que vous venez d'avoir une crise d'épilepsie.

– Mais Eli, c'est sérieux, ce que je vous dis.

– Bon, mais ce camion d'un laboratoire pharmaceutique dont vous m'avez parlé ? Votre fameuse preuve ?

– L'accouchement d'Annalee est beaucoup plus important. Vous pensez que vous pourriez ajourner la démolition ?

– Peut-être, à condition que je trouve un prétexte vraiment solide. Le maire, le gouverneur et des dizaines de notables seront dans les tribunes. C'est le sommet de la carrière de Paris. Mais écoutez, Sarah, nous nous servions du bâtiment Chilton comme débarras. C'est pour ça que j'ai les clefs de cette grille. J'étais encore là-bas il y a une semaine pour aider à déménager ce qui restait de nos affaires. Il n'y a que des détritus et beaucoup de gravats, c'est tout.

– Eh bien, maintenant, il y a un corps, je vous le garantis. C'est une raison suffisante pour reporter l'explosion, non ? Mais je vous en supplie, Annalee a pris de cette poudre amaigrissante. Plus son accouchement est proche, plus elle est en danger. Il faut l'aider.

Sarah était encore assise sur le lit roulant. Agissant trop vite pour qu'elle ait le temps de réagir, Blankenship poussa la grille, fit rentrer la civière et claqua la grille derrière lui. A cause de la bâche, ils furent aussitôt plongés dans une quasi-obscurité.

– Mais qu'est-ce que vous faites ? protesta Sarah tandis que le médecin-chef refermait à clef.

Mais au même instant, elle comprit tout. Cette grosse main qui avait soutenu sa tête à la cafétéria... cette odeur de transpiration mal camouflée par l'eau de Cologne... elle les connaissait déjà. C'étaient celles de son agresseur de la chambre 512.

– Au secours ! hurla-t-elle. Au secours !

Il la fit descendre sans ménagement de la civière et la força à avancer dans le couloir.

– Vous pouvez crier tant que vous voulez, dit-il. C'est thérapeutique. Il n'y a personne ici dans un rayon de deux ou trois cents mètres.

Il lui tordit le poignet pour qu'elle se tienne tranquille, et alluma une puissante torche. Ils arrivèrent devant une autre grille de sécurité pratiquement identique à la première.

– Les bâches servent à arrêter la poussière au moment de l'explosion, dit-il en sortant un trousseau de clefs de la poche de son manteau. De la poussière dans un hôpital, c'est bien la dernière chose que nous voulons, n'est-ce pas ?

La frayeur de Sarah céda bientôt la place à la colère. Elle lui allongea un coup de poing qui l'atteignit au visage, mais il lui tordit le bras un peu plus fort et l'obligea à s'agenouiller.

– Ils savent que je suis avec vous, dit-elle. Tout le monde le sait.

– Vous vous êtes évadée pendant le transport et vous avez disparu, répliqua-t-il sans se décontenancer.

– Eli, cette fille va mourir.

– Tout le monde meurt.

Il la traîna de l'autre côté de la deuxième grille, qu'il referma comme la première, sans lâcher son poignet. Le couloir était encombré de gravats, de morceaux de béton, d'éclats de verre et de tuyauteries tordues. Soudain, du fond des ténèbres, s'éleva la voix d'un haut-parleur annonçant qu'il restait quatre-vingt-dix minutes avant l'explosion et que tout le monde devait se trouver à l'extérieur du périmètre de sécurité.

– Je n'ai vraiment pas intérêt à perdre ces clefs, remarqua Blankenship. Bon, maintenant, allons voir ce corps qui vous intrigue tant.

43

– Eli, je vous en prie, supplia Sarah alors qu'il l'entraînait dans les sous-sols du bâtiment Chilton. Vous qui êtes un médecin, un pédagogue si consciencieux, il faut sauver Annalee et les autres malheureuses qui risquent de mourir.

– Savez-vous que neuf jours après la diffusion de la première pub télévisée, j'avais gagné plus d'argent avec cette poudre qu'en vingt ans de pratique de médecin et de pédagogue si consciencieux ? Tout le monde s'imagine qu'une fois diplômés, nous roulons en Cadillac et menons une vie de pacha. Si vous voulez faire des reproches à quelqu'un, faites-les à ceux qui nous ont fait miroiter ce genre d'existence. Savez-vous que je n'avais même pas de quoi me payer une retraite décente ? Eh bien, maintenant, j'ai de quoi.

– Eli, je vous en conjure, ne condamnez pas ces jeunes mères.

– Oh ! ne soyez pas si mélo. La science trouvera bien une solution à leur problème. Elle y arrive toujours. En plus, est-ce que vous savez combien d'années de vie nous avons redonnées à tous les obèses soignés grâce à notre produit ? Si le comité d'attribution du Nobel se penchait sur ce genre d'arithmétique, je dégoterais le prix à coup sûr. Bon, écoutez, le temps presse. Voulez-vous voir ce fameux corps, oui ou non ?

Sarah lui donna un coup de pied dans le tibia, de toutes ses forces.

– Arrêtez ! cria-t-il en la serrant plus fort. Bien. Maintenant, allons faire le tour de nos installations. Ensuite, je vous promets de vous mettre en présence de ce maudit corps.

– Qui est-ce ? demanda-t-elle, terrifiée par sa puissance physique, mais surtout par l'absence totale de sentiments, révélant un fou intégral chez cet homme, peut-être le plus brillant qu'elle eût connu.

– Qui est-ce ? Je vous le donne en mille, dit-il, moitié poussant moitié tirant par les cheveux la pauvre Sarah.

– O mon Dieu, Eli, où est-il ?

– Ici, derrière cette porte, se trouvait notre labo de virologie. Le centre névralgique de la PAPAX, si vous préférez.

Il ouvrit la porte d'un coup de pied et le pinceau de sa lampe dévoila un vaste laboratoire entièrement équipé.

– Où est-il ?

– Docteur Baldwin, voulez-vous faire un peu attention ? Il m'a fallu près de deux ans pour réaliser cette opération. Personne, à part moi et mon virologiste, feu mon virologiste, devrais-je dire, n'avait jamais vu cet endroit jusqu'à ce matin. Est-ce que vous vous rendez compte de la difficulté d'un tel montage ?

– Je m'en fous, où est Matt ? Qu'est-ce que vous lui avez fait ?

– Est-ce que vous réalisez que Singh et ce grand nigaud d'Ettinger ont cru dur comme fer que le mélange d'herbes que j'avais concocté faisait réellement maigrir les gens ? J'ai passé une semaine en bibliothèque et j'en suis ressorti avec une recette qui, je dois l'avouer, aurait fait baver d'envie le Maharashi lui-même. Mais qu'est-ce que c'est qu'une semaine ? C'est moi qui ai élaboré le mélange de A à Z. J'ai raconté à Singh qu'un ami me l'avait rapporté des Indes et qu'il fallait que je le teste. Il l'a adopté comme si c'était le sien dès qu'il a entendu le mot ayurvédique. Pas une question, rien ! C'est pas beau, ça ? Plus tard, après la perte de poids spectaculaire des premiers sujets, j'ai suggéré à Singh de demander à votre ex d'être notre représentant et notre porte-parole, en échange d'une modeste part des bénéfices. Et Ettinger a tout avalé, le plomb, l'hameçon et le fil. Et pourquoi s'en serait-il privé ? C'était de la médecine douce, ce qui rentrait dans ses vues, et ça devait le rendre riche, ce qui rentrait encore plus dans ses vues. Hein ? dites-moi que je ne connais pas la nature humaine, après ça...

– Où est Matt ?

– Chaque chose en son temps.

– Votre attention, s'il vous plaît. Ce bâtiment va être démoli à l'explosif dans soixante-quinze minutes. Veuillez évacuer les locaux et respecter le périmètre...

– Pile dans les temps, dit Blankenship. Ah ! il a minuté son affaire au quart de poil, ce trou du cul de Paris !

Malgré elle, Sarah se mit à sangloter.

– Salaud ! dit-elle d'une voix brisée par les larmes. Vous êtes une brute et un fou dangereux.

– La ferme ! aboya-t-il. Si vous n'avez pas la décence de m'écouter et d'apprécier le tour de force que j'ai accompli, ayez au moins celle de vous taire. J'ai déjà aidé un demi-million de gens à retrouver la ligne, à vivre mieux et en accord avec eux-mêmes, et j'ai encaissé près de vingt et un millions de dollars en huit mois. Si vous n'êtes pas impressionnée, qu'est-ce qu'il vous faut ?

– Où est Matt ?

– Oh ! vous me fatiguez avec votre Matt, soupira-t-il. J'en attendais plus d'une femme ouverte et entreprenante comme vous. (Il la traîna encore quelques mètres dans le couloir.) Tenez, je vous livre votre chevalier dans son armure étincelante. Hélas, il n'est pas au mieux de sa forme.

Sur quoi il projeta sur Matt le faisceau de sa lampe. L'avocat était assis par terre, bâillonné par un large ruban de sparadrap. Il avait les mains liées dans le dos, attachées à un tuyau, et son visage meurtri montrait qu'il avait été sauvagement battu. Mais il était en vie.

– Je l'ai fait attendre patiemment au cas où ma petite campagne d'assainissement connaîtrait un pépin de dernière minute. Fort heureusement, hormis votre rétablissement inopiné après votre suicide, il n'en a rien été.

Blankenship lâcha Sarah. Elle se jeta à genoux devant Matt et lui ôta doucement son bâillon. Il aspira goulûment l'air confiné et poussiéreux du sous-sol. Elle lui caressa le visage et embrassa ses paupières bleuies.

– Matt, je te demande pardon, souffla-t-elle, éperdue.

– Je t'aime, articula-t-il. J'étais en train de prier Dieu que ce dingue ne te fasse pas de mal.

– Ils nous trouveront, Eli, dit Sarah en se retournant, furieuse. Ils creuseront dans les décombres, ils nous retrouveront et vous serez pris. Vous n'êtes pas aussi futé que vous croyez. Il y a des détails auxquels vous n'avez pas pensé.

– Il n'y en a aucun, rétorqua le médecin-chef. Et s'il y en a, Ettinger sera là pour porter le chapeau. Il est impossible de trouver un coupable plus ciblé et plus dépourvu d'alibi que ce pauvre garçon. Je l'appelle le seigneur des gogos. Maintenant, si vous voulez bien mettre vos mains dans le dos, il me reste juste assez de fil de fer.

Sarah resta où elle était, les bras autour du cou de Matt. Blankenship se baissait vers elle, les mains tendues, lorsque Matt détendit brusquement les jambes. D'un seul coup de ses pieds ligotés, il fit tomber la lampe de Blankenship et le cogna rudement au menton.

– Barre-toi ! cria-t-il à Sarah, tandis qu'Eli titubait en arrière. File !

Matt cria sous le coup que lui rendit Blankenship, mais Sarah avait déjà passé le seuil. Le couloir était plongé dans la plus profonde obscurité. Elle se heurta au mur, trébucha, puis repartit au triple galop, suivant le mur à tâtons, vers les grilles de sécurité. Les fenêtres et les portes à partir du premier étage étaient condamnées avec des planches. Si elle arrivait à déclouer celles-ci à coups de pied, elle avait une chance. Derrière elle, Blankenship accourait en ricanant.

– Quelle qualité, cette lampe ! s'exclama-t-il. Un de ces jours, il faudra que j'écrive au fabricant pour le féliciter. Sarah, arrêtez, vous n'avez aucune chance !

Elle continua à courir le long du mur, traquée par le faisceau électrique qui se rapprochait, fouillant les ténèbres. Au moment où le rond de lumière l'accrocha, elle aperçut un escalier à quelques mètres sur la gauche et s'y précipita. Elle monta les marches quatre à quatre, hors d'haleine, percuta un mur et repartit, groggy, vers le rez-de-chaussée. Le rayon lumineux furetait toujours dans son dos et elle entendait les pas pesants de Blankenship cavalant à ses trousses. Les gravats et les débris ralentissaient sa fuite. De gros blocs de béton et des planches la firent tomber à deux reprises, mais elle se releva, fonçant vers le premier étage.

– Laissez tomber, Sarah ! cria Blankenship.

Si je pouvais seulement gagner un peu de terrain, se dit-elle, j'essaierais de trouver un coin où me cacher jusqu'à ce qu'il soit obligé de quitter le bâtiment. A chaque étage se présentaient de nouvelles possibilités obligeant Blankenship à s'orienter. Elle trébucha de nouveau et poursuivit vers le deuxième étage en faisant le moins de bruit possible. Elle avait décidé de ne pas monter plus haut et de se cacher là.

Une main en avant, l'autre palpant le mur, elle avança dans le noir, enjambant les gravats, cherchant l'entrée d'une pièce, d'un recoin quelconque. Quelque part dans les hauteurs, elle aperçut un point de lumière à travers ce qui devait être une fenêtre aveuglée. Derrière elle, Blankenship se rapprochait. Soudain, le sol se déroba sous son pied gauche et au même instant, sa main droite perdit le contact avec la surface rugueuse du mur. Elle sentit qu'elle basculait dans le vide et avança le pied droit pour se rattraper. Mais elle n'eut pas le temps de se redresser et tomba lourdement sur une surface jonchée de débris qui lui entamèrent le menton et un genou. Incapable de freiner sa chute, elle glissa dans un trou qui, réalisa-t-elle, n'était autre que la cage d'ascenseur. Elle descendait en chute libre lorsque sa main droite, puis la gauche, rencontrèrent un rebord métallique. Ses doigts se refermèrent dessus, ses bras craquèrent sous la brusque tension mais elle tint bon. Elle était maintenant suspendue au-dessus d'un abîme insondable.

Sarah s'efforça de comprendre la situation. Elle était cramponnée au cadre en acier de ce qui avait été une des portes de l'ascenseur. Le ciment qui l'entourait s'était effrité, laissant un espace de quelques centimètres entre le cadre et le sol de l'étage. Elle entendit Blankenship qui redescendait du second au premier, la suivant au bruit qu'elle avait fait en tombant. L'arête de métal lui entaillait les doigts. Elle n'avait que quelques secondes pour prendre sa décision. Soit elle essayait de se hisser jusqu'au palier, soit elle tentait le grand saut. Il restait trois étages jusqu'au deuxième sous-sol, entre sept et huit mètres. Cela lui laissait-il quelque chance d'atterrir indemne sur un sol de béton probablement couvert de débris tranchants? La réponse n'était que trop évidente.

Appuyant la pointe du pied gauche sur le bord de la fosse et faisant un effort de traction dont elle ne se serait pas crue capable, elle réussit à passer une jambe par-dessus le rebord du cadre. L'espace entre celui-ci et le palier était plus grand qu'elle n'imaginait, une vingtaine de centimètres, et elle ne prit contact avec le seuil que du bout du pied, à l'extrême limite du déséquilibre.

– Votre attention, s'il vous plaît. Ce bâtiment va être démoli à l'explosif dans soixante minutes...

A quatre pattes dans l'obscurité, Sarah profita du bruit du haut-parleur pour fouiller des pieds et des mains l'endroit où elle était. Elle trouva un renfoncement juste en face de l'ascenseur, au fond duquel elle se tapit. Au même moment, Blankenship déboulait de l'escalier, sa lampe torche à la main.

– Allez, Sarah, dit-il en avançant, venez, nous discuterons... Peut-être y a-t-il moyen de s'arranger. Je ne partirai pas d'ici avant les deux ou trois dernières minutes. Sans moi, vous êtes fichue, et Daniels aussi. Il est drôlement amoché, vous savez. Vous pouvez l'aider.

Le sentant approcher, Sarah réalisa qu'elle n'avait qu'une chance et une seule. Elle s'aplatit contre le mur. S'il la voyait avant d'arriver devant la cage béante, c'était fini. Mais sinon...

Trois mètres, deux mètres, un... le rayon de la lampe ne l'avait pas encore débusquée. Un pas de plus, se dit-elle, et je le...

A l'instant où le faisceau l'éclaira, elle tendit les bras et se jeta de toutes ses forces contre le buste de Blankenship. C'était comme si elle avait heurté une dalle de granit. Avant même qu'elle réalise l'ampleur de son échec, les deux bras du colosse se refermaient autour d'elle.

– Aucune chance, dit-il en s'esclaffant. Absolument auc...

Sarah sentit le tronc du médecin-chef pencher en arrière et son étreinte se desserrer légèrement. Il avait reculé d'un pas et la légère poussée de Sarah sur sa poitrine l'empêchait de reprendre son équilibre. Cramponné au poignet de Sarah, il se mit à crier.

– Ma jambe!... Mon Dieu, ma jambe!...

Son cri se mua en un long hurlement tandis qu'il s'inclinait irrésistiblement vers le vide. Sarah ne comprit ce qui se passait qu'en entendant les deux os inférieurs de la jambe de Blankenship se fracturer comme du bois mort. Il avait mis le pied dans le vide entre le cadre de la porte et le palier. Alors, la culbute s'accentua et il bascula, la tête en arrière dans le puits obscur, toujours conscient, gueulant comme un supplicié et entraînant Sarah qu'il ne lâcha qu'au dernier moment.

Sarah n'eut pas le temps de réagir. Dans la fraction de seconde qui s'écoula entre le moment où Blankenship ouvrit les doigts et celui où elle se sentit précipitée dans la fosse, des bribes de pensées se bousculèrent dans sa tête sur la meilleure façon de se recevoir. Tombe sur les pieds, en souplesse... sur les fesses... sur le côté... En fait, sa chute dura beaucoup moins longtemps qu'elle n'escomptait et c'est dans la plus complète impréparation qu'elle atterrit sur une montagne de gravats et de détritus qui s'élevait au fond du trou, culminant entre le rez-de-chaussée et le premier.

Elle enfonça ses dix doigts dans les décombres et parvint à interrompre sa dégringolade. Pendant une demi-minute, elle resta accrochée au flanc du tas de débris, immobile, haletante. Elle était blessée en plusieurs endroits, mais n'avait rien de cassé. Au-dessus, enveloppé dans les ténèbres, Blankenship continuait à gémir. Elle comprit qu'il ne s'était pas évanoui à cause du sang qui, dans sa situation tête en bas, continuait à affluer dans son cerveau.

Elle écarquilla les yeux et ceux-ci s'habituant à l'obscurité, distingua les taches d'un noir un peu plus clair correspondant à l'embrasure des portes du premier et du rez-de-chaussée. Elle allait descendre vers cette dernière quand elle se souvint subitement des clefs. Elle était certaine que Blankenship les avait glissées dans la poche de son manteau. Sans ce trousseau, sa seule chance était de trouver une fenêtre et d'essayer de défoncer les planches qui l'obstruaient.

Il doit rester une cinquantaine de minutes, se dit-elle. Peut-être moins. Les poches de Blankenship, pendu par les pieds comme il l'était, étaient-elles accessibles ? Elle commença à remonter la pente. Elle décida de se consacrer à la recherche des clefs jusqu'à ce qu'il ne reste plus qu'une demi-heure, après quoi elle tenterait de s'attaquer à une fenêtre du premier étage.

– Eli ! s'écria-t-elle. Eli, écoutez-moi. Je suis juste en dessous de vous. Il me faut vos clefs. Est-ce que vous pouvez essayer d'ôter votre manteau et de me le lancer ?

Le gémissement continua pour toute réponse. Sarah gravit encore une trentaine de centimètres. Elle avait maintenant le visage juste en face de la porte du rez-de-chaussée. Mais elle était au sommet du tas de gravats et il n'y avait pas moyen d'atteindre le palier. Blankenship était juste au-dessus, à moins d'un mètre. Elle essaya de se représenter sa position, les deux bras ballants, et d'imaginer comment pendait son manteau retroussé. Pouvait-elle l'attraper en sautant ? Pouvait-elle s'y suspendre, tirer dessus assez fort pour l'enlever ? Et si les clefs étaient déjà tombées de sa poche ? Elle se dressa au sommet de la pente, le dos appuyé contre le mur du fond de la cage. A en juger par son souffle très proche, Blankenship semblait à portée de main. Mais elle n'y voyait strictement rien.

Bon, allez, se dit-elle, j'essaye, au moins une fois.

Elle prit appui du pied gauche sur la paroi et sauta le plus haut qu'elle put, s'attendant à n'empoigner que de l'air. Blankenship rugit tandis que les mains de Sarah le heurtaient, cherchant les pans du manteau. Elle retomba sur le côté le plus pentu du tas et dégringola en roulé-boulé jusqu'à l'ouverture du rez-de-chaussée qu'elle franchit sans s'en rendre compte, terminant sa course assise sur le palier. Elle resta quelques instants étourdie, reprenant tant bien que mal sa respiration et ses esprits. Soudain, elle réalisa qu'elle tenait en main le manteau de Blankenship.

Le trousseau était dans la poche droite.

Elle regagna l'escalier en boitillant et redescendit dans les sous-sols, appelant Matt à pleins poumons et se guidant au son de sa voix qui lui répondait. Enfin, elle arriva dans la pièce qui avait failli être leur tombeau. Il faisait un noir d'encre.

– C'est fini, souffla-t-elle en lui effleurant le visage. J'ai les clefs de Blankenship. Il faut qu'on sorte d'ici et que je m'occupe d'Annalee.

Elle l'embrassa puis tâta les liens qui l'attachaient à la canalisation.

– C'est du fil de fer, dit-il. Ça me déchire les poignets, c'est affreux. J'ai peur que tu ne puisses rien faire sans une paire de tenailles.

– Laisse-moi essayer.

– Sarah, Blankenship est un démon. Il a fait exécuter Rosa et Warren Fezler. Il a relié des explosifs au système d'allumage du bateau de Colin Smith et s'est arrangé pour que ça retombe sur la tête d'Ettinger. C'est lui qui a tout manigancé, tout... Singh aussi est mort. Blankenship l'a flingué et a mis ça aussi sur le dos d'Ettinger. Il a été à deux doigts de réussir, Sarah, tu étais la dernière à... Aïe ! fais attention, ça fait hyper mal !

– Excuse-moi. Je n'y arrive pas, Matt. C'est trop serré.

– Bon, écoute, il reste environ quarante minutes. Appelle Paris, dis-lui d'arrêter le compte à rebours et de faire descendre des hommes ici. Blankenship est mort ?

– Peut-être. Je n'en sais rien. Il y a un téléphone à côté de la grille au bout du tunnel. Je reviens tout de suite.

– J'y compte bien. Je n'aime pas du tout cet endroit. Ça pue la scoumoune ici.

Elle l'embrassa sur le front puis fila vers les grilles de sécurité. Elle n'avait même pas envisagé que la ligne puisse être coupée et ne s'en avisa qu'en décrochant. La tonalité sonna comme un hymne de salut à son oreille.

– Il faut que je parle à M. Paris, dit-elle à la standardiste. Je suis le Dr Baldwin. C'est très urgent.

– Il est dans son bureau. Je viens de lui passer un appel. Il est toujours en ligne.

– Interrompez-le, dit Sarah.

Quelques secondes plus tard, Glenn Paris prenait la communication. Au moment où elle entendit sa voix, Sarah sut que le cauchemar était vraiment fini. Le problème du compte à rebours, ultime menace, était réglé. Elle lui fit un bref résumé de ce qui s'était passé et lui demanda d'envoyer quelqu'un avec plusieurs lampes et une pince coupante dans les sous-sols du pavillon Chilton.

– Il faudra aussi un brancard pour le Dr Blankenship, dit-elle. Et peut-être un autre pour Matt. Je ne suis pas sûre qu'il puisse marcher. Et puis je pense que nous aurons besoin d'un orthopédiste. Je ne sais pas comment nous allons sortir Eli de là où il est.

– Ne vous en faites pas, dit Paris. Je m'occupe de tout. Restez à côté de la grille de sécurité. Je fais arrêter le compte à rebours et je descends avec des secours dans une minute.

– Merci.

– Et Sarah...

– Oui ?

– Vous avez fait un sacré boulot.

– Merci. Dépêchez-vous, s'il vous plaît. Il y a un autre problème urgent à traiter avec Annalee. Je vais peut-être encore avoir besoin de votre aide et de celle du Dr Snyder.

– On arrive.

Sarah soupira et s'affala au pied du mur. Son jean et son sweater étaient en loques. Elle avait des plaies au visage, aux jambes, aux bras, et des dizaines d'éraflures ailleurs. Mais le plus douloureux pour elle était ce que Matt lui avait appris concernant Rosa Suarez. La pauvre femme avait eu tellement à cœur de réussir sa dernière enquête...

Deux minutes plus tard, Sarah entendit quelqu'un approcher au pas de course dans le tunnel et vit bientôt arriver Paris, souriant et agitant les torches qu'il apportait.

– Tout est suspendu là-haut, annonça-t-il, haletant. Heureusement que vous avez pu me joindre. J'étais sur le point de partir à la cérémonie.

– J'étais prête à me précipiter sur le podium, s'il avait fallu.

Ils repartirent côte à côte dans les profondeurs des sous-sols.

– Je suppose que vous avez entendu parler de la mort de Colin Smith, hier, dit-il en promenant le faisceau d'une des lampes devant lui. J'étais justement en train de penser à lui dans mon bureau.

– Matt me l'a dit tout à l'heure. Il dit que c'est Blankenship qui l'a tué et qu'il a fait inculper Ettinger à sa place.

– Quel fils de pute !

– Matt est juste là, sur la gauche, indiqua-t-elle. Matt, mon chéri, nous arrivons.

– Je vous entends.

Paris s'arrêta sur le seuil de la pièce et braqua sa lampe sur l'avocat ligoté.

– Les gars de l'entretien arrivent avec une pince coupante, Matt. Ils seront là d'une minute à l'autre. En attendant, si vous pouvez tenir jusque-là, j'aimerais que Sarah m'emmène voir Blankenship.

Sarah hésita.

– Vas-y, lui dit Matt. Ça fait des heures que je suis comme ça. Deux minutes de plus ou de moins...

Elle prit une lampe et conduisit Paris jusqu'à l'ouverture de la cage d'ascenseur du rez-de-chaussée.

– Il est pendu au cadre de la porte du sec...

Elle éclaira son bras et poussa un cri étouffé. Plusieurs grosses gouttes de sang venaient de l'éclabousser. Elle se pencha dans le puits et dirigea sa lampe vers le haut. Le pied et la cheville sanguinolente de Blankenship étaient toujours coincés dans la fente. Mais le médecin-chef avait disparu.

– Il n'est plus...

Grognant de douleur et de rage, Blankenship déboula des ténèbres le long du tas de gravats. Il percuta Sarah, l'éjectant de la cage et l'envoyant bouler sur le sol de ciment. Il l'attrapa à la cheville et elle poussa un cri. Mais Paris s'avança aussitôt, posa le pied sur le poignet du médecin-chef et l'y maintint en appuyant de tout son poids jusqu'à ce que Sarah puisse se libérer. Puis le directeur lui braqua sa torche en pleine figure et Blankenship apparut ruisselant de sueur et de sang, pâle comme un fantôme et plus mort que vif.

– Vous avez fait venir une équipe médicale ? demanda Sarah.

Au lieu de lui répondre, Paris décocha un coup de pied en vache dans les gencives de Blankenship.

– Tu m'as ruiné, salopard ! dit-il. J'ai investi jusqu'au dernier cent que mon hôpital pouvait mendier ou emprunter dans ta saloperie de poudre amaigrissante parce que tu m'as juré qu'elle ne posait aucun problème. Jamais tu n'as parlé du maudit virus qu'il y avait dedans, fumier, jamais !

– Vous saviez ? fit Sarah, abasourdie.

– Oui, je savais. Je ne suis pas stupide. Mais quand j'ai réalisé ce que cette poudre faisait à ces femmes, c'était trop tard, nous étions déjà trop avancés. Je sais aussi ce qu'il en est de l'argent, Eli. Colins te surveillait depuis le début, toi et ta fondation bidon. Et ce labo pourri, là-dedans, je le sais aussi depuis des mois. On a déjà mis à jour deux de tes comptes, qu'on va s'empresser de liquider dès que possible. Ensuite, il faudra que je décide si je me tire d'ici ou pas. J'étais parti pour m'en aller, à cause des retombées de cette histoire, ma carrière, ma réputation fichues, tout le monde me montrant du doigt à cause de ces bonnes femmes. Mais maintenant, d'après ce que me dit Sarah, il semble que tous ceux qui auraient pu faire le lien entre moi et cette saleté de poudre soient éliminés. C'est bien ça, n'est-ce pas, Sarah ?

Il redonna un brutal coup de pied, cette fois dans la poitrine de Blankenship, puis, avant qu'elle ait pu réagir, pivota et empoigna Sarah par les cheveux.

– Je suis désolé, dit-il, ignorant ses hurlements. Vraiment désolé. (Il lui prit les clefs dans sa poche.) Le compte à rebours continue. D'habitude, je tiens mes engagements, surtout quand c'est aussi important.

Il sortit un morceau de corde de la poche de sa veste, força Sarah à se mettre sur le ventre, et lui lia les mains. Après quoi, il la prit par les pieds et la traîna sur le dos dans les couloirs.

– J'ai changé d'avis, on ne construira pas de centre de médecine parallèle sur cet endroit, dit-il. Je crois plutôt qu'on va remblayer et faire un parking... ou un cours de tennis. Je présume que vous préférez être en bas avec votre avocat qu'ici, à côté de ce monstre.

– Je vous en prie, Glenn, supplia Sarah, tandis qu'il l'obligeait à descendre les marches, arrêtez, par pitié. Je sais que vous n'avez réellement fait de mal à personne et je peux en témoigner devant tout le monde.

– Navré, je n'ai pas le choix. Je vous assure que vous ne sentirez absolument rien.

Il la poussa dans la pièce destinée une nouvelle fois à devenir son tombeau, l'attacha en face de Matt à une poutrelle dépassant du mur et lui ligota les chevilles, insensible à ses appels à la raison et aux supplications de l'avocat.

Puis, sans un regard derrière lui, il les abandonna dans le noir et se hâta de quitter le bâtiment.

Quelques instants plus tard, les haut-parleurs annonçaient qu'il ne restait plus que quinze minutes avant l'explosion.

44

– ... Et notre espoir, j'allais dire notre rêve, est que ce nouvel Institut de médecine douce constitue une passerelle privilégiée entre les technologies en progrès constants de la médecine moderne, et celles, plus mystérieuses, de la médecine traditionnelle, transmises de pays en pays et de siècle en siècle...

Glenn Paris se rengorgea fièrement sous les applaudissements nourris des deux cents et quelques dignitaires ou spectateurs anonymes assis dans les tribunes. Le ciel limpide, le soleil resplendissant et le vent quasi nul offraient des conditions idéales pour le spectacle prévu. Les malades, le personnel, les visiteurs étaient postés aux fenêtres et sur les toits de tous les bâtiments autour du campus. Isolé par sa couronne bleue, le pavillon Chilton se dressait comme un souverain déchu face à la foule attendant avidement son exécution...

– ... Avant de vous présenter le lauréat de notre concours, poursuivit Paris, je vous demande d'avoir une pensée pour notre regretté directeur financier, Colin Smith, décédé accidentellement hier à bord de son voilier... J'ai l'intention de faire une recommandation auprès de notre directoire, afin qu'une aile du nouvel institut porte son nom. Colin nous manquera beaucoup, soyez-en persuadés. Et maintenant, monsieur le gouverneur, monsieur le maire, chers et estimés collègues, et vous tous qui depuis des années avez témoigné d'une fidélité sans faille à l'égard du centre hospitalier universitaire de Boston, je vais avoir le plaisir de vous annoncer le nom du gagnant. Grâce aux efforts conjugués des équipes chargées de vendre les billets et de faire campagne en notre faveur, cette loterie a rapporté près de trente-trois mille dollars, qui seront naturellement consacrés à la mise en valeur de notre institut... Merci, merci. La gagnante, car c'est une femme, est ici, avec moi, il s'agit de... (il baissa les yeux sur le petit bristol qu'il tenait en main) Mme Gladys Robertson, de West Roxbury.

Une femme entre deux âges vêtue d'une robe à fleurs en tissu imprimé s'avança en souriant timidement et chuchota quelques mots à l'oreille de Paris.

– Ah ! toutes mes excuses, dit celui-ci au micro, notre gagnante s'appelle Gladys Robinson, et c'est une demoiselle. Je ne suis pas médecin, mais j'écris comme un médecin, incontestablement. (Il prit le temps de savourer les rires de l'assistance.) Donc, mademoiselle Robinson de West Roxbury, à vous de jouer. Voici le levier avec lequel vous allez procéder à la mise à feu des charges disposées par notre équipe de spécialistes de renommée mondiale. Avec ce geste, vous prenez date dans l'histoire. Monsieur Crocker, est-ce que nous avons le feu vert ?... Parfait. Mademoiselle Robinson, si vous permettez, un petit roulement de tambour...

Paris tendit le doigt à droite. Cinq hommes portant des tambours en bandoulière se levèrent dans les gradins. Un murmure de surprise parcourut la foule. Le roulement commença doucement puis s'éleva crescendo. Paris attendit, attendit, jusqu'à ce que la tension soit presque intenable.

– Feu ! cria-t-il.

Gladys Robinson appuya sur le levier posé en évidence sur le podium. Tous les yeux convergèrent vers le pavillon Chilton. Un silence de mort régna pendant une seconde, puis des bourrelets de fumée se formèrent autour des fondations et en haut des murs de brique du bâtiment, accompagnés d'un grondement qui s'amplifia jusqu'à faire trembler le sol. Un gigantesque nuage de poussière grise enveloppa les deux premiers étages, puis les quatre murs s'effondrèrent simultanément dans un tonnerre assourdissant.

Quelques secondes plus tard, le silence retombait.

La foule émerveillée regarda le panache de fumée monter droit au-dessus des ruines avant de se disperser dans les courants ascendants. Alors, les applaudissements, les sifflets et les acclamations se déchaînèrent. On se congratulait, on se tapait dans le dos. Glenn Paris accueillit les félicitations fusant de toutes parts en homme blasé et confiant, accoutumé au succès. Le gouverneur puis le maire vinrent lui serrer la main.

Paris se tourna fièrement vers le campus, le menton relevé. Soudain, il blêmit et son sourire s'évanouit. Deux hommes et une femme, les derniers qu'il s'attendît à voir, s'approchaient à grands pas sur la pelouse, suivis de deux autres hommes, grands, les épaules carrées, en qui il n'eut aucun mal à reconnaître des gardes du corps.

– Beau boulot, Glenn, dit quelqu'un en lui tapotant l'épaule.

Mais le directeur ne répondit pas, hypnotisé par le quintette qui s'avançait. Le groupe avait atteint le pied des gradins lorsque Willis Grayson, un bras autour du cou de sa fille, lui fit signe de descendre. Le milliardaire et Lisa escortaient Matt Daniels, qui boitait légèrement. L'avocat était sale, débraillé, le visage enflé et couvert d'ecchymoses. Mais, fixant des yeux l'homme qui l'avait condamné, il réussit à ébaucher un sourire, malgré ses lèvres boursouflées.

– Comme un château de cartes ! lui dit-il d'une voix rauque. Bravo, mon vieux !

– Je suis fort mécontent de vous, monsieur Paris, cria Willis. C'est honteux.

Paris chercha fébrilement une issue autour de lui.

– Inutile, fit Grayson. N'importe lequel de mes hommes aurait tôt fait de vous rattraper, même en courant à l'envers. Cinq minutes, Paris. C'est le temps qui restait quand nous sommes arrivés au sous-sol de ce bâtiment. Cinq minutes, pas plus ! Vous avez laissé le Dr Baldwin et M. Daniels ficelés là-dessous, impuissants, et vous êtes parti sans vous retourner, les livrant à une mort certaine. Vous êtes un criminel, monsieur Paris. Un criminel endurci.

Les gens qui entouraient Paris s'écartèrent pour dévisager les nouveaux arrivants. Parmi eux, plusieurs reconnurent celui qu'on surnommait parfois le Ross Perot du Nord-Est. Le gouverneur, qui était descendu en bas des tribunes, fendit la foule en direction de Grayson, échangea quelques mots avec lui et Matt, puis releva les yeux vers le directeur de l'hôpital.

– Vous feriez mieux de descendre, lui dit-il sèchement.

Glenn Paris, le visage terreux, hésita quelques secondes, puis ses épaules s'affaissèrent, il baissa la tête et descendit lentement les gradins tapissés de moquette rouge.

– C'est c-clair que si nous avions s-su dans quelle si-situation vous étiez, v-vous et votre ami, nous aurions tout fait pour v-venir p-plus tôt, dit Warren Fezler.

Le chercheur trottinait derrière Sarah qui galopait dans les couloirs du CHU en direction de la maternité.

– Du moment que vous êtes arrivés à temps, c'est l'essentiel, répondit-elle. Vous êtes sûr que Rosa s'en tirera ?

– Elle a p-passé six heures en salle d'opé-pération, mais quand nous s-sommes repartis en hélico pour venir ici, les ch-chirurgiens disaient que son état n'inspirait p-plus d'inquiétude.

– Dieu merci.

– Rosa a eu j-juste le temps de me d-dicter le numéro de téléphone de M. Grayson av-vant de t-tourner de l'œil. Dès qu'il a s-su ce qui se passait, il a p-pris son hélico et il est venu. Rosa m'a sauvé la vie. M-malheureusement, p-pour ma sœur, c'était t-trop tard.

– C'est affreux, Warren. Vous m'en voyez navrée. Mais je suis aussi très en colère contre Blankenship et contre vous tous.

– J-Je comprends. Je ne s-sais pas ce que je p-peux faire.

– Aidez-moi de votre mieux et tâchez de réparer les dégâts que vous avez faits avec votre maudit virus.

Sarah voulait emprunter l'escalier pour accéder aux salles d'accouchement, mais son corps meurtri la contraignit à prendre l'ascenseur.

– Mais comment avez-vous fait pour nous trouver ? demanda-t-elle à Warren alors qu'ils attendaient la cabine.

– P-pas difficile pour un type comme Gray-Grayson. J-J'ai jamais vu un meneur d'hommes comme lui. P-Personne qui lui résiste. (Il resta songeur un instant.) S-Sauf peut-être Eli. On a co-commencé par l'USIC, p-puis on est allés en psy-psychiatrie. Là, il y a un homme, Wes q-quelque chose, qui nous a dit que vous aviez eu une c-crise d-d'épi-d'épilepsie au petit déjeuner et que v-vous étiez aux urgences. Il n-nous a dit aussi que vous aviez pa-passé la nuit à surveiller le pa-pavillon Chilton avec des jumelles. Ensuite, on a ap-pris que vous aviez été emmenée par Eli et un b-brancardier, et c'est quand on a s-su que vous n'étiez ja-jamais arrivée aux urgences qu'on a co-commencé à se douter que vous étiez là-là-bas. M. Grayson a cuisiné le bran-brancardier jusqu'à ce qu'il avoue et l-là, on a c-compris qu'on avait raison.

– Et vous avez donc pénétré dans les sous-sols par une porte de service ?

– J-J'avais les clefs. C'était là que j'habitais autrefois, vous savez. C'est M. G-Grayson qui a décidé de vous ch-chercher, p-plutôt que d'essayer de re-retarder l'explosion.

Ils poussèrent la porte de l'étage où se trouvaient les salles d'accouchement et entendirent aussitôt un bruit auquel Sarah avait déjà été confrontée. Annalee poussait des hurlements de terreur et de souffrance. Sans se soucier des infirmières, Sarah prit Warren par la main et l'entraîna dans la chambre d'Annalee. Le gardien en uniforme avait disparu, sans doute congédié, se dit Sarah, lorsque le diabolique Dr Baldwin avait été enfermé chez les fous. Randall Snyder, visiblement au bord de la panique, était en train de prendre le pouls d'Annalee.

– L'une d'entre vous pourrait-elle demander qu'on rappelle le Dr Blankenship ? dit-il aux infirmières qui l'assistaient.

– Vous pouvez l'appeler tant que vous voudrez, intervint Sarah, il n'est pas près de vous répondre, je vous le garantis. Annalee, veux-tu m'écouter, s'il te plaît ? C'est très important.

– Ils disent que tu as voulu me faire du mal.

– C'est faux. Tu veux bien que nous discutions ?

– Est-ce que tu peux soulager les douleurs que j'ai dans les bras et les jambes ?

– Je peux les faire disparaître.

Tassés dans un coin de la salle réservée aux familles, Willis Grayson, Lisa, Matt et Warren Fezler regardaient fixement un écran de télévision. Glenn Paris avait fait installer le circuit vidéo dans le cadre de l'optimisation du service de gynéco-obstétrique. La caméra était placée directement au-dessus du champ opératoire, en l'occurrence l'abdomen gravide d'Annalee Ettinger sur lequel Randall Snyder et Sarah s'apprêtaient à pratiquer une césarienne.

– OK. Transfu en place ? demanda Snyder.
– Pompe et transfu en place, répondit une infirmière.
– Signes vitaux stabilisés ?
– Stabilisés, répondit l'anesthésiste.
– Vous y êtes, Sarah ?
– Je suis prête.

Devant l'écran, Lisa Grayson donna à Matt un petit coup de coude taquin.

– Très bien, dit Snyder. Docteur Baldwin, c'est votre cas, je me contenterai de vous assister.
– Mais...
– Vite !
– Bon, comme vous voudrez.

Le quatuor vit Sarah et Snyder s'éclipser de l'écran, puis réapparaître, ayant interverti leurs places.

Sarah fléchit deux ou trois fois ses doigts gantés.

– OK, tout le monde. Allons-y. Bistouri, s'il vous plaît.

Épilogue

30 OCTOBRE

– Sarah Ettinger West, je te présente ta marraine.

Annalee était rayonnante. Couchée dans son lit d'hôpital, elle tenait le bébé levé au-dessus de sa poitrine afin que Sarah puisse l'admirer.

– Tu as fait une fille splendide, dit celle-ci. Je suis flattée d'être sa marraine.

Après la délivrance, beaucoup plus mouvementée pour l'accouchée que pour le nouveau-né, la mère et la fille se portaient aussi bien que possible. Comme prévu par Sarah, la césarienne avait, pour l'essentiel, guéri Annalee de sa coagulopathie. D'abord Lisa, ensuite elle. Deux malades sauvées par une césarienne. C'était au moins une base de départ dans le combat contre le virus.

– Combien crois-tu qu'il y ait de femmes confrontées à ce problème ? demanda Annalee comme si elle lisait dans les pensées de Sarah.

– On est en train de se renseigner pour le savoir. Mais je peux te dire qu'il va y en avoir beaucoup. Blankenship s'en moquait royalement. Je n'arrive toujours pas à le comprendre.

– La folie, c'est la folie, ça ne s'explique pas.

– Tu dois avoir raison. Il semble heureusement que ton père tenait des comptes précis de sa clientèle.

– Il a toujours été du genre à tenir des comptes précis.

– Ça va faire huit mois que le produit est sur le marché, ce qui signifie que les premières femmes contaminées peuvent accoucher incessamment.

– Je peux te donner la liste des gens sur lesquels Peter a testé la poudre à l'époque où il me l'a fait prendre.

– Formidable. Comme ça, en ce qui concerne les cobayes, il ne restera plus que les sujets de Singh, ici à l'hôpital. Comme il est mort, il faudra regarder dans les archives de Blankenship. Il devait avoir une liste des premières femmes traitées. Sinon, il faudra lancer un appel dans le public pour les retrouver.

– Quand je pense qu'il faisait ça uniquement pour l'argent.

– Eh oui ! acquiesça tristement Sarah. Plus je ne sais quelle ivresse intellectuelle qu'il tirait du pouvoir qu'il exerçait.

– Oui, d'ailleurs à ce propos...

Sarah sentait que ça allait venir.

– Où en est-il ?

– Toujours en prison. Son avocat a appelé tout à l'heure. Il y a une audition ou je ne sais quoi de prévu cet après-midi. L'avocat dit que si tu acceptes de parler au juge, Peter pourra probablement sortir sous caution. Si tu ne leur dis pas que Blankenship a reconnu avoir tué ce type sur son voilier, par contre, il risque de rester incarcéré.

– En ce qui me concerne, tu sais, ça n'est pas insupportable, comme perspective.

Les deux femmes échangèrent un sourire complice.

– C'est le grand-père de ta filleule, rappelle-toi.

– Je sais, je sais. Je voudrais juste savoir si son orgueil est un tant soit peu entamé. Blankenship l'a manipulé comme un guignol.

– Et Peter a foncé tête baissée dans le panneau. Sans se poser de questions.

– Pour le fric, dit Sarah.

– Xanadu traversait une mauvaise passe. Il avait autant besoin de pouvoir que d'argent.

– Oui, eh bien, s'il a sauvé de l'argent de ce désastre, il faudra qu'il le consacre à la recherche contre ce virus. Je m'y emploierai. Et ça comprend tous ses biens personnels.

– Je suis d'accord.

– Le grand guignol d'un mètre quatre-vingt-quinze !... Ça a dû vraiment lui tourner la tête de passer à la télé dans cette pub.

– Il adorait ça, dit Annalee en plaçant délicatement Sarah E. West sur son autre sein.

– Peut-être qu'une semaine supplémentaire... Bon, bon, d'accord, j'appellerai son avocat et je verrai ce que je peux faire.

– Merci, toubib !

Sarah se leva.

– Annalee, quand même, fais-moi une fleur.

– Tout ce que tu veux.

Sarah se baissa et embrassa la mère, puis la fille.

– Arrange-toi pour qu'il n'oublie jamais.

A PRENDRE OU A LAISSER

Par Axel Devlin

3 juillet

Hier, j'avais rendez-vous avec mon acupunctrice, le Dr Sarah Baldwin-Daniels. Quand j'ai mal au dos, ce qui a tendance à m'arriver dès que je fais quelque chose de plus éprouvant que zapper, mon acupunctrice me dit de me détendre et place quelques-unes de ses petites aiguilles en inox sur mon corps à nul autre pareil. Une heure après, je ne sens plus rien.

Dépanner des types comme moi est pour ainsi dire un passe-temps pour le Dr B.-D. Son vrai métier, c'est chirurgien-obstétricienne. En fait, elle est depuis deux jours chef de service de la maternité du CHU de Boston. A celles et ceux d'entre vous qui liriez cette chronique pour la première fois, qui vivez sur Mars depuis dix ans je veux dire, je dois avouer que je ne comptais pas ces derniers mois parmi les plus fervents supporters de Mme Baldwin-Daniels. Je la prenais pour un charlatan.

Eh bien, c'est faux. Ses petites aiguilles soulagent mes lombalgies, et en tant que non-spécialiste, c'est la seule chose qui m'importe. Qu'on me soulage sans effets secondaires, vous savez, ces petits effets secondaires qui sont pires que la maladie, je n'en demande pas plus.

Je m'étais donc trompé. Ceci est ma chronique, j'en fais l'usage qui me plaît, et je l'utilise aujourd'hui, un an après le déclenchement du scandale de la poudre amaigrissante, pour dire que j'ai eu tort.

Grâce à vous, docteur, et aux césariennes que vous avez pratiquées quand il en était encore temps, des dizaines de femmes ont eu la vie sauve. Nous apprenons maintenant qu'un test sanguin et un traitement contre ce maudit virus amaigrissant sont en passe d'être commercialisés. Si Dieu le veut, par conséquent, peut-être qu'on pourra prochainement éviter de faire toutes ces césariennes.

Alors je vous disais qu'hier je suis allé revoir mon acupunctrice. Il y a six mois, j'avais été l'interviewer pour avoir un récit complet du cauchemar de la PAPAX. Et j'avais mentionné, comme ça en passant, mes douleurs dans le dos. Eh bien, le Dr Baldwin-Daniels n'avait pas laissé passer ça.

– Je peux peut-être vous aider, m'avait-elle dit.

Hier après-midi, en sortant de chez mon ancienne ennemie, je suis passé à mon club d'athlétisme et pour la première fois depuis longtemps, j'ai enchaîné vingt-cinq torsions du bassin sans grimacer.

Épatant, les charlatans !

DANS LA COLLECTION
« GRAND FORMAT »

SANDRA BROWN
Le Cœur de l'autre

CLIVE CUSSLER
L'Or des Incas

LINDA DAVIES
L'Initiée

JANET EVANOVICH
La Prime

GINI HARTZMARK
Le Prédateur

DAVID MORRELL
In extremis

SIDNEY SHELDON
Rien n'est éternel

A paraître

STEVE MARTINI
Principal témoin

Cet ouvrage a été réalisé par la
SOCIÉTÉ NOUVELLE FIRMIN-DIDOT
Mesnil-sur-l'Estrée
pour le compte des Éditions Grasset
en décembre 1995

Imprimé en France
N° d'édition : 9919 – N° d'impression : 32335
Dépôt légal : décembre 1995
ISBN : 2-246-50271-3
ISSN : 1263-9559